CHARLOTT

Die Entscl

Charlotte Link

Die Entscheidung

Kriminalroman

blanvalet

Der Verlag weist ausdrücklich darauf hin, dass im Text enthaltene externe Links vom Verlag nur bis zum Zeitpunkt der Buchveröffentlichung eingesehen werden konnten. Auf spätere Veränderungen hat der Verlag keinerlei Einfluss. Eine Haftung des Verlags ist daher ausgeschlossen.

Verlagsgruppe Random House FSC® N001967

2. Auflage

Umschlaggestaltung: www.buerosued.de
Umschlagabbildungen: Arcangel Images/Marta Orlowska; Getty Images/Auscape/UIG; www.buerosued.de
Lektorat: Nicola Bartels
Herstellung: sam
Satz: Uhl + Massopust, Aalen
Druck und Bindung: GGP Media GmbH, Pößneck
Printed in Germany
ISBN 978-3-7341-0522-7

www.blanvalet.de

GOUSSAINVILLE, FRANKREICH,
MONTAG, 7. DEZEMBER

Sie brauchte tatsächlich nur ein paar Sekunden, um das Türschloss zu öffnen. Mithilfe eines Drahtes, den sie geformt und gebogen hatte, genau so, wie es ihr Boris, ihr großer Bruder, vor vielen Jahren gezeigt hatte. Sie war noch ein kleines Mädchen gewesen, Boris hingegen schon erwachsen, und jeder, der seine speziellen Hobbys kannte, hätte vermutlich darauf gewettet, dass er eines Tages eine kriminelle Karriere hinlegen würde: Er übte beständig, Türschlösser zu knacken oder Fenster aufzuhebeln, und er hatte beachtliche Fähigkeiten darin entwickelt. Aber schließlich war er ein grundsolider Tischler geworden. Es hatte nie auch nur die geringste Gesetzesübertretung in seinem Leben gegeben.

Selina schob die Tür auf, huschte in das Zimmer, schloss die Tür hinter sich und lehnte sich kurz von innen dagegen. Bislang lief alles nach Plan, vor allem vollkommen lautlos. Trotzdem wusste sie, dass sie jeden Moment entdeckt werden konnte, und dass sie dann vermutlich am besten mit dem Leben abschloss. Wenn Sergej und Igor sie bei einem Fluchtversuch erwischten, war sie so gut wie tot.

Ihre Augen gewöhnten sich an die Dunkelheit, die in dem Zimmer herrschte. Eine Straßenlaterne, die unmittelbar hinter der Grundstücksgrenze stand, spendete ein wenig Licht, gedämpft von einem Baum, der sie zur Hälfte verdeckte. Nur schattenhaft konnte sie die Umrisse der Gegenstände im Raum wahrnehmen: Schreibtisch, Regale, ein Aktenschrank. Taisias Zimmer. Taisia war die Schlimmste. Sergej und Igor waren brutale Schläger, aber Taisia war der kluge Kopf dahinter, vollkommen kalt, skrupellos und ohne den Anflug eines Gewissens. Hier im Haus war sie die Chefin. Und jeder tat, was sie sagte.

Selina hatte ein einziges Mal im Vorbeigehen einen kurzen Blick in Taisias Büro werfen können, weil tatsächlich minutenlang die Tür nur angelehnt gewesen war, und dabei hatte sie gesehen, dass die Fenster nicht vergittert waren – wie sonst überall im Haus. Die Haustür war mit mehreren Zusatzriegeln versehen, sämtliche Fenster zudem durch abgeschraubte Griffe gesichert. Es gab kein Entkommen, jedenfalls keines, das nicht mühselig und umständlich und mit jeder Menge Lärm verbunden gewesen wäre. Was bedeutete, man konnte jeden Fluchtversuch vergessen.

Nur dieses eine Zimmer war eine Chance, das Zimmer, in dem Taisia arbeitete … Offenbar hatte sie ein Problem mit Gittern. Und mit abgeschraubten Griffen. Wahrscheinlich wollte sie gelegentlich frische Luft in ihr Büro lassen. Dafür hielt sie die Tür sorgfältig verschlossen, zog den Schlüssel immer ab. Und trug ihn wahrscheinlich stets bei sich.

Aber jetzt hatte sie sich bereits zum Schlafen zurückgezogen. Die anderen Mädchen waren unterwegs. Sergej und Igor saßen in dem kleinen Raum neben der Küche und spielten Karten. Selina wusste, dass es ihnen strikt verboten war, Alkohol zu trinken, daher brauchte sie nicht zu hoffen, dass sie sich langsam zulaufen ließen und an Wachsamkeit und Reaktionsvermögen verloren. Sie waren vollkommen nüchtern und so gefährlich wie scharfe Hunde. Wenn einer von ihnen auf die Idee kam, nach ihr zu sehen …

Ihr brach bei dieser Vorstellung der Schweiß aus. Sie durfte über diese Möglichkeit jetzt nicht nachdenken, sie bekam dann weiche Knie, geriet in Panik und machte ganz sicher irgendeinen furchtbaren Fehler.

Den Draht hielt sie noch immer in der Hand, bückte sich jetzt aber und schob ihn unter den Schrank. Man würde ihn dort finden, aber das war egal. Wenn sie weg war, war sie weg, und die konnten ruhig wissen, wie es ihr gelungen war. Den Draht hatte sie aus einer Korsage herausgezogen, nachdem sie geduldig mit den Fingernägeln die Nähte aufgetrennt hatte. Die Mädchen hatten nicht einmal eine Nagelfeile zu ihrer freien Verfügung, geschweige denn eine Schere, und sie mussten sogar Haarklammern abliefern, wenn sie zu Hause waren. Es war fast unmöglich, an irgendeine Art von Werkzeug zu kommen.

Aber Selina hatte es geschafft.

Weil sie schlau war. Aber natürlich auch, weil sie Hilfe hatte.

In ihrer Jeanstasche steckte das Handy. Dass es ihr gelungen war, es bislang an sämtlichen Kontrollen vorbeizuschmuggeln, grenzte an ein Wunder. Es hing sicher damit zusammen, dass sie erst seit so kurzer Zeit hier war und es bislang noch keine Zimmerdurchsuchungen gegeben hatte. Die fanden, wie sie erfahren hatte, ohne jede Vorankündigung statt, und danach war kein einziger Gegenstand mehr an seinem alten Platz. Jede Mauerritze, jede Nische, jedes Schrankfach wurde auf den Kopf gestellt. Am schlimmsten aber waren die Leibesvisitationen, die Taisia höchstpersönlich vornahm. Selina wurde fast schlecht bei der Vorstellung, dass diese widerliche Frau ihr in jede einzelne Körperöffnung griff. Ganz abgesehen davon, dass spätestens dann das Mobiltelefon gefunden worden wäre, und sie mochte sich gar nicht ausmalen, was das nach sich gezogen hätte.

Am Ende wäre darüber auch ihr Helfer ins Verderben gestürzt worden. Auch seinetwegen war es so wichtig, dass heute Abend alles glatt lief. Selina wusste genau, dass sie nur diese einzige Chance hatte. Entweder, es gelang heute. Oder es würde kein zweites Mal geben.

Sie wagte endlich wieder, sich vorwärts zu bewegen, und schlich durch den Raum. Sehr langsam, um bloß nirgends anzustoßen. Sie durfte nichts umwerfen, keinen Stuhl über den Boden rutschen, nichts berühren, nichts bewegen. Ihr kam plötzlich der Gedanke, dass sie keine Ahnung hatte, ob die Fenster womöglich mit einer Alarmanlage gesichert waren, und vor Schreck blieb sie stehen und überlegte. Sie konnte es nicht herausfinden, sie musste das Risiko eingehen. Oder das ganze Unternehmen abbrechen und in ihr Zimmer zurückkehren. Aber vor dem Umkehren hatte sie inzwischen genauso viel Angst wie vor dem Weitergehen. Sie war ungesehen und ungehört die zwei Treppen hinunter und über den Gang bis hierher gelangt, und damit hatte sie riesiges Glück gehabt. Es war keineswegs sicher, dass sie das ein zweites Mal schaffen würde, denn Sergej und Igor unternahmen in unregelmäßigen Abständen Kontrollgänge durch das Haus. Sie konnte ihnen jederzeit direkt in die Arme laufen, und dann gnade ihr Gott.

Okay, sie musste es auf die Alarmanlage ankommen lassen. Vielleicht konnte sie im Zweifelsfall trotzdem noch nach draußen gelangen und blitzschnell in der Dunkelheit untertauchen. Sie hörte plötzlich ein seltsames Geräusch und stellte gleich darauf fest, dass es ihre Zähne waren, die unkontrolliert aufeinanderschlugen. Sie hatte nicht gewusst, dass das sprichwörtliche *Zähneklappern* ein tatsächlicher körperlicher Reflex sein konnte. Im Grunde, wenn sie den Gedanken nur eine Sekunde lang zuließ, wusste sie, dass es Wahnsinn war, was sie tat, und dass die Chancen hoch standen, dass sie diese Nacht nicht überleben würde.

Sie kam am Schreibtisch vorbei. Taisias Laptop stand zusammengeklappt auf der Schreibtischunterlage. Ein ziemlich kleines Teil. Ehe Selina wirklich überlegte, weshalb sie das tat, griff sie danach. Es war kein Problem, es mitzunehmen. Wer wusste, was darauf gespeichert war. Es ging ihr vordergründig um nichts anderes als um Flucht, Überleben, um das Entkommen vor dem Wahnsinn. Aber dahinter, hinter ihrem reinen, unverfälschten Überlebensinstinkt, saß ein weiterer Gedanke: diese Leute zur Rechenschaft zu ziehen. Irgendwann vielleicht. Irgendwie.

Ihr Atem ging keuchend und viel zu laut, als sie das Fenster erreichte. Von dem Moment an, da sie die Tür geöffnet hatte, bis hin zu diesem Augenblick waren höchstens drei Minuten vergangen, aber Selina kam es vor, als hätte sie eine erschöpfende, kräftezehrende, endlos anmutende Wanderung hinter sich. Sie war schweißgebadet, der warme Pullover, den sie trug, klebte an ihrem Körper. Sie fühlte sich gleichzeitig hellwach, elektrisiert und daneben zu Tode erschöpft. Dem Zusammenbruch nahe. Dabei war Zusammenbrechen das Letzte, was sie sich gerade jetzt erlauben durfte.

Ihre Hand glitt zum Fenstergriff, berührte ihn, bewegte ihn vorsichtig. Sie erwartete, jeden Augenblick das schrille Kreischen einer Alarmanlage zu hören, aber alles blieb ruhig. Sie drehte den Griff.

Es blieb immer noch alles ruhig.

Das Fenster ging auf.

Kalte, feuchte Luft strömte ins Zimmer. Selina atmete tief. Wie lange war es her, dass sie zuletzt draußen gewesen war, etwas anderes gerochen hatte als den abgestandenen, stickigen Geruch dieses alten Hauses? Obwohl es hier, in diesem stillgelegten Industriegebiet eines Pariser Vororts nur ein paar wenige Bäume und Büsche und kaum Grasflächen gab, konnte Selina den Duft nach Erde riechen, nach Tannennadeln, nach Wald, nach Holz. Ihr schossen die Tränen in die Augen, weil in dieser Sekunde die Erinnerung mit einer schmerzhaften Heftigkeit über sie kam: die Erinnerung an Spaziergänge mit ihren Eltern, früher, als sie noch klein gewesen war. Und dann später mit Sarko, ihrem Freund. Sie hatten an den Sonntagen lange Wanderungen mit seinem Hund unternommen. In den Wäldern hatte es gerochen wie hier, und vor dem Himmel über ihnen kreuzten sich die Äste der Bäume.

Wie hatte sie Sarko und seine schüchterne Liebe so gering schätzen können? So gering, dass sie sie, ohne mit der Wimper zu zucken, aufgegeben und weggeworfen hatte.

Nicht heulen, ermahnte sie sich. Nicht jetzt!

Sie kletterte auf die Fensterbank, spähte hinunter. Das Zimmer lag im Hochparterre, trotzdem würde der Sprung nicht allzu hoch sein. Sie musste geschickt aufkommen, durfte sich nichts verknacksen oder vertreten, weil jetzt alles darauf ankam, dass sie so schnell wie möglich davonlief. Einen Moment überlegte sie, den Laptop doch zurückzulassen, weil er womöglich ihren Sprung behinderte, doch dann entschied sie sich dagegen.

Sie sprang. Sie landete auf weicher Erde, hatte trotzdem den Eindruck, dass sie übermäßig laut aufkam. Jeder im Umkreis von zehn Kilometern musste gehört haben, dass hier eine Frau aus einem Fenster gesprungen war. Nur dass es im Umkreis von zehn Kilometern niemanden gab, der sie hätte hören können, außer Igor, Sergej und Taisia in dem Haus hinter ihr. Hier wohnte niemand mehr. Es gab leerstehende Geschäfte, eine verlassene Autowerkstatt, eine nicht fertiggestellte Shoppingmall. Sonst nichts. Wegen der furchtbaren Terroranschläge vom November herrschte noch immer eine hohe Polizei- und Militärpräsenz in Paris, jedenfalls hatte man das Selina berichtet, aber hier draußen war nichts davon zu bemerken.

Wenn Sergej und Igor sie hier in diesem Garten umbrachten, würde das niemand mitbekommen.

Aus dem Haus war kein Laut zu hören. Sie hatten immer noch nichts bemerkt.

Selina sprintete durch den kleinen Garten, kletterte über den Zaun, der zum Glück kein wirkliches Hindernis darstellte. Sie wagte einen Blick zurück: alles dunkel.

Es musste vor Kurzem geregnet haben, denn die Straße war nass. Tiefschwarz und glänzend. Beschienen von Straßenlaternen – von den wenigen, die noch nicht defekt waren.

Sie hatte sich den Weg eingeprägt: einfach die Straße entlang, an der ersten Abzweigung nach links. Nach ein paar hundert Metern würde sie an die Bauruine der einst geplanten Shoppingmall gelangen. Auf dem Parkplatz würde er warten. So war es vereinbart. Dass dort jemand mit einem Auto auf sie wartete. Sie konnte nur beten, dass er rechtzeitig da sein würde, er und vor allem sein Wagen waren ihre einzige Hoffnung.

Selina rannte los.

Heute weiß ich, dass meine Mutter schon früh begonnen hatte, dann und wann zu viel zu trinken, aber so richtig fing sie mit dem Alkohol an, als mein Vater uns verließ. Ich war damals sieben, und deshalb verstand ich noch nicht alles, aber rückblickend würde ich sagen, dass es zu diesem Zeitpunkt in der verschärften Form losging. Wenn wir abends zusammen aßen, stand immer eine Weinflasche auf dem Tisch, und noch ehe ich ins Bett ging, war sie leer. Ich hatte keine Ahnung, was Alkohol eigentlich ist. Ich fand nur, dass der Inhalt der Flasche nicht gut roch, deshalb kam es mir seltsam vor, dass meine Mutter offenbar so wild hinter dem Zeug her war. Mit der Flasche und dem Glas setzte sie sich nach dem Essen vor den Fernseher und schlief ziemlich bald ein. Zwischendurch schreckte sie auf, dann schenkte sie sich nach und trank wieder. Früher war sie nicht so schnell eingeschlafen. Ich schloss daraus, dass der Wein, was immer er enthielt, ziemlich müde machte.

Da sie nie den Tisch abräumte, übernahm ich das. Mit der Zeit ging das immer schneller, weil es gar nicht mehr viel abzuräumen gab. Sie kochte nicht mehr, und sie kaufte auch kaum noch etwas Besonderes ein. Oft gab es das halbe, schon ziemlich trockene Baguette, das vom Frühstück übrig war, und dazu etwas Käse. Wenn ich Glück hatte. Manchmal auch nur Butter.

Da ich in der Schule zu Mittag aß, fiel es mir nicht so schwer, abends mit einer eher bescheidenen Mahlzeit auszukommen. Trotzdem fehlten mir die früheren Zeiten. Meine Mutter hatte wunderbare Gerichte gekocht, einen schönen Tisch im Wohnzimmer gedeckt und Kerzen angezündet, und mein Vater war von der Arbeit nach Hause gekommen und hatte sich gefreut, uns zu sehen. Besonders mich. Damals ging ich noch in die École maternelle, die Vorschule, und er wollte immer ganz genau wissen, was ich dort erlebt und gemacht hatte. Er kannte die Namen der anderen Kinder, und wenn ich ihm von einem Streit mit meiner Freundin Bernadette erzählt hatte, dann wusste er das noch am nächsten Tag und erkundigte sich, ob wir uns wieder vertragen hätten.

Inzwischen ging ich in die Grundschule, in die École élémentaire, ich war immer noch mit Bernadette befreundet, und wir zerstritten uns jeden Tag von Neuem, aber meine Mutter interessierte das nicht. Wenn ich beim Abendessen davon anfing, sagte sie: »Oh Gott, Nathalie, immer dasselbe. Immer dasselbe. Warum werdet ihr nicht erwachsen?«

Dann nahm sie ein paar Schlucke Grand Marnier. Dieser klebrige, süße und ziemlich starke Likör wurde immer mehr zu ihrem Lieblingsgetränk. Nach einer Weile bekam sie glasige Augen davon und einen schwimmenden Blick. Dann war sie praktisch überhaupt nicht mehr ansprechbar und wimmelte jedes Thema ab, mit dem ich sie konfrontierte. Ich lernte daraus, dass ich wichtige Dinge unbedingt ganz früh am Abend zur Sprache bringen musste, dann, wenn sie noch erreichbar war. Wenn ich Geld für einen Schulausflug oder neue Hefte brauchte zum Beispiel, oder wenn sie ein Diktat unterschreiben musste.

Wir lebten in Metz, der Hauptstadt von Lothringen. Ziemlich nahe der deutschen Grenze, es gibt hier viele Menschen, die in Deutschland arbeiten und Deutsch sprechen. Als wir in der zweiten Klasse erstmals eine Fremdsprache auswählen durften, nahm ich Deutsch. Dazu riet mir noch mein Vater. Das war kurz bevor er uns verließ.

Meine Eltern haben nie gestritten, zumindest nicht so, dass ich es hätte mitbekommen können, und daher hatte ich die

Trennung nicht kommen sehen. Später erfuhr ich, dass vieles im Vorfeld schon nicht stimmte, aber dass ich in meiner Naivität nie die richtigen Schlüsse zog. Ich fand es einfach nur schön, dass meine Mutter jedes Abendessen so festlich gestaltete, und es war ganz normal für mich, dass sie sich vorher umzog, auffällige Kleider, zarte Strümpfe, hochhackige Schuhe trug. Sie schminkte sich sorgfältig und sprühte Parfüm an ihren Hals. Ich beneidete sie um ihre schönen Kleider, und ich sah nicht die Verzweiflung, mit der sie sich in Schale warf, um einen Mann für sich zu begeistern, der wohl schon längst nicht mehr allzu viel Interesse für sie hatte. Irgendwann, als ich älter war, vielleicht dreizehn oder vierzehn, erzählte sie mir, dass er sie schon betrogen hatte, als sie mit mir schwanger war, und dass es danach immer weitergegangen war. Wenn man sie hörte, gewann man den Eindruck, dass er mit nahezu jeder Frau, die seinen Weg kreuzte, sofort ein Verhältnis anfing. Wahrscheinlich dichtete sie ihm manches an, was nicht stimmte, aber oft dürfte sie mit einem Verdacht auch richtiggelegen haben. Er war sehr gutaussehend und charmant, und alles, was mich an ihm so begeisterte, sein Interesse, seine Zugewandtheit, seine gute Laune und Liebenswürdigkeit, brachte er auch anderen Menschen entgegen. Besonders natürlich Frauen.

Mein Vater arbeitete als Abteilungsleiter in einer Firma, die Unterwäsche produzierte. Wie passend! Meine Mutter bekam die herrlichsten Dessous geschenkt, und sie kosteten keinen Cent, aber sie nützten ihr trotzdem nichts.

Als es mit dem Alkohol bei ihr immer schlimmer wurde, ahnte ich noch nicht, dass die Sucht sie und unser beider Verhältnis zueinander völlig zerstören würde. Ich war ein trauriges kleines Mädchen, das seinen Vater verloren hatte.

»Wo ist er denn hingegangen?«, fragte ich meine Mutter tränenüberströmt, nachdem sie mir eröffnet hatte, er sei weg und werde nicht wiederkommen.

Meine Mutter war kreideweiß im Gesicht und hielt ein Glas in der Hand, in das sie gerade zum dritten Mal einen großzügigen Schwung Grand Marnier nachfüllte und hinunterkippte.

»Er hat sich für die andere entschieden«, sagte sie. »Endgültig.«

Offensichtlich hatte es seit einiger Zeit nicht mehr so viele wechselhafte Affären gegeben, sondern es hatte sich die viel größere Katastrophe angebahnt: Mein Vater hatte begonnen, sich ernsthaft in eine andere Frau zu verlieben.

»Wer ist sie?«, fragte ich.

»Ein Unterwäschemodel«, sagte meine Mutter und schenkte sich erneut nach. »Zwanzig Jahre alt.«

Für mich mit meinen sieben Jahren war zwanzig genauso alt und genauso weit weg wie vierzig oder fünfzig. Ich konnte absolut nicht begreifen, warum er uns, seine Familie, wegen dieser Frau verließ.

»Besucht er uns noch?«

»Mein Gott, Nathalie, was für eine Frage«, sagte meine Mutter, leerte das Glas und griff wieder nach der Flasche.

Das Ende dieses Vormittages im Spätsommer 2002 war, dass sie schließlich ins Bett schwankte und sofort einschlief.

Meinen Vater sah ich nicht mehr. Er war mit dem zwanzigjährigen Unterwäschemodel nach Paris gezogen. Er überwies uns regelmäßig Geld.

Aber darüber hinaus existierten wir nicht mehr für ihn.

SOFIA, BULGARIEN, NOVEMBER 2015

1

Sofia war noch schlimmer als Plovdiv, dabei hatte hier alles gut werden sollen. Kiril hatte geglaubt, er werde hier Arbeit finden können, so wie Dano, sein Freund, der Plovdiv schon ein knappes Jahr zuvor verlassen hatte. Dano war immer der Mutige, der Entschlussfreudige gewesen, während Kiril zögerte und zauderte. Dano hatte sofort eine Anstellung am Flughafen gefunden und von dem Leben in Sofia geschwärmt.

»Hier ist wirklich alles besser. Hier gibt es echte Chancen. Du musst dich nur endlich trauen, diesen Schritt zu tun!«

Kiril hatte sich aufgerafft, als die Situation in Plovdiv nicht länger tragbar gewesen war. Als die kleine Gärtnerei am Stadtrand, für die er seit Jahren arbeitete, schloss und er auf der Straße stand. Als alle Versuche, eine neue Arbeit zu finden, scheiterten. Als ihm nach neun Monaten kein Arbeitslosengeld mehr ausgezahlt wurde und das Kindergeld kaum ausreichte, ihn, seine Frau Ivana und die fünf Kinder satt zu bekommen. Als er drei Monatsmieten im Rückstand war und der Vermieter mit Rauswurf drohte.

Ivana hatte von morgens bis abends geweint.

»Ich will nicht nach Stolipinovo, Kiril. Ich habe solche Angst. Ich will dort nicht hin!«

Stolipinovo war das Armenviertel der Stadt. Es war das, womit man den Kindern drohte, wenn sie in der Schule nicht ordentlich lernten. Wer hier landete, war ganz unten angekommen. Graue, angeschlagene, kaputte Plattenbauten. Feuchte, verdreckte, eiskalte Wohnungen. Müllberge auf den Straßen. Scharen von verwahrlosten Kindern, von denen niemand wusste, ob sie irgendwo noch ein Zuhause hatten oder schon lange nur noch draußen lebten. Magere, struppige, kranke Hunde, die auf der verzweifelten Suche nach Nahrung herumstreiften. Gestank. Schmutz. Trostlosigkeit.

Es kamen immer wieder einmal Journalisten aus dem Westen nach Stolipinovo. Sie machten Bilder, dokumentierten das Elend. Kiril konnte sich vorstellen, mit welchem Schauer die reichen Menschen in Deutschland, Frankreich oder England diese Bilder betrachteten. Bulgarien, das Armenhaus Europas. Wer es nicht glaubte, der musste bloß hierherkommen.

Nach der Kündigung ihrer Wohnung wäre Stolipinovo die nächste Station gewesen, und daher hatte Kiril alles auf eine Karte gesetzt, seine üblichen Vorbehalte und Ängste über Bord geworfen und war mit der ganzen Familie nach Sofia gezogen. Was Dano geschafft hatte, musste ihm doch auch gelingen. Dano hatte ihm ein bisschen Geld geliehen und für ihn gebürgt, daher bekamen sie eine Wohnung, obwohl Kiril noch keine Arbeit nachweisen konnte. Die Wohnung befand sich ganz oben in einem mehrstöckigen Wohnhaus, das in Kirils Augen so aussah, als hätte man lauter eingedellte, hässliche Schuhkartons übereinandergestapelt. Irgendwie wirkte das ganze Bauwerk schief. Das war es wahrscheinlich nicht, aber es sah so aus.

Die Wohnung war winzig, zwei Zimmer für sieben Personen. Die Kinder schliefen alle in dem einen Raum, Kiril und Ivana klappten nachts die Wohnzimmercouch für sich auf. Es gab noch eine kleine Küche, in die sie aber nicht alle auf einmal hineinpassten. Sie nahmen ihre Mahlzeiten daher in zwei Schichten zu sich. Viel war es ohnehin nicht, was Ivana auf den Tisch brachte.

Im Sommer, so wusste Kiril, würden sich die Kinder die meiste Zeit draußen auf der Straße herumtreiben, und das Leben hier oben würde ein wenig erträglicher werden. Aber jetzt war Ende November, es hatte noch nicht geschneit, aber es wurde täglich kälter. Ein harter, frostklirrender Winter lag vor ihnen, und er würde sich bis tief in den März hineinziehen.

Und noch immer hatte Kiril keine Arbeit.

Er hatte in den letzten Wochen gemerkt, dass sich Danos bislang freundschaftlicher Ton ihm gegenüber veränderte. Dano hatte ihnen wirklich geholfen, aber nun, da sich die Lage seit Monaten nicht besserte, wurde er ungeduldig. Kiril musste ihn weiterhin ständig um Geld anpumpen, wegen der Miete, wegen des Essens, und eigentlich brauchten die Kinder dringend neue Stiefel für den Winter, aber danach wagte er schon gar nicht mehr zu fragen. Dano hatte bereits angedeutet, dass die Schulden langsam ein Ausmaß angenommen hatten, das ihn daran zweifeln ließ, ob Kiril jemals in der Lage sein würde, den Betrag zurückzuzahlen.

»Und schenken«, sagte Dano, »schenken kann ich dir das alles wirklich nicht!«

»Ich weiß«, sagte Kiril verzweifelt, »aber es ist wie verhext. Ich laufe mir die Füße blutig auf der Suche nach Arbeit, aber ich finde nichts.«

Sie saßen in einer Kneipe. Draußen war es kalt, windig

und dunkel, drinnen viel zu warm und völlig überfüllt. Es stank nach Zigarettenrauch, nach Schweiß, nach Alkohol. Hin und wieder kamen oder gingen Leute, dann drang ein Schwall frischer Luft durch die Tür, und Kiril atmete dankbar auf. Er hatte Kopfschmerzen, und er hatte seit dem Frühstück nichts mehr gegessen. Die letzte Nacht hatte er nicht geschlafen, weil Ivana Stunde um Stunde geweint hatte. Ihm war nichts eingefallen, um sie zu trösten, außer: »Ich gehe noch mal zu Dano. Vielleicht hilft er uns.«

Deshalb saß er jetzt hier. Er hatte Dano zu Hause besuchen wollen, aber Dano hatte Lust auf einen Kneipenbesuch. Natürlich hatte Kiril gezögert, aber Dano hatte schließlich gesagt: »Ich zahle das Bier. Also komm mit!«

Kiril war schon nach den ersten beiden Schlucken schwindelig. Er hätte dringend als Grundlage etwas zu essen gebraucht, aber er wagte nicht, darum zu bitten. Am Nachbartisch saß ein Mann und löffelte irgendein Eintopfgericht, dessen Geruch Kiril fast die Tränen in die Augen trieb.

Er war so schrecklich hungrig.

»Hör zu, Dano, ich weiß, du hast uns schon viel zu oft geholfen, aber im Augenblick … Es geht einfach nicht weiter. Ich kann die Miete für November nicht zahlen. Ich kann kaum noch etwas zu essen kaufen. Ivana weint sich die Augen aus. Die Kinder kratzen auf ihren leeren Tellern herum und schauen mich aus großen Augen an, und ich kann ihnen nur winzige Portionen zuteilen. Sie sind alle andauernd krank, weil sie in viel zu dünnen Sachen draußen herumlaufen. Ich weiß nicht, was werden soll, wenn sie uns die Heizung abstellen. Ich weiß im Grunde überhaupt nichts mehr. Wir sind am Ende. Ich bin am Ende.« Jetzt kamen die Tränen tatsächlich. Mit einer hilflosen, fast kindlichen Geste wischte Kiril sie weg. Nicht heulen. Bloß nicht heulen. Er ahnte, dass er Dano dadurch nicht mitleidiger stimmen, sondern verärgern würde.

»Du hast einfach zu viele Kinder«, sagte Dano.

Kiril nickte demütig, obwohl er diesen Kommentar unfair und völlig nutzlos fand. »Ich hatte jahrelang die Arbeit in der Gärtnerei. Ich war weiß Gott nicht gut bezahlt, aber irgendwie reichte es immer. Auch für fünf Kinder.«

»Ja, aber man kann nicht ein Kind nach dem anderen in die Welt setzen und darauf vertrauen, dass man immer genug verdienen wird, sie alle durchzubringen«, sagte Dano. »Und das Kindergeld – das reicht doch vorne und hinten nicht!« Er selbst hatte weder Frau noch Kinder, was sein Leben natürlich leichter machte.

Aber auch unsteter und einsamer, dachte Kiril, sagte es jedoch nicht.

»Ich kann meine Kinder aber nicht mehr abschaffen«, meinte er stattdessen und lachte nervös, weil das ja ein wirklich absurder Gedanke war.

Dano seufzte lange und tief, nahm einen großen Schluck Bier, stellte das Glas ab und sah seinen Freund eindringlich an. »Es kann so nicht weitergehen, Kiril. Ich kann dir nicht mehr helfen. Inzwischen finanziere ich praktisch seit Monaten nebenher eine siebenköpfige Familie, und es ist überhaupt kein Ende in Sicht. Ich meine, ernsthaft, du weißt auch, dass das die beste Freundschaft überstrapaziert.«

»Wir müssen nur noch den Winter durchstehen, Dano. Im Winter ist es viel schwieriger, Arbeit zu finden. Wenn der Frühling kommt …«

»Ach, hör auf, mach dir nichts vor! Wann seid ihr nach Sofia gekommen? Im April! Mitten im Frühling. Und du hast nichts gefunden. Den ganzen Sommer hindurch nicht. Jetzt ist es Herbst. Und jetzt denkst du, im nächsten Frühjahr sieht alles anders aus? Verdammt, Kiril, sei doch nicht so naiv!«

»Du hast mich doch überredet, nach Sofia zu kommen! Du hast gesagt, dass …«

»Ach, jetzt willst du mir die Schuld geben? Nach allem, was ich für euch getan habe? Wo wart ihr denn in Plovdiv? Da ging doch überhaupt nichts mehr. Sofia ist eine Chance gewesen, mehr nicht. Und du verstehst es eben nicht, Chancen zu nutzen!«

»Ich versuche doch alles. Ich ….«

»Mir hat neulich ein Kollege auf der Arbeit was Interessantes erzählt«, sagte Dano. »Etwas wirklich Interessantes. Er hatte im Handumdrehen ein paar tausend Euro verdient. Ich betone: Euro. Nicht Leva.«

Kiril starrte ihn hoffnungslos an. Das durchschnittliche Monatseinkommen eines Menschen in Bulgarien liegt umgerechnet bei etwa 300 Euro. Ein *paar tausend Euro* klangen für ihn wie ein Märchen. Ein böses Märchen. Denn mit rechten Dingen konnte so etwas nicht zugehen.

Dano senkte seine Stimme, was eigentlich unnötig war. Der Geräuschpegel im Raum war so hoch, dass ohnehin kaum jemand sein eigenes Wort verstand, geschweige denn hätte hören können, was an einem Nebentisch gesprochen wurde.

»Gib deinen Kindern eine Chance«, sagte Dano. »Gib wenigstens einem von ihnen eine Chance.«

Kiril hatte keine Ahnung, was er meinte.

Die Frau hieß Vjara und sah vertrauenerweckend und respekteinflößend aus. Keinesfalls unsympathisch. Sie hatte eine angenehme Stimme, ein schönes, intelligentes Gesicht, und sie trug ein elegantes graublaues Kostüm, das von einem Designer stammen musste, keinesfalls aus einem der Kaufhäuser, in denen Ivana ihre Kleidung kaufte. Sie verfügte über gute Umgangsformen: An der Wohnungstür hatte sie unaufgefordert ihre nassen Stiefel abgestreift, ein paar farblich zum Kostüm passende Wildlederschuhe aus der Handtasche gezaubert und an die schlanken Füße gezogen. Sie saß nun im Wohnzimmer auf dem durchhängenden Sofa, auf dem Kiril und Ivana nachts schliefen, und hielt mit beiden Händen den Kaffeebecher umklammert, den sie vor sie hingestellt hatten. Sie wärmte sich daran. Es war kalt im Zimmer.

Danos Arbeitskollege hatte Vjara zu ihnen geschickt. Kiril hatte tagelang mit sich und mit Ivana gerungen, ehe er einem Treffen zugestimmt hatte. Inzwischen stand der Dezember vor der Tür, noch immer lag kein Schnee, aber die Luft war feucht und kalt. Der Vermieter hatte eine drohend formulierte Mahnung geschickt. Die Heizung war wegen des Mietrückstands abgeschaltet.

Die Situation hätte verzweifelter und aussichtsloser kaum noch werden können.

»Es geht also um Ihre Tochter Ninka«, sagte Vjara. »Sie ist siebzehn Jahre alt, wenn ich richtig informiert wurde?«

»Ja«, sagte Kiril.

Ivana sagte nichts. Sie fixierte die schöne fremde Frau nur mit einer Intensität, als wollte sie am liebsten tief in ihren Kopf eindringen, um jeden Gedanken, jedes Gefühl darin mit allen Sinnen zu erfassen.

»Dürfte ich sie kennenlernen?«, fragte Vjara.

Kiril stand auf, ging ins Nebenzimmer und kehrte mit Ninka, die dort schon gewartet hatte, zurück. Sie hatte sich fein gemacht, so gut es ging: Sie trug ein etwas zerschlissenes, aber sehr figurbetontes schwarzes Baumwollkleid mit weißem Spitzenkragen und weißen Spitzenmanschetten an den Ärmeln, eine hautfarbene Strumpfhose und etwas unpassende braune Ballerinas mit abgestoßenen Spitzen. Ihre frisch gewaschenen blonden Haare fielen fast bis zu ihrer schmalen Taille hinab. Sie sah Vjara aus tiefdunklen Augen an, mit einem Blick, der gleichermaßen ängstlich wie erwartungsvoll war. Vjara stand auf und streckte ihr die Hand hin: »Guten Tag, Ninka. Ich bin Vjara.«

Ninka lächelte scheu. »Guten Tag.«

Vjara wandte sich an Kiril. »Ihre Tochter ist wunderschön. Es wäre wirklich schade, wenn sie ...«

»Ja?«, fragte Ivana.

»Wenn sie nichts daraus machen würde. Für ein Gesicht wie ihres werden Kosmetikkonzerne und Modehersteller ein Vermögen zahlen. Sie hat etwas sehr Besonderes. Es ist gut, dass Sie sich an mich gewandt haben.«

»Dieser Freund von mir ... Dano ... er sagt, dass Sie eine der größten Agenturen für Models in Westeuropa leiten?«

»So ist es. Sitz in Rom. Ich bin jedoch oft hier in Bulgarien, meiner Heimat. Weil es hier besonders schöne Mädchen gibt. Wobei ich sagen muss«, sie schaute Ninka erneut prüfend an, »eine so schöne wie sie habe ich lange nicht gesehen.«

Ninka wusste gar nicht mehr, wo sie hinblicken sollte. Ivana machte ihr ein Zeichen mit den Augen, und Ninka verließ erleichtert das Zimmer. Ihre Wangen glühten. Fotomodell! Seitdem ihre Eltern ihr zwei Tage zuvor von dieser Möglichkeit für sie berichtet hatten, kam sie sich vor wie in einem Traum.

»Sie ist auch klug«, bemerkte Kiril, als er und Ivana wieder mit Vjara alleine waren. »Und ehrgeizig.«

»Ich verstehe«, sagte Vjara. »Weil sie so klug und ehrgeizig ist, wollen Sie ihr die Chance auf ein gutes Leben ermöglichen.«

»Ja. Ich bin sicher, sie kann wirklich etwas aus ihrem Leben machen. Nur ... hier hat sie die ungünstigsten Startbedingungen.«

»Entschuldigen Sie, wenn ich das so deutlich sage«, sagte Vjara, »aber hier hat sie praktisch überhaupt keine Startbedingungen. Nach allem, was mir von dem Kollegen Ihres Freundes Dano übermittelt wurde ...« Sie hüstelte taktvoll, setzte sich auf das Sofa und griff hastig nach ihrem Kaffeebecher, dem einzigen Gegenstand im Raum, der noch ein wenig Wärme ausstrahlte.

»Ja«, sagte Kiril. Was sollte er noch versuchen, irgendeinen Schein zu wahren? »Im Moment sind wir total am Ende. Wir wissen nicht mehr weiter. Ich kann für keines meiner Kinder mehr wirklich sorgen, für meine Frau nicht, für mich nicht. Ich sehe keinen Ausweg mehr.« Er musste schlucken, weil ihm schon wieder die Tränen in die Augen traten. Er war nervlich inzwischen so angeschlagen, dass er sich allmählich in eine richtige Heulsuse verwandelte.

»Keinen Ausweg«, wiederholte er. »Außer ...«

»Sie haben die richtige Entscheidung getroffen«, sagte Vjara mit sanfter Stimme. »Ich kann sehr gut verstehen, dass dies kein leichter Schritt für Sie ist. Aber Sie ermöglichen Ihrer Tochter Ninka eine sichere und erfolgreiche Zukunft. Und damit wird ja auch die Situation für Ihre anderen Kinder besser.«

Erstmals schaltete sich Ivana in das Gespräch ein. »Und es wird ihr dort wirklich gut gehen? Sie ist erst siebzehn, wissen Sie, und sie war noch nie von daheim fort. Sie hatte noch keinen Freund. In mancher Hinsicht ist sie … fast noch ein Kind.«

»Wir passen wirklich gut auf die Mädchen auf«, sagte Vjara mit ihrer weichen, sanften Stimme. »Wir wollen, dass sie eine große Karriere machen. Als Models, vielleicht sogar als Schauspielerinnen. Wir hüten sie wie unsere Augäpfel.«

»Dano sagte … dass die Tochter eines Kollegen vor Kurzem in den Westen gereist ist. Dadurch kam er auf Ihre Agentur. Wissen Sie, wie es dem Mädchen geht?«

»Hervorragend natürlich. Allen unseren Mädchen geht es hervorragend.«

»Könnten wir Ninka auch besuchen?«

Erstmals zögerte Vjara eine Sekunde. »Darüber kann man später sprechen«, sagte sie dann. »Erst einmal ist es wichtig, dass sich Ninka in ihrem neuen Leben zurechtfindet. Sie wird oft gebucht sein, heute Mailand, morgen London, übermorgen Rom oder Paris. Viel Freizeit bleibt nicht. Aber sie wird dieses Leben lieben, das kann ich Ihnen schon jetzt versprechen. Sie lieben es alle.«

»Gott, wie sehr wünsche ich es ihr«, sagte Kiril inbrünstig.

Nach dieser Bemerkung senkte sich ein unbehagliches Schweigen über den Raum, ein Schweigen, das angefüllt war mit verschämter, ungeäußerter Erwartung.

Vjara wusste, welchen Punkt die Eltern nicht anzusprechen wagten – den Punkt, der die ganze Sache für sie so ungeheuerlich machte, den sie aber in ihrer augenblicklichen Lage nicht unbeachtet lassen konnten.

»Dreitausend Euro«, sagte sie. »Eineinhalbtausend bekommen Sie. Die andere Hälfte Ihre Tochter.«

Endlich war es ausgesprochen. Kiril merkte, dass er den Atem angehalten hatte. Er blickte zu Ivana hinüber. Eineinhalbtausend Euro waren unvorstellbar viel Geld. Eineinhalbtausend Euro bedeuteten, dass sie bis in den Sommer hinein die Miete bezahlen konnten. Sie konnten die Wohnung heizen. Sie konnten warme Sachen für die verbleibenden vier Kinder kaufen. Es würde kein Problem mehr sein, anständiges und gesundes Essen auf den Tisch zu bringen. Kiril konnte in Ruhe auf Arbeitssuche gehen. Ihre gesamte Situation würde sich auf eine Art und Weise entspannen, wie sie es sich kaum hätten träumen lassen.

Dafür verkaufen wir unsere Tochter.

Auch dieser Satz stand im Raum, dröhnend laut, obwohl niemand die Worte in den Mund genommen hatte.

Auch Vjara konnte ihn hören. »Ihre Tochter bekommt das Geld als Vorschuss auf ihre Arbeit. Es ist Geld, das sie im Handumdrehen verdienen wird. Wir treten nur in eine Vorleistung, damit sie nicht ganz und gar mittellos in den Westen reist. Der Anteil für Sie ist unsere Anerkennung für das, was Sie geleistet haben, als Sie Ihre Tochter großgezogen haben. Später wird das alles mit unserer Provision verrechnet. Sie können ganz beruhigt sein. Hier läuft kein anstößiges Geschäft ab. Das würden wir nicht wollen.«

Kiril, der den Atem angehalten hatte, atmete tief und hörbar aus. Es war ein guter Satz, den ihre Besucherin da gesagt hatte. *Hier läuft kein anstößiges Geschäft ab.* Ein Satz, an dem man sich würde festhalten können.

Zum ersten Mal an diesem Tag – und genau genommen zum ersten Mal seit vielen Wochen – verzog Kiril seinen Mund zu etwas, das ansatzweise an ein Lächeln erinnerte. Siehst du, sagte der Blick, den er seiner Frau zuwarf, Dano hat es uns doch versichert. Dass das alles seriös ist. Dass wir diesen Menschen vertrauen können.

Ivana erwiderte seinen Blick zwar nicht ihrerseits mit einem Lächeln, aber doch mit einem neu erwachten Schimmer der Hoffnung in den Augen. Der Hoffnung, dass sie das Richtige taten.

»Die Mädchen reisen mit dem Auto in den Westen«, sagte Vjara. »Ich hätte für übermorgen einen Fahrer. Es könnte jetzt also alles recht schnell gehen.«

»So schnell?«, fragte Ivana geschockt. »Noch vor Weihnachten?«

»Zu Weihnachten schickt Ihre Tochter Ihnen dann schon ein Paket mit wunderbaren Überraschungen darin«, sagte Vjara lächelnd.

Kiril legte Ivana die Hand auf den Arm. »Sie hat recht. Es wird nur schwerer, wenn wir es vor uns herschieben.«

»Aber … so schnell …«

Kiril verkniff sich den Hinweis, dass sie ab der nächsten Woche auf der Straße saßen, wenn sie nicht unverzüglich die Miete zahlten. Ivana wusste das ohnehin. Das Schreiben des Vermieters war eindeutig gewesen und hatte letztlich den Ausschlag dafür gegeben, dass sich Ivana auf das Treffen mit Vjara schließlich eingelassen hatte.

»Aber umso schneller kommt Ninka aus der Kälte hier heraus«, sagte er, »und beginnt ein neues, besseres Leben.«

Ivana nickte. Sie stand auf und verließ das Zimmer. An ihren bebenden Schultern erkannte Kiril, dass sie weinte.

»Für die Mütter ist es immer schwer«, sagte Vjara mitfühlend.

Für die Väter auch, dachte Kiril.

»Wir tun doch das Richtige?«, fragte er ängstlich.

»Das tun Sie mit absoluter Sicherheit«, bestätigte Vjara.

LYON, FRANKREICH, MITTWOCH, 9. DEZEMBER

Nathalie fand den Mann widerlich und unappetitlich, aber nachdem sie jetzt seit vier Stunden in dem Hauseingang in einer der zahlreichen Seitenstraßen des Quai Perrache in Lyon kauerte, Schutz vor dem kalten Regen suchend und mit weichen Knien vor Hunger, war sie bereit, sich von nahezu jedem ansprechen zu lassen, selbst wenn derjenige wie ein Triebtäter aussah und penetrant nach Alkohol roch.

Verpiss dich, hätte sie zu einem wie ihm normalerweise gesagt. Jetzt aber versuchte sie, ein freundliches Gesicht zu machen und ihn anzulächeln. Sie spürte, dass das Lächeln ziemlich schief ausfiel: Sie war einfach zu müde, zu hungrig und zu verfroren.

Und kaputt und voller Angst.

»Hätten Sie vielleicht ein paar Cent für mich?«, fragte sie. Der Mann kam vom Einkaufen, denn er trug eine Plastiktüte in der Hand, in der es verräterisch klirrte. Also musste er Geld dabeihaben. Wenn er es nicht alles in Alkohol investiert hatte.

Er grinste. »Nichts dabei. Alles weg.«

Sie glaubte ihm das nicht, aber sie konnte ihm nichts Gegenteiliges beweisen. Sie krümmte sich leicht nach vorne: Sie hatte nicht gewusst, dass Hunger so wehtat. Es war, als bohrten sich Messer in ihre Eingeweide.

Obwohl der Kerl vor ihr so versoffen war, hatte er gemerkt, dass sie sich zusammenkrampfte. »Lange nichts mehr gegessen, oder?«, fragte er, ohne dabei mit dem Grinsen aufzuhören.

Warum sollte sie ihm etwas vorspielen? »Nein«, gab sie zu.

»Wenn du mitkommst zu mir, kann ich dir ein Brot machen. Und eine Suppe zum Aufwärmen müsste auch noch da sein.«

Die Erwähnung sämtlicher Reizbegriffe – *Brot, Suppe* und *Aufwärmen* – ließ Nathalie fast stöhnen. Sie ahnte, dass die Wohnung des Fremden verdreckt sein würde und dass es nicht viel Spaß machte, von seinen wahrscheinlich schmierigen Tellern relativ vergammelte Lebensmittel zu essen, aber sie war zu einer Menge Zugeständnisse bereit, wenn dafür die Krämpfe in ihrem Magen aufhörten und wenn ihr wenigstens für eine halbe Stunde etwas wärmer würde.

»Wie heißt du?«, fragte der Mann.

Nathalie wusste, dass sie auf keinen Fall ihren richtigen Namen nennen durfte. Sie wollte nicht das geringste Risiko eingehen.

»Aurelie«, log sie.

So hieß die Frau, die sie von einem Autobahnrastplatz kurz hinter Dijon bis nach Lyon mitgenommen hatte. Es war die beste Zeit des Tages gewesen: das geheizte Auto, gegen dessen Scheiben der Regen sprühte, die weichen Polster, ganz leise Musik aus dem Radio. Vor der Frau hatte sie keine Angst haben müssen, sie war nett gewesen, hatte sich vorgestellt und ihr gesagt, sie solle möglichst nicht weiterhin per Anhalter reisen. »Das ist zu gefährlich. Wo willst du denn hin?«

»In die Provence«, hatte Nathalie geantwortet.

Dort befand sich das Apartment. Der Treffpunkt.

Leider fuhr Aurelie nur bis Lyon, wo ihre Eltern lebten, die sie für eine Woche besuchen wollte. Nathalie hatte gehofft, Aurelie würde ihr vielleicht anbieten mitzukommen, oder sie würde mit ihr mittagessen gehen, aber die junge Frau hatte es dann schließlich eilig gehabt und sie gleich hinter dem großen Tunnel, durch den die Autobahn führte, aussteigen lassen, ehe sie selbst Richtung Stadtmitte abbog.

»Ich würde dir wirklich raten, den Zug zu nehmen«, sagte sie zum Abschied. »Mit dem TGV bist du ganz schnell in Aix.«

»Gute Idee«, sagte Nathalie und verschwieg, dass sie kein Geld hatte, sich die teure Fahrkarte für den Hochgeschwindigkeitszug zu kaufen. Sie hatte überhaupt kein Geld mehr, null, nichts, nicht einen Cent. Gestern Abend hatte sie sich einen Burger und ein Wasser gekauft, und seitdem war sie vollständig pleite.

So pleite und hungrig, dass sie nun mit diesem widerlichen Typ nach Hause gehen und darauf hoffen würde, dass sie dort tatsächlich ein Stück Brot und eine Suppe bekam.

»Aurelie«, sagte er. »Schöner Name. Ich heiße Yves.«

»Hallo, Yves.«

»Dann komm mal mit«, sagte er.

Nathalie erhob sich zögernd, weil sie nicht wusste, ob ihre Beine sie tragen würden. Einen Moment lang glaubte sie, ihre Knie würden wegknicken, aber überraschenderweise stand sie dann doch ohne sichtbares Zittern aufrecht auf der Straße. *Rue Marc-Antoine Petit,* wie sie gelesen hatte. Vorne am Quai Perrache gingen zwei Frauen auf und ab, die eindeutig auf Kundschaft warteten. Schon vorher, ehe sie bis zu diesem Hauseingang geschlichen war und sich dort niedergekauert hatte, war ihr aufgefallen, dass es sie in ein offenkundig etwas zwielichtiges Viertel verschlagen hatte: Einige Häuser wirkten äußerst heruntergekommen, andere schienen gerade saniert worden zu sein. Ungeachtet des Regens hing Wäsche auf etlichen Balkonen, und irgendwo in einer der Wohnungen stritten ein Mann und eine Frau so lautstark, dass ihre Stimmen sogar den Lärm der dichtbefahrenen *Autoroute du Soleil* übertönte, die zwischen Quai und Rhone in Richtung Mittelmeer führte. Es gab eine Bäckerei und ein kleines Restaurant, daneben aber auch zahlreiche Geschäfte, die längst aufgegeben und deren Schaufenster mit Brettern vernagelt waren. Zwischen ein paar schmuddeligen Kneipen streiften Männer herum, denen man auf Kilometer hin ansah, dass es sich um Drogendealer handelte. Sie schienen sich nicht um die Tatsache zu scheren, dass es auf dem gleich hinter dem Viertel liegenden Bahnhof von Polizei wimmelte: Frankreich stand noch ganz und gar im Zeichen der Anschläge vom 13. November, noch immer war der Ausnahmezustand über das Land verhängt. Die hohe Präsenz von Polizei und Militär überall war nicht zu übersehen. Eine Gefahr auch für Nathalie: Wenn sie noch lange hier saß, würde sie einem Polizisten auffallen und dann womöglich aufgegriffen werden.

Sie musste weg von der Straße.

Sie hoffte, dass Yves nicht davon ausging, sie werde sich für ihr Essen erkenntlich zeigen, denn auch wenn sie vor Hunger fast wahnsinnig war und keine Ahnung hatte, wie es weitergehen sollte, würde sie doch auf gar keinen Fall mit ihm ins Bett gehen. Vielleicht kam sie noch an den Punkt, an dem sie selbst dazu bereit sein würde, aber noch hatte sie ihn nicht erreicht. Sie ekelte sich vor dem Mann, und außerdem war sie sicher, dass er irgendwelche grässlichen Krankheiten übertrug. Das roch sie förmlich.

»Nur essen«, vergewisserte sie sich.

Er grinste anzüglich.

»Ich kann nicht bezahlen«, fügte sie hinzu. »Weder mit Geld noch sonst irgendwie.«

»Kommst du jetzt mit oder nicht?«, fragte Yves.

Rasch checkte sie ihre Chancen, falls er zudringlich werden würde. Er war ein gutes Stück größer als sie, aber er war sehr dünn und wirkte nicht besonders kräftig. Zudem hatte er getrunken. Sie hoffte, dass sie im Zweifelsfall mit ihm fertigwerden könnte.

Sicherheitshalber schaltete sie unauffällig ihr Handy wieder ein. Um den Akku zu schonen, hatte sie es zwischendurch ausgeschaltet, aber wer wusste, ob sie nun nicht doch plötzlich Hilfe würde rufen müssen. Obwohl sie sich gerade an die Polizei eigentlich keinesfalls wenden durfte.

Sie hielt ihre kleine Handtasche, in der sich ihr Pass, ihr Handy und ihr leeres Portemonnaie befanden, fest umklammert. Ihre allerletzten Besitztümer.

Dann folgte sie dem Fremden in dessen Wohnung.

LA CADIÈRE, FRANKREICH, MONTAG, 14. DEZEMBER

Es regnete in Strömen. Es regnete seit dem frühen Morgen, und es sah nicht so aus, als würde es an diesem Tag noch irgendwann aufhören. Meer und Himmel verschwammen zu einer wabernden, undurchdringlichen grauen Fläche. Der *Bec de l'Aigle*, der wie ein gewaltiger Adlerschnabel geformte, weit ins Mittelmeer ragende Felsen, war nicht mehr zu sehen hinter den Regenschleiern, ein Anzeichen dafür, dass sich das schlechte Wetter nicht allzu schnell verziehen würde.

Das Tal lag nass und grau und seltsam leblos im matten Licht dieses Dezembertages.

Es überraschte Simon immer wieder von Neuem, wie schnell sich die Provence, dieses idyllische Kleinod unter blauem Himmel und strahlender Sonne, in einen Ort der Trostlosigkeit verwandeln konnte, sowie das Wetter umschlug. Es war dann, als verlöre sie in Sekundenschnelle alle Farben, alle Schönheit, alles, was sie anziehend und begehrenswert machte.

Als wäre sie vollkommen angewiesen auf die Sonne, dachte er, und ohne sie ein Nichts.

Er stand an dem großen Glasfenster des Hauses, das seinem Vater gehörte, und blickte hinaus in Richtung Meer, ohne das Meer wirklich sehen zu können. Auf der Autobahn im Tal bewegten sich die Fahrzeuge wie kleine Spielzeugautos. Sie waren das Einzige, das noch zu leben schien da unten.

Sonst war alles tot, ertrunken im Regen und in einer kaum fassbaren Traurigkeit.

Simon hielt das Telefon in der Hand, und er fragte sich seit fast einer Stunde, ob er es wagen sollte, Kristina anzurufen. Wahrscheinlich handelte er sich eine Abfuhr ein, die ihre noch so zaghafte Beziehung endgültig beenden würde – falls sie nicht schon beendet war, was er nicht genau einschätzen konnte. Mit seiner Bitte, ihn allein nach Südfrankreich fahren und das Weihnachtsfest ohne sie nur mit den Kindern verbringen zu lassen, hatte er sie schlimmer gekränkt, als er es sich vorgestellt hatte. Er hatte geglaubt, sie werde ihn irgendwie verstehen. Aber sie war nur zornig gewesen. Und schließlich tief deprimiert.

Ich rufe sie jetzt an, sagte er sich, schließlich kann ich an der Geschichte kaum noch etwas schlimmer machen, als es bereits ist.

Er tippte die Nummer ein und wartete. Kristina meldete sich nach dem dritten Klingeln. Gott sei Dank. Er hatte gefürchtet, sie werde gar nicht an den Apparat gehen, sowie sie die französische Vorwahl im Display erkannte.

»Hallo, Kristina«, sagte er mit belegter Stimme. »Ich bin es. Simon.«

»Hallo«, sagte sie.

»Ich rufe aus Frankreich an.«

»Ja. Das habe ich schon gesehen.«

Sie wartete. Er fand, dass sie sich nicht besonders entgegenkommend verhielt, aber vielleicht hätte er damit auch zu viel erhofft. Normalerweise redete sie viel, schnell und lebhaft. Jetzt schien sie nur bereit, das Nötigste zu sagen. Sie klang höflich, aber absolut nicht herzlich.

»Ich bin früher gefahren als geplant«, sagte er schließlich. »Alleine. Ohne die Kinder.«

»Ach?«

»Ja. Sie wollten doch nicht mit. Also musste ich nicht den Beginn der Schulferien abwarten.« Während er das sagte, merkte er, wie weh ihm diese Tatsache noch immer tat. Dass sie ihn versetzt hatten. Keine zwei Wochen vor Weihnachten.

»Das tut mir leid«, sagte Kristina förmlich.

Er hatte ihr gar nicht beichten wollen, wie gedemütigt und verletzt er sich fühlte, aber nun brach es doch aus ihm heraus. »Der Kerl wickelt sie vollständig ein. Leon. Er hat ihnen zum Nikolaus unglaublich tolle Schlitten geschenkt, mit Doppelsitzen und Lenkrad und was weiß ich noch alles ...«

»Hier liegt überhaupt kein Schnee«, sagte Kristina.

»Ja, aber es gibt ja Kunstschneebahnen, zu denen man gehen kann. Damit hat er ihnen den Mund wässrig gemacht. Kindern in dem Alter kann man alles einreden, wenn man es einigermaßen geschickt anfängt. Und ich glaube, im Hintergrund werden die Fäden da sowieso von Maya gezogen.«

Er konnte Kristina ganz leise seufzen hören. Er wusste ja, dass er ihr mit seinem Gejammer manchmal auf die Nerven ging. Über Maya, seine Exfrau. Über Leon, diesen gewissenlosen Schönling, dessentwegen sie ihn verlassen hatte. Über die Tatsache, dass die beiden Kinder in Leon zunehmend einen Ersatzvater sahen und von Maya subtil, aber unverkennbar gegen ihn, den eigentlichen Vater, aufgebracht wurden. Er konnte verstehen, dass eine Frau, die vielleicht die neue Partnerin an seiner Seite werden würde, nicht viel Spaß daran fand, ständig über die Ex zu reden, aber er wusste auch nicht, wie er das Thema vermeiden sollte. Es war nun einmal das ihn im Augenblick am stärksten beherrschende Problem. Neben der Tatsache, dass es ihm finanziell nicht gut ging und er in einer Krise steckte und, und, und …

Manchmal wunderte er sich, dass sich eine Frau wie Kristina überhaupt auf einen Mann wie ihn eingelassen hatte.

»Ich fürchte, diesmal musste Maya gar nicht allzu viele Fäden ziehen«, meinte Kristina nun. »Die Idee, schon wieder mit den Kindern ans Mittelmeer zu fahren, war vielleicht nicht optimal. Du hast mir erzählt, dass sie sich dort schon im letzten Jahr gelangweilt haben.«

Das stimmte in der Tat. Im letzten Jahr war er mit ihnen über Silvester in Frankreich gewesen, und das Ganze hatte sich zu einem einzigen Reinfall entwickelt. Trotz schönen, sonnigen, windigen Wetters. Aber was hatten zwei Kinder, damals elf und acht Jahre alt, davon? Im Meer zu baden erforderte ein kräftiges Maß an Selbstdisziplin, und allzu lange hielt man es keinesfalls aus. Um im Sand zu sitzen, zu buddeln und graben, wehte der Wind zu kühl. Das Aqualand mit der riesigen Wasserrutsche, im Sommer die Attraktion schlechthin, hatte geschlossen. Die Kinder nörgelten und quengelten, während Simon verzweifelt versuchte, sich für jeden Tag irgendeine Unternehmung auszudenken, die Gnade vor den Augen der beiden fand. Am Tag vor ihrer Abreise im Januar hatte das Attentat auf die Redaktion des Satiremagazins *Charlie Hebdo* in Paris stattgefunden, und auf der Rückfahrt sahen sie schwerbewaffnete Polizisten an allen Mautstellen patrouillieren, und auf den großen Tafeln über den Autobahnen, auf denen sonst Staus oder Baustellen angezeigt wurden, prangten nun die Worte: *Je suis Charlie.* In orangefarbener Leuchtschrift schimmerten sie durch den regnerischen Tag und die früh einsetzende Dämmerung. Simon hatte später den Eindruck, dass das Attentat, soweit die Kinder verstanden, worum es dabei ging, und seine sichtbaren Folgen das Einzige gewesen waren, was sie an den Ferien mit ihrem Vater spannend gefunden hatten, und diese Erkenntnis deprimierte ihn zutiefst.

»Ich habe nicht das Geld, um sie nach Florida oder sonst wohin einzuladen«, sagte er, »ich habe nur dieses Haus …«

»Dein Vater hat dieses Haus«, korrigierte Kristina, »und du darfst es nutzen. Und wie du mir erzählt hast, musst du dir jedes Mal, wenn du ihn um den Schlüssel bittest, anhören, dass er dich für einen Versager hält. Warum also fragst du ihn immer wieder?«

»Wohin sollte ich sonst …?«

»Zu Hause bleiben. Ehe du dich demütigen lässt.«

»In der kleinen Wohnung mit den Kindern während der ganzen Ferien … Wie soll das gehen?«

»Sie müssen sich eben arrangieren. Das kannst du von ihnen verlangen. So wie sie sich mit der Tatsache hätten arrangieren müssen, dass es eine Frau in deinem Leben gibt. Aber das konntest du ihnen ja auch nicht zumuten!«

Damit waren sie am entscheidenden Punkt.

»Ich wollte ihnen Zeit lassen«, sagte Simon.

Kristina lachte, klang dabei jedoch nicht fröhlich. »Wir kennen uns seit vergangenem Juni. Ein halbes Jahr. Wie viel Zeit brauchst du noch, um ihnen wenigstens *eine Andeutung* zu machen, dass es da *möglicherweise* jemanden gibt in deinem Leben?«

»Ich bin ihr Vater. Es wird schwierig für sie, wenn sie hören, dass sie mich von nun an teilen müssen.«

»Und weil sie so maßlos an dir hängen, ist es ihnen vollkommen egal, dass du Weihnachten mutterseelenallein verbringen musst, wenn sie dir keine zwei Wochen vor dem Fest einfach absagen«, stellte Kristina zynisch fest. »Wach auf, Simon! Du bist die Marionette deiner Exfamilie, sie machen mit dir, was sie wollen. Alle miteinander. Weil sie längst wissen, dass sie es können. Weil du dich nie wehren wirst. Weil du …« Sie verschluckte den Rest des Satzes.

Weil du kein Mann bist, vollendete Simon in Gedanken. Das sagte sein Vater immer zu ihm. Unwahrscheinlich, dass auch Kristina es so hart ausgedrückt hätte. Aber etwas in dieser Richtung hatte ihr zweifellos auf der Zunge gelegen.

Es war jetzt schon egal, wenn er sich noch kleiner machte. Sie hielt ja ohnehin nicht viel von ihm.

»Möchtest du doch noch kommen?«, fragte er und fügte leise hinzu: »Ich würde mich freuen.«

Kristina zögerte keine Sekunde. »Nein. Ich möchte nicht kommen, Simon. Und, ganz ehrlich gesagt, ich sehe sowieso keine Zukunft mehr für uns.«

»Wie meinst du das?«

»Wie ich es sage. Ruf mich nicht mehr an. Schick mir keine Mails mehr. Bring dein Leben in Ordnung, finde heraus, ob überhaupt eine Frau darin Platz hat. Dann kannst du ja wieder auf die Suche gehen. Aber mit uns beiden ist es vorbei. Tut mir leid.« Sie legte den Hörer auf.

Er starrte sein Telefon an. Der Regen trommelte auf das Dach. Irgendwo schrie ein Vogel, vielleicht eine Möwe oder eine Taube.

Und er fragte sich, ob es wohl irgendwo auf der Welt noch jemanden gab, dem es mit so großer Zuverlässigkeit wie ihm gelang, sich immer wieder selbst zu torpedieren und zu versenken.

Wahrscheinlich hielt er in dieser Disziplin einen traurigen, einsamen Rekord.

Später überlegte er oft, wie alles weitergegangen wäre, hätte Kristina in jenem Telefonat ihr Kommen zugesagt. Zumindest wäre er ganz sicher nicht ans Meer hinunter gefahren, um sich im strömenden Regen den menschenleeren Strand entlangzuschleppen. Wahrscheinlich hätte er stattdessen das Haus weihnachtlich geschmückt, Strohsterne aufgehängt und eine Lichterkette am Vordach über dem Balkon angebracht. Er wäre von Vorfreude erfüllt und guter Laune gewesen. Später wäre er zum Casino, dem Supermarkt, gefahren und hätte eingekauft: Champagner, Lachs, Oliven, Baguette. Dinge, die Kristina mochte. Er hätte Holz neben dem Kamin aufgeschichtet, um an den Abenden ein knisterndes Feuer entfachen zu können. Er hätte neue Kerzen in alle Halter gesteckt.

Er hätte sich mit alldem wahrscheinlich selbst betrogen, denn Kristinas Zusage hätte nichts daran geändert, dass alles, was er anpackte in seinem Leben, gründlich schiefging, aber er hätte immerhin genug zu tun gehabt, um darüber nicht nachdenken zu müssen.

So, wie die Dinge nun lagen, würde er die ganze nächste Woche jedoch über nichts anderes nachdenken als über sein Scheitern.

Es regnete so stark, dass seine Hose schnell durchweicht war und das Wasser in seinen Turnschuhen stand. Seinen Oberkörper schützte eine Regenjacke. Die Hände hielt er tief in den Taschen vergraben, aber sie fühlten sich trotzdem klamm und kalt an. Er hatte sein Auto auf dem großen Parkplatz am Strand von La Madrague geparkt, war über den breiten hölzernen Steg unterhalb der Felsen am Meer entlanggelaufen, ein kurzes Stück auf der Straße gegangen und dann auf den Strand von Les Lecques abgebogen. Er war der einzige Mensch weit und breit. Schließlich entdeckte er in der Ferne einen Jogger, aber als dieser aus seiner Blickweite verschwunden war, sah er überhaupt niemanden mehr. Die Leute saßen gemütlich daheim in ihren Häusern. Oder kauften Geschenke. Oder stürmten die Supermärkte.

Niemand lief alleine den Strand entlang.

Er hätte daheim bleiben sollen. In Hamburg. Zumindest für den Moment konnte das Wetter dort nicht schlechter sein. Er wäre auch allein gewesen, aber er hatte wenigstens Freunde ringsum. Er hätte Kristina aufsuchen können, versuchen, die Situation in Ordnung zu bringen. Am Telefon, zwischen ihnen eineinhalbtausend Kilometer, konnte es nicht funktionieren, aber vielleicht, wenn er vor ihrer Haustür aufgetaucht wäre, eine Flasche Sekt unter dem Arm, ein entwaffnendes Lächeln auf dem Gesicht... Auch Kristina war an Weihnachten allein. Vielleicht hätte sie sich letzten Endes doch gefreut, ihn zu sehen. Frauen reagierten schnell und positiv auf ihn, das war die einzige aufbauende Erfahrung, die er zeitlebens gemacht hatte. Er sah gut aus, war intelligent und gebildet. Bis die Frauen merkten, dass darüber hinaus an ihm nichts Besonderes war, hatten sie sich meist schon ein gutes Stück weit auf ihn eingelassen.

Er hätte, nachdem die Kinder abgesagt hatten, gar nicht hierher fahren sollen. Aber dann hätte er seinem Vater Bescheid geben müssen. Dieser hatte der Frau, die das Haus wartete, die Pflanzen versorgte und regelmäßig nach dem Rechten sah, freigegeben, in der Annahme, dass Simon zwei Wochen lang hier sein würde. Er hätte also nicht einfach wegbleiben können. Aber es hatte ihm davor gegraut, seinem Vater die Wahrheit zu sagen: die Wahrheit, dass seine Kinder nun auch schon keine Lust mehr auf ihn hatten.

Er konnte sich die Bemerkungen seines Vaters nur allzu gut vorstellen, und er hatte nicht die Kraft gefunden, sich diese Last auch noch aufzubürden. Also war er sogar früher als geplant gefahren – ohne noch im Geringsten Lust darauf zu haben.

Kristina hatte recht: Er war eine Marionette. Es gab kaum eine Bezeichnung, die besser auf ihn zutraf als diese.

Das Meer war tiefgrau und bewegt. Schmutzig gelber Schaum strömte hoch hinauf über den nassen, schweren Sand. Simon wich aus, obwohl seine Füße nicht hätten nasser werden können, als sie es schon waren. Das Laufen war anstrengend, aber auf irgendeine Weise tat es dennoch gut. Insgesamt hatte er sicher die bessere Lösung gewählt, als nur daheim zu sitzen und darüber nachzugrübeln, wie es ihm hatte gelingen können, nach der Scheidung von Maya nun auch noch die Beziehung mit Kristina vollständig zu vermasseln.

Rechter Hand von ihm führte die Uferpromenade entlang, mit ihren Bänken und Papierkörben und kleinen Rasenstücken. Ein Minigolfplatz, ein hoch eingezäuntes Areal, auf dem man Volleyball spielen konnte, dann ein Karussell, das zu dieser Jahreszeit nicht in Betrieb war. Dahinter lagen die Parkplätze, auf denen es im Sommer vollkommen unmöglich war, das Auto abzustellen. Jetzt waren sie gähnend leer.

Jenseits der Parkplätze verlief eine Straße, der Boulevard de la Plage, an dem entlang sich große Häuserkomplexe aufreihten. Schilder wiesen darauf hin, dass man Apartments mieten konnte. Im Sommer waren die kleinen Wohnungen mit den überdachten Balkonen gut gebucht, aber jetzt gab es keinen Anhaltspunkt dafür, dass dort Touristen untergekommen waren. Besonders an diesem Tag sahen sie auch alles andere als einladend aus. Feuchte Wände, beschlagene Fensterscheiben. Die Nässe des Meeres saß tief im Mauerwerk. Simon konnte sich vorstellen, wie klamm alles im Inneren war, die Möbel, die Teppiche, die Bettwäsche. Im Sommer unter wochenlanger heißer Sonne mochte es anders sein, aber im Augenblick hätten ihn keine zehn Pferde dazu gebracht, hier eine Unterkunft zu suchen.

Er war so in Gedanken versunken, dass er den kleinen Menschenauflauf erst bemerkte, als er sich schon auf gleicher Höhe befand. *Menschenauflauf* war zu viel gesagt. Es handelte sich um drei Personen, die oben auf der Promenade beieinanderstanden, direkt bei dem weiß-grau gestreiften Gebäude, in dem sich unten die Strandtoiletten und oben der Raum für den *Poste de Secours,* die Badeaufsicht, befanden. Nur aufgrund der Tatsache, dass sonst alles menschenleer war, fielen ihm die Leute auf.

Simon sah zwei Männer und eine junge Frau. Einer der Männer schrie herum. Simon sprach nahezu perfekt Französisch, aber immer wenn er gerade erst wieder aus Deutschland gekommen war, brauchte er einen Moment, um sich an die französischen Laute zu gewöhnen und den Gesprächen folgen zu können.

»Mir ist das völlig gleichgültig!«, schrie der Mann. »Ich werde jetzt sofort mit Ihnen zur Polizei gehen.«

Die junge Frau erwiderte etwas, aber sie sprach zu leise, als dass Simon sie verstehen konnte.

Der Mann schrie schon wieder. »Die werden schon wissen, was man mit Leuten wie Ihnen am besten macht. Und das Geld will ich auch haben! Glauben Sie bloß nicht, dass Sie so einfach davonkommen.«

Simon machte unwillkürlich einen Schritt auf die Gruppe zu. Eigentlich ging ihn das alles nichts an, aber irgendwie erfüllte ihn mit Mitgefühl, was er sah. Die junge Frau, die kaum älter als neunzehn oder zwanzig sein mochte, sah verwahrlost und krank aus, und sie schien sich nur mit letzter Kraft auf den Beinen halten zu können. Er fragte sich, was sie getan hatte, um den Mann, der ihr direkt gegenüberstand, mit solcher Wut zu erfüllen. Der andere Mann hielt sich zwei Schritte entfernt, sagte nichts und wirkte etwas unschlüssig.

»Also mitkommen! Bei der Polizei wird sich alles klären.«

Wahrscheinlich hat sie etwas geklaut, dachte Simon, dazu würde passen, dass sie aussieht, als ob sie seit Tagen nichts mehr gegessen hat.

Er konnte nichts für sie tun. Sie tat ihm leid, aber sie musste mit dem Schlamassel, den sie angerichtet hatte, selbst klarkommen. Er wollte schon weitergehen, da hatte die Frau ihn entdeckt, stürzte nach vorne und beugte sich weit über das Geländer der hier zum Strand hinunterführenden Treppenstufen. Simon sah weit aufgerissene Augen in einem abgemagerten, gespenstisch bleichen Gesicht.

»Monsieur, bitte helfen Sie mir. Bitte. Es ist alles aus, wenn die jetzt mit mir zur Polizei gehen!«

Widerwillig trat er noch näher an sie heran. »Was ist denn passiert?«

Der zornige Mann trat nun auch auf die Treppe. Vorsichtshalber hatte er die junge Frau am Arm gepackt, entschlossen, sie nicht entkommen zu lassen. »Eingenistet hat sie sich. In einem der Apartments. Ohne zu zahlen, versteht sich. Zwei Türschlösser hat sie aufgebrochen, unten an der Haustür und oben an der Wohnung.«

Eine Obdachlose. Simon war nun nahe genug, um trotz der frischen, nasskalten Luft ringsum festzustellen, dass die junge Frau schlecht roch. Nach ungewaschenen Klamotten, nach Schweiß.

»Bitte helfen Sie mir«, wiederholte sie.

»Ich bin der Hausmeister in dem Gebäude hier«, sagte der Mann. Er wies auf einen Apartmentblock jenseits der Straße und dann auf den zweiten Mann, der sich noch immer im Hintergrund hielt. »Das hier ist Yanis. Er ist mein Mitarbeiter. Er hat heute den Kontrollgang gemacht. Machen wir auch im Winter einmal die Woche. Dabei hat er dieses Früchtchen hier entdeckt. Und mich gleich verständigt.«

Simon gewahrte einen Ausdruck von Schuldbewusstsein und Mitleid auf Yanis' Gesicht. Der Mann bereute es inzwischen, seinen Chef angerufen zu haben. Er hätte das junge Ding auch verscheuchen und die Sache auf sich beruhen lassen können.

»Ich wollte nichts falsch machen«, rechtfertigte er sich, ohne dass ihn jemand angegriffen hätte. »Man weiß ja nie ... in diesen Zeiten ...«

Alle drei blickten Simon an, als erwarteten sie von ihm eine Lösung des Problems. Simon sah sich in der absurd anmutenden Situation, plötzlich zu einer Art Schiedsrichter berufen worden zu sein, obwohl er mit alldem nichts zu tun hatte: ein deutscher Tourist – ein deutscher, *depressiver* Tourist, verbesserte er sich in Gedanken –, der einfach nur durch den Regen lief.

»So schlimm finde ich es nicht, was die junge Frau getan hat«, sagte er. Sein Französisch klang etwas holprig, es musste sich noch einschleifen. Er war erst seit zwei Tagen hier und hatte noch mit kaum jemandem gesprochen.

Der Hausmeister sah ihn misstrauisch an. »Allemagne?«

»Oui.«

»Bitte helfen Sie mir«, sagte das Mädchen nun auf Deutsch. »Er darf mich auf keinen Fall zur Polizei bringen. Bitte. Es ist lebenswichtig.« Sie sprach gut, zwar mit einem starken Akzent, jedoch mit einer fehlerfreien Grammatik.

»Sie haben doch nur diese Schlösser aufgebrochen, oder? Sonst nichts?«

»Keine Polizei. Bitte!«

Simon wusste, dass die französische Polizei deutlich rauere Umgangsformen pflegte als die deutsche; dennoch konnte er sich die Panik der Frau nicht ganz erklären. Wahrscheinlich konnte sie den angerichteten Schaden nicht bezahlen, aber dafür würde man sie schon nicht ins Gefängnis stecken. Oder? Was war los mit ihr? War sie irgendwo ausgerissen? War sie minderjährig? Er hätte sie auf Anfang zwanzig geschätzt, aber man konnte sich täuschen. Vielleicht war sie von zu Hause weggelaufen oder aus einem Heim und war nun außer sich vor Angst, dass man sie dorthin zurückbringen würde.

»Bitte«, wiederholte sie auf Deutsch. »Bitte helfen Sie mir!«

»Ich würde schon gerne irgendetwas von Ihrer angeregten Unterhaltung verstehen«, warf der Hausmeister missmutig ein.

»Was kosten denn diese Türschlösser?«, fragte Simon.

Der Hausmeister überlegte. »Na ja, fünfzig Euro müsste ich für das alles schon haben. Die Schlösser, und dann hat sie ja auch Strom und Wasser verbraucht...«

»Das stimmt nicht. Der Strom ist abgestellt, und es gab auch nur kaltes Wasser.«

»Wir können das sehr gerne auch bei der Polizei klären.«

Simon zog seine Brieftasche hervor und nahm einen Fünfzig-Euro-Schein heraus. Angesichts seiner höchst angespannten finanziellen Situation war es idiotisch, diesem Kerl das Geld einfach in den Rachen zu werfen, aber er hatte den Eindruck, dass sie hier sonst entweder ewig würden verhandeln müssen oder dass am Schluss doch noch die Polizei ins Spiel käme.

Meine gute Tat für Weihnachten, dachte er.

»Ist die Angelegenheit damit dann erledigt?«, fragte er.

Der Hausmeister zögerte. »Ich müsste noch Ihren Namen und Ihre Adresse wissen. Falls nach dieser Person gefahndet wird und man mich plötzlich befragt... Ich will Sie dann als denjenigen benennen können, der hier eingegriffen hat.«

Nun zögerte Simon.

»Bitte!«, hauchte die junge Frau.

Eigentlich konnte ihm nichts geschehen. Er nannte seinen Namen und seine französische Adresse. »Ich mache hier Urlaub«, fügte er hinzu. »Wenn es Probleme gibt, sage ich gerne aus, was hier abgelaufen ist.«

Der Hausmeister griff nun augenblicklich nach dem Geld. »Na ja, ich will nicht so sein. Sie gehört angezeigt, das ist klar, aber es ist ja nicht meine Sache, mich um die kriminellen Herumtreiber in diesem Land zu kümmern. Hoffentlich tun Sie das Richtige, junger Mann. Am Ende haben Sie sie jetzt am Hals.«

Junger Mann ist eine nette Bezeichnung für einen Vierzigjährigen, dachte Simon. Aber alles war relativ, und der Hausmeister musste um die sechzig sein.

Und *am Hals haben* ... Er hatte nicht vor, sich weiterhin um sie zu kümmern. Er hatte genug für sie getan.

Der Hausmeister und Yanis zogen davon. Die junge Frau blieb stehen, beide Arme um den Körper geschlungen, Halt oder Wärme oder beides suchend. Sie zitterte vor Kälte. Der kurze Aufenthalt im Freien hatte ausgereicht, sie völlig zu durchweichen.

»Danke«, sagte sie. »Sie haben mich gerettet.«

»Ist schon gut. Ich ...« Er wollte die ganze Situation endlich hinter sich bringen. »Ich muss jetzt auch weiter.«

Er konnte sehen, dass sie mit sich rang. »Bitte ... Sie haben schon so viel getan, aber ... hätten Sie ... ein paar Euro für mich? Ich habe ewig nichts mehr gegessen ...«

Ihr Gesicht war ausgemergelt. Sie trug einen kurzen Mantel aus synthetischem grauen Zottelfell, der ihre Figur verbarg, aber die Beine, die in schwarzen Strumpfhosen steckten und unter dem Mantel hervorragten, sahen wie zwei dürre Stelzen aus. Sie zitterte vor Kälte.

Er bemerkte plötzlich, dass sie weinte.

»Ich kann nicht mehr«, flüsterte sie, wankte von der Treppe zurück auf die Promenade und lehnte sich gegen die Holzwand, die eine vor dem Gebäude errichtete Außendusche vor neugierigen Blicken abschirmen sollte.

Simon sprang rasch die Stufen hinauf und stand neben ihr. »Ist Ihnen schlecht?«

Sie schien sich kaum noch auf den Füßen halten zu können. »Ich habe solchen Hunger«, murmelte sie. »Und mir ist so schwindelig.«

Simon erkannte, dass es kaum Sinn machte, ihr ein wenig Geld in die Hand zu drücken und zu hoffen, dass sie es damit bis zum nächsten geöffneten Café schaffte – falls man sie in ihrem abgerissenen Zustand dort überhaupt bedienen würde. Auch den Supermarkt, der noch ein gutes Stück entfernt lag, würde sie in ihrer körperlichen Verfassung nicht erreichen.

Er unterdrückte einen Fluch. Er konnte sie hier nicht einfach so stehen lassen. Und außer ihm war weit und breit niemand in Sicht.

»Gibt es jemanden, den wir verständigen können?«, fragte er. »Jemanden, der sich um Sie kümmert? Verwandte? Freunde?«

Sie schüttelte den Kopf. »Niemand. Ich kann niemandem sagen, wo ich bin.«

Ihm kam der Gedanke, dass sie wahrscheinlich mehr auf dem Gewissen hatte als zwei aufgebrochene Türen und illegales Übernachten in einem fremden Apartment und dass sie deshalb bei dem Wort *Polizei* fast durchgedreht war. Er hatte absolut keine Lust, jemanden zu unterstützen, nach dem womöglich gefahndet wurde. Er wollte sich in nichts verstricken. Er hatte genügend eigene Probleme. Er brauchte nicht noch die fremder Leute.

Andererseits: Ein Stück weit war er bereits in die Sache verwickelt. Und sie jetzt so einfach stehen zu lassen käme fast einer unterlassenen Hilfeleistung gleich.

»Wie heißen Sie denn eigentlich?«, fragte er.

Sie sah an ihm vorbei. »Nathalie.« Im nächsten Moment biss sie sich auf die Zunge, er konnte förmlich sehen, wie gerne sie die Antwort zurückgenommen hätte. Daraus schloss er, dass sie ihm ihren richtigen Namen genannt hatte.

»Nathalie … und weiter?«

Sie antwortete nicht. Sie würde es nicht sagen.

Er seufzte. »Ich heiße Simon.«

»Ich … bin Ihnen sehr dankbar, Simon.«

Sie rutschte mit dem Rücken an der Holzwand entlang ein Stück weiter nach unten. Ihre Schwäche schien Simon nicht gespielt. Kurz entschlossen nahm er sie am Arm und führte sie zu einer der Bänke neben dem Gebäude. Sie stand zwar auch im Regen, aber daran war nun nichts zu ändern. »Setzen Sie sich hier hin und warten Sie. Ich hole mein Auto. Und dann sehen wir weiter.«

»Sie kommen bestimmt?«

»Ja. Aber ich parke in La Madrague drüben. Es wird ein bisschen dauern, bis ich dorthin gelaufen bin.«

»Und dann?«

»Dann fahren wir irgendwohin, wo Sie etwas zu essen bekommen.« Er lächelte sie aufmunternd an.

Und das ist dann aber wirklich das Letzte, was ich für sie tue, dachte er.

Als ich vierzehn Jahre alt war und endlich auf das Lycée kam, hatte ich längst begriffen, dass meine Mutter ein ernstes Problem hatte und dass sich auf absehbare Zeit nichts daran ändern würde. Inzwischen hatte sie auch zu arbeiten aufgehört. Sie war an der Rezeption eines Hotels angestellt gewesen, aber seitdem sie nicht mehr nur abends ihre Flasche Wein trank, sondern den Tag bereits mit einem Grand Marnier begann – dem ersten von vielen, die in den nächsten Stunden folgten –, war sie dort wahrscheinlich nicht mehr tragbar. Sie hatte praktisch ständig eine deutliche Fahne und vermochte Zusammenhängen nur noch schleppend zu folgen. Schlimmer wurde das alles dadurch, dass sie auch noch Tabletten nahm, in ziemlich unkontrollierten Mengen; Antidepressiva, die ihr ein offenbar reichlich unfähiger Psychotherapeut verschrieben hatte, ohne zu merken, wo die eigentliche Schwierigkeit lag und dass Medikamente zusammen mit dem Alkohol die Situation nicht verbessern, sondern verschärfen würden.

»Ich brauche das, damit es mir besser geht«, sagte sie, als ich sie anflehte, die Tabletten wegzulassen. »Ich kann mein Leben sonst nicht bewältigen. Dein Vater hat mich zerstört. Ich muss jetzt sehen, dass ich so lange den Kopf über Wasser halte, wie du mich brauchst.«

Den Kopf hatte sie in Wahrheit schon längst nicht mehr über dem Wasser. Nachdem sie im Hotel gekündigt hatte – oder es war ihr gekündigt worden, so genau fand ich das nie heraus –, verlor sie die letzten Leitplanken, die ihrem Alltag noch Struktur gegeben hatten. Es gab keinen Grund mehr für sie, morgens aufzustehen. Es gab keinen Grund mehr, pfundweise Pfefferminz zu lutschen, um einen klaren Atem zu bekommen – was allerdings sowieso kaum noch gelungen war. Es gab auch keinen Grund mehr, abends irgendwann mit dem Trinken aufzuhören, damit sie es am nächsten Tag wenigstens mit Ach und Krach in die Kleider und bis zur Bushaltestelle schaffte.

Es gab einfach gar keinen Grund mehr für irgendetwas. Auch ich war keiner. Selbst wenn sie das gerne behauptete.

»Ich lebe für Nathalie. Für meine Tochter.«

Einen Scheißdreck tat sie.

Indem ihr Gehalt nun wegfiel, verschlechterte sich unsere Situation drastisch. Wir hatten nur noch das, was mein Vater überwies. Darin zumindest blieb er zuverlässig all die Jahre über – vielleicht seine Art, mit seinem schlechten Gewissen fertigzuwerden. Es ist eine Sache, die Ehefrau gegen eine andere einzutauschen. Schwerer wiegt, das eigene Kind komplett aus dem Leben zu streichen. Warum tat er das? Meine Theorie ist, dass jeder Kontakt mit mir zwangsläufig auch einen Kontakt mit meiner Mutter bedeutet hätte, und das wollte er wohl nicht. Er wollte vergessen, dass es sie gab. Vielleicht forderte das auch seine neue Lebensgefährtin, das Unterwäschemodel. Keine Ahnung. Ich weiß nicht mal, ob er sie geheiratet hat. Meine Eltern wurden jedenfalls irgendwann geschieden.

Wir mussten in eine andere Wohnung ziehen, weil das Geld nun für die Miete und unseren Lebensunterhalt nicht mehr reichte. Wir fanden etwas am Rande von Metz in einer ziemlich trostlosen Hochhaussiedlung. Die neue Wohnung hatte drei Zimmer, wobei ich das kleinste bekam, in das aber mein Kleiderschrank nicht hineinpasste. Er stand bei meiner Mutter, so dass ich immer zu ihr hinübergehen musste, wenn ich etwas brauchte. Da sie zunehmend betrunken im Bett lag und schlief, war das allerdings egal. Sie bemerkte mich gar nicht.

Die Wohnung hatte einen kleinen Balkon, der nach Nordosten hinausging. Sonne gab es dort nur früh am Morgen, wenn man eigentlich sowieso keine Zeit hatte, draußen zu sitzen. Schon während der Vormittagsstunden verschwand die Sonne um die Ecke Richtung Süden, und der Balkon blieb kalt und schattig zurück. Ich pflanzte ein paar Blumen in einem Kasten, aber sie gerieten nicht richtig. Ihnen fehlten Licht und Wärme.

Genau wie mir. Buchstäblich, weil auch ich unter der dunklen, kalten Wohnung litt. Aber auch im übertragenen Sinne. Ende April 2010 wurde ich fünfzehn, aber wie üblich schaffte es meine Mutter nicht einmal anlässlich meines Geburtstages, wenigstens für ein paar Stunden nüchtern zu bleiben und irgendetwas zu unternehmen. Ich hatte mir gewünscht, dass wir vielleicht einen Spaziergang entlang der Seille machen, ein Eis essen, im Gras sitzen und die letzten Sonnenstrahlen genießen würden. Ich hatte diesen Wunsch immer wieder zum Ausdruck gebracht, und an dem großen Tag, als um achtzehn Uhr endlich die Schule aus war, rannte ich, so schnell ich konnte, nach Hause, voller Hoffnung und Erwartung. Natürlich kam sie mir nicht an der Wohnungstür entgegen, und sie saß auch nicht aufbruchbereit im Wohnzimmer. Wie an fast jedem Tag fand ich sie im Schlafzimmer. Sie lag im Bett, und auf dem Nachttisch standen ein Glas und daneben eine leere Flasche Grand Marnier. Das Zeug war und blieb ihr Lieblingsgetränk. Es war ziemlich teuer, so viel wusste ich inzwischen, und manchmal dachte ich, dass wir trotz ihres fehlenden Einkommens besser leben könnten, wenn sie wenigstens billigeren Alkohol getrunken hätte. Doch sie hatte ihre ganz eigene Meinung dazu.

»Solange man noch darauf achtet, was man trinkt, ist man nicht abhängig«, erklärte sie mir immer wieder. »Von Alkoholsucht kann man erst sprechen, wenn jemand einfach alles nimmt, was er bekommen kann.«

Womöglich glaubte sie das sogar selbst.

Jedenfalls fand mein Geburtstag wieder einmal nicht statt. Ich tat, was ich jeden Tag tat, wenn ich von der Schule kam: Ich räumte die Küche auf, in der noch das Geschirr vom Frühstück herumstand, ich staubsaugte das Wohnzimmer, ich packte die Wäsche in die Waschmaschine. Dann nahm ich Geld aus dem Geldbeutel meiner Mutter und ging einkaufen: Brot, Butter, Käse, etwas Obst. Ich war ein sehr ehrliches junges Mädchen. Erst ein Jahr später fing ich an, manchmal heimlich Zigaretten für mich zu kaufen oder billige Kosmetik. Und Klamotten. Sie merkte es ja sowieso nicht.

Jener fünfzehnte Geburtstag war ein absoluter Tiefpunkt in meinem Leben. Vielleicht, weil ich mit so idiotisch großer Hoffnung an ihn herangegangen war.

Als ich vom Einkaufen zurückkehrte, hatte sie immerhin das Bett verlassen. Sie saß im Wohnzimmer, ein Glas mit Grand Marnier in der Hand. Auch so eine ihrer selbstbetrügerischen Marotten: Sie trank nie aus der Flasche direkt. Das täten nur Alkoholikerinnen, behauptete sie oft. Sie trank immer aus hübschen, kristallenen Likörgläsern, die aus den Zeiten stammten, als es uns noch besser ging.

Sie hatte keine Hausschuhe an, nur ein Paar rosafarbene Socken, die eigentlich mir gehörten und die sie offenbar aus meinem Schrank gefischt hatte. Ihre Haare hingen fettig und ungekämmt herunter und waren am Hinterkopf durch das lange Liegen ganz plattgedrückt.

»Da bist du ja«, sagte sie, als sie mich erblickte, »herzlichen Glückwunsch, Nathalie!«

Immerhin hatte sie den Tag nicht ganz vergessen. Dafür muss ich noch dankbar sein, dachte ich bitter.

Ich war so traurig, dass mir ganz kalt war, obwohl draußen ein sehr warmer Frühling ausgebrochen war und die Leute in T-Shirts und offenen Sandalen herumliefen. Ich fühlte mich einsam und verlassen. Der Anblick meiner Mutter tat mir so weh. Ihr aufgedunsenes Gesicht. Der schwimmende Blick ihrer Augen. Die Trauer, die sie verströmte. Die Erkenntnis, dass ich offenbar keinen Trost für sie bedeutete. Mein Vater hatte sie sitzen lassen, und sicher war das ein schwerer Schlag für sie gewesen, aber immerhin hatte sie noch mich. Sie war nicht alleine. Wir hätten es uns schön machen können zusammen. Aber ich stellte keinen Wert für sie dar. Ich vermochte ihr nichts zu geben – nichts, was sie hätte aufbauen können. Im Grunde versuchte ich andauernd, ihr meine Liebe zu zeigen und ihre Liebe für mich zu gewinnen. Vollständig vergeblich.

»Danke«, sagte ich auf ihren Glückwunsch hin. Ich wies auf die Einkaufstüte in meiner Hand. »Ich bringe schnell die Sachen in die Küche.«

»Moment«, sagte sie. Sie stand auf und näherte sich leicht schwankend dem Tisch, auf dem ihr Portemonnaie lag. Sie zog einen Zwanzig-Euro-Schein heraus. »Hier. Für dich. Zum Geburtstag. Kauf dir etwas Schönes.«

Ich schluckte. »Willst du nicht vielleicht mitkommen?«, fragte ich. »Wir könnten zusammen etwas für mich aussuchen.«

Sie schenkte sich ihr Glas erneut ein. »Mir geht es nicht gut. Besser, du machst das alleine.«

»Es ist wunderschönes Wetter draußen. Wir könnten uns vielleicht noch in ein Straßencafé setzen.«

Sie schüttelte den Kopf. »Ich habe gerade meine Tabletten genommen. Da wird mir immer schwindelig.«

»Du solltest nichts trinken zu den Tabletten.«

»Das bisschen Alkohol schadet nichts«, behauptete sie. Ihre Hand zitterte. Goldfarbener Likör schwappte auf ihren Morgenmantel. »Die Tabletten sind es, die ich nicht so gut vertrage. Aber ich muss sie nehmen, weißt du? Ich habe schwere Depressionen, weil dein Vater alles getan hat, mich zu zerstören. Er hat mir meine Würde geraubt. Kannst du dir vorstellen, wie es sich anfühlt, wenn du mit einem Mann verheiratet bist, der mit jeder Frau ins Bett steigt, die er trifft? Mit absolut jeder. Er hat mich mit jeder Frau betrogen, die bereit war, sich von ihm … na ja, mit unzähligen Frauen jedenfalls. Du erinnerst dich ja noch an ihn, oder?«

Wieder musste ich schlucken. Natürlich erinnerte ich mich an meinen wundervollen Vater.

»Er war ein gutaussehender Mann«, fuhr meine Mutter fort. »Ein wirklich schöner Mann. Und er wusste es. Aber es hat ihm nicht gereicht, es einfach nur zu wissen. Nein, er musste es ständig bestätigt bekommen. Ständig. Es hat ihm nicht gereicht, dass ich ihn angebetet habe … dass ich ihn geliebt habe.« Sie trank das Glas leer, schenkte sich sofort nach. »Ich habe ihm eine entzückende Tochter geschenkt, aber das hat mir auch nichts genützt.«

Ich war die entzückende Tochter. Das Geschenk. An dem ihm zumindest heute nichts mehr lag. Und ihr schon lange nichts mehr.

»Er hat mich verachtet. Man behandelt einen Menschen nicht so, wie er mich behandelt hat. Er hat auch dich verachtet. Glaub nicht, dass er an dir interessiert war. Er hat sich manchmal verstellt, weil er so ein Bild hatte … Er hatte ein Bild, wie ein …« Sie kippte das nächste Glas. Allmählich machten ihr die Formulierungen Probleme. »Er hatte ein Bild vor Augen, wie ein guter Vater sein soll. Er wollte vor den Leuten wie ein guter Vater dastehen, verstehst du? Der mit seiner Tochter spielt und von ihr angehimmelt wird. Aber es ging nur um das Bild. Bei ihm ging es immer nur darum. Wie ihn die anderen sehen.«

Das nächste Glas. Ich stand mitten im Zimmer, immer noch die Tüte mit den Einkäufen in der Hand, und in meinem Inneren brach etwas auf, eine Wunde, die immer da gewesen war, seitdem er fortgegangen war, und auf der sich nur dünner Schorf gebildet hatte.

»Er hat dich genauso verachtet wie mich. Er hat dich genauso betrogen wie mich. Und er hat dich genauso vergessen wie mich. Oder hat er heute an dich gedacht? An deinem Geburtstag?«

Auch in den vergangenen Jahren hatte er sich an meinem Geburtstag nie gemeldet. Er hatte allerdings immer etwas Extrageld für mich auf das Konto meiner Mutter überwiesen. Wahrscheinlich war diesmal auch etwas gekommen. Ich würde es in den Kontoauszügen sehen, die ich immer öffnen musste, weil meine Mutter sagte, sie wolle ihre bittere Armut nicht schwarz auf weiß betrachten. Aber es interessierte mich nicht besonders. Was sollte ich mit dem Geld? Ich hätte mich so sehr über einen Brief gefreut. Oder eine Karte. Oder eine SMS. Ganz zu schweigen von einem Telefonat, bei dem ich seine Stimme hätte hören können. Obwohl ich wusste, dass ich dann nur noch geweint hätte. Im Grunde hätte ich seine Stimme keine Sekunde lang ertragen.

»Er hat mir bestimmt wieder Geld geschickt«, verteidigte ich ihn.

Meine Mutter gab ein Geräusch von sich, das wie ein höhnisches Schnauben klang. »Geld!«, sagte sie verächtlich. Hatte sie schon vergessen, dass sie mir ein paar Minuten zuvor selbst einen Zwanzig-Euro-Schein zugeschoben hatte?

»Er speist dich mit Geld ab, Nathalie. Genau wie mich. Glaubt er, er kann ein gebrochenes Herz mit Geld heilen?«

Schließlich fing sie an zu weinen. Das war immer so, wenn sie eine Weile getrunken hatte. Sie beklagte ihr Leben, ihr Schicksal. Trank dabei immer mehr. Schluchzte, lag irgendwann auf dem Boden und weinte in den Teppich. Nur mühsam gelang es mir, sie aufzurichten und in ihr Bett zu schaffen, sie zuzudecken.

Ich saß an diesem Abend wie immer alleine in der Küche und aß ein Stück Baguette. Ich hatte nicht einmal die Energie gefunden, es mit etwas Käse zu belegen. Mein Geburtstag. Mein toller fünfzehnter Geburtstag. Jenseits des Fensters sah ich die anderen Häuser und stellte mir vor, dass dort Familien zusammen um einen Tisch saßen, lachten, erzählten, aßen. Ich kam mir vor wie auf einer einsamen Insel.

Der Schmerz wurde zu groß. Ich legte das Baguette zur Seite. Ich hörte auf zu essen.

Ich hörte für zwei Jahre damit auf.

LA CADIÈRE, FRANKREICH, MONTAG, 14. DEZEMBER

Sie verbrachte eine halbe Ewigkeit im Bad. Simon hörte das Wasser rauschen. Sicher genoss sie die Wärme und den wohlriechenden Schaum, das konnte er angesichts des Zustandes, in dem sie gewesen war, gut nachvollziehen. Ihre Kleidungsstücke hatte sie ihm verschämt durch einen Türspalt hinausgereicht, und er packte alles sofort in die Waschmaschine. Als das Gerät bereits lief, ging ihm auf, dass er sie nun nicht allzu schnell würde loswerden können: Sie besaßen hier keinen Trockner, weil selbst im Winter das Wetter oft sonnig und windig war und die Wäsche daher gut im Freien trocknete. Heute jedoch hörte es einfach nicht auf zu regnen. Er würde ein Feuer im Kamin machen und den Wäscheständer davorstellen, aber dennoch würde es bis zum nächsten Tag dauern, ehe Nathalie ihre Sachen wieder anziehen konnte. Und so lange musste sie bleiben.

Er hatte ihr ein T-Shirt, einen Pullover und dicke Socken von sich vor die Badezimmertür gelegt. In einem Schrank im Kinderzimmer fand er einen Bikini seiner Tochter, der der klapperdünnen Nathalie vielleicht passen und als Unterwäsche dienen konnte. Aber in dieser Aufmachung konnte er sie natürlich nicht auf die Straße schicken.

Als Nächstes musste er ihr irgendetwas zum Essen anbieten. Der Kühlschrank war ziemlich leer, weil Simon seit seiner Ankunft zu niedergeschlagen gewesen war, um mehr als das Allernötigste für sich zu kaufen. Ein paar Eier, eine Flasche Milch, zwei Tomaten. Das war die ganze Ausbeute.

Immerhin, er konnte ein Omelette zubereiten.

Er schnitt die Tomaten in kleine Stücke, verquirlte Eier und Milch, würzte sie mit Salz und Pfeffer und gab alles in eine Pfanne. Er hörte, dass die Badezimmertür geöffnet wurde. Nathalie holte sich die Sachen, die er ihr hingelegt hatte.

Als er mit dem Omelette und einem Glas Milch ins Wohnzimmer trat, saß Nathalie schon am Tisch. Sie starrte hinaus in den Regen und hielt beide Arme um ihren Leib geschlungen, als wäre ihr immer noch kalt. Sie sah ziemlich abenteuerlich aus in seinem Pullover, der ihr bis fast zu den Knien ging, darunter die nackten Beine mit den dicken Wollsocken an den Füßen. Die langen Haare hingen ihr nass über den Rücken. Sie roch nach seinem Duschgel und seinem Shampoo.

»Ihre Sachen sind schon in der Waschmaschine«, sagte er, »und ich mache nachher ein Feuer. Dann trocknen sie schneller.«

Sie seufzte leise. Natürlich wusste sie, weshalb er wollte, dass die Sachen *schnell* trockneten.

»Darf ich bis morgen früh hierbleiben?«, fragte sie leise.

Er stellte den Teller und das Glas vor sie hin, legte Besteck dazu. »Jetzt essen Sie erst einmal. Und selbstverständlich bleiben Sie, bis Ihre Sachen trocken sind.«

Sie machte sich über das Omelette mit einer hastigen Gier her, die verriet, wie ausgehungert sie war. Sie verputzte es innerhalb von drei Minuten und sah noch immer hungrig aus. Simon erkannte, dass ihm nichts anderes übrig bleiben würde, als zum Einkaufen zu fahren. Sein ungebetener

Gast war noch nicht satt, und auch er selbst wollte an diesem Tag noch irgendwann etwas essen.

»Wir müssen zum Supermarkt hinunter nach Les Lecques fahren«, sagte er. »Ich habe nämlich nichts mehr. Kein Brot, keinen Käse, gar nichts. Und ich habe nicht den Eindruck, dass Sie satt sind.«

»Nein«, gab sie zu, »aber mir ist wenigstens nicht mehr schwindelig.«

In kleinen Schlucken trank sie die Milch. Erleichtert stellte Simon fest, dass sie einen ersten Anflug von Farbe im Gesicht bekam.

»Wie alt sind Sie?«, fragte er. Eine unhöfliche Frage, aber wenn sie unter achtzehn war, würde er sie bei der Polizei abliefern, alles andere brachte ihn nur in Schwierigkeiten. Obwohl sie ihn natürlich auch beschwindeln konnte.

»Zwanzig«, sagte sie. Er wusste nicht, woran er das festmachte, aber es schien ihm, als wäre sie ehrlich. »Im nächsten April werde ich einundzwanzig.«

»Und … wie lange sind Sie schon unterwegs?«

Jetzt verschloss sich etwas in ihrem Gesicht, als wäre sie nun auf der Hut. »Seit letztem Dienstag. Ich weiß gar nicht … Heute ist Montag, oder?«

»Ja. Der 14. Dezember.«

»Oh … noch zehn Tage bis Weihnachten.«

»Ja. Und da sollten Sie spätestens wieder zu Hause sein.«

Sie erwiderte nichts. Er tastete sich weiter vor: »Ich nehme an, Sie stammen aus dem deutsch-französischen Grenzgebiet. Ihr Deutsch vorhin war ziemlich gut.«

»Ihr Französisch ist auch ziemlich gut.«

»Ich komme aus Hamburg. Nicht gerade grenznah.«

»Woher können Sie es dann so gut?«

»Das Haus gehört meinem Vater. Wir haben schon Ferien hier gemacht, als ich noch ein Kind war. Ich habe die Sprache praktisch spielend gelernt.«

»Und jetzt machen Sie auch gerade Ferien hier?«

»Ja.«

»Ganz alleine?«

»Meine Kinder wollten kommen. Sie leben bei meiner geschiedenen Frau. Aber …« Er wollte nicht zu viel sagen, sein Privatleben ging sie nichts an. »Es hat sich dann anders ergeben«, meinte er vage. »Und nun genieße ich die unerwartete Ruhe.«

Er fand, dass er sich vollkommen unecht anhörte, und vor allem hatte er den Eindruck, dass auch Nathalie seine veränderte Stimmlage aufgefallen war, aber vielleicht bildete er sich das nur ein.

»Wie alt sind Ihre Kinder?«

»Meine Tochter ist zwölf. Mein Sohn neun.«

»Sie vermissen die beiden«, stellte Nathalie fest.

Das war immerhin nicht schwer zu erraten. »Ja. Natürlich. Und vor allem mache ich mir Vorwürfe. Das Scheitern einer Ehe ist schrecklich für Kinder.«

»Meine Eltern sind auch geschieden«, sagte Nathalie. Dann schwieg sie und spielte mit ihrer Gabel herum.

»Sind Sie bei Ihrer Mutter oder Ihrem Vater aufgewachsen?«

»Bei meiner Mutter.«

»Und warum sind Sie nicht bei ihr?«

Sie sah ihn spöttisch an. »Ich sagte doch, ich bin zwanzig. Da muss ich nicht mehr bei meiner Mutter leben.«

»Wo wohnen Sie dann?«

»Mit meinem Freund zusammen.«

»Hier in der Nähe?«

»Nein.«

Sie war nicht gerade auskunftsfreudig. Er gab dennoch nicht auf.

»Dieses Apartment unten in Les Lecques … Haben Sie das zufällig entdeckt? Oder waren Sie schon mal dort?«

»Es gehört einem Verwandten meines Freundes.«

»Und warum mussten Sie dann die Türen aufbrechen? Er hätte Ihnen doch sicher erlaubt, dort zu wohnen.«

Sie schwieg wieder, spielte mit dem Besteck herum. Ihre langen braunen Haare begannen zu trocknen und sich dabei zu locken. Simon dachte, dass sie sehr attraktiv sein könnte, wäre sie nicht so krankhaft mager und hätte sie nicht diesen gehetzten Ausdruck in den Augen. »Hören Sie«, sagte er, »wie es aussieht, werden Sie heute Nacht hierbleiben müssen. Wenn Sie nicht möchten, dass ich Ihnen Ihre noch nassen Sachen in die Hand drücke und Sie fortschicke, müssen Sie mir ein paar mehr Auskünfte über sich geben. Ich gehe schließlich durchaus ein Risiko ein.«

»Ein Risiko?«

»Ich möchte nicht morgen früh aufwachen und Sie sind mit allem verschwunden, was es hier an Wertgegenständen zu entwenden gibt.«

In ihre Augen trat ein Ausdruck, den er schwer entschlüsseln konnte. Fast so etwas wie Verachtung.

»So jemand bin ich nicht«, sagte sie. »Ich stehle nicht.«

Sie schwiegen beide. Simon hatte den Eindruck, dass ein weiteres Verhör im Moment nichts brachte. Er stand auf. »Wir sollten jetzt zum Einkaufen fahren. Ich habe nichts Essbares mehr im Haus.«

Sie blickte an sich hinunter. »Ich kann so nicht mitkommen.«

»Sie bleiben einfach im Auto sitzen.«

»Warum kann ich nicht hierbleiben?«

»Weil es nicht geht.«

»Sie trauen mir keinen Schritt weit.«

»Würden Sie sich denn trauen? Außer Ihrem Vornamen und Ihrem Alter haben Sie mir nichts von sich erzählt. Ich habe Sie in einer ziemlich zwielichtigen Situation kennengelernt. Bei der Erwähnung der Polizei sind Sie in Panik geraten, und zwar, wie ich finde, in absolut übersteigerter Form. Sie sagen, Sie leben mit Ihrem Freund zusammen, ziehen aber ziemlich abgerissen durch das Land, ohne ...« Er unterbrach sich, weil ihm eben erst wirklich klar wurde, worüber er sich schon die ganze Zeit gewundert hatte. »Ohne *irgendetwas*«, fuhr er dann fort. »Sie haben offenkundig *nichts* bei sich. Keine Tasche, keinen Rucksack. Nichts. Keine Papiere, nehme ich an?«

Sie schüttelte den Kopf. »Nein«, gab sie leise zu. »Nichts.«

Er hätte sich selbst ohrfeigen mögen. Wieso war er heute Morgen am Strand nicht einfach weitergegangen? Wieso hatte er sich dieses idiotische Problem ans Bein gebunden?

»Selbst wenn man irgendwo abhaut, nimmt man doch ein paar Sachen mit«, sagte er. Zumindest stellte er sich das so vor. Er war noch nie von irgendwo abgehauen. »Ausweis. Geld. EC-Karte. Handy. Verdammt, *irgendetwas*!«

»Ich hatte das alles mitgenommen.«

»Sie *sind* abgehauen?«

Sie nickte.

»Warum? Hatten Sie ein Problem mit Ihrem Freund?«

»Nicht direkt.«

»Was heißt *nicht direkt*?«

Sie stützte den Kopf in die Hände. Ihre Haare fielen wie ein dichter Vorhang nach vorne. »Ich kann Ihnen das nicht erzählen«, flüsterte sie. »Und, bitte, ich will Sie wirklich nicht ausrauben oder bestehlen. Ich will nur einen Moment hierbleiben. Bitte!«

»Wo sind Ihre Sachen? Ihr Ausweis, Ihr Geld?«

»Verloren.«

»Sie sollten den Verlust bei der Polizei melden.«

Verzweifelt schüttelte sie den Kopf. »Keine Polizei. Keine Polizei.«

»Warum nicht? Wovor haben Sie solche Angst? Nathalie, wenn Sie hierbleiben wollen, muss ich das wissen. Das klingt alles mehr als verdächtig. Ich lasse mich nicht in irgendetwas hineinziehen, wovon ich nicht einmal weiß, was es ist.«

Sie hob den Kopf, sah ihn an. Ergeben. Sie schien in diesem Moment zu begreifen, dass sie nur dann auf Hilfe hoffen konnte, wenn sie zumindest ein paar Karten offenlegte.

»Ich glaube, ich habe einen Mann umgebracht«, sagte sie.

Wenn Simon vieles erwartet hatte, dann jedoch nicht eine Aussage wie diese. Er blickte sie fassungslos an.

»Sie haben einen Mann umgebracht? Sie *glauben* das?«

»Er wollte mich vergewaltigen. Ich habe mich gewehrt. Ich glaube, er ist tot. Aber ich bin weggelaufen und habe mich nicht mehr um ihn gekümmert.«

HAMBURG, DEUTSCHLAND, MONTAG, 14. DEZEMBER

Sie saß am Küchentisch, blickte in ihr leeres Weinglas und rang mit der Frage, ob sie sich zum zweiten Mal einschenken sollte. Sie wusste, dass man in einer schwermütigen Stimmung von Einsamkeit und Leere gern zu viel erwischte. Sie trank sonst nur in Gesellschaft anderer, mit Freunden oder Kollegen. Oder mit Simon. Wenn er da war, hatten sie oft im Wohnzimmer gesessen, auf dem Fußboden und gegen das Sofa gelehnt, hatten Musik gehört und eine Flasche Wein getrunken. Es war ein lustvolles, schönes, geselliges Trinken gewesen. Keines, das betäuben und die Wirklichkeit für ein paar Stunden ausblenden sollte.

Aber heute ging es einfach nicht anders. Kristina fühlte sich zerrissen, verunsichert. Völlig ratlos.

Vielleicht machte sie in der Geschichte mit Simon gerade einen riesigen Fehler.

Kurz entschlossen schenkte sie sich das Glas erneut voll. Ihr Blick wanderte durch ihre Küche, glitt über den im schwarz-weißen Schachbrettmuster gefliesten Boden, über die vielen Geräte aus Edelstahl, die rotbemalten Keramiktöpfe am Fenster, in denen Basilikum, Rosmarin und Petersilie wuchsen. Alles so ordentlich. Geschmackvoll. Wohlhabend. Die Küche einer Frau, die Geld hatte.

Kristina war Geschäftsführerin in einem Unternehmen,

das Maschinenbauteile herstellte. Nicht unbedingt ein Posten, an dem man als Allerserstes eine Frau vermutet hätte. Sie sah sich selbst als intelligent, erfolgreich, unabhängig. Selbstbewusst.

Aber auch manchmal als einsam. Ihre Scheidung lag fünf Jahre zurück. Simon war seitdem der erste Mann in ihrem Leben, mit dem sie sich eine gemeinsame Zukunft hätte vorstellen können. *Hätte.* Denn heute früh hatte sie ihm ziemlich unmissverständlich klargemacht, dass es aus war. Obwohl er gerade hatte einlenken wollen. Sie hätte die Chance gehabt, über Weihnachten zu ihm nach Südfrankreich zu fliegen. Stattdessen würde sie Heiligabend alleine sein. Und das Fest der Liebe wahrscheinlich genauso verbringen, wie sie bereits den heutigen Abend verbrachte: in der Küche mit einer Flasche Wein.

Kristina hatte Simon über ein Internetportal für Singles kennengelernt. Sie suchte dort schon seit Jahren, aber keine Begegnung hatte sich bislang als wirklich vielversprechend erwiesen. Mit Simon jedoch hatte es schon am ersten Abend in einer Pizzeria gefunkt. Er sah sehr gut aus. War charmant. Höflich. Intelligent. Zuvorkommend. Aufrichtig an ihr interessiert.

Er war perfekt.

Wo ist der Pferdefuß? So hatte eine innere Stimme gemurmelt, als sie an jenem ersten Abend später daheim im Bett lag, aufgeregt und glücklich und in der freudigen Erwartung eines gemeinsamen Spaziergangs am kommenden Sonntag, zu dem sie sich verabredet hatten. Sie wollte den Spielverderber in ihrem Kopf am liebsten zum Schweigen bringen, aber sie war keine achtzehn mehr, sondern einundvierzig. Mit achtzehn hätte sie sich einfach nur ihrer Euphorie hingegeben. Inzwischen wusste sie, dass es keine Prinzen gab. Ebenso wenig wie Prinzessinnen. Es gab einfach nur Menschen, behaftet mit positiven Eigenschaften, aber auch mit Fehlern, Schwächen und Macken. Und je weniger davon zum Vorschein traten, umso verdächtiger erschien es ihr.

Das konnte natürlich Unsinn sein. Aber aus irgendeinem Grund, den sie nicht logisch darlegen konnte, vermutete Kristina, dass Menschen, die besonders perfekt wirkten, in Wahrheit nur perfekt darin waren, die Dinge zu verbergen, die in ihrem Leben nicht richtig stimmten. Und dass man vor ihnen mehr auf der Hut sein musste als vor solchen, die so unvollkommen, chaotisch, fragwürdig oder widersprüchlich auftraten, wie sie nun einmal waren.

Insofern hatte sie ein Warnsignal gehört, als sie Simon kennenlernte. Aber als sie mit ihrer besten Freundin Lena darüber sprechen wollte, hatte diese nur die Augen verdreht und tief geseufzt. »Ganz ehrlich, Kristina, so wie du an die ganze Sache herangehst, wirst du nie wieder einen Partner finden. Bisher hattest du an jedem etwas auszusetzen, und jetzt, wo es nichts auszusetzen gibt, machst du genau daran das Problem fest. Wie, um Himmels willen, soll der Mann denn sein, der vor deinen Augen Gnade findet? Simon sieht toll aus, ist offenbar unglaublich nett, dazu noch kultiviert und gebildet. Aber du mäkelst schon wieder herum, und irgendwann spürt er das, und dann bist du ihn los. Einer wie er kann zehn Frauen an jedem Finger haben, also sei nicht leichtsinnig!«

»Eben. Zehn Frauen an jedem Finger. Und warum hat er die nicht? Warum muss er im Internet suchen?«

»Warum suchst du im Internet? Du bist eine attraktive, erfolgreiche Frau, aber auch für dich liegen die Typen nicht einfach auf der Straße herum. Dieser Simon war vierzehn Jahre lang verheiratet und muss sich jetzt neu orientieren. Wie du ihn beschreibst, ist er kein Draufgänger. Wahrscheinlich ist er zu schüchtern, Frauen einfach anzuquatschen, also hat er sich für das Internet entschieden. Und willst du ihm seine Zurückhaltung jetzt ernsthaft vorwerfen?«

Das wollte sie natürlich nicht. Und trotzdem … irgendetwas störte sie.

Er verdiente als freier Übersetzer sehr viel weniger Geld als sie, aber das war es nicht. Er trat in der Öffentlichkeit bei Weitem nicht so selbstsicher auf wie sie, aber das war es nicht. Er war oft melancholisch und in sich gekehrt, aber das war es auch nicht.

Irgendwann begriff sie, dass er noch vollständig in den Fängen seiner Exfamilie, besonders in denen seiner Exfrau Maya, hing. Das war es. Ein riesiges Problem. Und es war schlimmer statt besser geworden.

Es war nicht so, dass Simon noch eine enge emotionale Bindung an seine geschiedene Frau hatte. Das hatte er Kristina versichert, und sie glaubte ihm. Aber er hatte natürlich eine Bindung an seine beiden Kinder. Und diese Tatsache nutzte Maya, ihn nach Herzenslust zu manipulieren und ein Störfeuer nach dem anderen in sein Leben zu schießen. Das war bösartig, schäbig und obermies, wie Kristina fand, aber es gehörten zwei dazu, damit es funktionierte. Simon wehrte sich nicht. Und das gefiel ihr nicht an ihm. Sie brauchte keinen starken Helden zum Anlehnen, aber sie wollte einen Mann, der sein Leben im Griff hatte.

Es kam oft genug vor, dass sie und Simon eine Verabredung für das Wochenende hatten, die dann von Simon in der letzten Sekunde abgesagt wurde, weil er urplötzlich die Kinder übernehmen musste. Die ersten beiden Male hatte Kristina noch verständnisvoll reagiert, aber als sich dieses Vorkommnis immer öfter wiederholte, begehrte sie auf.

»Das ist doch Schikane! Sie könnte sich das doch zumindest früher überlegen. Sie ruft dich Freitag früh an und erklärt, du müsstest ab Freitagabend die Kinder übernehmen, weil sie und ihr Lebensgefährte bis Sonntagabend zu irgendeinem spontanen Wochenendtrip unterwegs sind. Dass sie dir damit *deine* Planung zerschlägt, ist ihr völlig egal. Und du gibst jedes Mal nach und spielst den Babysitter für sie!«

»Ich bin doch kein Babysitter. Ich bin immerhin der Vater der Kinder.«

»Und sie ist die Mutter. Sie kann auch einmal auf ein Vorhaben verzichten, so wie du es ständig tust. Wie *wir* es ständig tun!«

Das Schlimmste aber war, dass die Kinder bis zum heutigen Tag noch keine Ahnung von ihrer, Kristinas, Existenz hatten. Sie stellte Simons bestgehütetes Geheimnis dar. Auch in diesem Punkt war sie anfangs geduldig gewesen, hatte verstanden, dass er nicht recht wusste, wie er das den beiden erklären sollte, dass er die erste Begegnung vor sich herschob. Aber inzwischen hatte sich das alles zu einem absurden Theaterstück entwickelt. Es gab Kristina nicht. Das bedeutete, dass Simon nicht nur alle Pläne umwarf, die er zuvor mit Kristina geschmiedet hatte, sowie die Kinder im Anmarsch waren, es bedeutete zudem, dass Kristina dann auch das ganze Wochenende über nicht in Erscheinung treten durfte. Sie saß zu Hause herum und wartete, dass irgendwann Entwarnung gegeben wurde.

Und mit jedem Monat, der verging, erschien ihr diese Situation unwürdiger.

»Ich will ihnen Zeit lassen«, hatte er erklärt. »Sie mussten schon die Trennung verkraften. Kurz danach präsentierte Maya ihnen den neuen Mann in ihrem Leben. Jetzt komme ich mit einer neuen Frau. Das ist zu viel auf einmal.«

»Dann hättest du vielleicht noch gar nicht nach einer neuen Frau suchen sollen. Wenn in deinem Leben kein

Platz für sie ist. Das wäre fairer gewesen«, hatte Kristina wütend entgegnet.

Sie stritten viel. Die Beziehung, die so romantisch begonnen hatte, wurde zunehmend zu einer Belastung für sie beide. Hätte es nicht zwischendurch so schöne Momente gegeben, Kristina hätte längst alles hingeschmissen.

Aber dann war der Dezember gekommen, Simon hatte ihr gesagt, dass er Weihnachten mit seinen Kindern verbringen werde. Er hatte ihr dabei kaum in die Augen schauen können. Weil die Konsequenz klar war.

»Aha«, hatte Kristina gesagt. »Das heißt, ich bin Weihnachten allein.«

»Sie waren letztes Weihnachten bei Maya. Dafür war ich über Silvester mit ihnen in Südfrankreich. Dieses Jahr werde ich Weihnachten mit ihnen dort sein, aber wir kommen am 31. Dezember zurück. Silvester gehört dann uns beiden.«

Sie war es so leid inzwischen. »Ach, hör doch auf«, entgegnete sie müde. »Soll ich dir sagen, wie es laufen wird? Maya wird dir am Silvestertag eröffnen, dass sie und Leon überraschend zu irgendeiner Party eingeladen wurden, dass sie nicht absagen können und dass du bitte die Kinder noch bis zum nächsten Tag behältst. Das heißt, ich sehe mich besser jetzt schon nach einem Alternativprogramm um, denn auf dich werde ich nicht zählen können.«

»Das weißt du doch gar nicht. Du …«

»Doch. Das weiß ich. Ich bin überzeugt, dass Maya längst wittert, dass es jemanden gibt in deinem Leben, auch wenn du ein Staatsgeheimnis aus mir machst, aber sie ist eine Frau, sie ist schlau, und sie kennt dich ziemlich gut. Es bereitet ihr ein riesiges Vergnügen, deine neue Beziehung zu torpedieren, wo sie nur kann. Und das Schönste für sie ist, dass du so unglaublich bereitwillig mitspielst.«

»Kristina …«

»Nimm mich mit nach Südfrankreich. Stell mich deinen Kindern vor. Sie werden es überleben.«

»Ausgerechnet an Weihnachten …«

»Entweder oder. Wenn du mich jetzt aus deinem Weihnachten ausklammerst, dann war es das mit uns. Dann sehe ich die Beziehung als beendet an.«

»Ich sage es ihnen gleich Anfang des neuen Jahres. Das verspreche ich dir.«

»Das ist mir zu spät.«

Sie war einfach nicht mehr bereit, sich hinhalten zu lassen.

Sie hatten nicht mehr miteinander gesprochen, bis er sich an diesem Morgen überraschend telefonisch gemeldet hatte. Es hatte sie überhaupt nicht gewundert zu hören, dass er nun alleine in Frankreich herumsaß, weil die Kinder abgesprungen waren. Ein ganz typischer Schachzug von Maya. Sie liebte Manöver dieser Art.

Immerhin, er hatte sich ziemlich weit erniedrigt, als er bei ihr angerufen hatte. Sicher war ihm das schwergefallen. Aber sollte sie deshalb nachgeben?

Sie wusste, was Lena sagen würde: »Fahr zu ihm! Gib ihn nicht auf. Gut, ihr habt da ein massives Problem. Aber es wird sich lösen. Er braucht Zeit, aber irgendwann wird er sich klar zu dir bekennen. Und dann wirst du an diese Anfangsschwierigkeiten kaum noch denken.«

Aber er wird der Mann bleiben, der er ist, dachte Kristina. Es gibt diese unentschlossene, manipulierbare, ängstliche Seite in ihm, und dass sie dann vielleicht nicht mehr so stark spürbar ist, ändert nichts an ihrem Vorhandensein.

Sollte sie sich noch tiefer in die Beziehung mit einem Mann verstricken, in dessen Wesen es Züge gab, die sie schon jetzt … ja, fast abstießen?

Lena hätte dazu einen Allgemeinplatz parat gehabt. »Du kannst dir einen Mann nun mal nicht backen. Du wirst immer auch Eigenschaften akzeptieren müssen, die dir nicht gefallen.«

Als ob sie das nicht wüsste. Aber es gab einen Unterschied zwischen *nicht gefallen* und *nicht ertragen können.* Die Schwierigkeit war, dass sie im Augenblick nicht sicher herausfand, unter welcher der beiden Kategorien sie die Probleme mit Simon verorten sollte.

Sie schenkte sich ein drittes Glas ein. Es war jetzt auch schon egal.

SOFIA, BULGARIEN, DIENSTAG, 15. DEZEMBER

Mitte Dezember war Ivanas psychischer Zustand besorgniserregend geworden, und Kiril wusste, dass etwas passieren musste. In den ersten Tagen nach Ninkas Abreise hatte Ivana sich noch aufgerafft, jeden Tag alles das zu erledigen, was erledigt werden musste; sie hatte eingekauft und Essen gekocht, Wäsche gewaschen, die Streitereien der Kinder geschlichtet, die Wohnung geputzt. Unter deutlich verbesserten Bedingungen als in den Monaten zuvor: Die eineinhalbtausend Euro hatten alle Sorgen wie durch Zauberhand von einem Moment zum anderen beseitigt. Kiril hatte die ausstehenden Mietzahlungen geleistet, und von dieser Sekunde an konnten sie wieder heizen und hatten es gemütlich warm. Sie konnten Essen und Trinken kaufen und wenigstens für zwei ihrer Kinder neue Schuhe. Kiril brachte Wolle mit, damit Ivana Schals, Handschuhe und Mützen stricken konnte. Er leistete sich guten Kaffee und glaubte, selten einen genussvolleren Augenblick erlebt zu haben als den ersten Schluck starken Bohnenkaffees nach Wochen mit dünnem Tee. Er hatte gehofft, der Kaffee werde auch ein Lächeln auf Ivanas Züge zaubern, aber ihre Lippen verzogen sich nicht, der Blick ihrer Augen blieb starr. Sie schien wie innerlich erfroren, und dies schon seit Tagen.

Dann jedoch fiel zudem auf, dass immer mehr im Haushalt liegen blieb. Zwar stand Ivana frühmorgens auf wie immer, und sie war auch den ganzen Tag über beschäftigt. Aber ihre Bewegungen wurden immer langsamer und mechanischer. Da Kiril noch immer keine Arbeit hatte, konnte er manches übernehmen, aber die Situation fing an, ihn zu beunruhigen. Sie hatten das Beste getan, was sie für Ninka hatten tun können.

Und nun schien Ivana an der Trennung zu zerbrechen.

Schließlich stand sie noch immer morgens früh auf und machte für alle das Frühstück, aber damit schien dann auch ihre Energie für den gesamten Rest des Tages verbraucht zu sein. Sie spülte noch das Geschirr, und anschließend fiel sie regelrecht in sich zusammen. Meist stand sie nur noch am Fenster und starrte hinaus. Wenn man sie ansprach, zuckte sie zusammen, so als wäre sie vollständig in Gedanken versunken gewesen und hätte völlig vergessen, dass es andere Menschen um sie herum gab.

Kiril betrachtete dies mit wachsender Sorge. Nachdem es zunächst seine Strategie gewesen war, das Problem zu ignorieren und zu hoffen, es werde sich von selbst erledigen, begann er nun zu begreifen, dass sich die Situation nicht nur nicht von alleine zum Besseren wenden würde, sondern dass sich im Gegenteil alles ständig verschlimmerte. An einem Vormittag, als die älteren Kinder in der Schule waren, sprach er Ivana darauf an. Wie meist stand sie gerade wieder am Fenster. Es war ein kalter, sonniger Wintertag. Sofia lag unter einem Hauch von Schnee, der bereits wieder taute. Die schroffen, schneebedeckten Felshänge des Witoschagebirges zeichneten sich in fast unnatürlicher Klarheit gegen das tiefe Blau des Himmels ab. Von ihrer Wohnung aus hatten sie einen schönen Blick auf die Berge.

»Was ist los?«, fragte Kiril. »Ich vermisse sie auch, aber du bist völlig verändert.«

Sie wandte sich zu ihm um. Erstmals fiel ihm auf, wie stark sie abgenommen hatte. Unter ihren weiten Kleidern merkte man es nicht so, aber er sah es nun an ihrem Gesicht. Ausgemergelte Züge, scharfe Furchen. Sie hatte immer tiefliegende Augen gehabt, aber nun schienen sie noch tiefer zu sein. Dunkel umschattet.

Seit Mitte November fasteten sie, wie es traditionell in Bulgarien bis zum 24. Dezember gehalten wird – wenngleich die meisten Menschen es damit nicht mehr allzu genau nahmen. Auch Kiril und Ivana sahen das nicht allzu eng. Es konnte nicht der Grund dafür sein, dass sie derart schlecht aussah.

»Ich denke immer nur an Ninka«, sagte sie.

»Ninka geht es gut«, erwiderte Kiril, geradezu reflexartig. Denn anders konnte es ja nicht sein. Dass es Ninka gut gehen würde, war ja die Grundvoraussetzung für alles andere gewesen.

»Warum meldet sie sich nicht?«

»Weil wahrscheinlich so viel Neues auf sie einstürmt, dass ihr gar keine Zeit bleibt. Überleg doch mal, sie ist in einem anderen Land, in ganz neuen Lebensumständen. Sie muss sich umstellen, sich einleben. Ich wette, sie denkt nicht einmal halb so viel an uns wie du an sie.«

»Nachts im Traum«, sagte Ivana, »höre ich sie rufen. Und sie ist verzweifelt.«

»Das ist, wie du ja selbst sagst, ein *Traum.* Du vermutest Schlimmes, und das baust du in deine Träume ein. Das ist nichts, was du ernst nehmen musst.«

»Ich bin ihre Mutter, Kiril. Ich fühle, dass es ihr schlecht geht.«

»Es geht *dir* schlecht. Das überträgst du auf sie.«

Sie schüttelte den Kopf, erwiderte nichts, wandte sich von ihm ab und blickte wieder hinaus in die gewaltige Berglandschaft. »Das wird sie vielleicht nie mehr sehen. Diese Berge. Diese Stadt. Sie wird ihre Muttersprache nicht mehr hören.«

Kiril lachte gezwungen. »Das ist nun wirklich Unsinn, Ivana. Sie wird uns besuchen.«

»Warum meldet sie sich nicht?«

»Wie soll sie sich denn melden? Sie wird dort jetzt das alles bekommen, Telefon, Handy und Computer und was weiß ich noch alles ... Aber wir haben das nicht. Wir haben doch nicht einmal ein Telefon in unserer Wohnung. Sie kann nicht einfach anrufen und sagen: Hallo, mir geht es gut!«

»Das weiß ich selbst, Kiril. Deswegen habe ich ihr die Nummer von Frau Dimitrova gegeben. Aber da hat sie sich auch nicht gemeldet.«

Die Dimitrovs wohnten im zweiten Stock des Hauses und besaßen ein Telefon.

»Vielleicht hat sie die Nummer verloren«, meinte Kiril. »Oder sie hat es wirklich einfach vergessen.«

Wieder schüttelte Ivana den Kopf. »Nein. Sie hat mir versprochen anzurufen. Sie weiß, wie sehr wir darauf warten.«

Noch neun Tage bis Weihnachten, und es hatte nicht den Anschein, als hätte Ivana vor, sich mit den Vorbereitungen zu beschäftigen. Am Morgen des 25. Dezember endete das Fasten, und für gewöhnlich hätte sie jetzt bereits gekocht, gebacken, gebraten – umso mehr, als es diesmal kein finanzielles Hindernis gab, alles zu kaufen, was sie dafür brauchte. Selbst in deutlich schlechteren Zeiten hatte sie immer versucht, so viele Köstlichkeiten wie nur möglich auf den Tisch zu bringen. Jetzt jedoch ... tat sie einfach gar nichts. Sie starrte nur weiterhin unverwandt aus dem Fenster.

An diesem Morgen des 15. Dezember fragte Kiril daher vorsichtshalber schon einmal, wann sie denn das Brot backen würde. Das Weihnachtsbrot, in das eine Münze eingebacken wird, die demjenigen, der sie findet, Glück und Wohlstand für das kommende Jahr bringen soll, ist aus einem bulgarischen Weihnachtsessen nicht wegzudenken. Kiril konnte sich an kein einziges Weihnachten in seinem ganzen Leben erinnern, an dem er dieses Brot nicht gegessen hatte.

Ivana zuckte nur mit den Schultern. Sie war noch dünner geworden, inzwischen sah man es auch an ihrem Körper. »Ich backe dieses Jahr kein Brot. Ich feiere kein Weihnachten.«

»Ivana...« Langsam fing er an zu verzweifeln. So konnte es nicht weitergehen.

»Ich weiß, dass es Ninka nicht gut geht. *Ich weiß es,* ganz gleich, ob du mir das glaubst oder nicht. Wir haben einen furchtbaren Fehler gemacht. Es ist unverzeihlich.«

»Wir wollten das Beste und...«

Heftig wie nie zuvor fuhr sie ihn an: »Das Beste? Für wen? Für uns oder für sie? Wir waren in einer verzweifelten Situation, und wir haben eines unserer Kinder verkauft, um uns zu retten. Das ist die Wahrheit! Dieses Brot, das ich backen, dieses Weihnachtsessen, das ich kochen soll – wir bezahlen es mit dem Geld, das wir für unser Kind bekommen haben. Ich kann das nicht. Ich kann so nicht Weihnachten feiern. Ich kann so nicht leben!«

Kiril begriff, dass er nur eine Möglichkeit hatte: Er musste ein Lebenszeichen von Ninka auftreiben. Und zwar möglichst eines, das verriet, wie gut es ihr ging und wie glücklich sie war. Insgeheim ahnte er, dass seine Frau vielleicht recht hatte mit ihren dunklen Gedanken, er machte sich inzwischen ebenfalls ernsthaft Sorgen um Ninka, auch wenn er das nicht zugeben wollte.

Er zog seine wärmste Jacke und seine Fellmütze mit den Ohrenklappen an, denn nachts war das Thermometer unter null Grad gefallen, verließ die Wohnung und machte sich auf den Weg zu Dano. Er hoffte, er würde den Freund daheim antreffen. Da Dano als Schichtarbeiter tätig war, bestand jedenfalls die Chance.

Tatsächlich wurde ihm die Wohnungstür geöffnet. Dano war verschlafen, reagierte aber nicht unfreundlich.

»Ich bin erst seit zwei Uhr nachts daheim«, sagte er und gähnte. »Aber egal, komm rein.«

Dano machte Kaffee in seiner winzigen Küche, während Kiril ihm sein Problem schilderte. »Ich muss irgendwie den Kontakt zu Ninka herstellen. Ivana geht sonst vor meinen Augen zugrunde. Sie ist völlig verzweifelt, weil wir nichts von ihr gehört haben.«

Dano gähnte erneut. »War denn vereinbart, dass ihr etwas hört?«

»Das war alles etwas unklar. Aber Ninka hat Ivana versprochen, sich so bald wie möglich zu melden. Sie hat die Telefonnummer einer Frau in unserem Haus. Aber sie gibt keinen Laut von sich. Und, mein Gott, sie ist erst siebzehn!«

Dano sah ihn aus geröteten, müden Augen an. »Hm. Keine Ahnung, was da los ist. Ich würde sagen, das Mädchen genießt sein Leben und hat glatt vergessen, dass hier in Sofia Menschen sitzen, die sich sorgen. So sind die jungen Leute.«

»Das sage ich Ivana auch ständig. Aber es ist wirklich alles etwas merkwürdig, und sie bleibt dabei, dass irgendetwas nicht stimmt. Dass es Ninka schlecht geht. Dass wir einen Fehler gemacht haben.«

»Hm«, machte Dano wieder. Er reichte seinem Freund einen Becher, der mit heißem, starkem Kaffee gefüllt war. »Hier. Stärke dich erst mal.«

»Sie hat unglaublich abgenommen. Sie will kein Weihnachten feiern. Nichts vorbereiten, nichts kochen. Sie will nicht einmal das Brot backen!«

Dies schien nun auch Dano als ein Zeichen für ein ernsthaftes Problem zu sehen. »Klingt nicht gut. Aber wie kann ich dir da helfen?«

»Ich muss den Kontakt zu Ninka herstellen. Aber da ich nicht weiß, wo sie steckt… Ich muss unbedingt diese Frau kontaktieren, Vjara. Der die Agentur in Rom gehört, bei der Ninka unter Vertrag ist. Sie kann bestimmt etwas tun. Ich brauche ja nur ein Lebenszeichen von ihr.«

»Ich weiß nicht, wo Vjara wohnt«, sagte Dano. »Das alles ging ja über diesen Kollegen von mir am Flughafen. Im Prinzip habe ich ansonsten genauso wenige Informationen wie du.«

»Kannst du mir den Namen und die Adresse von deinem Kollegen sagen? Bitte!«

»Er wollte das ja nicht…«, meinte Dano unbehaglich.

»Bitte. Er ist mein einziger Anhaltspunkt. Vielleicht hat er inzwischen von seiner Tochter gehört und kann mir einen Hinweis geben.«

Dano war unschlüssig, wand sich hin und her, schien aber schließlich einzusehen, dass er Kiril nicht mehr loswürde, wenn er ihm nicht die gewünschte Auskunft gab. »In Ordnung. Ich hoffe, du bringst mich nicht in Schwierigkeiten. Hätte ich mich nur nie in diese ganze Sache eingemischt. Ich bin einfach immer zu gutmütig.« Er riss ein kariertes Blatt von einem Block und kritzelte etwas darauf. »Hier. Gregor Semjonov. Ljulin. Du musst es unter der privaten Adresse versuchen. Er ist seit gestern krankgemeldet.«

»Schlimm?«

Dano zuckte mit den Schultern. »Keine Ahnung.«

Kiril wunderte sich, weshalb ihm plötzlich eine Gänsehaut über den Rücken lief. Gregor Semjonovs Erkrankung stand mit Sicherheit in keinem Zusammenhang mit den Geschehnissen um seine Tochter und um Ninka. Trotzdem … Er hatte auf einmal ein dummes Gefühl. Die Sache gefiel ihm nicht. Er hatte das deutliche Empfinden, auf einer Schwelle zu stehen, von der aus er am besten keinen weiteren Schritt tun sollte. Es war, als bekäme er eine Warnung, unhörbar und unkonkret, und dennoch so intensiv, dass er fröstelte.

Da er sich diesen Vorgang nicht erklären konnte, beschloss er, ihn zu ignorieren.

Ich hörte natürlich nicht vollständig auf zu essen. Aber ich begann ein Spiel um die Frage, wie wenig ich essen konnte, ohne dass ich funktionsuntüchtig wurde. Ich wollte in der Schule gut sein, ich wollte meine Mutter und den Haushalt versorgen, ich wollte mein Leben im Griff haben. Aber das alles auf dem absolut minimalsten Level an Nahrungszufuhr. Mir war häufig schwindelig, dann versuchte ich, noch etwas weniger zu essen, um wirklich bis an die Grenze zu kommen, an der ich ohnmächtig werden würde. Die Sache übte auf mich denselben Reiz aus, den vielleicht notorische Zocker verspüren, die immer noch mehr und noch mehr Geld riskieren und an dem Abgrund der totalen Pleite entlangbalancieren und jedes Mal einen enormen Kick verspüren, wenn sie noch höher gereizt haben und doch nicht abgestürzt sind. Auch ich reizte es aus. Ohne zu fallen.

Ich kann heute gar nicht mehr genau erklären, was in mir vorging. Ein Psychologe wüsste es vielleicht. Nachts lag ich wach und strich mit den Händen über meinen Körper, glitt über die weit hervorstehenden Hüftknochen, den tief eingesunkenen Bauch dazwischen, die sich hart und hoch wölbenden Rippenbögen. Ich empfand euphorische Gefühle dabei. Wenn ich auf die Waage stieg und erneut ein Kilo verloren hatte, dann spürte ich tiefes Glück. Und das Hungern fiel mir irgendwann nicht mehr schwer. Im Gegenteil. Ich hätte es gehasst, hätte mich jemand zum Essen gezwungen.

Im Lycée hatten wir von 12:10 Uhr bis 13:10 Uhr Mittagspause und bekamen etwas zu essen, aber man konnte sich davon befreien lassen, wenn man eine Bestätigung der Eltern vorlegte, dass man stattdessen nach Hause ging und dort aß. Eine solche Bestätigung legte ich vor. Sie war gefälscht, und statt nach Hause zu gehen, trieb ich mich in einer Parkanlage herum und genoss das Gefühl der völligen Leere in meinem Magen.

Auch wenn ich glaubte, mich auf einem seelischen Höhenflug zu befinden, ging es mir in Wahrheit natürlich nicht gut. Ich magerte ungeheuer ab, wurde hohläugig und schwach. Meine Haare hatten keinen Glanz mehr, egal, wie oft ich sie wusch. Ständig musste ich neue Klamotten kaufen, weil meine Sachen an mir herumschlabberten. Das Geld dafür nahm ich aus dem Portemonnaie meiner Mutter. Sie kontrollierte ja nie, was sie hatte. Ich konnte längst über ihre EC-Karte verfügen und ging allein zum Automaten, um Nachschub abzuheben. An den meisten Tagen wäre sie dazu gar nicht in der Lage gewesen, deshalb war sie froh, dass ich das übernahm. Ich holte ihr auch die Tabletten aus der Apotheke. Nur für den Grand Marnier musste sie sich selbst aufraffen, das konnte ich nicht übernehmen. Ich war zu jung, an mich wurde in den Geschäften kein Alkohol verkauft.

Ich fühlte mich toll, sah aber so erbärmlich aus, dass man schließlich, kurz vor meinem siebzehnten Geburtstag, in der Schule aufmerksam wurde. Jahrelang hatte dort niemand bemerkt, dass meine Mutter Schwerstalkoholikerin war, dass ich keinerlei Unterstützung daheim hatte, dass ich schon als Kind für mich alleine und für meine Mutter und den Haushalt hatte sorgen müssen. Meine Mutter war nie bei einem Elternabend erschienen, und ich hatte immer fadenscheinige Erklärungen vorgebracht, denen niemand nachging. Meine Noten waren gut, daher geriet ich nicht in den besonderen Fokus meiner Lehrer. In dem Kommunikationsheft, das jeder führen musste und in das die Lehrer Nachrichten für die Eltern hineinschrieben, hatte ich die Unterschrift meiner Mutter jedes Mal gefälscht. Ich hatte niemals Mitschüler mit nach Hause nehmen können, war entsprechend auch von niemandem mehr eingeladen worden und innerhalb der Klasse völlig vereinsamt. Auch das war keinem aufgefallen.

Jetzt jedoch, da ich aussah wie ein Streichholz, braune Ringe unter den Augen hatte und im Sportunterricht tatsächlich einmal ohnmächtig wurde, entstand eine gewisse Aufregung. Ich musste bei meiner Klassenlehrerin erscheinen, die mich fragte, was mit mir los sei und ob ich Probleme hätte.

»Nein. Warum?«, gab ich zurück.

»Du bist krankhaft untergewichtig«, entgegnete Madame Beyle. »Du scheinst seit einiger Zeit das Essen eingestellt zu haben.«

»Ich esse ganz normal«, behauptete ich.

»Meine liebe Nathalie, das kann nicht sein. So wie du aussiehst, isst du entweder nichts oder du hast eine schwere Krankheit. Ich würde gerne einmal mit deinen Eltern sprechen.«

»Meine Eltern sind geschieden. Mein Vater lebt in Paris.«

»Aber deine Mutter lebt hier.«

»Ja. Natürlich.«

»Dann möchte ich einen Termin machen, zu dem sie hierherkommt. Wir werden zu dritt und absolut vertraulich über deine Schwierigkeiten sprechen.«

Die Vorstellung, wie vertraulich das alles ablaufen würde, wenn meine zu jeder Sekunde des Tages sturzbesoffene Mutter über den Schulhof geschwankt käme, um den Termin bei Madame Beyle wahrzunehmen, ließ mich in schiere Panik geraten. Wie hatte ich so dumm sein können? Ich hätte wissen müssen, dass mein neues Hobby irgendwann Aufsehen erregen und mir die besorgten Hyänen, die es ja überall gibt und die gierig auf all die Probleme lauern, die sie nichts angehen, auf den Hals hetzen würde.

»Ich bin völlig okay«, versuchte ich noch, Madame Beyle zu überzeugen. »Es wäre mir lieber, wenn meine Mutter nicht behelligt würde. Sie hat genug Kummer wegen der Scheidung gehabt.«

Aber natürlich ließ Madame Beyle sich nicht abwimmeln. Sie gab mir einen Termin für meine Mutter mit, den ich auch tatsächlich weiterreichte. Meine Mutter erschien nicht. Sie erschien auch zum zweiten und dritten Termin nicht. Madame Beyle glaubte mir die ziemlich windigen Ausreden nicht mehr, die ich dafür erfand.

Sie informierte das Jugendamt.

Seitdem meine Mutter nicht mehr nur Ausfälle hatte, sondern ihr gesamter Alltag einen einzigen Ausfall darstellte, hatte ich vor diesem Moment Angst. Wenn es Menschen gab, die ich hasste und fürchtete, dann waren es die Mitarbeiter des Jugendamtes. In der Siedlung, in der wir lebten, begegnete man ihnen, ebenso wie der Polizei, nicht selten. Hier lebten zu viele gestrandete und hoffnungslose Existenzen, hier war meine Mutter bei Weitem nicht die Einzige, die zu viel trank, und hier eskalierten Frust und Aggressionen im Zusammenspiel mit Alkohol regelmäßig in handfesten familiären Auseinandersetzungen. Kein Tag, an dem nicht aus mindestens einer Wohnung laute Schreie und Flüche, klirrendes Glas, schlagende Türen und Hilferufe zu hören gewesen wären. Irgendjemand verständigte dann die Polizei, die sofort kam, um das Schlimmste zu verhindern. Ich hatte nichts gegen die Polizei, im Gegenteil, ich sah die Beamten durchaus als Retter und Helfer. Vielleicht war ich ihnen gegenüber auch deshalb unbefangen, weil ich wusste, dass sie meiner Mutter und mir nicht gefährlich werden konnten. Was auch immer bei uns nicht stimmte, wir stritten jedenfalls nie und blieben völlig unauffällig. Meine Mutter war eine stille Säuferin. Sie wurde nie streitsüchtig oder laut. Sie trank und schlief, schlief und trank. Auf ihre Art war sie ein ausgesprochen umgänglicher Mensch.

Oft erschien aber auch das Jugendamt, weil Kinder aus den Familien genommen werden mussten, und diese Leute flößten mir Furcht ein. Ich ahnte wohl, dass sie eine Gefahr für mich darstellten, selbst dann, wenn wir uns vollständig bedeckt hielten und in der Anonymität der großen Wohnblocks ganz und gar unterzutauchen versuchten. Ich fand, dass die Mitarbeiter vom Jugendamt alle einen selbstgerechten Ausdruck auf dem Gesicht trugen und man ihnen ansehen konnte, dass sie sich für Menschen hielten, die auf jeden Fall auf der richtigen Seite standen, immer das Richtige taten und genau wussten, was für andere gut war. Überdies hatten sie einen stechenden Blick, den ich bei den Polizisten nie erlebt hatte. Wenn ich einem von ihnen auf dem Flur oder im Treppenhaus begegnete – und ich erkannte sie immer –, dann argwöhnte ich, dass sie förmlich spürten, dass bei mir daheim die Dinge nicht zum Besten standen und dass sie gerade hinter meiner sorgfältig aufrechterhaltenen Unauffälligkeit dunkle Abgründe witterten.

Aber nun hatte ich es ihnen wie auch meiner gesamten Umwelt leicht gemacht, geradezu schlagartig herauszufinden, dass es in meinem Leben massive Probleme gab. Ich war nicht mehr unauffällig. Irgendwie paradox: Ich war immer leichter geworden, immer schattenhafter, immer durchsichtiger. Immer unauffälliger also, hätte man meinen können. Aber so war es natürlich nicht. Als wandelndes Skelett inmitten einer gutgenährten Wohlstandsgesellschaft hatte ich mir gewissermaßen ein Schild an die Stirn geheftet, auf dem in schreiend roter Farbe geschrieben stand: *Ich bin magersüchtig!*

Was die Menschen dazu brachte, einen Nachsatz ungefragt zu ergänzen: *Ich brauche Hilfe!*

Den Begriff Magersucht hörte ich dann übrigens erst später von der Psychologin, zu der man mich schickte. Ich fiel aus allen Wolken. Süchtig? Ich? Wenn jemand süchtig war, dann meine Mutter. Auch wenn sie es nicht erkannte. War ich wie sie?

Aber der Reihe nach. Madame Beyle also hatte alle Hebel in Bewegung gesetzt, und mit dem Leben, das ich gerade wieder als gut empfunden hatte, war es vorbei. Eine Mitarbeiterin des Jugendamts erschien bei uns und fand meine Mutter, wie es nicht anders zu erwarten gewesen war, im Bett liegend und hoffnungslos betrunken vor. Von den Nachbarn auf unserer Etage erfuhr sie, dass dies keine Ausnahme, sondern der Normalzustand war.

»Und wie lange geht das schon so?«, fragte sie entsetzt.

Die Nachbarin zu unserer Linken erwies sich als besonders auskunftsfreudig. »Seit vielen Jahren, seitdem sie und ihre Tochter hier eingezogen sind. Tabletten schluckt sie auch ohne Ende. Die arme Nathalie ist vollkommen auf sich allein gestellt.«

Ich war ganz perplex, dass sie so viel mitbekommen hatte. Die papierdünnen Wände in dem Haus und die Neugier der Menschen hatte ich offenbar gründlich unterschätzt.

Vom Jugendamt gedrängt, willigte meine Mutter ein, sich in eine Klinik zu begeben, um einen Alkohol- und Tablettenentzug zu starten. Mein Vater in Paris wurde verständigt, und so kam es nach den vielen Jahren erstmals zu einem Telefonat. Ich hatte Herzklopfen vor Aufregung, aber ziemlich rasch merkte ich, wie ungelegen ihm die ganze Situation kam und dass er im Grunde nur fieberhaft überlegte, wie er seinen Kopf aus der Schlinge ziehen konnte. Schlinge hieß in diesem Fall: seine Tochter plötzlich aufs Auge gedrückt zu bekommen.

»Natürlich könntest du zu uns nach Paris kommen«, sagte er in einem Tonfall, der deutlich machte, dass dies eine Art Worst-Case-Szenario für ihn darstellte. »Allerdings halte ich es nicht für so gut, wenn du gerade jetzt die Schule wechselst.«

»Warum?«

»Weil es nicht mehr lange hin ist bis zum Abitur. Willst du durchfallen, nur weil du zu mir ziehst?«

»Nun, ich …«

»Das wäre ganz schlecht, auch in psychologischer Hinsicht«, unterbrach er mich. »Das werde ich auch den Leuten vom Jugendamt sagen. Herrgott, warum muss deine Mutter eigentlich trinken?«

»Sie trinkt, seitdem du weggegangen bist«, sagte ich.

Er seufzte. »Erzählt sie das? Nun, Nathalie, die Wahrheit ist, ich bin weggegangen, weil sie getrunken hat. Schon damals. Hast du das nie bemerkt?«

Das hatte ich tatsächlich nicht. »Aber sie hat nie im Bett gelegen. Sie hat nicht geschwankt. Sie hat gearbeitet …«

»Sie hat offenbar kontrollierter getrunken als heute, aber sie hat immer getrunken. Es ist eine Katastrophe mit ihr. Wie kann man sich so gehen lassen, wenn man ein Kind hat?«

Wie kann man einfach abhauen, wenn man ein Kind hat?, dachte ich, sagte es aber nicht laut. Innerlich begann ich mich bereits von dem Gedanken zu verabschieden, zu ihm zu ziehen. Ich war nicht willkommen, so viel hatte ich schon begriffen.

»Lucille ist schwanger«, sagte mein Vater. »Es ist eine sehr komplizierte Schwangerschaft. Du musst verstehen, dass es jetzt alles noch schwieriger machen würde, wenn du zu uns kämest.«

Lucille, das Wäschemodel. Ich rechnete nach, sie musste jetzt etwa dreißig sein, und vielleicht stagnierten die Aufträge. Models haben, was ihren Beruf betrifft, ja relativ früh ausgedient. Jetzt versuchte sie ihre Zukunft an der Seite meines Vaters durch ein Baby zu sichern. Ich hatte sie immer gehasst, nun tat ich es noch mehr. Hoffentlich verrechnete sie sich. Hoffentlich ließ er sie irgendwann genauso sitzen, wie er meine Mutter und mich hatte sitzen lassen.

Ich würde in absehbarer Zeit also eine Schwester oder einen Bruder bekommen. Mein Wunsch, nach Paris überzusiedeln, zerrann endgültig. Dort zu leben mit Lucille als Stiefmutter und einem schreienden kleinen Wesen, das all die Aufmerksamkeit und Zuwendung bekommen würde, von der ich nur träumen konnte – nein danke.

Wie sich herausstellte, hielt mein Vater bereits eine Alternative bereit. Er hatte lange genug in Metz gelebt, um viele Leute dort zu kennen, und es gab eine ehemalige Kollegin aus seiner Firma, mit der er schon gesprochen hatte.

»Eine liebe Freundin«, so nannte er sie. Wahrscheinlich hatte er irgendwann einmal mit ihr geschlafen, und sie war noch immer hin und weg von ihm. Jedenfalls hatte sie sich bereiterklärt, dass ich bis zum Abitur bei ihr wohnen durfte.

»Aber vielleicht kommt ja vorher schon deine Mutter wieder zurück und alles ist in Ordnung«, setzte er hoffnungsvoll hinzu.

Das Jugendamt nahm Vaters »liebe Freundin« genau unter die Lupe. Diese Frau sollte ja nicht nur einfach einen Teenager bei sich aufnehmen, sondern einen Teenager, der gefährlich an Magersucht erkrankt war. Es musste sichergestellt werden, dass sie damit nicht völlig überfordert war, dass sie meinen regelmäßigen Besuch bei einem Psychologen gewährleistete, dass sie engen Kontakt zum Jugendamt zu halten bereit war. Und, und, und. Aber da ich inzwischen auf gar keinen Fall mehr zu meinem Vater und Lucille und dem Baby wollte, da das Leben in einer vom Jugendamt betreuten WG aufgrund meiner gefährlichen Erkrankung nicht in Frage kam, da Pflegefamilien dünn gesät sind und Heimaufenthalte nach Möglichkeit vermieden werden sollen, wurde ich dieser Frau, die Éliane hieß und sich tatsächlich als sehr nett und kooperativ herausstellte, schließlich gewissermaßen zugesprochen. Éliane war geschieden und lebte alleine, hatte aber einen festen Freund. Sie schwärmte in den höchsten Tönen von meinem

Vater. Ich hatte den Eindruck, dass sie tatsächlich irgendeine alte Geschichte mit ihm verband, aber dass sie sich darüber hinaus auch ein wenig einsam in ihrem großen Haus fühlte. Ihr Freund zog trotz ihrer Bitten nicht zu ihr, und so war ihr jede Art von Gesellschaft wahrscheinlich willkommen. Und sie gab sich wirklich Mühe: Ich hatte ein eigenes Zimmer, sie half mir bei den Schularbeiten, sie war immer nett zu mir. An den Wochenenden ging ich mit ihr und ihrem Freund zum Schwimmen, wir unternahmen Fahrradausflüge und saßen in Bistros, tranken Kaffee, und beide versuchten, mich mit Croissants, Apfelkuchen und Pain au chocolat zu füttern. Mit dem Essen klappte es nicht, obwohl ich jetzt in geordneten Verhältnissen lebte und dreimal pro Woche zu einer Psychologin ging, die sich redliche Mühe mit mir gab. Éliane kochte wie eine Göttin, und oft verspürte ich große Lust auf ihre Gerichte, wenn der herrliche Geruch durch das Haus zog. Doch sobald der Teller vor mir stand, machte mein Magen einfach zu. Ich nahm eine Gabelspitze zu mir, aber dann war ich auch schon so satt, dass ich nach Luft schnappte.

»Es geht einfach nicht mehr«, sagte ich. »Aber immerhin habe ich ja ein bisschen gegessen.«

»Das war so gut wie nichts«, sagte Éliane. Sie war traurig und enttäuscht. »Nathalie, wenn es nicht besser wird, stecken sie dich in eine Klinik. Und ich werde es nicht verhindern können.«

Meine Mutter war zwischendurch aus der Klinik zurückgekehrt, aber noch ehe ich mich überhaupt hatte durchringen können, meine Sachen zu packen und wieder zu ihr zu ziehen, war sie schon wieder rückfällig geworden und hatte sich selbst erneut eingeliefert.

Auf absehbare Zeit stellte sie keine Option für mich dar.

Bis zum Spätsommer hatte ich ein Untergewicht erreicht, das die mich betreuende Jugendamtsmitarbeiterin geradezu hysterisch werden ließ. Ich merkte selbst, dass es kritisch wurde: Mir gingen die Haare büschelweise aus, und meine Periode bekam ich auch nicht mehr. Zweimal war ich nun schon in der Schule plötzlich umgefallen. Ich hatte große Angst, dass man mich in eine Klinik stecken würde, und trotzdem schaffte ich es einfach nicht, einigermaßen normal zu essen.

Éliane wirkte inzwischen nur noch gestresst und schien die Hilfsbereitschaft meinem Vater gegenüber mehr und mehr zu bereuen. Es sah alles ziemlich hoffnungslos für mich aus.

Dann aber feierte Élianes Freund im September seinen fünfzigsten Geburtstag und veranstaltete ein riesiges Fest, zu dem jeder eingeladen wurde, den er kannte.

Es kam auch ein Freund von ihm, den ich zuvor nie kennengelernt hatte. Er brachte seinen vierundzwanzigjährigen Sohn mit.

Jérôme.

Und mein Leben wendete sich zum Guten.

LA CADIÈRE, FRANKREICH, DIENSTAG, 15. DEZEMBER

Simon hatte zunächst geglaubt, auf keinen Fall einschlafen zu können, aber irgendwann musste ihn die Müdigkeit überwältigt haben. Er schreckte aus tiefstem Schlaf hoch, warf einen Blick auf den Radiowecker und sah, dass es schon nach acht war. Durch die Ritzen der Fensterläden drang erstes graues Tageslicht. Er hörte Wasser rauschen und wusste das zunächst nicht einzuordnen, aber dann begriff er, dass es die Dusche aus dem Bad nebenan war.

Ihm fiel sein Gast ein – sein höchst ungebetener Gast.

Er setzte sich auf und seufzte.

Immerhin, sie hatte ihn weder nachts im Schlaf ermordet noch schien sie sich mit seinem Hab und Gut – genau genommen mit dem seines Vaters – auf und davon gemacht zu haben. Wer so entspannt und ausgiebig am Morgen duschte, hegte jedenfalls wohl für den Moment keine bösen Absichten.

Aber ihr Geständnis am Vorabend war ein Schock gewesen: *Ich glaube, ich habe einen Mann umgebracht.*

Er war dann doch nicht mehr zum Einkaufen gefahren. Es hatte ihm dermaßen den Appetit verdorben, dass er den Plan, Vorräte zu kaufen, glatt vergaß.

»Welchen Mann?«, hatte er gefragt. »Wo?«

»In Lyon. So ein Typ. Keine Ahnung. Er nannte sich Yves. Mehr weiß ich nicht.«

»Er hat Sie angesprochen?«

»Auf der Straße. Ich saß in einem Hauseingang. Ich hatte seit fast zwanzig Stunden nichts gegessen und getrunken. Ich war vom Regen nass bis auf die Haut. Ich fror. Ich war verzweifelt. Er sagte, er würde mir etwas zu essen geben, wenn ich mitginge.«

»Und dann gehen Sie mit einem wildfremden Mann in dessen Wohnung, nur weil er Ihnen ...«

Sie hatte ihn unterbrochen, wütend. »Nur weil er mir etwas zu essen anbietet. Ja. Weil es regnete. Weil ich hoffte, mich für einen Moment aufwärmen zu können. Weil mir schwindelig war. Weil mir schlecht war. Ja. Also aus genau denselben Gründen, aus denen ich mit Ihnen mitgegangen bin.«

Das stimmte. Er war ihr genauso fremd wie Yves aus Lyon. Yves hatte angeblich versucht, sie zu vergewaltigen. Trotzdem ging sie kurz darauf genau dasselbe Risiko erneut ein.

Wie verzweifelt war diese Frau?

»Was geschah dann?«, fragte er bemüht sachlich.

»Sie können sich die Absteige nicht vorstellen, in der er lebte. Total heruntergekommen. Verdreckt. Verwahrlost. Es stank. Der Fußboden klebte. Aber es war einigermaßen warm. Ich setzte mich in die Küche. Ich war so erschöpft. Er starrte mich die ganze Zeit an. Ich hatte Angst. Ich wusste ...« An dieser Stelle hatte sie zu weinen begonnen. »Ich wusste, dass ich besser verschwinden sollte. Abhauen, solange er beschäftigt war. Er suchte etwas Essbares, wissen Sie? Aber mein Hunger war schlimmer. Schlimmer als die Angst.«

Simon schob ihr ein Päckchen Taschentücher über den

Tisch. Sie wischte sich die Augen. »Aber während er in den Schränken kramte, drehte er sich immer wieder um. Fixierte mich. Es war … es war so furchtbar unheimlich.«

»Das war der Moment, da Sie spätestens hätten verschwinden sollen.«

»Ich hatte das Gefühl, als würden meine Beine mich nicht tragen. Und er kramte und kramte in den Schränken … Ich hatte einfach die Hoffnung, er würde irgendwann etwas Essbares daraus hervorziehen, irgendetwas, und wenn es ein Kanten steinhartes Brot gewesen wäre. Das Regenwasser tropfte mir aus Kleidern und Haaren. Ich wollte mich einfach nur einen Moment ausruhen.«

»Und dann hat er Sie angegriffen?«, fragte Simon. Er hoffte auf eine gute Erklärung, eine, die ihn überzeugen würde. Wenn Nathalie in echter Notwehr gehandelt hatte, würde ihn das beruhigen. Soweit ihn überhaupt noch irgendetwas beruhigen konnte. Mit dieser Frau stimmte einfach etwas nicht.

Sie nickte. »Zunächst fing er an, sexistische Bemerkungen zu machen. Er stierte mich an und sagte, es sei ja schön, dass der Regen meine Kleidung so durchweicht hätte. Er könne meine Brüste sehen, und die seien extrem aufregend. Und er würde sich schon die ganze Zeit fragen, ob sie sich so wunderbar anfassten, wie sie aussähen. Solche Sachen eben.«

»Und da sind Sie immer noch geblieben?«

»Ich bin dann aufgestanden, habe meinen Mantel wieder angezogen. Dabei wurde mir fast schwarz vor den Augen. Aber inzwischen kapierte ich, dass ich nichts zu essen bekommen würde. Er hatte nämlich gar nichts, so viel hatte ich in den Schränken sehen können. Außer Alkohol. Flaschen ohne Ende. Aber sonst schien es nichts zu geben. Ich wollte zur Tür. Ich sagte irgendetwas, dass ich jetzt gehen müsste. Da verstellte er mir den Weg.« Sie schauderte in der Erinnerung.

»Er war ziemlich groß«, fuhr sie fort. »Ich dachte vorher aber, er sei nicht besonders stark, weil er so dünn war. Und betrunken. Aber plötzlich packte er mein Handgelenk. Mit eisernem Griff. Ich merkte, dass ich ihn unterschätzt hatte.«

»Ich verstehe«, sagte Simon.

»Er griff an meine Brüste. Er versuchte, zwischen meine Beine zu fassen. Er stank fürchterlich nach Alkohol. Er keuchte. Es war … so entsetzlich. Ich … musste mich doch wehren?« Sie schien das eher zu fragen als festzustellen.

»Ja, selbstverständlich. Die Frage ist nur … ich meine, ihn gleich umzubringen …«

»Was hätte ich denn tun sollen? Ihn einfach gewähren lassen?«

»Natürlich nicht. Wie haben Sie ihn denn dann schließlich außer Gefecht gesetzt?«

»Ich hatte ja noch eine Hand frei. Mit ihr tastete ich auf einem Bord herum, das sich neben der Küchentür befand. Ich konnte nicht sehen, was sich dort befand, aber ich bekam etwas zu fassen. Eine Flasche. Natürlich. Wenn es irgendetwas in dieser Küche gab, dann waren es Flaschen.«

»Und mit dieser Flasche haben Sie zugeschlagen«, vermutete Simon.

»Ich habe sie ihm auf den Kopf geschlagen. Er stand noch einen Moment, schwankte etwas, bekam ganz glasige Augen, und dann kippte er um. Er lag ausgestreckt in der Küche und rührte sich nicht mehr.«

»Und Sie sind dann weggelaufen?«

»So schnell ich konnte. Ich war absolut in Panik. Ich versuchte noch, meine Tasche zu greifen. Sie war auf den Boden gefallen, als wir miteinander rangen, und nun lag Yves halb auf ihr drauf. Ich konnte sie nicht unter ihm hervorziehen, und da verlor ich endgültig die Nerven. Ich wusste ja nicht, ob er nicht jeden Moment wieder zu Bewusstsein kommt. Ich wollte einfach nur weg.«

»Das heißt, Ihre Tasche befindet sich also immer noch in der Wohnung?«

»Ja. Wahrscheinlich. Mein Geldbeutel ist darin, allerdings ohne Geld. Mein Handy. Mein Ausweis. Alles, was ich zu diesem Zeitpunkt hatte und worüber man mich außerdem sofort identifizieren kann, liegt in dieser Scheißwohnung in Lyon. Zusammen mit dem toten Mann.«

»Sie haben aber nicht überprüft, ob er wirklich tot ist? Seinen Puls gefühlt zum Beispiel?«

»Oh Gott, nein! Ich bin einfach nur weggerannt.«

»Er muss nicht zwangsläufig tot sein. Es ist durchaus möglich, dass er tatsächlich nur für ein paar Augenblicke bewusstlos war.«

»Und wenn er eine schwere Kopfverletzung hatte? Und inzwischen gestorben ist, weil ich keine Hilfe geholt habe?«

Das war der Punkt. Vorsichtig hatte Simon gesagt: »Das kann ich nicht ganz verstehen. Weshalb sind Sie nicht zur Polizei gegangen? Sie haben ganz klar in Notwehr gehandelt. Sie mussten damit rechnen, dass dieser Mann Sie vergewaltigt, und Sie konnten das nur verhindern, indem Sie zur nächsten Waffe griffen, die Ihnen in die Hände fiel. Niemand kann Sie dafür belangen.«

»Und wie hätte ich das beweisen sollen?«

»Die hätten Ihnen jedenfalls nicht beweisen können, dass es anders war.«

Sie schüttelte den Kopf. »Ich hatte zu viel Angst.«

An dieser Stelle war das Gespräch nicht wirklich weitergegangen. Simon hatte den deutlichen Eindruck, dass es über die Frage einer adäquaten Notwehr hinaus weitere Gründe gab, weshalb Nathalie die Polizei scheute wie der

Teufel das Weihwasser, aber irgendwann fand er sich damit ab, dass sie darüber nichts sagen würde. Schließlich hatte er Pizza beim Lieferservice bestellt, weil sie irgendetwas essen mussten, und dazu einen Rotwein aus dem Keller seines Vaters geholt. Nathalie hatte diesmal kaum etwas zu sich genommen. Simon gewann den Eindruck, dass sie eine Essstörung hatte, andernfalls konnte ein Mensch nicht so dünn sein. Wahrscheinlich aß sie wirklich nur dann richtig, wenn sie zuvor tagelang gehungert hatte.

Irgendwann wollte sie schlafen. Sie bekam das nach vorne gelegene Gästezimmer, verschwand darin, zog die Tür zu, und dann hörte und sah er nichts mehr von ihr. Wahrscheinlich war sie sofort eingeschlafen. Sie musste völlig erschöpft sein.

Im beginnenden Tageslicht nun überdachte Simon die ganze Geschichte noch einmal von vorne. Das Problem war viel weitreichender, als er zunächst im Regen am Strand von Les Lecques geglaubt hatte. Er hatte nicht einfach eine hungrige Landstreicherin aufgesammelt, die eine Mahlzeit, einen Platz zum Schlafen und eine Dusche brauchte und dann weiterziehen würde. Die junge Frau war, ob zu Recht oder zu Unrecht, auf der Flucht vor der Polizei, und sie besaß nichts mehr, nicht einmal Papiere.

Wenn er sie jetzt vor die Tür setzte – was sollte sie dann tun? Wohin sollte sie gehen? Wie weit würde sie kommen, ohne Geld, ohne Ausweis?

Im Grunde ist das ja nicht meine Sache, dachte er.

Zumal sie eindeutig Dinge verschwieg. Was war mit ihrem Freund? Warum war sie vor ihm davongelaufen? Oder warum konnte sie zumindest nicht zu ihm zurück? Warum stellten ihre Eltern keine Anlaufstelle dar? Was war vorgefallen, *bevor* sie mit dem schmierigen Typen in Lyon in dessen Wohnung gegangen war?

Solange sie ihm nicht die Wahrheit sagte, musste er sich auch nicht um sie kümmern.

Unglücklicherweise war ihm nur nicht klar, wie er aus der Geschichte herauskommen sollte. Die Haustür öffnen und »Au revoir!« sagen?

Es war andererseits nicht so, dass sich hier bei ihm im Haus eine große, glückliche Familie tummeln würde, in aufgeregter und freudiger Erwartung des Weihnachtsfestes, und niemand hatte Zeit für eine Landstreicherin, die gerade einen Mann mit einer Schnapsflasche erschlagen hatte, niemand würde auch nur weiter über sie nachdenken, wenn sie gegangen wäre, weil alle viel zu beschäftigt waren …

Er saß mutterseelenallein im Regen in der Provence, hatte eine Abfuhr von seinen Kindern bekommen und eine vielversprechende Beziehung vergeigt, und er konnte nicht einmal nach Hause, weil er seinem Vater nicht gestehen mochte, dass bei ihm alles beim Alten war, was hieß: Nichts war, wie es sein sollte.

Warum also sollte er Nathalie so eilig loswerden?

Weil etwas mit ihr nicht stimmt. Weil eine ganz und gar ungute Geschichte dahinterstecken kann. Weil du genau der Typ bist, der sich, wenn er einmal eine gute Tat tun möchte, in irgendein Unheil verstrickt.

Er stand entschlossen auf. Das Grübeln führte bei ihm wie üblich in eine destruktive Richtung.

Da sich Nathalie noch immer im Bad aufhielt, zog er sich einfach an und fuhr nach Cadière hinüber, um Baguette beim Bäcker zu kaufen. Inzwischen glaubte er nicht mehr, dass Nathalie in der Zwischenzeit das Haus ausräumen würde. Wie hätte sie die Dinge auch transportieren sollen? Vielmehr hatte er das deutliche Gefühl, dass sie eigentlich sowieso das Haus am allerliebsten nie mehr verlassen hätte.

Als er zurückkam, empfing ihn Kaffeeduft, der Tisch

im Wohnzimmer war gedeckt, und im Kamin brannte ein Feuer. Nathalie hatte ihre inzwischen getrockneten sauberen Sachen angezogen, schwarze Wollstrumpfhosen, einen kurzen Rock und einen dicken Pullover. Ihre Haare hatte sie diesmal sorgfältig geföhnt.

Sie tranken Kaffee und aßen Baguette, und draußen strömte unverändert der Regen.

Die meiste Zeit über schwiegen sie, aber schließlich sprach Simon das Thema an. »Wohin werden Sie jetzt gehen?«

Sie zuckte mit den Schultern, spielte mit dem Baguette auf ihrem Teller herum. »Weiß nicht.«

»Was ist mit Ihrer Mutter?«

»Die ist entweder betrunken oder macht gerade wieder einen Entzug. Dahin gehe ich bestimmt nicht.«

»Ihr Vater?«

»Der will nichts von mir wissen.«

»Ihr Freund?«

»Da kann ich nicht hin.«

»Warum nicht?«

Sie antwortete nicht.

Ihm kam ein Gedanke. Eigentlich formte er sich schon die ganze Zeit über in seinem Hinterkopf, aber er hatte ihn immer wieder weggeschoben, weil es auch noch eine Stimme der Vernunft in ihm gab, die dagegenhielt.

»Wenn Sie wüssten, dass der Mann … Wie hieß er noch?«

»Yves.«

»Genau. Wenn Sie wüssten, dass Yves noch lebt, wäre Ihnen dann geholfen? Dann müssten Sie sich nicht mehr vor der Polizei fürchten.«

»Es bliebe noch die Körperverletzung …«

Simon machte eine Bewegung, die diesen Punkt vom

Tisch wischte. »Dazu müsste er Sie anzeigen, und das tut er nicht. Er hat viel zu viel Angst, dass er sich dann mit dem Vorwurf einer versuchten Vergewaltigung herumschlagen muss. Der hält schön den Mund, da bin ich absolut sicher.«

Nathalie schien nicht überzeugt. »Vielleicht«, meinte sie schließlich zögernd, »wäre das schon eine Beruhigung.«

Wieder hatte Simon den Eindruck, dass da mehr war. Einiges mehr.

»Es ist zudem absolut notwendig, dass Sie Ihre Sachen wiederbekommen«, fuhr er fort. »Vor allem Ihre Papiere. Auf die Dauer können Sie doch nicht mit absolut nichts herumziehen.«

Sie sah ihn an. »Sie meinen ...«

»Ich würde mit Ihnen hinfahren«, sagte er. »Nach Lyon.«

Du bist komplett verrückt, sagte seine innere Stimme.

»Nach Lyon? Aber das sind ...«

»... drei Stunden von hier mit dem Auto. Drei zurück. Das ist gut zu schaffen.«

»Das würden Sie wirklich für mich tun?«

Er trank seinen letzten Schluck Kaffee und erhob sich, ehe seine innere Stimme noch schriller und aufgebrachter werden konnte.

»Am besten, wir brechen gleich auf«, sagte er.

METZ, FRANKREICH, DIENSTAG, 15. DEZEMBER

Es war dumm und ungerecht, fand Jeanne, eine Woche vor Weihnachten mit einer Grippe im Bett zu liegen. Während der letzten Tage war es ihr so schlecht gegangen, dass sie das Bett nur noch verlassen hatte, um sich hin und wieder zur Toilette zu schleppen. Aus dem Spiegel über dem Waschbecken hatte sie ein gelblich-bleiches Gesicht mit roten Flecken auf den Wangen angestarrt, dazu aufgesprungene, rissige Lippen und wirres, in alle Himmelsrichtungen vom Kopf abstehendes Haar. Das Fieberthermometer zeigte fast vierzig Grad an. Sie hatte kaltes Wasser über die Innenseite ihrer Handgelenke laufen lassen, sich dann nach vorne gebeugt und in gierigen Zügen getrunken. Dabei war ihr schwindelig geworden, sie hatte sich an der Ablage unter dem Spiegel festhalten müssen.

Gott, wie kann es einem so schlecht gehen?, dachte sie.

Alles tat weh, jeder Knochen, jeder Muskel im Körper. Die Zähne, das Zahnfleisch. Der Hals. Sämtliche Schleimhäute im Körper.

Sie aß kaum etwas, weil sie an Essen nicht denken konnte, ohne dass ihr schlecht wurde.

Heute, an diesem 15. Dezember, fühlte sie sich erstmals ein klein wenig besser. Sie hatte kein Fieber mehr, und die Schmerzen hatten nachgelassen. Sie würde das Ganze überleben. Während der vergangenen Woche war sie da manchmal gar nicht sicher gewesen.

Am 23. Dezember wollte sie zu ihren Eltern fahren, die in einem Häuschen an der Atlantikküste das Rentnerdasein genossen. Gott sei Dank würde sie bis dahin wohl wieder halbwegs fit sein.

Jeanne stand im Laufe des Vormittags auf und tappte barfuß, in ihre Bettdecke gehüllt, zum Fenster. Sie wohnte im obersten Stock eines Hochhauses. Sie blickte über das in einem blassen, leicht nebligen Winterlicht vor ihr liegende Metz hinweg, betrachtete den Rauch über den Schornsteinen und die Wolkenbänke am Horizont. Ein kalter, vollkommen windstiller, seltsam unbeweglicher Tag.

Die Wohnung, die aus einem Wohnschlafzimmer, einer Küche und einem Bad bestand, sah ziemlich chaotisch aus, stellte Jeanne fest, als sie sich vom Fenster abwandte. Überall flogen benutzte Papiertaschentücher herum. Wasserflaschen, halb leer getrunken, reihten sich neben der Schlafcouch auf. Jeannes Freundin Valérie, die im selben Haus im Erdgeschoss wohnte, hatte sich während Jeannes Krankheit rührend gekümmert, aber während der letzten Tage hatte sie zu einer Schulung fortgemusst, und in Windeseile war hier alles verwahrlost. Aus der Küche roch es unangenehm; Jeanne entsann sich, dass sie die letzte Mahlzeit, die ihr von Valérie gekocht worden war, einfach offen hatte auf dem Tisch stehen lassen, ehe sie sich ins Bett geschleppt hatte und in einen erschöpften Schlaf gefallen war.

Muss ich dringend entsorgen, dachte sie.

Aber sie war noch schwächer, als sie gedacht hatte. Nur die paar wenigen Schritte zum Fenster hatten ihr schon wieder wackelige Beine und einen heftigen Schweißausbruch am ganzen Körper beschert. Plötzlich fehlte ihr jegliche Energie, den Weg zur Küche in Angriff zu nehmen.

Das schnurlose Telefon lag in Reichweite. Sie beschloss, ihre Mutter anzurufen. Ihr zu sagen, wie sehr sie sich auf sie und Papa und das gemeinsame Weihnachtsfest freute. Gerade als sie die Hand nach dem Telefon ausstreckte, klingelte es an der Wohnungstür. Auch das noch.

Einen Moment lang war Jeanne versucht, das Klingeln zu ignorieren, aber dann sagte sie sich, dass es vermutlich die Post war. Vielleicht ein Weihnachtspaket.

Vorsichtig tappte sie zur Tür. Ihr war so schwindelig, dass sie sich zwischendurch zweimal an den Wänden abstützen musste.

Neben der Tür befand sich die Sprechanlage. Jeanne nahm den Hörer ab. »Ja?«

»Eilzustellung«, sagte eine Männerstimme.

Wie sie es sich gedacht hatte. »Kommen Sie bitte hinauf«, bat sie, drückte den Öffner und machte gleichzeitig die Tür auf.

Sofort schoben sich zwei Männer hinein. Jeanne war so perplex, dass sie in der ersten Sekunde nicht einmal erschrak. Wie kamen die hier hoch? So schnell? Der eine Mann drängte sie ins Wohnzimmer zurück, der andere schloss die Tür. Jeanne schaffte es nur mit einiger Verzögerung, den Mund zu öffnen und etwas zu sagen. Sämtliche Abläufe in ihrem Gehirn schienen langsamer zu funktionieren, sie war einfach noch richtig krank.

»He«, protestierte sie. »Wer sind Sie? Sie können hier nicht einfach reinkommen.«

Der Mann, der direkt vor ihr stand, hob die Hand und schlug ihr zweimal ins Gesicht. Jeannes Kopf flog wie ein Gummiball hin und her.

»Ich stelle hier die Fragen. Kapiert?«

Sie blinzelte. Sie sah, dass der andere Mann, der wie sein Kumpane schwarze Jeans und eine schwarze Lederjacke trug, breitbeinig an der Wohnungstür stehen geblieben war. Er hielt die Arme verschränkt und starrte mit unbewegtem Gesichtsausdruck in das Zimmer.

»Der Postbote kommt gerade«, sagte Jeanne. »Ich habe ihm schon geöffnet. Er muss gleich oben sein.«

Ihre Wangen brannten. Ihr Herz raste. Was passierte hier gerade?

Der Mann sah sie kalt an. »Der gehört zu uns. Keine Sorge. Es kommt niemand.«

Der Kerl unten hatte dafür gesorgt, dass sie arglos öffnete, folgerte Jeannes schleppend arbeitendes Gehirn. Die Typen waren irgendwie schon vorher ins Haus gelangt. Es war nicht allzu schwer, wie sie wusste. Es herrschte relativ viel Kommen und Gehen, man konnte sich leicht anderen Personen anschließen.

»Was wollen Sie?«, flüsterte sie.

Der Mann hob die Hand, schlug aber diesmal nicht zu. »Du antwortest nur auf meine Fragen, verstanden? Und wenn du schreist …« Er hielt plötzlich ein Messer in seiner anderen Hand, ließ es aufspringen. Jeanne gewahrte die helle, stählerne Klinge.

»Du bist tot, wenn du schreist. Ich will keinen Mucks hören. Ich will nur, dass du meine Fragen beantwortest. Klar?«

Sie nickte. Fassungslos. Was konnten die von ihr wollen? Geld? Welche Reichtümer vermuteten sie bei einer kleinen Angestellten eines medizinischen Labors, die in einer Ein-Zimmer-Wohnung lebte? Es musste um etwas anderes gehen. Sie zermarterte sich das Hirn. Ihr fiel nichts ein, obwohl das Adrenalin, das nun durch ihren Körper tobte, inzwischen dafür sorgte, dass sie hellwach war und dass ihre Gedanken rasten. Sie führte ein vollkommen ereignisloses Dasein. Der Job, ein paar gute Freunde, mit denen sie an den Wochenenden ausging. Hin und wieder Besuche bei ihren Eltern am Meer. Das war es schon. Sie war fünfundzwanzig Jahre alt, hatte zwei längere Beziehungen mit Männern gehabt, war seit beinahe zwei Jahren Single. Welches Vorkommnis in ihrer völlig unspektakulären Lebensgeschichte hatte ihr diese zwei Männer, die wie besonders brutale Zuhälter aussahen, auf den Hals gehetzt?

»Erinnerst du dich an Jérôme Deville?«, fragte ihr Gegenüber.

Sie nickte.

»Ich will ein *Ja* hören.«

»Ja.«

Ihre erste Liebe. Sie war sechzehn gewesen, er neunzehn. Etwas mehr als zweieinhalb Jahre waren sie zusammen gewesen. Sie, das Mädchen aus bürgerlichen, sehr behüteten Verhältnissen. Und er, der Leichtfuß, der Abenteurer, der Charmeur. Unstet, fröhlich, das Leben nehmend, wie es kam, ohne zu planen, ohne sich zu sorgen, ohne sich allzu viele Gedanken zu machen. Irgendwann hatte er eine andere kennengelernt, und das war es dann gewesen. Sie hatte das Gefühl gehabt, an der Trennung zu sterben, aber natürlich hatte sie das alles überlebt.

Seit vielen Jahren hatte sie keinen Kontakt mehr zu ihm gehabt. Er habe Metz verlassen, das war ihr von irgendeiner Seite zugetragen worden, sei nach Paris gegangen. In der Zeitung hatte sie vom Tod seines Vaters gelesen. Mehr wusste sie nicht.

Sie wollte das sagen, aber sie wagte es nicht. Sie durfte nur auf Fragen antworten. Sie hatte Todesangst.

»Über Jérôme wirst du uns jetzt eine ganze Menge erzählen«, sagte der Mann und schlug ihr erneut ins Gesicht, sodass sie zu Boden kippte. Er zerrte sie auf die Füße, schleifte sie zu einem Sessel und stieß sie hinein.

»Streng dich an. Wir wollen alles wissen!«

TOULON, FRANKREICH,
DIENSTAG, 15. DEZEMBER

Inès Rosarde, Kommissarin bei der Kriminalpolizei in Toulon, brauchte einen starken Kaffee. Eher eigentlich einen Schnaps, aber das war tagsüber und im Dienst natürlich ausgeschlossen. Sie fühlte sich etwas wackelig auf den Beinen. Das Gespräch mit ihrem Vorgesetzten, dem Commissaire divisionnaire, war äußerst unangenehm gewesen. Gespräch konnte man dazu eigentlich nicht einmal sagen, denn Inès war fast gar nicht zu Wort gekommen. Ein paar Mal hatte sie versucht, auch etwas zu sagen, war aber immer sofort unterbrochen worden.

»Sie hören mir jetzt zu. Sie hören mir jetzt einfach nur gut zu!«

Sie war verantwortlich für die Katastrophe, die sich ereignet hatte, auch wenn sie nicht dabei gewesen war, aber sie war die Chefin, sie musste für die Fehler ihrer Leute gradestehen. Wenn es nur nicht ausgerechnet Lieutenant Perez wäre, ihr engster Mitarbeiter, dem diese Sache jetzt das Genick brach. Ihn zumindest die weitere Karriere kostete. Vorläufig war er vom Dienst suspendiert. Es stand nicht zu erwarten, dass er an seinen alten Platz zurückkehren würde.

Eine Sache wie diese durfte nicht passieren. Sie hatten die führenden Köpfe eines Drogenringes hochgehen lassen, Männer, denen etliche Kapitalverbrechen zur Last gelegt wurden. Perez hatte den Einsatz geleitet. Inès hatte mit Grippe und fast vierzig Grad Fieber im Bett gelegen, aber nun fragte sie sich, ob das eigentlich ein ausreichender Grund war, in einem so wichtigen Moment nicht dabei zu sein. Oder ob zumindest ihr Vorgesetzter fand, dass sie ihrer Krankheit nicht hätte nachgeben dürfen.

Wäre es anders gelaufen, wenn sie selbst die Leitung gehabt hätte? Und nicht Perez?

Es hatte einen toten Zivilisten gegeben, das war die Ungeheuerlichkeit, die keinesfalls hätte passieren dürfen. Zwei der Verbrecher waren entkommen und hatten sich auf offener Straße einen Schusswechsel mit der Polizei geliefert. Obwohl das Gelände weiträumig durch einen Ring an Beamten gesichert worden war, hatte es diesen völlig unbeteiligten Passanten gegeben, der plötzlich auftauchte und den niemand so schnell in Sicherheit bringen konnte, wie es erforderlich gewesen wäre. Er wurde durch einen Kopfschuss getötet, nicht aus einer Polizeiwaffe, wie später festgestellt wurde, sondern aus der eines der Drogenbosse, aber das änderte nichts daran, dass er in diesem Moment nicht an diesem Ort hätte sein dürfen und dass die Polizei dafür die Verantwortung trug. An vorderster Stelle Lieutenant Perez, der den Einsatz geleitet hatte.

»Perez ist zu jung und zu unerfahren. Wie konnte ihm diese viel zu große Aufgabe übertragen werden?« Das hatte der Chef zwei- oder dreimal gefragt, ohne jeweils Inès Rosardes Antwort abzuwarten. Erst beim vierten Mal gelang es ihr, wenigstens ein paar Worte dazu zu sagen.

»Er war dem grundsätzlich gewachsen, das sage ich jetzt noch nach diesen unfassbaren Geschehnissen. Ich habe keinen Moment gezögert, als ich ihm die Einsatzleitung übertrug. Er war … er ist mein bester Mann. Was passiert ist, hätte auch mir passieren können.«

»Es ist Ihnen aber nicht passiert. Es ist Perez passiert. Und wir alle haben das auszubaden. Haben Sie heute früh in die Zeitungen geschaut? Wir werden mit bittersten Vorwürfen überhäuft, wir werden angegriffen, personelle Konsequenzen werden gefordert. Der Mann, der da *versehentlich* abgeknallt wurde, ist ein Familienvater. Drei kleine Kinder.«

Inès hatte den Kopf gesenkt. Es war schlimm, es war wirklich schlimm, eine absolute Tragödie. Sie hatte allerdings den deutlichen Eindruck, dass es ihrem Chef gar nicht so sehr um den toten Familienvater und die drei Halbwaisen ging, sondern dass ihn die Tatsache, eine vernichtende Presse und laute Rufe nach Konsequenzen am Hals zu haben, weit mehr beschäftigte. Das hätte sie aber natürlich nie gesagt.

Als sie schließlich gehen durfte, wusste sie, dass sie nun schwer angeschlagen dastand: Für viele Monate durfte in ihrem Bereich nichts mehr passieren, was dazu angetan gewesen wäre, auch nur ein Stirnrunzeln bei den Vorgesetzten hervorzurufen. Perez als engsten Mitarbeiter hatte sie verloren. Sie musste jemand anderen an seine Stelle setzen, und der Chef hatte gesagt, er hoffe, sie werde diesmal einen besseren Instinkt beweisen.

Auf dem Weg zu ihrem Arbeitszimmer zurück wurde ihr bewusst, dass alle Mitarbeiter verstummten, sobald sie sich ihnen näherte. Es herrschte ein bedrücktes, beklemmendes Schweigen. Schlimmer: ein mitleidiges Schweigen. Jeder wusste, dass Inès den unbändigen Zorn des Chefs abbekommen hatte.

Sie holte sich einen Kaffee am Automaten – stark, schwarz, ohne Milch und Zucker –, ging damit in ihr Zimmer und schloss nachdrücklich die Tür hinter sich. Sie fühlte sich entsetzlich elend, denn neben allem anderen steckte ihr auch die kaum überstandene Grippe noch in den

Knochen. Egal, es ging jetzt nicht um ihre Befindlichkeiten. Ihr Kopf würde nicht rollen, das war immerhin das positive Ergebnis dieses Vormittages. Sie hätte heulen mögen um Perez, aber das würde jetzt auch niemandem etwas bringen.

Nach vorne blicken. Ihre Devise. Klug die nächsten Schritte überlegen. Einen klaren Verstand bewahren.

Sie brauchte einen neuen Mann an ihrer Seite. Theoretisch hätte es auch eine Frau sein können, aber Inès kam mit Männern besser zurecht. Sie ging wieder zur Tür, öffnete sie und sagte zu einer Mitarbeiterin, die gerade vorbeiging: »Ich brauche die Personalakte von Lieutenant Jean Caparos. Bringen Sie sie bitte in mein Büro.«

Sie musste jetzt einfach das Nächstliegende tun.

AUTOROUTE DU SOLEIL, FRANKREICH, DIENSTAG, 15. DEZEMBER

Während der ersten eineinhalb Stunden ihrer Fahrt sprachen sie kein Wort. Es regnete unvermindert heftig, gleichmäßig glitten die Scheibenwischer auf der Windschutzscheibe hin und her. Der St.-Victoire-Gebirgszug, der sich sonst gewaltig und eindrucksvoll unter blauem Himmel am Horizont abhob, versank diesmal in den Wolken und war kaum zu sehen. Rechts und links der Autobahn lagen kleine, in nasse Eintönigkeit eingebettete Dörfer und einzelne Gehöfte.

Simon fragte sich, ob nur er von dieser Trostlosigkeit überwältigt wurde und sich anstrengen musste, davon nicht zu tief hinuntergezogen zu werden. Vielleicht hätten andere nur einen Regentag gesehen, mehr nicht. Vielleicht lag es an seiner ganzen Lebenssituation, dass er sich so angegriffen fühlte. Nathalie hatte womöglich doch in der Nacht nicht so gut geschlafen, wie er gedacht hatte. Sie lag in ihrem Sitz fast wie ein Embryo zusammengerollt und atmete tief und gleichmäßig. Die langen Haare deckten sie zu wie eine Decke.

Entweder sie ist noch immer völlig erschöpft, dachte Simon, oder erstaunlich gelassen. Immerhin sind wir gerade auf dem Weg herauszufinden, ob sie einen Mann umgebracht hat.

Er fragte sich inzwischen, warum er sich auf diese Geschichte eingelassen, ja, sie sogar von sich aus vorgeschlagen hatte. Mit dieser ihm völlig unbekannten Frau nach Lyon zu fahren und in die Wohnung eines ihm ebenfalls völlig unbekannten Mannes zu gehen – vermutlich, da musste er sich nichts vormachen: in die Wohnung *einzudringen*, denn wenn Yves tot war, konnte er ihnen schlecht die Tür öffnen –, wie wahnsinnig war das? Wie absurd? Womöglich sogar gefährlich. Das Ganze konnte auch böse für ihn ausgehen, Nathalie konnte die größte Lügnerin unter der Sonne sein. Obwohl er irgendwie den Eindruck gehabt hatte, dass sie die Wahrheit sagte, als sie von ihrem schrecklichen Erlebnis in Lyon erzählte. Vielleicht war sie die perfekte Schauspielerin, aber sie hatte jedenfalls äußerst authentisch gewirkt. Wenn er seine Menschenkenntnis befragte, so würde er sagen, dass sie nicht log. Dass sie aber Dinge für sich behielt. Dass Yves und Lyon nicht das einzige Problem für sie darstellten.

Es liegt einfach an meiner Situation, dass ich mich auf das alles einlasse, dachte er. An meinem Alleinsein. An dem Gefühl, ständig zu scheitern. Und immer alles nur noch schlimmer zu machen. An dem Wunsch, die Dinge endlich einmal selbst aktiv in die Hand zu nehmen und zum Guten zu wenden.

Es schien ihm allemal besser, mit Nathalie nach Lyon zu fahren und einer höchst bizarren Geschichte nachzuspüren, als im strömenden Regen alleine im Haus seines Vaters in Cadière zu sitzen und eine einsame Vorweihnachtszeit über sich ergehen zu lassen.

Nach eineinhalb Stunden Fahrtzeit setzte sich Nathalie plötzlich ruckartig auf und schien mit einem Schlag hellwach.

»Sind wir schon da?«

»Gerade hinter Orange«, erklärte Simon. »Wir brauchen noch etwa zwei Stunden.«

Sie lehnte den Kopf an die Fensterscheibe der Beifahrertür und sah zu ihm hinüber. »Warum tun Sie das?«

Er wollte ihr seine trostlosen Gedanken nicht enthüllen. »Was sollte ich sonst tun?«, fragte er daher zurück. »Sie auf die Straße schicken, ohne Geld, ohne Papiere und in panischer Angst vor der Polizei?«

»Sie sind nicht für mich verantwortlich. Es könnte Ihnen egal sein, was aus mir wird.«

»Ich habe mich aber irgendwie auf Sie eingelassen. Es ist mir nicht egal.«

Sie nickte, sah aber so aus, als wäre dies eine Einstellung, der sie bislang nie oder sehr selten im Leben begegnet war.

Er schämte sich plötzlich ein wenig, weil er sich in ihren Augen zum Heiligen gemacht hatte, der er gar nicht war. »Es ist aber auch wirklich in Ordnung für mich. Ich meine, es ist ja nicht so, dass mein Leben und mein Alltag gerade bevölkert sind von anderen Menschen.«

»Haben Sie keine neue Beziehung? Oder sind Sie noch ganz frisch geschieden?«

»Seit zwei Jahren. Nein, noch nichts richtig Festes.« Er mochte nicht von Kristina erzählen. Seine Blödheit ging niemanden etwas an.

»Sie finden wieder jemanden. Bestimmt. Sie sehen ziemlich gut aus.«

Er hoffte, dass er nicht rot wurde. Seine Wangen fühlten sich verdächtig heiß an. Starr blickte er geradeaus auf die Straße.

»Man wird sehen.«

»Was machen Sie beruflich?«

»Ich bin Übersetzer.«

»Übersetzer? Toll! Was übersetzen Sie?«

»Bücher. Aus dem Französischen und Englischen.«

Sie schien tief beeindruckt. »Damit verdient man bestimmt richtig gut, schätze ich.«

Wenn man etwas damit nicht tat, dann das.

»Es geht«, meinte er ausweichend. Seine Auftragslage war nicht gerade berauschend.

»Aber Sie leben in Deutschland. Und haben dieses schöne Ferienhaus am Mittelmeer. Sie müssen Geld haben.«

»Das Haus gehört meinem Vater.«

»Oh. Ach so, stimmt. Das sagten Sie ja bereits.«

Er fand, dass das Gespräch zu persönlich wurde. »Was machen Sie denn beruflich?«, fragte er. Er hatte überhaupt keine Lust, über seinen erfolgreichen, wohlhabenden Vater zu sprechen.

Nathalie blickte verlegen drein. »Ich bin nicht so begabt wie Sie. Dass ich Bücher oder so übersetzen könnte … Ich arbeite als Verkäuferin. In einem Schmuckgeschäft.«

»Wo?«

Am Vortag hatte sie ihm nicht sagen wollen, wo sie lebte. Jetzt seufzte sie, als stellte sie innerlich fest, dass es nun auch schon egal war. »Paris.«

»Paris? Wie großartig, dort zu leben!«

»Ja, aber Sie hatten schon recht. Ich bin nahe der deutschen Grenze aufgewachsen. In Metz. Deshalb ist mein Deutsch einigermaßen okay.«

Sie sprachen die ganze Zeit über Französisch, aber Simon erinnerte sich, wie perfekt sie geklungen hatte. »Es ist mehr als okay. Sie sollten das beruflich ausbauen.«

»Es ist schon gut, wie es ist«, sagte sie.

Nichts bei dir ist gut, wie es ist, dachte er, du steckst in ziemlichen Schwierigkeiten. Er wollte nicht auf ihre alkoholkranke Mutter zu sprechen kommen, daher fragte er noch einmal nach ihrem Freund.

»Was ist passiert, bevor Sie Paris verlassen haben? Ärger mit Ihrem Freund? Was hat Sie nach Lyon getrieben, und warum saßen Sie dann so hungrig und verfroren herum, dass Sie mit diesem zwielichtigen Yves mitgegangen sind?«

»Ich hatte keinen Ärger mit meinem Freund. Aber … es ist schwer, das zu erklären …«

Er wartete.

»Ich musste einfach weg«, sagte sie schließlich. »Und zwar so überstürzt, praktisch von meinem Arbeitsplatz weg, dass ich nicht mehr nach Hause gehen und etwas einpacken konnte. Ich hatte meine Handtasche bei mir, darin waren mein Portemonnaie, mein Handy und mein Ausweis. Sonst nichts, das von Nutzen gewesen wäre.«

Was konnte so dringend sein, dass man Hals über Kopf die Stadt verlassen musste? Simon ahnte, dass es sinnlos war, sie zu drängen. Das waren schon mehr Informationen, als sie je zuvor preisgegeben hatte. Er musste möglichst sensibel mit ihr reden, wenn er die ganze Geschichte erfahren wollte.

»In Ihrem Portemonnaie befand sich doch bestimmt Ihre EC-Karte? Warum konnten Sie kein Geld abheben und sich etwas zu essen kaufen, anstatt mit einem Mann wie diesem Yves mitzugehen?«

»Ich habe versucht, Geld abzuheben. Noch in Paris. Nichts. Es war nichts mehr auf dem Konto. Und ich hatte nur ganz wenig Bargeld bei mir.«

»Ihr eigenes Konto? Oder…?«

»Das Konto von meinem Freund und mir«, sagte sie. Ihre Miene nahm einen abweisenden Ausdruck an. Simon fragte sich, ob Nathalie und ihr Freund über ihre Verhältnisse gelebt hatten. Oder hatte der Freund hinter Nathalies Rücken alles abgeräumt?

»Wie kamen Sie dann ohne Geld bis Lyon?«

»Als Anhalterin.«
»Sie leben wirklich gefährlich.«
»Mich hat eine sehr nette Frau mitgenommen.«
Simon startete einen erneuten Versuch.
»Wie kann es sein, dass man so plötzlich derart überstürzt aufbrechen muss, dass man nicht mehr nach Hause kann?«
Nathalie zuckte mit den Schultern. »Es passiert eben.«
»Und Sie möchten nicht darüber sprechen?«
»Ich will Sie nicht in etwas hineinziehen.«
Fast hätte er gelacht. »Das haben Sie doch schon!«
Sie schwieg. Er hatte unbestreitbar recht.
»Wie heißt Ihr Freund?«, fragte Simon.
»Jérôme«, sagte sie. Sonst nichts. Kein Nachname.
Simon hatte das deutliche Gefühl, dass Jérôme der Kern des Problems war.
»Ich würde vorschlagen, wir halten noch einmal irgendwo an einer Raststätte«, sagte er, »und stärken uns mit einem Kaffee und einem Croissant. Und dann nehmen wir Lyon und Yves in Angriff.«
»Okay«, sagte sie.

LYON, FRANKREICH,
DIENSTAG, 15. DEZEMBER

Es war schon nach ein Uhr, als sie in Lyon ankamen. Sie hatten ihre Kaffeepause ausgedehnt, beide nicht erpicht darauf, sich dem zu stellen, was sie in Yves' Wohnung erwartete. Entweder er kam ihnen quietschlebendig entgegen, reagierte aber vermutlich mit einem Wutanfall, wenn er Nathalie sah. Oder er war tot. Die dritte Variante war die, dass er zwar lebte, aber nicht zu Hause war. Oder er war zu betrunken, um die Tür zu öffnen.

Sie mussten jedoch auf jeden Fall in die Wohnung. Es war wichtig, dass Nathalie ihre Sachen zurückbekam, vor allem ihren Ausweis. Simon hatte inzwischen einen Plan geschmiedet, von dem er Nathalie jedoch vorläufig nichts erzählte: Er würde jetzt dafür sorgen, dass sie ihre Handtasche bekam, er würde sie – so Gott wollte – davon überzeugen, dass sie Yves nicht umgebracht hatte, dann würde er mit ihr nach Cadière zurückfahren, sie noch eine Nacht bei sich schlafen lassen und ihr dann zweihundert Euro schenken und sie ihrer Wege schicken. Er hatte damit weit mehr getan, als er tun musste, er brauchte kein schlechtes Gewissen zu haben. Wenn es weitere gewichtige Probleme in ihrem Leben gab, so war das nicht seine Sache, zumal sie offensichtlich nicht vorhatte, ihn einzuweihen. Sie musste selbst klarkommen, irgendwie.

Genau wie er auch.

Sie fuhren an der trotz umfangreicher Sanierungsmaßnahmen noch immer düster wirkenden Siedlung am Rande der Stadtautobahn vorbei, verließen die Autobahn bei der nächsten Gelegenheit und lavierten sich ein ganzes Stück weit wieder zurück. Simon war seit frühester Jugend immer wieder hier entlanggefahren und kannte die über Jahrzehnte immer mehr verwahrlosenden mehrstöckigen Bürgerhäuser am Quai Perrache, die vermutlich einst bessere Zeiten gesehen hatten. Von den hohen Fenstern und den Balkonen mit den verschnörkelten, schmiedeeisernen Gittern aus hatte man einen spektakulären Blick auf die hier sehr breite und ruhig vorüberziehende Rhone. An sonnigen Tagen, wenn das Wasser glitzerte und die Bäume an der Uferanlage auf der gegenüberliegenden Seite blühten, musste der Anblick wunderschön sein. Aber wer konnte beim Lärm der hier vorübergeleiteten Autobahn noch je auf dem Balkon sitzen oder wenigstens an heißen Sommertagen das Fenster offen lassen? Menschen mit Geld waren hier weggezogen, zurück blieben die, die sich nichts anderes leisten konnten. Entsprechend hatte lange Zeit niemand mehr in diese Häuser investiert. In jüngerer Zeit erst hatte man begonnen, einige der altersschwachen Gebäude abzureißen und durch moderne Bauten zu ersetzen.

»Da ist es«, sagte Nathalie plötzlich. Sie hatte angestrengt aus dem Fenster gesehen. »Rue Marc-Antoine Petit. Da hat er mich angesprochen.«

Simon bog in die Straße ab und parkte sein Auto gleich hinter der Ecke. Es regnete unvermindert heftig, und die Luft war kalt. Nathalie zog fröstelnd ihren Mantel enger um den Körper und stülpte sich die Kapuze über den Kopf. Sie sah sehr angespannt und ängstlich aus.

»Wenn ich diesen Hauseingang finde«, sagte sie, »dann weiß ich, dass seine Wohnung drei Häuser weiter war.«

Sie liefen die Straße entlang. Im stellenweise unebenen Asphalt hatten sich Pfützen gebildet, sie mussten genau schauen, wohin sie traten. Zum Glück war überhaupt nichts los, kein einziger Mensch begegnete ihnen. Das schlechte Wetter hielt die Menschen in ihren Wohnungen.

Nathalie war zunächst unsicher, weil die Hauseingänge einander sehr ähnelten, fast identisch aussahen. Aber endlich meinte sie doch, die Tür wiederzuerkennen.

»Doch, hier war es. Diese Tür hat ein Fenster. Das hatten die anderen nicht«, erklärte sie. »Hier saß ich, als er mich ansprach.«

»Okay«, sagte Simon. »Also von hier aus drei Häuser weiter?«

Nathalie nickte. Sie ging jetzt voran. Ihr Gang hatte etwas Abgehacktes. Sie war vollkommen verspannt.

»Hier«, sagte sie schließlich und blieb stehen.

Ein Haus wie alle anderen, ganz am Ende der Rue Marc-Antoine Petit gelegen. Simon blickte an der Fassade hoch. Hinter etlichen Fenstern schienen sich unbewohnte Wohnungen zu befinden, hinter anderen hingen Gardinen, ehemals vielleicht weiß, inzwischen vom Alter und vom Zigarettenrauch grau-gelb verfärbt. In manchen Fenstern standen sogar Blumen.

Es gab Klingeln neben der Haustür, aber nur einige wenige waren mit Namensschildern gekennzeichnet. Sie nützten ohnehin nichts, weil Nathalie nicht wusste, wie Yves mit Nachnamen hieß. Sie drückte gegen die Tür, die sich problemlos aufstoßen ließ und in ein dunkles hohes Treppenhaus führte, in dem ihre Schritte hallten. Es roch nach einer Mischung aus tagealtem Essen und Babywindeln.

»Vierter Stock«, sagte Nathalie. »Glaube ich.«

Nach wie vor ging sie voran. Die Treppenstufen knarrten. An die Wand hatte jemand *Fuck you!* geschrieben. Auf einem der Treppenabsätze lag ein flauschiger Teppich, völlig verdreckt, aber rührend in dem Versuch, etwas Wohnlichkeit zu verbreiten.

Simon wünschte plötzlich sehnlichst, er hätte sich nicht auf dieses Abenteuer eingelassen. Er war kein Held. Er war dem allem nicht gewachsen. Vielleicht ging Yves auf ihn los. Simon war noch nie im Leben körperlich angegriffen worden, hatte sich nie körperlich zur Wehr setzen müssen. Er wusste, dass er mit einer solchen Situation vollkommen überfordert wäre.

Sie hatten den vierten Stock erreicht. Es gab hier zwei einander gegenüberliegende Wohnungstüren. Nathalie blieb vor der linken stehen.

»Hier«, sagte sie.

Mehr nicht. Simon erkannte, dass sie, so zielgerichtet sie bisher vorangegangen war, nun erst einmal gar nichts mehr tun würde. Ihre ganze Körperhaltung fiel in sich zusammen. Zumindest für den Moment hatte sie sämtliche Energie- und Kraftreserven aufgebraucht. Beschämenderweise hätte Simon am liebsten vorgeschlagen, einfach umzukehren, aber ein Rest von Stolz hielt ihn davon ab. Er trat an Nathalie vorbei und klopfte an die Tür. Eine Klingel gab es hier oben nicht.

»Hallo?«, rief er. »Können Sie bitte aufmachen?«

Völlige Stille.

»Ich habe doch gesagt, er ist tot«, sagte Nathalie.

»Er ist vielleicht nur einfach nicht zu Hause«, sagte Simon.

Unschlüssig standen sie vor der Tür. Mit *Er ist vielleicht nicht zu Hause* konnten sie sich nicht zufriedengeben. Sie brauchten Nathalies Sachen.

»Wir könnten eine Weile warten«, schlug Simon vor.

»Er wird nicht kommen«, sagte Nathalie.

»Wir können aber auch nicht einfach die Tür aufbrechen.«

»Warum nicht? Ich glaube nicht, dass sich hier irgendjemand darum schert.«

Simon mochte nicht zugeben, dass er überhaupt keine Ahnung hatte, wie man Türen aufbrach. Zunehmend kam er sich vor wie im falschen Film. Absolut nichts in seiner Biografie hatte ihn auf eine Situation wie diese vorbereitet.

»Das wäre doch viel zu laut«, erklärte er. »Hier wohnen ja noch andere Leute im Haus. Ich denke nicht, dass wir im Moment zu viel Aufmerksamkeit auf uns ziehen sollten.«

Probeweise drehte er an dem Türgriff. Die Tür gab sofort nach und ging auf.

Unwillkürlich hielten sie beide den Atem an. Es gab genug Bücher und Filme, in denen detailliert geschildert wurde, wie es in Räumen roch, in denen tagelang eine Leiche gelegen hatte.

»Ich gehe da nicht rein«, stieß Nathalie hervor. »Keinen Schritt!«

Simon tat einen vorsichtigen Atemzug. Abgesehen davon, dass es im ganzen Haus nicht besonders gut roch, schien aus Yves' Wohnung kein besonders extremer Gestank zu kommen. Es roch allerdings etwas seltsam, aber Simon hätte nicht sagen können, wonach.

»Sind Sie ganz sicher, dass das die richtige Wohnung ist?«

»Ja. Ich erkenne auch den Teppich im Flur.« Sie wies auf ein Stück Sisalteppich, der durch die geöffnete Tür sichtbar wurde. »Das ist Yves' Wohnung.«

»Er kann nicht tot sein«, meinte Simon. »Wir würden das riechen.«

»Es riecht aber komisch«, sagte Nathalie, die inzwischen auch wieder vorsichtig zu atmen begonnen hatte.

»Aber nach fast einer Woche wäre das anders.«

»Ich gehe nicht rein«, wiederholte Nathalie.

Simon begriff, dass er jetzt den Helden spielen und die Wohnung des ominösen Yves betreten musste. Der Mann war nicht daheim oder lag betrunken im Bett. Er musste nur die Handtasche aus der Küche holen – falls Yves sie nicht irgendwo anders hin geräumt hatte –, musste sich vergewissern, dass Yves *nicht tot in der Küche lag*, und dann konnten sie davonfahren, und alles war gut.

Er betrat die Wohnung.

Eine Minute später wusste er, was es mit dem seltsamen Geruch auf sich hatte. Eine weitere halbe Minute später hing er über dem Spülbecken in der Küche und erbrach sich.

Spätestens jetzt war ihm definitiv klar, dass die Entscheidung, der jungen Frau am Strand zu Hilfe zu eilen, ein großer Fehler gewesen war.

Sie standen im Treppenhaus und sprachen Deutsch miteinander. In einer wortlosen Verständigung hatten sie sich dazu entschlossen. Man wusste nie, wer hinter den Türen lauschte.

Nathalie hatte die Wohnung noch immer nicht betreten. Als Simon mit grauem, schweißnassem Gesicht hinausgetaumelt war, hatte sie gewusst, dass ihre schlimmste Befürchtung eingetreten war.

»Er ist tot. Ich habe es doch gesagt. Ich habe ihn umgebracht. Oh Gott, was soll ich …« Sie hielt sich am Treppengeländer fest, aufgewühlt und entsetzt. Sie mochte sicher gewesen sein, was Yves' Schicksal anging, aber es war noch eine andere Sache, es nun auch bestätigt zu bekommen.

»Gott im Himmel«, sagte Simon. Ihm war übel, und er fror. Er hatte den Eindruck, dass sein Kreislauf nicht auf der Höhe war. »So hatten Sie es nicht geschildert, Nathalie. Nicht *so*!«

»Ich habe es geschildert, wie es war.«

»Er ist… Nathalie, ich verstehe absolut, dass Sie sich gegen seine Zudringlichkeit gewehrt haben, aber mussten Sie ihn regelrecht *abschlachten*?«

Sie sah verwirrt aus. »Abschlachten? Ich habe ihm eine Flasche auf den Kopf geschlagen, und er…«

»Ach, hören Sie doch auf. Der Mann ist buchstäblich niedergemetzelt worden. Mit einem Messer, nicht mit einer Flasche. Die Küche schwimmt in Blut. Das ist der Geruch, Nathalie. Dieser metallische, süßliche Geruch. Das ist Blut!«

Sie schien noch immer völlig verwirrt. Aufrichtig verwirrt, so war Simons Eindruck.

»Ich schwöre es, Simon, ich habe… ich habe eine Flasche gegriffen. Ich weiß das genau. Ich habe ihm damit auf den Kopf geschlagen, und dann bin ich nur noch gerannt. Ich habe ja sogar meine Tasche zurückgelassen, weil ich sie nicht schnell genug an mich reißen konnte. Glauben Sie im Ernst, ich hätte dann stattdessen nach einem Messer gesucht und mir die Zeit genommen, ihn…« Sie sprach den Satz nicht zu Ende.

»Dann gehen Sie doch mal da rein! Gehen Sie in die Küche, und schauen Sie sich an, wie Sie ihn zugerichtet haben!« Er war laut geworden. Nathalie legte ihm die Hand auf den Arm.

»Nicht so laut. Bitte!«

Er wischte sich den Schweiß von der Stirn. Allmählich verebbte der Schwindel. Er konnte wieder klarer sehen, klarer denken.

»Ich gehe jetzt zur Polizei, Nathalie. Tut mir leid. Aber ich mache mich nicht zum schweigenden Mitwisser in einer Sache wie … wie dieser! Das ist auch mit Notwehr nicht mehr zu begründen.«

Sie schien den Tränen nahe. »Simon, bitte, ich schwöre, dass ich kein Messer hatte. Ich schwöre es bei Gott.«

»Was weiß denn ich, was Gott einem Menschen wie Ihnen bedeutet?«, gab Simon wütend zurück.

Er war jetzt zornig. Einfach nur zornig. Auf Nathalie, aber vor allem auf sich selbst. Sie starrten einander an. Nur allmählich atmeten sie beide ruhiger.

»Der Geruch ist nicht stark genug«, sagte Nathalie schließlich.

»Wie bitte? Wir haben ihn beide ganz gut wahrnehmen können.«

»Ja, aber überlegen Sie. Selbst wenn Sie alles bezweifeln, was ich sage, müssen Sie doch zugeben, dass ich seit gestern Vormittag zumindest ganz sicher unten am Mittelmeer war. Seit nunmehr über vierundzwanzig Stunden. Wenn ich Yves zuvor umgebracht hätte, wobei wir ja auch noch die Zeit addieren müssten, die ich von Lyon bis Les Lecques gebraucht habe, müsste er stärker riechen. Und zwar so, dass wir beim Öffnen der Tür rückwärts umgefallen wären. Das haben Sie selbst vorhin gesagt. Es roch seltsam, ja. Aber noch so schwach, dass wir nichts wirklich Schlimmes dachten.«

Er überlegte. Der Gedanke war nicht völlig von der Hand zu weisen. Andererseits hatte er keine Ahnung, wie es genau um die Geruchsentwicklung bei toten Körpern bestellt war. Das viele Blut jedoch … War der Geruch dafür tatsächlich zu schwach?

»Haben Sie meine Tasche gesehen?«, fragte Nathalie.

Auf die Tasche hatte er nicht mehr geachtet. Er war zu

sehr damit beschäftigt gewesen, rechtzeitig das Spülbecken zu erreichen, ehe er sein gesamtes Frühstück von sich gab.

»Ich habe sie nicht gesehen«, sagte er. »Und, ehrlich gesagt, hatte ich dafür auch keinen Nerv mehr.«

»Würden Sie…«

»Nochmal da reingehen? Nein. Wirklich nicht. Wenn Sie Ihre Tasche wollen, müssen Sie sich selbst darum kümmern. Vielleicht wäre es auch gut, wenn Sie sich anschauen, was Sie angerichtet haben.«

Sie biss sich auf die Lippen. Dann stieß sie erneut die Tür auf. Die Woge von süßlichem Geruch, die dabei ins Treppenhaus drang, war bereits stärker als wenige Minuten zuvor.

Einbildung? Oder schritt das nun wirklich so schnell voran? Dann mochte wirklich etwas dran sein an Nathalies Theorie. Obwohl Simon auf keinen Fall hatte zurückkehren wollen, folgte er Nathalie.

Die Küche befand sich gleich schräg gegenüber der Wohnungstür. Schon auf dem Teppich davor war Blut – Fußspuren, von denen Simon vermutete, dass es seine eigenen sein könnten. Was sie hier gerade taten, würde jedem Polizisten die Haare zu Berge stehen lassen: Sie kontaminierten gründlich einen Tatort und sorgten dafür, dass später die Spurensicherung keine eindeutigen Ergebnisse mehr würde vorfinden können. Und sie machten sich sogar möglicherweise auch noch selbst verdächtig.

Er musste eigentlich sofort und ohne jedes weitere Zögern die Polizei rufen. Stattdessen trat er in die Küche, wo Nathalie neben dem Tisch stand und sich fassungslos umschaute.

Yves – zumindest vermutete Simon stark, dass es sich um ihn handelte – lag bäuchlings direkt vor dem Fenster. Dunkle, struppige Haare waren zu erkennen, der ausgemergelte Körper, die schäbige, abgewetzte Kleidung. Um ihn herum hatte sich ein See aus Blut ausgebreitet. Blutspritzer klebten an den Wänden, an der Decke, am Tisch, an den Stühlen. Am Fensterrahmen.

»Wie kann Blut so weit spritzen?«, fragte Nathalie.

Die Frage klang seltsam sachlich angesichts der grauenhaften Szenerie, aber Simon war froh, dass Nathalie nicht durchdrehte. Nicht hysterisch herumschrie oder in Ohnmacht fiel.

»Arterielles Blut spritzt sehr hoch«, sagte er. »Das habe ich jedenfalls mal gelesen.«

»Was haben die …?«

»Ich würde sagen, seine Kehle wurde durchgeschnitten. Aber wie es aussieht, hat er auch Stichverletzungen im Rücken. Wahrscheinlich auch im Bauch.« Er fragte sich, *wem* gegenüber er diese Weisheiten gerade erläuterte. Gegenüber der Täterin? Oder gegenüber einem Menschen, der genauso schockiert war wie er selbst?

»Ich war das nicht«, sagte Nathalie. »Du lieber Himmel, ich könnte so etwas gar nicht tun!« Es kostete sie vermutlich größte Überwindung, aber sie kniete neben Yves nieder und griff seine Hand.

Im nächsten Moment sprang sie auf die Füße.

»Er ist noch warm. Kommen Sie her, Simon, schauen Sie! Er ist noch warm.«

Simon bewegte sich vorsichtig durch die Küche. Der Geruch war definitiv stärker geworden, und das sprach für Nathalies Theorie, dass Yves noch nicht lange hier lag. Aber was war passiert? Wer war verantwortlich für diese Tat? Und konnte es einen so eigenartigen Zufall geben – dass ein Mann zunächst von einer Frau niedergeschlagen wurde, dies jedoch überlebte, wenige Tage später jedoch dann von irgendeiner anderen Person auf grausamste Art in seiner eigenen Wohnung niedergemetzelt wurde? Wer war dieser Yves? Worin bestand seine Rolle in diesem Stück?

Er kniete neben ihm nieder, nahm alle Kraft zusammen und überwand sich, die Hand des Toten zu greifen. Nathalie hatte recht: Sie war keinesfalls eiskalt, wie man es erwartet hätte. Sondern tatsächlich noch ziemlich warm.

Er ließ sie so entsetzt los, dass sie auf den Boden zurück und in die Blutlache fiel. Blut spritzte hoch und besprenkelte Simons hellgrauen Pullover.

»Großer Gott«, sagte er. »Es muss … es kann gerade erst passiert sein!«

Dann kam ihm der nächste Gedanke. War Yves überhaupt schon wirklich tot? Die Menge des Blutes ließ fast keinen anderen Schluss zu, dennoch tastete er nach dem Puls. Nichts. Yves war nicht mehr am Leben.

Er blickte hoch zu Nathalie. Erkannte Angst, fast Panik in ihren Augen. »Sie waren gerade hier«, sagte sie. »Das bedeutet, sie sind noch immer in der Nähe. Wir müssen weg, Simon. So schnell wie möglich.«

»Wer sind *sie*?«, fragte er, während er, angesteckt von ihrer Hast und ihrer Furcht, blitzschnell auf die Beine kam.

»Später«, sagte Nathalie. »Jetzt ist keine Zeit. Schnell, kommen Sie!«

Sie nahm seine Hand, und sie rannten aus der Wohnung. Erst als sie schon unten ankamen, fiel Simon ein, dass sie noch immer nicht in Besitz von Nathalies Handtasche waren. Aber das schien auch plötzlich nicht mehr wichtig.

Während sie durch den unaufhörlich strömenden Regen zum Auto liefen, sagte Simon: »Ich will eine Erklärung, Nathalie. Eine verdammt gute. Sonst bin ich sofort bei der Polizei!«

»Später«, wiederholte sie, »später.«

Diesmal, das spürte er, würde sie reden.

SOFIA, BULGARIEN,
DIENSTAG, 15. DEZEMBER

Kiril nahm direkt von Danos Wohnung aus die Metro zu der Adresse von Gregor Semjonov. Er hoffte, den Mann zu Hause anzutreffen, denn wenn er sich krankgemeldet hatte, würde er nicht irgendwo in der Stadt unterwegs sein.

Gregor Semjonov wohnte in Ljulin, einer Plattenbausiedlung am Rande Sofias, im achten Stock eines Hauses, dessen Aufzug kaputt war. Kiril kämpfte sich die vielen Treppen hinauf und stand schließlich schwer atmend vor der Wohnungstür. Er klingelte, und er meinte, unmittelbar danach Schritte im Inneren der Wohnung zu hören. Dann war es mucksmäuschenstill.

Irgendjemand war daheim, wollte aber die Tür nicht öffnen.

»Hallo!«, rief Kiril. Er versuchte, nicht so laut zu schreien, dass das ganze Haus aufgeschreckt wurde, aber doch so, dass er den Menschen, der sich dort verbarg, irgendwie erreichte. »Ich bin ein Freund von Dano. Dano Lukajev.«

Niemand rührte sich.

Kiril versuchte es erneut. »Ich habe Ihren Namen und Ihre Adresse von Dano Lukajev. Er hat mir erzählt, dass auch Sie Ihre Tochter ins Ausland gebracht haben. Über eine Modelagentin namens Vjara.« Ihm ging erst in diesem Moment auf, dass er keinen Nachnamen von Vjara wusste. Keine Anschrift. Keine Telefonnummer. Überhaupt nichts.

Sie hören von uns, hatte Vjara zum Abschied gesagt. Und das war es gewesen. Damit hatten sie sich abspeisen lassen.

»Bitte! Ich weiß, dass jemand da ist. Ich habe nur eine Frage. Wir haben unsere Tochter dieser Vjara anvertraut, damit sie im Westen ein besseres Leben beginnen kann. Und nun hören wir nichts von ihr. Es geht meiner Frau deswegen sehr schlecht. Ich mache mir Sorgen. Ich brauche irgendein Lebenszeichen von meiner Tochter, und ich hatte gehofft, Sie könnten mir irgendwie helfen.«

Zunächst blieb weiterhin alles still. Dann näherten sich Schritte der Tür. Langsam, zögernd. Schleichend. Jemand blieb unmittelbar hinter der Tür stehen.

»Bitte öffnen Sie«, bat Kiril.

Endlich wurde die Tür geöffnet. Das verängstigte Gesicht einer älteren Frau erschien dahinter.

»Ja?«, flüsterte sie.

»Kiril Dankov. Sind Sie die Frau von Gregor Semjonov?«

Sie nickte. »Katarina Semjonova. Kommen Sie rein.«

Sie öffnete die Tür so weit, dass er gerade hindurchschlüpfen konnte, dann schloss sie sie sofort wieder. Er kam sich ganz seltsam vor. Wie in einem alten Film aus dem kommunistischen Bulgarien. Als die Menschen Angst vor den Staatssicherheitsorganen hatten. Als es geheime Treffen gab, hektisches Flüstern und schnell geschlossene Türen. Als es gefährlich gewesen war, den Nachbarn zu trauen, denn jeder konnte ein Spitzel sein. Die Zeiten waren vorbei. Aber Katarina Semjonova hatte Angst, unverkennbar. Sie hatte schreckliche Angst.

Im Flur standen Kartons, etliche Taschen und Koffer. Es sah so aus, als wären die Semjonovs im Begriff umzuziehen. Oder zumindest für längere Zeit zu verreisen.

»Wie ich schon sagte«, begann Kiril, »es geht um unsere Tochter...«

Katarina nickte und bedeutete ihm, ihr zu folgen. Sie betraten das Wohnzimmer. Auch hier standen gepackte Taschen. Am Fenster stand ein Mann. Gregor, nahm Kiril an. Der Blick aus Gregors Augen erinnerte ihn sofort an Ivana. Erfroren. Erstarrt.

Am Esstisch in der Ecke saß ein junges Mädchen. Es mochte siebzehn oder achtzehn Jahre alt sein. Langes schwarzes Haar. Große, dunkle Augen. Das Mädchen trug einen grauen Jogginganzug, der ihm zu groß war, und pinkfarbene Turnschuhe. Es starrte vor sich hin. Es hob nur kurz den Kopf, als Kiril eintrat.

Er hielt für einen Moment den Atem an: Er hatte nie zuvor ein schöneres Wesen gesehen.

»Mein Mann Gregor«, stellte Katarina vor. »Und unsere Tochter Selina.«

»Du solltest doch niemanden reinlassen«, sagte Gregor. Es klang nicht wirklich vorwurfsvoll. Nur tief erschöpft.

»Er sucht seine Tochter«, erklärte Katarina.

»Oder die Dame, die die Agentur in Rom leitet. Vjara«, sagte Kiril. »Ich habe keinen Nachnamen von ihr. Und keine Adresse.«

»Wir auch nicht«, sagte Gregor.

»Aber irgendwie sind Sie in Kontakt mit ihr gekommen?«

Gregor wies auf Selina, die jetzt den Kopf wieder gesenkt hielt. »Selina wurde in einer Diskothek angesprochen. Von einem jungen Mann. Mihajlo hieß er. Er sagte ihr, sie sei eine unglaubliche Schönheit...«

Wobei er nicht lügen musste, dachte Kiril.

»...und sie könne viel Geld als Fotomodell verdienen. Reich werden. Berühmt. Auf den Titelseiten aller großen

Magazine abgebildet werden. Sie gab ihm unsere Adresse, und er suchte uns auf. Gemeinsam mit Vjara. Wir haben dieser Frau vertraut.«

Kiril nickte. So war es auch ihm gegangen. Vjara hatte jeden Anflug von Misstrauen mit ihrem Auftreten, ihrer Art, ihrer ganzen Erscheinung sofort zerstreut.

»Wieso ist Ihre Tochter hier?«, fragte er. »Sie ist doch auch in den Westen gegangen?«

»Ich war dagegen«, sagte Katarina. »Von Anfang an. Dieses ganze Gerede von einer Karriere als Fotomodell oder vielleicht sogar als Schauspielerin … Reich und berühmt werden … Selina war wie von Sinnen. Sie wollte unbedingt. Unter allen Umständen. Ich habe ihr gesagt, das klingt zu schön, um wahr zu sein. So einfach ist es nicht, reich und berühmt zu werden. Mir waren das einfach zu viele Versprechungen. Zu viele Sterne vom Himmel, verstehen Sie?«

»Wir hätten sie nicht zurückhalten können«, sagte Gregor. »Das sage ich Katarina immer. Sie macht sich von morgens bis abends Vorwürfe. Aber Selina war nicht zu halten. Zur Not wäre sie eben ohne unser Einverständnis gegangen. Was hätten wir denn tun sollen? Sie einsperren?«

»Haben Sie … Geld bekommen?«, fragte Kiril.

Die Semjonovs schienen über den Punkt hinaus zu sein, an dem es ihnen noch um ihren Ruf ging, denn sie nickten beide bereitwillig.

»Genau genommen«, schränkte Gregor ein, »war das ein Vorschuss auf Selinas Arbeit. Eine Hälfte für sie, die andere für uns.«

»Selina hatte aber kein Geld mehr, als sie zurückkam«, fügte Katarina hinzu. »Man hat es ihr weggenommen. Ebenso wie ihren Pass. Sie hatte praktisch nichts mehr als die Sachen, die sie am Leib trug.«

»Warum ist sie zurückgekehrt?« Es kam Kiril zunehmend seltsam vor, hier in diesem Raum zu stehen und über eine anwesende Person so zu sprechen, als wäre sie nicht da. Allerdings vermittelte Selina den Eindruck vollkommener Abwesenheit, und sie schien nichts zu dem Gespräch beitragen zu wollen. Sie betrachtete den Boden zu ihren Füßen und verzog keine Miene.

»Sie ist gestern früh hier vor unserer Tür wieder aufgetaucht. Sie ist in einem schlimmen Zustand«, sagte Katarina. Ihre Stimme bebte. »Mein Baby. Mein einziges Kind. Sie können das nicht erkennen, so wie sie angezogen ist, aber ihr Körper ist eine Spur der Verwüstung. Blaue Flecken, blutige Kratzer, Prellungen. Sie ist geschlagen worden.«

»Von wem?« Kiril musste sich an einer Stuhllehne festhalten.

Gregor hob die Schultern. »Wir wissen es nicht.«

»Waren Sie bei der Polizei?«

»Nein. Wir wollten dort hingehen, aber Selina flehte uns an, es nicht zu tun. Sie hat sich bis hierher zu uns durchgekämpft, eine Woche lang, hauptsächlich als Anhalterin, und nun will sie weiter fort. Mit uns zusammen. Sie sagt, wir sind hier nicht sicher. Sie sagt, die sind noch immer hinter ihr her.«

»Wer denn, du lieber Gott?«

Katarina fing an zu weinen. »Noch bevor Selina wieder bei uns war, bekamen wir Anrufe. Anonym. Man fragte nach unserer Tochter. Wir waren ahnungslos. Dann tauchten zweimal sehr seltsame Männer hier bei uns auf. Wirklich unheimliche, brutale Typen. Wollten wissen, wo Selina ist. Wir wussten ja immer noch nichts, und offenbar glaubten sie uns, dass sie nicht hier ist. Aber wie lange wird es dauern, bis sie erneut kommen? Es stimmt, was Selina sagt: Man sucht nach ihr, und wenn Sie diese Leute gesehen hätten, wüssten Sie, dass die Polizei uns nicht würde schützen können.«

»Aber… ich verstehe das nicht. Ich meine, Selina ist weggelaufen, und vermutlich fühlt man sich in der Agentur um das Geld betrogen. Aber das ließe sich doch klären, man könnte…«

»Agentur!«, unterbrach Gregor. Seine Stimme klang fast höhnisch. »Agentur!«

Kiril starrte ihn an. »Die Agentur in Rom.«

»Es gibt keine Agentur in Rom«, sagte Gregor. »So viel habe ich schon in Erfahrung gebracht. Selina wurde nach Frankreich gebracht. Nach Paris.«

»Paris?«

»Und dort sollte sie keineswegs als Model arbeiten. Sondern in einem Bordell.«

Kiril schnappte nach Luft. »Bordell?«

»Als sie sich weigerte, wurde sie misshandelt. Sie konnte fliehen. Und nun scheinen die Himmel und Hölle in Bewegung zu setzen, sie zu finden. Deshalb müssen wir hier weg.«

»Wer sind *die*?«, fragte Kiril.

»Ich weiß es nicht«, sagte Gregor.

Kiril, der den Eindruck hatte, ihm werde der Boden unter den Füßen weggezogen, wandte sich an Selina. »Selina, ich bitte Sie, erzählen Sie…«

»Sie werden keine Antwort bekommen«, sagte Katarina. »Sie hat uns berichtet, was sie berichten konnte, und seitdem spricht sie nicht mehr. Es hat gar keinen Sinn.«

Gregor wies auf die Taschen und die Kartons. »Wir nehmen das sehr ernst. Wir hauen ab. Wir müssen versuchen, uns zu verstecken. Wir sind hier nicht mehr sicher. Fragen Sie uns nicht, wohin wir gehen, denn wir würden es Ihnen nicht sagen.«

»Sie sollten jetzt verschwinden«, sagte Katarina. »Sie begeben sich in Gefahr, indem Sie mit uns verkehren.«

Kiril stand wie erstarrt.

»Was ist mit meiner Tochter?«, flüsterte er.

LYON, FRANKREICH,
DIENSTAG, 15. DEZEMBER

»Vor wem«, fragte Simon, »bist du auf der Flucht?«

Ihr Ton war vertrauter geworden. Förmlichkeiten schienen plötzlich unangemessen. Sie hatten gemeinsam in der furchtbaren, im Blut schwimmenden Küche gestanden und den niedergemetzelten Yves betrachtet, sie waren Hand in Hand vier Treppen hinuntergestürzt, sie hatten sich in Simons Auto geflüchtet, und sie hatten jeder die Angst des anderen riechen können, wobei Simon nicht einmal wusste, wie die Gefahr aussah, in der sie offenbar schwebten. Sie saßen in einem Boot, und ringsum zog ein Sturm auf, so hätte Simon die Situation bildlich beschrieben. Sie brauchten nicht länger künstlich eine Distanz zu wahren, die in Wahrheit von den Ereignissen längst aufgehoben worden war.

Nathalie hatte ihn angefleht, Lyon sofort zu verlassen, aber Simon war standhaft geblieben.

»Ich nehme dich nirgendwohin mehr mit«, sagte er, »bevor ich nicht alles weiß.«

Sie hatten den Wagen am Rande der Altstadt geparkt, waren zu Fuß tief ins Innere des alten Lyon gelaufen und hatten ein Café gefunden, in dem sie nun saßen, beide mit einem Milchkaffee vor sich und mit einem Croissant, das sie nicht anrührten. Die Ereignisse der letzten Stunde hatten ihnen vollständig den Appetit verschlagen.

Außer ihnen befanden sich nur noch zwei Gäste in dem Raum, zwei junge Mädchen, die zwar zusammen an einem Tisch saßen, jedoch kein Wort miteinander sprachen, sondern sich ausschließlich mit ihren Smartphones beschäftigten. Hinter der Theke stand ein mürrisch dreinblickender Mann und brütete über einem Kreuzworträtsel. Draußen regnete es. Wenige Menschen waren unterwegs. Das Wetter war einfach zu schlecht.

Nathalie rührte in ihrer Tasse. Statt einer Antwort auf seine Frage gab sie zurück: »Glaubst du mir inzwischen, dass ich Yves nicht umgebracht habe?«

Er nickte. »Es scheint so. Er ist offenbar tatsächlich erst heute ermordet worden – vergleichsweise kurz bevor wir ankamen.«

Nathalie schauderte. »Wenn wir nicht die lange Rast auf der Hinfahrt gemacht hätten ... Wir wären ihnen wahrscheinlich direkt begegnet.«

Er lehnte sich vor. »*Wem*, Nathalie? Wem wären wir begegnet?«

»Ich weiß es nicht.«

»Das glaube ich dir nicht.«

Sie seufzte. »Ich weiß es wirklich nicht genau. Ich weiß nur, dass Jérôme in Todesangst war und dass er ...«

»Du lebst mit Jérôme zusammen?«

»Ja.«

»Was macht er beruflich?«

Nathalie zögerte. »Bis vor etwa zwei Jahren arbeitete er für einen Kurierdienst.«

»Okay. Und jetzt?«

»Er verdiente nicht gut. Die Zeiten sind schlechter geworden. In Frankreich jedenfalls. Für fast jeden.«

»Also wechselte er seinen Job?«

»Ja. Er kam eines Abends ganz aufgeregt nach Hause. Er

habe ein tolles Angebot. Er könne dreimal so viel verdienen wie bisher – mindestens. Eine Firma habe ihn angeheuert. Die suchten noch jemanden für ihre Transporte. Einen Fahrer.«

»Was für eine Firma?«

»Ein Fuhrunternehmen, das europaweit tätig ist. Sie transportieren nahezu alles, wofür man sie bucht.«

»Wie kamen die auf ihn?«

»Er hatte eine Kurierfahrt zum Hauptsitz der Firma, kam mit jemandem dort ins Gespräch, und der sagte ihm, dass noch Fahrer gesucht würden. Es klang wirklich gut. Also habe ich ihm geraten, das Angebot anzunehmen. Obwohl ich wusste, dass er dann oft tagelang unterwegs sein würde und dass wir weniger Zeit füreinander hätten. Aber ich hoffte, seine finanziellen Sorgen würden weniger werden, und so war es auch.«

»Aber…?«, fragte Simon.

Sie blickte ihn irritiert an. »Aber?«

»Die Geschichte klingt nach einem *Aber*. Ihr seid glücklich und zufrieden, dein Freund hat einen tollen Job, aber trotzdem bist du auf der Flucht vor Leuten, die du nicht kennst, ein Mann in Lyon, eine Zufallsbekanntschaft von dir, wurde ermordet, wenige Tage nachdem du bei ihm warst, und du hast eindeutig Todesangst. Wenn ich das Wort *Polizei* nur in den Mund nehme, drehst du fast durch. Also – was passierte dann? Nachdem Jérôme nicht mehr als Kurierfahrer, sondern als Fahrer für diese Spedition tätig war?«

Sie seufzte. »Er ist der Mann meines Lebens«, sagte sie. »Er hat mich aus der Scheiße geholt. Weg von meiner Mutter, die dreiundzwanzig von vierundzwanzig Stunden am Tag komplett besoffen war. Die sich mit Alkohol und Tabletten zuknallte und für mich nicht mehr ansprechbar war – sofern sie überhaupt noch mitbekam, dass es mich gab. Weg von der Pflegemutter, bei der ich untergebracht war und die sich zwar Mühe gab, mir jedoch auch nicht helfen konnte und allmählich die Geduld verlor. Er hat mich vor dem Jugendamt gerettet, das mich am liebsten in der geschlossenen Psychiatrie gesehen hätte. Er hat mich vor dem Verhungern bewahrt. Ich habe nichts mehr gegessen. Ich konnte nicht. Es war nur noch eine Frage der Zeit, wann ich tot umfallen würde.«

»Ich verstehe.«

Mit plötzlicher Wut in den Augen sagte sie: »Jede Wette, dass du das nicht verstehst? Du hast keine Ahnung von einer Jugend wie meiner. Davon, wie eine Kindheit aussieht und wie sie sich anfühlt, wenn deine Mutter immer nur säuft und dein Vater nichts von dir wissen will. Wenn das Geld nie reicht und man in der miesesten Gegend der Stadt wohnen muss. Ich wette, dir haben sie von jeder Seite immer nur den goldenen Löffel reingeschoben und dich ...«

Der mürrische Mann hinter der Theke blickte von seinem Kreuzworträtsel auf. Neben den beiden jungen Mädchen hingegen hätte wohl eine Bombe einschlagen können, sie nahmen außer ihren Smartphones nichts mehr wahr.

Nathalie senkte ihre Stimme. »Tut mir leid.«

»Schon gut.«

»Jérôme und ich waren immer glücklich. Wir sind eine Einheit. Es gab kaum je ein böses Wort zwischen uns. Wenn man so aufgewachsen ist wie ich ... in einer Siedlung, in der jedes Ehepaar nur Krieg untereinander führt und mehrmals am Tag die Polizei anrückt, weil schon wieder eine Schlägerei stattfindet ... dann kann man es kaum glauben. Man kann es nicht glauben, wenn man einem Mann wie Jérôme begegnet.«

»Auch wenn du gleich wieder aufbraust«, sagte Simon, »aber ich kann das nachvollziehen. Wirklich.«

Sie wirkte ein wenig beschämt. »Tut mir wirklich leid«, wiederholte sie. »Ich weiß ja gar nicht, wie deine Kindheit und Jugend aussah.«

Simon dachte an den materiellen Überfluss, in dem er gelebt hatte, und daran, wie deutlich ihm sein Vater zu verstehen gegeben hatte, dass er ihn für einen Versager hielt.

»Anders«, sagte er. »Meine Kindheit sah sicher anders aus. War aber auch nicht immer einfach.«

Sie nickte. Ihre dünnen Finger schoben den unbenutzten Kaffeelöffel auf dem Tischtuch hin und her. »Zunächst war alles gut. Mit dem neuen Job, meine ich. Jérôme war viel unterwegs, ich vermisste ihn wie rasend, aber wenn er daheim war, war es doppelt schön. Er hatte keine Geldsorgen mehr, war entspannt, hatte viel zu erzählen. Es war eine gute Zeit. Vielleicht die beste, die wir hatten. Dann jedoch, vor ungefähr einem Dreivierteljahr ...«

»Ja?«

»Er veränderte sich. Zunächst fiel mir das gar nicht so auf, ich dachte, jeder hat mal einen schlechten Tag. Aber Jérôme war einfach nicht mehr der Alte. Er war immer noch tagelang unterwegs, aber er kam nicht mehr erfüllt und glücklich zu mir zurück. Er wirkte ständig bedrückt, war wortkarg. Einfach ... vollkommen verändert.«

»Du hast ihn sicher darauf angesprochen?«

»Natürlich. Immer wieder. Er stritt zunächst einfach ab, dass er sich verändert hätte. Meinte, ich bilde mir etwas ein. Irgendwann gab er dann zu, dass ihm der Job nicht mehr so viel Spaß machte.«

»Nannte er Gründe?«

»Nichts, was ich richtig nachvollziehen konnte. Die langen Strecken, das viele Wegsein von zu Hause ... solche Dinge. Aber das hatte ihm zuvor nichts ausgemacht, im Gegenteil, es hatte ihm Auftrieb gegeben. Jetzt sollte das jäh gekippt sein? Ich konnte das kaum nachvollziehen. Ich hatte immerzu den Eindruck, dass mehr dahintersteckte. Aber ganz gleich, wie sehr ich fragte und bohrte, ich bekam keine Antwort.«

»Hattest du da schon den Verdacht, dass er sich mit den falschen Leuten eingelassen hatte?«

»Mit den falschen Leuten?«

»Du sprichst immer von *sie*. *Sie* können gerade erst hier gewesen sein, *sie* haben Yves ermordet, *ihnen* wären wir um ein Haar begegnet. Du sagtest, Jérôme sei in Todesangst gewesen. Todesangst vor *wem*? Vor *ihnen*? Und sind das Leute, die mit seiner Arbeit zu tun haben? Oder woher kennt er *sie*?«

»Ich weiß es nicht genau. Damals dachte ich nicht an eine Gefahr. An *die falschen Leute*. Ich tappte im Dunkeln. Ich tappe auch jetzt noch im Dunkeln.« Sie zog fröstelnd die Schultern zusammen, sah ihn aus diesen verzweifelten, hoffnungslosen Augen an, die ihn am Tag zuvor bewogen hatten, ihr zu helfen, obwohl er sie nicht kannte und genügend eigene Probleme mit sich herumschleppte. »Aber jetzt weiß ich, dass es eine Gefahr gibt. Jérôme ist in Gefahr. Ich bin es. Dieser unglückselige Yves war es offenbar auch von dem Moment an, da er mich mit in seine Wohnung genommen hatte.«

Das war wirklich eine Information, die Mut machte, fand Simon.

»Dann bin ich es auch«, folgerte er. »Seitdem ich dich vom Strand mitgenommen habe und nun auch noch so verrückt war, mit dir nach Lyon zu fahren.« Er zog sein Portemonnaie hervor, nahm einen Schein heraus und legte ihn auf den Tisch. »Wir gehen jetzt zur Polizei, Nathalie. Ob du willst oder nicht.«

Sie legte ihre Hand auf seinen Arm. »Lass mich dir erzählen, was passiert ist.«

Anfang Dezember 2015. Jérôme und ich lebten in Issy de Moulineaux, einer Pariser Banlieue. Ich arbeitete in einer kleinen Bijouterie in einer Nebenstraße der Champs-Élysées, in der es Unmengen glitzernde, wertlose Scheußlichkeiten zu kaufen gab, die aber bei den jungen Mädchen ziemlich guten Absatz fanden. Ich war selbst fast noch ein junges Mädchen, deshalb verstand ich mich mit meinen Kundinnen. Sie gaben etwas auf meine Meinung. Ich mochte den Schmuck nicht, den ich verkaufte, aber das merkte niemand, und ich gab mir ehrlich Mühe in der Beratung. Meine Chefin, Madame Guillot, war zufrieden mit mir.

»Du machst das richtig gut, Nathalie«, sagte sie oft.

Am Nachmittag des 8. Dezember durfte ich um halb fünf Uhr gehen. Es war ein Dienstag, der Andrang war seit den Mittagsstunden ungewöhnlich groß gewesen, und ich war vollkommen erschöpft. Ich hatte hämmernde Kopfschmerzen und fühlte mich krank, so als würde ich eine Grippe bekommen, und deshalb schickte mich Madame Guillot schließlich nach Hause. »Legen Sie sich ins Bett«, riet sie mir. »Vielleicht ist dann morgen wieder alles in Ordnung!«

Ich träumte vor allem von einem Schaumbad. Von der Ruhe und dem Frieden unserer kleinen Wohnung.

Jérôme war am Freitag beruflich nach Kopenhagen aufgebrochen und wollte heute spätestens zurückkommen. Unser Kühlschrank war leer; nicht gerade der Zustand, den sich ein Mann wünscht, wenn er nach tagelanger Fahrt quer durch Europa nach Hause kommt. Aber für den Moment fühlte ich mich zu schlecht. Notfalls würden wir eine Pizza bestellen.

Mein Handy klingelte, kurz bevor ich in die Metrostation abtauchen konnte. Der Empfang war dort unten nicht gut, daher blieb ich oben stehen. Mir war sehr kalt. Ich angelte den Apparat aus der Tasche und sah auf dem Display, dass es Jérôme war, der anrief.

»Hallo. Wo bist du?«, meldete ich mich.

Ich konnte ihn ziemlich gut verstehen. Offenbar fuhr er gerade nicht, denn das störende Rauschen im Hintergrund fehlte. Dafür klang seine Stimme ganz verändert. Es war schon seine Stimme, aber irgendwie war sie fremd.

»Nathalie? Hör zu, bist du in der Bijouterie?«

»Ich bin auf dem Heimweg. Ich durfte früher gehen.«

»Wo genau bist du?«

»Charles de Gaulle-Étoile. Ich stehe direkt vor dem Eingang zur …«

Er unterbrach mich. »Du darfst nicht nach Hause. Hörst du? Geh auf gar keinen Fall nach Hause. Und nicht zurück in den Laden. Sieh zu, dass du die Stadt verlässt. Jetzt sofort!«

»Wie bitte?«

»Ich kann dir das jetzt nicht erklären. Vertrau mir. Du darfst nicht nach Hause gehen. Kann sein, dass sie schon dort sind.«

Ich starrte all die Menschen an, die unter ihren Regenschirmen und mit ihren weihnachtlichen Einkaufstüten beladen vor mir auf und ab eilten, während ich den völlig bizarren Reden meines Lebensgefährten lauschte. Ich kam mir plötzlich vor, als stünde ich mit jedem Fuß in einer anderen Welt. Mit dem einen in der Welt der Normalität. Und mit dem anderen in einer, die ich nicht verstand.

»Wer denn? Jérôme? Wer ist schon dort? In unserer Wohnung?«

»Ich werde dir alles erklären. Aber nicht jetzt. Du musst dich in Sicherheit bringen. Hast du Geld dabei?«

»Ja, aber …«

»Du verlässt jetzt Paris. Mit dem Zug. Richtung Süden. Ich werde …«

Ich unterbrach ihn. »Ich kann doch nicht einfach abhauen! Ohne Koffer, ohne irgendetwas. Und ohne zu wissen, was eigentlich …«

Er klang so verzweifelt, dass ich Angst bekam. »Bitte, Nathalie. Du bist in Gefahr. Ich bin in Gefahr. Wir müssen sehen, dass wir unser Leben retten. Geh um keinen Preis nach Hause und …«

Die Verbindung riss plötzlich ab.

»Jérôme!«, schrie ich.

Zwei Männer, die gerade vorbeigingen, schauten mich erstaunt an. Ich wandte mich ab, tippte Jérômes Nummer in mein Handy. Er meldete sich sofort.

»Ich muss weiter«, sagte er, »ich kann hier nicht bleiben.«

»Jérôme! Was, um Himmels willen, ist passiert? Steht uns wieder ein Terrorakt bevor?«

Uns allen hier in Paris steckten noch die furchtbaren Anschläge vom 13. November in den Knochen. Über das ganze Land war der Ausnahmezustand verhängt, und in den Straßen patrouillierten Polizei und Militär. Insofern passte das diffuse Bedrohungsszenario, das Jérôme entwarf, in die allgemeine Atmosphäre. Und doch hatte ich das Gefühl, dass es um etwas ganz anderes ging. Um etwas, das ganz persönlich mit Jérôme zu tun hatte.

»Erinnerst du dich, dass ich dir von meinem Onkel erzählt habe? Der ein Apartment hat, unten in Les Lecques. Departement Var. Gleich am Meer.«

Ich entsann mich. »Ja.«

»In der Provence. Nähe Marseille.« Er wiederholte den

Namen des Ortes. »Les Lecques.« Dann folgte eine Adresse, ein Straßenname, eine Hausnummer. »Dort gehst du hin. Dort wartest du auf mich.«

»In der Provence? Jérôme …«

»Bitte. Sofort. Es ist wichtig, Nathalie. Du schwebst in Lebensgefahr. Du musst sofort die Stadt verlassen. Geh nicht nach Hause!«

Idiotischerweise, aber vielleicht auch, weil die Situation so völlig absurd war, dachte ich vor allem an mein Schaumbad. Und an mein Bett, in das ich meinen hämmernden, schmerzenden Kopf legen wollte. In diesem Moment war ich drauf und dran loszuheulen: Weil Jérôme mich, verfroren und krank, wie ich war, ohne weitere Erklärungen auf eine mindestens achtstündige Reise in den Süden schicken wollte. Weil er dauernd wiederholte: Geh nicht nach Hause.

Dabei war das der einzige Ort der Welt, zu dem ich hin wollte.

»Ich komme dort auch hin«, sagte er. »Nach Les Lecques. Und vorher unternimmst du nichts. Und sprichst mit absolut niemandem darüber. Bitte. Vor allem: Du gehst nicht zur Polizei. Auf gar keinen Fall!«

»Warum denn nicht? Wenn gefährliche Menschen hinter uns her sind, dann …«

Er unterbrach mich. »Die haben Kontakte. Auf höchster Ebene. Die könnten dich festsetzen lassen. Du darfst niemandem vertrauen. Hau einfach ab. Jetzt sofort. Bis dann!«

Er brach das Gespräch ab. Als ich ihn daraufhin gleich wieder anzurufen versuchte, erreichte ich ihn nicht mehr.

Ich stand einfach nur da, fassungslos und wie betäubt, eine reglose Gestalt mitten in Paris. Der Asphalt zu meinen Füßen glänzte nass. Ich hatte nicht das Gefühl einer echten, drohenden Gefahr, dafür waren zu viele Menschen um mich herum, zu viel Verkehr. Ich fühlte mich nur dennoch wie in einem schlechten Film. Oder in einem bösen Traum. Absolut unwirklich.

Aber ich hatte nicht geträumt. Jérômes Stimme war Realität gewesen. Auch die Angst in dieser Stimme, das Drängen, die Verzweiflung.

Ich kramte in meiner Tasche herum und stellte fest, dass ich für eine spontane Flucht, die mich an die achthundert Kilometer weit weg von meinem Zuhause bringen sollte, denkbar schlecht ausgestattet war. Außer meinem Handy hatte ich zwar noch mein Portemonnaie dabei, aber als ich gleich darauf an der nächsten Bankfiliale mit meiner EC-Karte vorsichtshalber einen Schwung Bargeld abheben wollte, zeigte mir der Automat ein völlig leergeräumtes Konto an. Nichts, es gab nichts mehr. Das hatte ich schon manchmal erlebt, wenngleich ich mich dabei nie in einer so prekären Situation befunden hatte wie jetzt. Jérôme neigte zu luxuriösen Einkäufen, die uns regelmäßig bis zur jeweils nächsten Gehaltszahlung am Rande des Abgrunds balancieren ließen. Nicht ungewöhnlich, aber in diesem Fall: fatal. Somit besaß ich nun knapp siebzig Euro, außerdem ein Päckchen Papiertaschentücher und einen Lippenstift.

Das war alles, was ich hatte.

Zu wenig, wie mir schien.

Ich beschloss, Jérômes Warnungen zum Trotz, nach Hause zu fahren und nachzusehen, ob ich in der Wohnung noch irgendwo etwas Bargeld fand. Und vielleicht eine kleine Reisetasche mit dem Notwendigsten zu packen: Wäsche, Strümpfe, einen zweiten Pullover. Meine Haarbürste, Shampoo und Seife. Meine Zahnbürste. Vitamintabletten, um die möglicherweise drohende Grippe vielleicht noch abwenden zu können. Und Aspirin für meinen Kopf. Hätte ich zwar auch in einer Apotheke kaufen können. Aber ich wollte vorsichtig mit dem Ausgeben des Geldes sein.

Vielleicht fand ich sogar noch raus, was eigentlich los war. Vielleicht konnte ich mich auch in der Wohnung verbarrikadieren.

Ich war zu diesem Zeitpunkt gar nicht mehr sicher, dass ich wirklich fliehen würde.

Unterwegs versuchte ich immer wieder, Jérôme zu erreichen.

Aber er meldete sich nicht mehr.

LYON, FRANKREICH, DIENSTAG, 15. DEZEMBER

»Und dann?«, fragte Simon.

Die beiden Mädchen, die neben ihnen die einzigen Gäste des Cafés waren, standen gleichzeitig auf und gingen gemeinsam zur Toilette. Sie hörten dabei nicht auf, sich mit ihren Smartphones zu beschäftigen. Normalerweise hätte Simon jetzt gedacht: seltsame Generation. Diesen Gedanken hegte er öfter. Im Augenblick jedoch nicht. Er war zu sehr auf Nathalie konzentriert.

Sie war ganz versunken in die Erinnerung. Sie durchlebte jene Momente vom 8. Dezember noch einmal.

»Es kam mir so unwirklich vor«, sagte sie. »Diese Warnung. Alles, was Jérôme sagte … Ich dachte, das kann doch nicht sein. Ich meine, wir leben ein normales Leben in einem normalen Land … Da passieren solche Dinge nicht. Dass man fliehen muss und sich verstecken. Andererseits hatte ich die echte Angst in seiner Stimme gehört. Seine Panik. Irgendetwas stimmte nicht. Es konnte sich nicht um einen Scherz handeln. Außerdem hätte Jérôme mit so etwas keinen Scherz gemacht. Warum auch?«

»Du bist dann tatsächlich in eure Wohnung zurückgekehrt?«

Sie schüttelte den Kopf. »Nur fast. Ich bin *bis* zu unserer Wohnung gefahren. Es schien mir ausgeschlossen, nach

Südfrankreich aufzubrechen, so, wie ich war – mit praktisch nichts.«

»Warum gingst du nicht in die Wohnung?«

Sie senkte ihre Stimme. »Weil ich *sie* gesehen habe. Die Leute, um die es wahrscheinlich geht. Vor denen mich Jérôme gewarnt hatte. Zwei standen vor der Tür unseres Wohnhauses. Einen dritten entdeckte ich dann noch in einem geparkten Auto sitzend. Gott sei Dank haben sie mich nicht gesehen. Es war dunkel. Vor dem Haus brannten Laternen, aber da, wo ich stand, war es stockfinster.«

»Und woher wusstest du, dass das nicht irgendwelche harmlosen Leute waren?«

»Weil sie nicht harmlos aussahen. Sie trugen Sonnenbrillen – an einem dunklen Dezemberabend! Sie sahen finster und brutal aus. Schläger, Zuhälter. Ich habe sie noch nie zuvor in unserer Gegend gesehen. Außerdem schienen sie nicht zu klingeln, also irgendjemanden im Haus besuchen zu wollen. Sie warteten ganz offensichtlich. Auf wen wohl? Selbst wenn ich zuvor nicht den Anruf von Jérôme bekommen hätte, wäre ich bei ihrem Anblick unwillkürlich zurückgewichen. Es waren Typen, denen man nicht alleine begegnen möchte.«

»Ich verstehe«, sagte Simon. Er verstand tatsächlich. Hatte er die ganze Geschichte zuvor als ziemlich abstrus und mehr als eigenartig empfunden, so klang das alles nun zumindest nach etwas, das einen realen Hintergrund hatte. An dem Schrecken, der alleine bei der Erinnerung an jene Szene schon wieder in Nathalies Augen zu lesen war, erkannte er, dass sie keinesfalls log. Es hatte den Anruf gegeben. Es hatte die Männer gegeben, die vor dem Haus warteten. Und so schnell wie möglich abzuhauen war vermutlich das Schlauste gewesen, was Nathalie hatte tun können.

»Na ja«, sagte sie, »ich zog mich lautlos hinter die nächste Straßenecke zurück. Und dann rannte ich. Rannte wie der Teufel zur Bahnstation zurück. Fuhr bis zum Gare de Bercy. Dort stieg ich panisch aus, weil ich plötzlich glaubte, einer der Typen sei bereits in der Bahn, was vermutlich ein Irrtum war. Egal. Es war kurz vor halb acht, und ich nahm den nächsten Zug, der fuhr. Er ging nach Dijon. Nicht der Ort, an den ich wollte, aber Hauptsache weg von Paris. Für die Weiterfahrt hatte ich dann nicht mehr genug Geld. Du kannst dir meine Verzweiflung nicht vorstellen. Immer wieder versuchte ich Jérôme zu erreichen, aber er hatte sein Handy ausgeschaltet. Von meinen letzten Euros kaufte ich mir etwas zu essen, hielt mich in verschiedenen McDonald's-Filialen auf, um der Kälte zu entkommen. Am Mittwoch nahm mich dann eine Frau im Auto bis Lyon mit. Von dort schien es nicht weiterzugehen. Ich hatte keinen einzigen Cent mehr … Ich kauerte in diesem Hauseingang am Quai Perrache, um ein wenig Schutz vor dem Regen zu finden. Dort sprach mich Yves an. Und …« Sie zuckte mit den Schultern. »Den Rest kennst du. Nach meiner Flucht aus Yves' Wohnung bin ich ebenfalls per Anhalter schließlich bis Les Lecques gekommen. Habe mich in der Wohnung von Jérômes Onkel verkrochen und gewartet und gehungert und gehofft, dass Jérôme dort auch endlich auftauchen möge. Stattdessen kam dann der Gehilfe des Hausmeisters …«

»Jérôme hat das Apartment klar als Treffpunkt benannt«, sagte Simon. »Wir müssen dorthin zurück und sehen, ob er inzwischen dort eingetroffen ist. Wie es scheint, kann ja wirklich nur er Licht in diese mysteriöse Angelegenheit bringen.«

Nathalie stützte den Kopf in die Hände. Sie hatte kleine Schweißperlen auf der Stirn. »Wenn die das waren mit

Yves«, flüsterte sie. »Wenn die Yves umgebracht haben, dann sind sie mir dicht auf den Fersen. Dann sind die vielleicht schon auf dem Weg nach Les Lecques. Ich begebe mich in Lebensgefahr, wenn ich dorthin gehe.« Sie verbesserte sich: »*Wir* begeben uns in Lebensgefahr.«

»Wie sollten die Bescheid wissen über die Wohnung?«

»Wie wussten sie über Yves Bescheid?«

Das war in der Tat ein Rätsel. Yves war in Nathalies Leben zuvor nicht vorgekommen. Eine Zufallsbekanntschaft, ein Mann, in dessen Wohnung sie kaum eine Viertelstunde verbracht haben konnte. Der sie nicht kannte, nichts von ihr wusste. Trotzdem war er jetzt tot. Abgeschlachtet. Irgendjemand hatte entweder eine unmissverständliche Warnung an sie aussprechen wollen oder war furchtbar wütend auf ihn gewesen.

»Dass Yves' Tod mit dir gar nichts zu tun hat …«, sinnierte Simon. »Könnte das sein?«

»Für wie wahrscheinlich hältst du das?«, gab Nathalie zurück.

Er nickte. Er hätte es sich gewünscht. Aber er glaubte es nicht.

»Alles, was du erzählt hast«, sagte er, »bestärkt mich darin, dass wir zur Polizei gehen sollten.«

»Ich bin vorher weg«, sagte Nathalie. »Ich gehe nicht mit.«

»Warum nicht?«

»Was erzählen wir denen denn? Diese völlig irre Geschichte? Für die ich nicht den geringsten Beweis habe? Von der ich nicht einmal weiß, wer oder was dahintersteckt? Das Ganze enthält doch überhaupt keinen Ansatzpunkt für die Polizei. Die werden denken, ich spinne!«

»Vielleicht zuerst. Aber nicht mehr, wenn wir sie zu Yves'

Leiche führen. Spätestens an dieser Stelle wird die Geschichte ernst.«

»Was werden sie denn finden? Einen grausam ermordeten Mann. Von dem ich, wenn wir wahrheitsgemäß berichten wollen, sagen muss, dass er mich massiv bedrängt hat und ich ihm eine Flasche über den Kopf gehauen habe. Sie werden denken, dass ich das mit dem Messer war. So wie du das anfangs auch gedacht hast.«

»Sie werden den Todeszeitpunkt ermitteln. Und für den hast du ein Alibi. Mich.«

»Ernsthaft? Dich? Was werden sie feststellen? Dass er heute ermordet wurde, und zwar ziemlich genau um den Zeitpunkt herum, an dem wir in Lyon eintrafen. In Treppenhaus, Flur und Küche haben wir mit Sicherheit einiges an DNA hinterlassen – und mit ebensolcher Sicherheit haben die wahren Täter *nichts* hinterlassen. Auf deinem Pullover sind Blutspritzer …«

»Das ist doch absurd«, sagte Simon. »Wieso sollten wir zur Polizei gehen, wenn wir ihn umgebracht hätten? Und welches Motiv sollten wir haben?«

Nathalie zuckte mit den Schultern. »Simon, ich habe Angst, die glauben mir nicht. Wer bin ich denn? Die Tochter einer Schwerstalkoholikerin, ab dem siebzehnten Lebensjahr unter der Betreuung des Jugendamts, Schulabbrecherin … Ich werde ihnen suspekt sein …«

»Aber ich nicht«, sagte Simon. »Ich bin zudem deutscher Staatsbürger. Die können mich gar nicht so einfach festnehmen.«

»Sicher?«

Sicher war er nicht. Und in einem Punkt hatte Nathalie recht: Sie konnten der Polizei im Prinzip nicht erklären, was überhaupt los war. Weil Nathalie es selbst nicht wusste.

»Jérôme hat mich dringend vor der Polizei gewarnt«,

sagte Nathalie. »Die Leute, vor denen wir auf der Flucht sind, haben offenbar auch dort Einfluss.«

»Das klingt für mich nun völlig aus der Luft gegriffen. Frankreich ist ja keine Bananenrepublik, in der Korruption und Amtsmissbrauch an der Tagesordnung sind.«

Sie sah ihn nachdenklich an. »Du sagst, du kommst seit Jahren immer wieder in die Provence? In dein Ferienhaus?«

»Ja. Praktisch jedes Jahr. Warum?«

»Jérôme war auch oft dort. In dem Apartment seines Onkels. Er hat mir von den fürchterlichen Waldbränden erzählt, die dort unten tobten und ganze Landstriche als schwarz verkohlte, für viele Jahre unbrauchbare Gebiete zurückließen. 2002 war das, 2003. Bis 2005 ging das fast jeden Sommer so.«

Das stimmte. Er erinnerte sich. Einmal war er mit Maya und den Kindern da gewesen, und plötzlich war seine Tochter ins Haus gestürmt gekommen: »Es schneit! Es schneit!«

Wie sich herausstellte, rieselte weiße Asche über Garten und Terrasse, und der Berg hinter ihnen stand in Flammen. Löschflugzeuge flogen hin und her, schöpften Wasser aus dem Meer und ließen es über dem Feuer abregnen, in dem verzweifelten Kampf gegen die Flammen. Simon und Maya hatten damals das Nötigste gepackt und das Auto startklar gemacht, weil nicht sicher war, ob das ganze Gebiet evakuiert werden musste.

»Ja. Ich weiß das noch.«

»Dann weißt du vielleicht auch, dass es damals immer wieder hieß, die Feuer seien mit voller Absicht gelegt worden. Von Grundstücks- und Immobilienspekulanten, die die Kaufpreise drüben an der Côte d'Azur in Gefahr sahen, weil immer mehr Käufer in die Provence abwanderten. Weniger teuer dort, weniger überlaufen … So schufen sie unbrauchbares Land in der Provence. Und es hieß, die Brandstifter hätten mit Einverständnis und unter dem Schutz von Leuten gehandelt, die in Paris sitzen. Teilweise sogar in der Regierung.«

Auch das stimmte. Die Zeitungen hatten offen darüber spekuliert. Es musste Hinweise und Quellen gegeben haben. Die polizeilichen Ermittlungen vor Ort waren jedoch schnell eingestellt worden. Laut etlicher Medienberichte ebenfalls auf Druck aus Paris hin. Es sah ganz so aus, als würden kriminelle Machenschaften auf ziemlich hoher Ebene vertuscht, aber was zu einem Skandal hätte werden können, schlief sang- und klanglos ein. Weil nichts dran war an den Vermutungen? Oder waren einfach genügend Schmiergelder geflossen? Waren die Drahtzieher zu mächtig gewesen?

»Du willst sagen«, begann Simon, und Nathalie unterbrach ihn: »Ich will sagen, dass solche Dinge passieren. In Frankreich wie überall sonst. Menschen sind käuflich. Und Menschen nutzen ihre Machtpositionen nicht immer zum Guten.«

Die Tür, die aus dem Café nach draußen führte, ging auf, und zwei Männer kamen herein. Nathalie zuckte sofort zusammen. Sie sah von einer Sekunde zur anderen wie ein Kaninchen aus, das im Angesicht der Schlange erstarrt. Die Männer setzten sich an einen Tisch. Gleichzeitig kamen die beiden Mädchen von der Toilette zurück. Simon fand nach wie vor nicht, dass der Raum überfüllt war, aber er konnte Nathalie ansehen und förmlich spüren, dass sie sich bedrängt fühlte und Panik bekam.

»Wir sind schon viel zu lange hier«, sagte sie. »Lass uns gehen. Bitte.«

»Niemand will etwas von uns«, sagte Simon, aber er stand auf. »Okay. Wir gehen.«

Sie waren beide ziemlich nass, als sie wieder im Auto saßen. Der Regen schien einfach nicht mehr aufzuhören. Nathalie atmete etwas ruhiger.

»Tut mir leid. Ich hatte plötzlich … Es waren zu viele Menschen.«

»Es ist in Ordnung. Wir konnten nicht ewig dort sitzen. Wir müssen überlegen, was wir als Nächstes tun.« Sie schwiegen beide, lauschten dem Pladdern des Regens auf das Autodach. Schließlich fragte Simon: »Diese Firma, für die Jérôme arbeitet … Kennst du da jemanden? Seine Kollegen? Seinen Chef?«

»Einer der anderen Fahrer war zweimal bei uns. Ein netter junger Mann. Unauffällig.«

»Weißt du seinen Namen? Wo er wohnt?«

»Nur den Vornamen. François.«

Simon seufzte. »So heißen mehrere hunderttausend französische Männer, schätze ich. Wir müssten mit jemandem sprechen, der …« Er zog sein Smartphone hervor. »Wie heißt die Firma?«

»*Denegri Transports*. Sitz in Paris.«

Simon gab den Namen bei Google ein. Die Firma hatte eine eigene Homepage. Das Unternehmen bot Transporte quer durch Europa an: Umzüge, Frachtbeförderung, zudem auch den Transport von Gefahrengütern.

»Pass auf, du rufst dort jetzt an. Hier steht eine Nummer. Du lässt dich so weit nach oben durchstellen, wie es geht. Sei völlig arglos. Du nennst deinen richtigen Namen und erklärst, dass du Jérôme vermisst. Dass er nicht daheim ist und dass du keinen Kontakt hast.«

»Da rufe ich jetzt erst an? Er ist seit einer Woche überfällig!«

»Du warst selbst nicht daheim. Du hast sein Verschwinden jetzt erst bemerkt.«

Nathalie zögerte. »Ich habe Angst.«

»Ich vermute nicht, dass die Firma etwas mit der ganzen Sache zu tun hat. Aber auch dort muss es ja aufgefallen sein, dass Jérôme verschwunden ist. Außerdem war er doch mit einem Wagen von denen unterwegs. Ich kann mir nicht vorstellen, dass man dort nicht auch bereits Nachforschungen angestellt hat. Wenn du deinen Namen nennst, wirst du wahrscheinlich sofort zu seinem Vorgesetzten durchgestellt, weil man sich von dir dringend Auskünfte erhofft. Ich werde aber vorsichtshalber meine Kennung deaktivieren.« Er tippte die Nummer ein, stellte auf Mithören und reichte Nathalie das Handy. Er sah, dass sie zitterte, als sie danach griff.

»Denegri Transports, bonjour«, meldete sich eine angenehm klingende Frauenstimme.

Nathalie schluckte. »Bonjour. Nathalie Boudin.«

Jetzt kenne ich wenigstens ihren Nachnamen, dachte Simon.

Sie wollte weiterreden, kam jedoch nicht dazu. Man konnte hören, wie ihre Gesprächspartnerin nach Luft schnappte.

»Mademoiselle Boudin … bleiben Sie bitte dran. Ich stelle Sie durch.«

»Habe ich es nicht gesagt?«, flüsterte Simon.

Gleich darauf erklang eine andere Frauenstimme. »Mademoiselle Boudin? Hier spricht Madeleine Denegri.«

Die Chefin selbst. Das war nun tatsächlich die alleroberste Ebene. Simon runzelte die Stirn. Er hatte eher einen Abteilungsleiter erwartet.

Nathalies Stimme klang wie das Piepsen einer Maus. »Ich … mein Freund …«

»Ihr Freund ist verschwunden, ich weiß. Jérôme Deville. Wo sind Sie, Mademoiselle?«

Nathalie starrte Simon entsetzt an.

»Bei Freunden«, hauchte dieser.

»Bei Freunden«, wiederholte Nathalie. Ihre Stimme gewann ein wenig an Festigkeit. »Und ich versuche seit Tagen, Jérôme zu erreichen. Er …«

»Wo wohnen diese Freunde? Wo sind Sie?«

Simon schüttelte den Kopf. Ihm gefiel das Gespräch nicht, aber er hätte nicht genau zu sagen gewusst, woran das lag. Vielleicht vor allem an dem Umstand, dass man Nathalie, die Freundin eines einfachen Fahrers, sofort zur Eigentümerin und Geschäftsführerin durchgestellt hatte.

»Wissen Sie, wo Jérôme sein könnte?«, fragte Nathalie anstelle einer Antwort zurück. »Ich mache mir große Sorgen.«

»Wir uns auch, Mademoiselle. Er hat den Kontakt zu uns vollständig eingestellt. Er war in unserem Auftrag in Kopenhagen, mit einem unserer Firmenwagen, und er hat Fracht bei sich, die nun nicht termingerecht geliefert wurde. Das alles ist äußerst ärgerlich. Ich hoffe nicht, dass er eine Dummheit begangen hat.«

»Eine Dummheit?«

»Vielleicht wollte er sich mit dem Auto absetzen. Es irgendwo verkaufen. Auf einfache Art zu Geld kommen, was weiß ich. Aber wir sollten das nicht am Telefon besprechen. Wo sind Sie, Mademoiselle? Wir könnten schnell bei Ihnen sein.«

Wieder schüttelte Simon den Kopf. *Keine Auskunft*, formten seine Lippen.

»Wo sollte er denn die Ware abliefern?«, fragte Nathalie. »Und woraus bestand sie?«

Madame Denegri klang äußerst verärgert. »Nordseekrabben und Fisch aus Dänemark. Tiefgefroren. Sollte an einen Großhändler hier in Paris gehen. Ich muss Ihnen wahrscheinlich nicht erklären, dass das ganze inzwischen wohl aufgetaute Zeug mit Sicherheit völlig unbrauchbar geworden ist. Man wird *Denegri Transports* in Regress nehmen, was mich nicht gerade begeistert stimmt. Aber nun sagen Sie mir bitte, wo Sie sind.«

Madeleine Denegris Ton war schärfer geworden. Man hörte ihm an, dass sie sich bemühen musste, höflich zu bleiben.

Nathalie antwortete nicht. Sie wusste nicht weiter.

»Ich sehe Ihre Nummer gar nicht auf dem Display«, sagte Denegri.

»Ich rufe von meinem Handy aus an«, sagte Nathalie.

Denegri kommentierte das nicht. Wusste sie, dass Nathalie ihr eigenes Mobiltelefon nicht in der Hand halten *konnte* – weil ihre Leute es aus der Wohnung jenes armen, unbekannten Säufers Yves hatten mitgehen lassen?

Ich bin ja einfach schon völlig irre, dachte Simon.

Trotzdem griff er nach dem Handy und schaltete es aus. Vorsichtshalber komplett.

Nathalie war noch blasser geworden, als sie es seit der Entdeckung von Yves' Leiche ohnehin war. »Simon ...«

»Ob sie wusste, dass du nicht von deinem Handy aus sprichst?«

»Was würde das bedeuten?«

»Ich weiß nicht, was es bedeutet. Ich weiß auch nicht, ob wir beide inzwischen einfach nur noch paranoid sind.«

Nathalie aber kam gerade ein anderer Gedanke. »Natürlich! Die kennen dort in der Firma wahrscheinlich meine Handynummer. Es ist gut möglich, dass Jérôme sie für den Notfall angegeben hat, damit ich erreichbar bin, wenn mit ihm irgendetwas ist. Und so haben die Yves ausfindig gemacht. Die haben mein Handy geortet.«

»Das klingt sehr weit hergeholt«, meinte Simon. »Nathalie, wir wissen wirklich nicht und können es auch nicht einfach unterstellen, dass *Denegri Transports* irgendetwas mit alldem zu tun hat. Im Gegenteil: Ich halte das für relativ unwahrscheinlich.«

»Aber diese Denegri war seltsam. Es war schon komisch, dass ich überhaupt sofort bei ihr gelandet bin. Und es ging ihr nur um eines: Irgendwie herauszufinden, wo ich mich gerade aufhalte. *Das war eigenartig!*«

»Die haben offenbar riesige Probleme, weil Jérôme seine Fracht nicht abgeliefert hat.«

»Und die können sie lösen, indem sie herausfinden, wo ich gerade stecke?«

»Vielleicht vermutet man dort, dass du sehr wohl weißt oder zumindest ahnst, wo sich Jérôme aufhält. Und dass man das von Angesicht zu Angesicht besser aus dir herausbekommt als über das Telefon.«

»Herausbekommt? Will sie mich foltern?«

»Himmel, Nathalie! Lass uns vernünftig bleiben. Ich weigere mich einfach zu glauben, dass solche Dinge …«

»Passieren? Oder dass sie *dir* passieren?«

Statt einer Antwort fragte er: »Wie sollen die denn dein Handy geortet haben? Das ist schließlich nicht so einfach.«

»Wenn sie Kontakte zu Polizeikreisen haben, ist es einfach.«

»Dass sie diese Kontakte haben, ist eine absolut unbewiesene Vermutung.«

Nathalie hob resigniert beide Hände. »Du glaubst mir das alles nicht.«

»Doch. Ich glaube dir alles, was du erlebt hast. Ich glaube dir auch Jérômes Anruf. Seine Panik. Alles. Ich versuche nur, über alldem die Bodenhaftung nicht zu verlieren. Mich nicht in irgendeine dramatische … Räuberpistole hineinzusteigern.«

»Räuberpistole? Du hast doch Yves gesehen!«

Das stimmte. Aber er mochte sich dennoch von Nathalies Hysterie nicht anstecken lassen.

»Wir fahren jetzt erst einmal nach Cadière zurück. Wir können nicht ewig hier in Lyon bleiben. Dann überlegen wir weiter.«

Während er den Motor startete, fragte sich Simon, ob er nach dem ersten großen Fehler – sich in die Probleme der fremden Frau am Strand einzumischen – gerade zum zweiten Mal eine falsche Entscheidung traf: Lyon zu verlassen, anstatt schnurstracks das nächste Polizeirevier anzusteuern.

LA CADIÈRE, FRANKREICH, DIENSTAG, 15. DEZEMBER

Sie war mit Verspätung in Marseille gelandet, hatte den reservierten Leihwagen abgeholt, die Adresse in das Navigationsgerät eingegeben und war losgefahren. Und die ganze Zeit über war Kristina noch immer im Zweifel, ob es richtig war, was sie tat.

Es passte nicht zu ihr, eine einmal getroffene Entscheidung umzustoßen. Und gerade die Tatsache, dass Weihnachten vor der Tür stand, hätte sie normalerweise misstrauisch werden lassen. Weihnachten verführte zur Sentimentalität. Aus jedem Radiosender dudelten Weihnachtslieder und riefen Kindheitserinnerungen wach, in allen Fenstern leuchteten Kerzen, Bratapfelduft und Glühweingeruch auf den Straßen machten mehr als einfach nur hungrig: Sie weckten Sehnsüchte, die schwer zu stillen waren. Geborgenheit, Zusammengehörigkeit. Familie.

Schöner Mist, dachte Kristina.

Sie war unterwegs von der Autobahn abgebogen und hatte die Bucht von Cassis angesteuert. In dem kleinen, stark touristisch geprägten Dorf am Meer hatte sie sich ein Restaurant gesucht, eine Portion Spaghetti und eine Flasche Mineralwasser bestellt und nachgedacht.

Weihnachten war hier weiter weg, jedenfalls das Weihnachten, das sie kannte. Zwar konnte nicht die Rede sein von einem blauen Himmel, von einem im Sonnenschein glitzernden Meer. Es regnete in Strömen. Eine triefend nasse *Tricolore* schaukelte trübsinnig im leichten Wind direkt vor Kristinas Augen hin und her, immer noch auf Halbmast. An der Wand daneben klebte ein übrig gebliebenes durchweichtes Wahlplakat des Front National. Ein schiefer Tannenbaum, den man an einem Laternenpfahl festgebunden hatte, war mit roten und goldenen Schleifen geschmückt, die ebenfalls im Regen bereits ihre Form verloren hatten. Weihnachten auf Südfranzösisch.

Sentimental, dachte Kristina, werde ich hier nicht. Höchstens etwas niedergeschlagen.

Aus etlichen Gründen hatte sie sich entschieden, die Beziehung zu Simon nicht fortzusetzen, und sie schämte sich ein wenig ihrer Inkonsequenz. Natürlich hatte ihre Freundin Lena ihren Anteil daran mit dem ewigen Drängen, den Vorhaltungen.

Du bist wahnsinnig, er ist ein toller Typ, irgendwann wirst du es bereuen, klar gibt es Probleme, aber wo gibt es die nicht? Es könnte schlimmer sein, er könnte notorisch fremdgehen, spielen, trinken, gewalttätig sein. Er kriegt es mit seinen Kindern nicht geregelt, blöd, aber na und? Irgendwann ist das Schnee von gestern. Glaub mir. In ein, zwei Jahren redet ihr gar nicht mehr davon.

Mit all dem, was sie sagte, hatte Lena recht, fand Kristina, und gleichzeitig ging ihre Argumentation auf einer komplizierteren Ebene am Kern der Sache vorbei.

Simon kriegte es nicht nur mit seinen Kindern nicht geregelt. Simon bekam allzu vieles in seinem Leben nicht in den Griff. Er hatte sich von seiner Exfrau nicht wirklich abgenabelt. Auch nicht von seinem Vater. Blieb alleine im Regen in Südfrankreich sitzen, damit der Alte nicht merkte, dass die Planung mit den Kindern schiefgegangen war.

Für einen Mann von vierzig Jahren war das … inakzeptabel, dachte Kristina.

Und nun saß sie selbst im Regen in Südfrankreich, starrte auf bleigraues Wasser und aß ziemlich ausgekühlte und fade Spaghetti. Außer ihr saß niemand in dem Restaurant, und dem Kellner merkte sie die ganze Zeit über an, dass er hoffte, sie werde auch endlich gehen, damit er – wenn schon sonst niemand kam – wenigstens wirklich blaumachen konnte.

Warum tue ich mir das an? Wegen eines Mannes, der mir als Partner mehr als zweifelhaft erscheint?

Oder ist es doch wegen Weihnachten?

Es war gegen 15 Uhr, als sie La Cadière erreichte. Kristina hatte durch das Mittagessen in Cassis Zeit gewonnen, aber keine neue Erkenntnis. Sie hatte aber immerhin beschlossen, den Plan, Simon und sich eine Chance zu geben, nun wirklich durchzuziehen – auch wenn er letzten Endes möglicherweise in die endgültige Trennung führte.

Zwischendurch war sie so weit gewesen, nach Marseille zurückzufahren und den nächsten Flug nach Deutschland zu nehmen. Diese Möglichkeit hatte sie abgehakt. Vielleicht auch deshalb, weil sie es zwar hasste, inkonsequent zu sein, es aber mindestens ebenso verabscheute, angefangene Projekte nicht zu Ende zu bringen. Kristina war kein Mensch, der gerne umkehrte.

Als sie in den Schotterweg einbog, der in Serpentinen den Berg hinauf zu Simons Haus führte, kam sogar so etwas wie Vorfreude in ihr auf. Trotz des Regens. Und trotz der Tatsache, dass es natürlich gar nicht Simons Haus war, sondern das seines Vaters. Aber diesen Gedanken wollte sie nun nicht erneut vertiefen.

Rechts und links erstreckten sich weitläufige Gärten, in deren Tiefe man die Häuser sah oder zumindest ahnte. Der charakteristische helle sandfarbene Stein der Umgebung. Die blauen Fensterläden. Kristina sah Palmen, Kakteen und blühende Büsche. Das hohe, nasse Gras am Wegesrand war durchsetzt von Butterblumen und Gänseblümchen. Mitten im Dezember. Man war immer noch in Europa. Und doch schon teilweise wie in einer anderen Welt.

Das vorletzte Haus am Berg war ihr Ziel. Kristina erblickte das große, grüne schmiedeeiserne Tor. Alles sah genau so aus, wie Simon es ihr beschrieben hatte. Irgendwann einmal beschrieben hatte, als sie über gemeinsame Ferien am Mittelmeer gesprochen hatten. Bevor gerade dieses Thema zu einer Frage wurde, die über ihrer beider Zukunft als Paar entscheiden würde.

Kristina parkte ihr Auto in einer kleinen Haltebucht gegenüber dem Grundstück und stieg aus. Sofort prasselte der Regen auf sie nieder. Einen Schirm hatte sie nicht dabei. Egal. Es ging jetzt um Wichtigeres als um die Frage, ob sie mit trocknen oder nassen Haaren ankam.

Nach einigem Suchen entdeckte sie die Klingel. Während sie eine Hand am Tor hielt, um es gleich aufstoßen zu können, falls ein Summer ertönte, betrachtete sie die große, kiesbestreute Einfahrt. Nirgendwo konnte sie Simons Auto entdecken. Sie wusste, dass er nicht geflogen, sondern von Hamburg aus gefahren war. Vielleicht gab es noch irgendwo eine Garage, wenn nicht, so bedeutete das Fehlen des Autos, dass er vermutlich nicht daheim war.

Sie läutete noch zweimal, ohne dass etwas passierte, dann rüttelte sie ein wenig am Tor, und zu ihrer Überraschung ließ es sich leicht öffnen. Sie betrat das Grundstück, überquerte den Kies und ging über Steinstufen, die zwischen einer blühenden, grünenden Gartenanlage hindurchführten, zum Haus hinauf. Soweit sie erkennen konnte, gab es hier nirgends sonst eine Möglichkeit, ein Auto zu parken.

Vielleicht war Simon am Meer, ging am Strand spazieren. Das Wetter war grässlich, aber deshalb konnte er schließlich nicht Tag und Nacht nur im Haus herumsitzen.

Oben angekommen, entdeckte Kristina erleichtert, dass alle Läden geöffnet waren, was darauf schließen ließ, dass Simon nicht abgereist, sondern tatsächlich wohl nur einkaufen oder spazieren war. Die große, in Teilen überdachte Terrasse vor der Haustür bot ihr endlich auch Schutz vor dem Regen. Kristina klopfte an die Tür, rüttelte halbherzig an der Klinke, aber erwartungsgemäß war das Haus verschlossen. Sie spähte durch die große Fensterscheibe ins Innere. Das Wohnzimmer, wie es schien. Eine hohe Zimmerdecke aus Holzbalken, ein gemauerter Kamin, von bunten Sofas und Sesseln umgeben. Terracottafliesen auf dem Boden, gewebte Läufer, ein – sicherlich gedruckter – van Gogh an der Wand. Frühstücksgeschirr auf dem Holztisch, der gleich am Fenster stand. Kristina runzelte die Stirn.

Etwas viel Geschirr für einen einsamen Mann. Sie sah definitiv zwei Teller, zwei Kaffeebecher. Die Lebensmittel waren weggeräumt, nur ein Brotkorb, in dem ein halbes Baguette lag, stand noch auf dem Tisch. Die Gedecke befanden sich einander gegenüber.

Mit wem hatte Simon gefrühstückt?

Obwohl es in Strömen regnete, war die Luft nicht allzu kalt, jedenfalls dann nicht, wenn man gerade aus dem Norden eingetroffen und andere Temperaturen gewöhnt war. Kristina trug noch ihren Wintermantel. Auf der Veranda standen zwei Liegestühle, und sie beschloss, sich dort hinzusetzen und zu warten. Vielleicht kehrte Simon jeden Moment zurück. Sie blickte sich um. Weit unter ihr lag das Meer. Ein spektakulärer Blick bei schönem Wetter, aber an diesem Tag verschwammen Wolken und Wasser in einheitlichem Grau, und die Schreie der Möwen, die immer wieder die Stille durchschnitten, verschärften den Eindruck vollkommener Trostlosigkeit.

Kein Wunder, dass er mich angerufen und gebeten hat herzukommen, dachte Kristina. Hier wird man ja allein schwermütig.

Sie zog den Mantel fester um sich und legte sich in einen der Liegestühle. Auf das Dach über ihr prasselte der Regen. Irgendein stacheliges Gewächs, das aus einem Terracottablumentopf wuchs, bewegte sich direkt neben ihr sacht im leichten Luftzug. Fast wäre sie eingeschlafen. Aber tatsächlich nur fast. Eine innere Anspannung hielt sie wach. Sie wartete. Sie hatte kein gutes Gefühl. Vielleicht lag das an dem Frühstücksgeschirr auf dem Tisch.

Irgendetwas hier war seltsam.

LES LECQUES, FRANKREICH, DIENSTAG, 15. DEZEMBER

Sie parkten ein Stück vom Apartmenthaus entfernt. Um diese Jahreszeit und bei diesem Wetter waren die Parkplätze gähnend leer. Inzwischen war es dunkel geworden und die Straßenlaternen brannten. Ein einziges anderes Auto stand noch auf dem Parkplatz; unter dem Schutz des hochgeklappten Kofferraums und im Licht der Laternen zog eine Frau, die mutig genug gewesen war, bei Regen und im Dunkeln ein Bad im Meer zu nehmen, gerade ihre Schwimmsachen aus. Außer Simon und Nathalie war sie der einzige Mensch weit und breit.

»Okay«, sagte Simon. »Wer geht rein, um nachzuschauen?«

Nathalie sah nicht so aus, als wäre sie dazu in der Lage. »Sie könnten schon hier sein.«

Sie. Immer dieses ominöse *sie.*

Simon konnte gar nicht sagen, wie sehr es ihn inzwischen ärgerte, immer wieder damit konfrontiert zu werden. Und sich auch noch davon einschüchtern zu lassen.

»Wie soll das gehen?«, fragte er müde. »Woher sollen *sie* dieses Apartment von Jérômes Onkel kennen?«

Nathalie zuckte mit den Schultern. »Ich habe Angst«, sagte sie.

Entschlossen stieß Simon die Fahrertür auf. »Wir müssen Jérôme finden. Und vielleicht ist er dort. Ich schaue nach. Welche Wohnung ist es?«

»Dritter Stock, ganz links.«

»Wie komme ich rein?«

»Wenn die das Schloss noch nicht repariert haben, ist die Haustür offen.«

Er machte sich auf den Weg. Vorbei an dem gestreiften Toilettengebäude, an dem 36 Stunden zuvor die ganze Geschichte begonnen hatte. Das war erst gestern gewesen. Simon kam es vor, als wären viele Tage seitdem vergangen.

Er blickte sich vorsichtig um, ehe er die Straße überquerte. Weit und breit war niemand zu sehen. Kein Auto, das auffällig unauffällig irgendwo parkte. Keine Männer mit Sonnenbrillen. Er hatte nicht den Eindruck, dass das Apartmenthaus bereits unter Beobachtung stand.

Nirgends in dem Gebäude brannte Licht, es schien tatsächlich im Moment völlig unbewohnt zu sein. Das Gartentor ließ sich einfach öffnen. Simon ging den gepflasterten Weg entlang. Hier war es sehr dunkel, der Schein der Straßenlaternen reichte nicht bis in den Garten hinein, und im Haus war offenbar tatsächlich der Strom abgeschaltet. Überall wuchsen hohe Büsche, wucherten bis auf den Weg und machten es zusätzlich schwierig, die Szenerie zu überblicken.

Simon merkte, dass sein Herz schneller schlug. Mach dich nicht lächerlich, befahl er sich. Du hast dich von dem ganzen Wahn schon anstecken lassen.

Aber das war eben das Schlimme: Dass es kein Wahn war. Nicht mehr seit Lyon. Nicht mehr, seit er neben dem ermordeten Yves gestanden hatte.

Tatsächlich war noch niemand dazu gekommen, das Türschloss zu reparieren, Simon konnte die Tür einfach aufdrücken. Im Treppenhaus roch es nach abgestandener

Luft, aber zum Glück bestanden Teile der Wände aus großen, bodentiefen Glasfenstern, und so war es kaum dunkler als draußen. Simon wartete einen Moment, bis sich seine Augen an die Veränderung gewöhnt hatten, dann begann er, die Treppen hinaufzusteigen. Dritter Stock, hatte Nathalie gesagt. Auf jedem Absatz blieb er stehen, lauschte. Außer seinem eigenen Atem konnte er jedoch nichts hören. Er musste sehr vorsichtig sein, denn selbst wenn die ominösen Feinde nicht hier waren, konnte sich aber Jérôme in der Wohnung aufhalten und wiederum in ihm, Simon, einen Gegner sehen. Simon hatte keine Lust, plötzlich eine Faust ins Gesicht oder einen Tritt in den Magen zu bekommen.

Die dritte Treppe. Endlich war er oben angekommen. Wieder lauschte er, wartete. Nichts. Er hätte alleine in dem Haus sein können.

Es gab mehrere Wohnungstüren hier oben, aber die richtige erkannte er schon deshalb sofort, weil sie nur angelehnt war. Im ersten Moment erschien ihm das ganz logisch, denn Nathalie hatte ja auch hier das Schloss aufgebrochen. Im nächsten Augenblick wunderte er sich: Hätte man sie nicht trotzdem schließen können? So wie die Haustür?

Vorsichtig drückte er sie auf.

Inzwischen waren seine Augen an die Dunkelheit gewöhnt, zudem ging das Balkonfenster des großen Wohnzimmers, in dem man unmittelbar stand, wenn man hereinkam, nach vorne zur Straße, und dort herrschte durch die Laternen etwas Helligkeit. Simon konnte den Raum recht gut erkennen: Linker Hand befand sich eine Küchenecke, die mit einer Theke vom übrigen Raum abgetrennt war. Es sah dort ziemlich unordentlich aus: Die Schranktüren waren geöffnet, sogar der Kühlschrank stand offen, war aber nicht in Betrieb. Auch im Wohnzimmer herrschte eine gnadenlose Unordnung: offene Türen und Schubfächer entlang der Schrankwand, Bücher, die auf dem Boden lagen, ein Zweisitzersofa, das offenbar verschoben worden war, wobei sich der darunter befindliche Teppich völlig verknäult hatte.

Das war sehr merkwürdig. Hatte Nathalie das Apartment so zugerichtet? Auf der Suche nach Geld vielleicht oder nach etwas Essbarem?

Es gab eine Tür, die in ein Zimmer nebenan führte. Sie stand sperrangelweit offen. Leise und zögernd betrat Simon diesen Raum. Ein breites Bett, ein Schrank, eine Kommode. Ausgeleerte Schubladen, Bettwäsche, die auf dem Fußboden lag. Jemand hatte hier irgendetwas dringend gesucht. Simon betete, dass es Nathalie gewesen war.

Eine weitere Tür führte ins Badezimmer, das sich in seiner chaotischen Unordnung nicht von den beiden anderen Räumen unterschied. Zwei Dinge wusste Simon nun: Das Apartment war von oben bis unten durchsucht worden und befand sich in einem furchtbaren Zustand.

Und Jérôme hielt sich dort nicht auf.

Inzwischen waren sie die Einzigen auf dem Parkplatz. Die Schwimmerin war mitsamt ihrem Auto verschwunden. Es regnete noch immer.

Im Licht der Straßenlaternen sah Nathalie erbarmungswürdig schlecht aus. »Nein, ich war das nicht. Ich habe dort keine Unordnung hinterlassen. Ich habe Geld und Essen gesucht, ja, aber nicht so. Ich habe keine Schubladen herausgezogen, Sofas verschoben oder Dinge umgeworfen. Es war alles in Ordnung, als mich dieser Gehilfe des Hausmeisters fand.«

»Dann hat jemand anderes dort gewütet«, folgerte Simon und fand sich selbst nicht besonders geistreich.

»Sie waren das. Sie sind ganz dicht hinter mir, Simon. Sie waren in Lyon. Jetzt sind sie hier. Oh Gott, ich glaube, wir …«

»Ganz ruhig. Vielleicht war Jérôme da. Wahrscheinlich braucht er auch Geld und etwas Essbares, und er ist beim Stöbern weniger rücksichtsvoll vorgegangen als du.«

»So ist er nicht. Warum sollte er denn eine solche Unordnung anrichten? Warum sollte er derart rabiat vorgehen? Nein, Simon, ich bin ganz sicher, dass sie hier sind. Wir müssen weg!«

»Wir fahren jetzt erst einmal nach Hause. Dann überlegen wir weiter.«

Er wollte den Motor anlassen, aber sie hielt seine Hand fest. »Nein! Die warten da vielleicht.«

»Nathalie, sei nicht verrückt. Mich und mein Haus können sie nun wirklich nicht kennen.«

Er versuchte erneut, den Wagen zu starten. Nathalie hinderte ihn abermals.

»Facebook Messenger«, flüsterte sie.

»Was ist damit?«

»Darüber kommunizieren Jérôme und ich. Vielleicht habe ich dort eine Nachricht von ihm.«

»Wäre das nicht ziemlich leichtfertig?«

Sie schüttelte den Kopf. »Mein Account ist passwortgeschützt. Selbst wenn die mein Handy haben, wird es sehr schwierig, da reinzukommen. Das kann dauern, selbst wenn sie Profis dransetzen. Gib mir mal dein Handy!«

Widerwillig zog er sein Smartphone hervor, schaltete es ein und reichte es ihr.

Sie loggte sich ein und stieß gleich darauf einen leisen Schrei aus. »Hier ist tatsächlich eine Nachricht von ihm! Sie ist von … warte mal … von letztem Donnerstag. Danach hat er sich nicht mehr gemeldet.«

»Was schreibt er?«, fragte Simon.

»Im Prinzip genau das, was er am Telefon gesagt hat, nur in teilweise verschlüsselter Form.« Sie las vor: »Geh an den vereinbarten Ort. Warte dort. Ich versuche, mich mit dir in Verbindung zu setzen. Zu niemandem ein Wort. Es ist sehr ernst!«

»Hm«, machte Simon.

»Warum ist er nicht hier? Ich meine, wo auch immer in Europa er gerade war, als wir telefonierten und als er das hier schrieb – inzwischen müsste er längst hier sein!«

»Er sagt nicht explizit, dass er herkommt. Er sagt, dass er sich mit dir *in Verbindung setzen wird.*«

»Als er mich damals anrief und warnte, sagte er aber, er würde auch kommen. Und letzten Endes ist das doch die einzige Möglichkeit, oder? Dass er hierherkommt. Und wir dann weiter planen.«

»Ich weiß es nicht«, sagte Simon müde. Mehr und mehr hatte er das Gefühl, sich in eine völlig verrückte Geschichte zu verstricken, in eine Geschichte, die zu Menschen gehörte, die er nicht kannte und die er im Grunde auch gar nicht näher kennenlernen wollte. Hätte er nicht selbst vor dem toten Yves in Lyon gestanden, er hätte das Ganze längst als Unsinn abgetan und Nathalie ihrer Wege geschickt.

Eigentlich könnte ich das auch jetzt noch tun, dachte er. »Hör zu«, sagte er, aber sie unterbrach ihn.

»Meinst du, ich sollte ihm antworten?«

Er überlegte. »Warum nicht? Wahrscheinlich bekommen *sie* nichts davon mit. Du darfst natürlich keine Namen und Orte nennen.«

Sie las laut mit, während sie schrieb: »Wo bist du? Und was ist überhaupt los?«

Das war nicht ungeschickt, fand Simon. Sollten die Verfolger sich inzwischen tatsächlich in Nathalies Facebook-Account gehackt haben, konnten sie dieser Nachricht nur entnehmen, dass Nathalie keine Ahnung von Jérômes Aufenthaltsort hatte und dass sie überdies nicht wusste, worum es in der ganzen Geschichte eigentlich ging. Das zog sie vielleicht aus der Schusslinie der Verfolger.

Was für eine riesige Scheiße, dachte er.

Sie sandte die Nachricht ab und reichte ihm sein Handy. »Ich habe dich unterbrochen. Du wolltest gerade etwas sagen?«

»Ja, ich … Nathalie, es ist …«

Sie blickte ihn mit einem fast verächtlichen Ausdruck im Gesicht an. »Du steigst aus. Darauf warte ich schon die ganze Zeit.«

Ihre unverhohlene Verachtung machte ihn wütend. »Die Formulierung trifft es nicht ganz. Ich kann nicht aussteigen, weil ich nämlich nie eingestiegen bin. Alles, was ich in dieser ganzen Angelegenheit freiwillig und aus eigenem Antrieb getan habe, war, mich einzumischen, als du ziemlich genau hier an dieser Stelle von dem Hausmeister und seinem Gehilfen bedrängt wurdest. Ich habe das Geld für die verdammten Türschlösser bezahlt, und dann wollte ich weitergehen – *alleine* – und nicht einmal erfahren, wer du bist, wie du heißt und was du hier am Mittelmeer tust. Alles, was dann geschah, ist nicht mehr freiwillig passiert.«

»Oh – ich habe dich genötigt?«

Er wollte sich auch gegen diese Formulierung, die Nathalie zweifellos ironisch meinte, verwahren, aber dann dachte er, dass der Begriff *Nötigung* den Kern traf. Auf eine subtile, aber sehr wirksame Art war er tatsächlich Schritt für Schritt genötigt worden.

»Was hätte ich tun sollen? Dich stehen lassen, als du dich an der Wand festgeklammert und mir gesagt hast, du würdest gleich umkippen vor Hunger? Dich bei mir daheim deine Klamotten waschen lassen und dich dann in den nassen Sachen vor die Tür stellen?«

»Du hast mir angeboten, mit mir nach Lyon zu fahren und nach Yves zu sehen«, erinnerte ihn Nathalie. »Ich habe dich nicht darum gebeten.«

»Du hattest mir gesagt, dass du mutmaßlich einen Mann getötet hast. Ich hielt das, ehrlich gesagt, für ziemlichen Unsinn. Offenbar war aber unglücklicherweise auch noch deine Handtasche dort zurückgeblieben. Ich dachte, wenn du siehst, dass er am Leben ist, und wenn du überdies deine Sachen, vor allem deinen Ausweis, wieder in den Händen hältst, dann kann ich dich guten Gewissens bitten weiterzuziehen. Und mich endlich wieder um meine eigenen Probleme kümmern.«

»Das hättest du auch so gekonnt. Soll ich dir was sagen, Simon? Dir war das gar nicht so unwillkommen. Dass ich da war, dass ich dich mit einer in deinen Augen verrückten Geschichte abgelenkt habe. Du fandest es ganz nett, einen Tagesausflug nach Lyon zu unternehmen, von dem du natürlich nicht annehmen konntest, dass er dich in die Wohnung eines bestialisch abgeschlachteten Alkoholikers führen würde. Was solltest du sonst tun? In dem Haus deines Vaters sitzen und in den Regen hinausstarren und über alles nachdenken, was in deinem Leben schiefgelaufen ist?«

»In meinem Leben ist nichts schiefgelaufen«, verteidigte sich Simon kindisch.

»Du bist ganz schön einsam. Glaubst du, das merkt man dir nicht an? Deine Kinder wollten Weihnachten mit dir verbringen, und nun tun sie es nicht, und dich macht das ganz krank. Du fragst dich, wie deine Ehe scheitern konnte und weshalb du hier mutterseelenallein herumsitzt, während es deiner Exfrau wahrscheinlich längst wieder ziemlich gut geht und sie vermutlich auch schon einen neuen Mann hat. Und jede Menge Spaß und tollen Sex!«

»Steig aus«, sagte er. »Steig einfach aus und sieh zu, wie du alleine klarkommst.«

Nathalie rührte sich nicht.

»Steig aus«, wiederholte Simon.

Sie musterte ihn spöttisch. »Sonst? Was? Was willst du tun, Simon?«

Kalt erwiderte er: »Wir können gerne zur Polizei fahren. Ich habe dabei weit weniger zu verlieren als du.«

Der Ausdruck von Siegesgewissheit verschwand von ihrem Gesicht, aber sie machte keine Anstalten, das Auto zu verlassen. »Simon, es tut mir leid …«

»Noch diese eine Nacht«, sagte Simon. »Und morgen früh gehst du. Ich will mit alldem nichts mehr zu tun haben.«

»Warum auf einmal?«

»Weil mir das alles wie der schiere Wahnsinn vorkommt«, sagte Simon und startete endlich den Wagen.

Als ich Jérôme auf dieser Geburtstagsfeier von Élianes Freund kennenlernte, war mir fast sofort klar, dass sich mein Leben völlig verändern würde. Ich wünschte, ich könnte sagen, dass ich ihn sah und ganz gut fand, dass ich jedoch abwartete, mich umwerben ließ, nachdachte und mich irgendwann schließlich für ihn entschied.

So war es aber nicht. Wir begegneten einander, und ich wollte sofort für immer mit ihm zusammen sein.

Wir haben uns zwischen all den Menschen in Élianes Garten wahrscheinlich vor allem deshalb gefunden, weil wir die einzigen jungen Leute zwischen siebzehn und vierundzwanzig waren. Die anderen waren fast alle um die fünfzig, wie das Geburtstagskind. Jérôme sagte später, er habe sich ziemlich gelangweilt, aber dann habe er mich gesehen und gedacht, da sei endlich jemand, mit dem er sich vielleicht würde unterhalten können.

Ich stand im Schatten eines Baumes und hielt ziemlich unglücklich einen Teller in der Hand, auf den mir Éliane mehrere Löffel Nudelsalat gehäuft hatte. Es gab ein reichhaltiges Buffet, das ich bislang umgangen hatte, aber dann hatte mich meine Pflegemutter geschnappt, mir einen Teller in die Hand gedrückt und diesen auch noch gefüllt.

»Wir haben eine Vereinbarung«, sagte sie. Sie wirkte gestresst und gereizt. »Dass du jeden Tag etwas isst.«

Wir hatten das keineswegs vereinbart. Sie hatte einfach diese Forderung aufgestellt und aus meinem Schweigen offenbar geschlossen, dass ich einverstanden war. Unser Verhältnis war zu diesem Zeitpunkt schon deutlich abgekühlt. Ich wusste, warum: Éliane hätte sich dem Jugendamt gegenüber gerne damit gebrüstet, meine Essstörung in den Griff bekommen zu haben, und sie nahm es mir übel, dass ich ihr diesen Triumph vermasselte.

Natürlich hoffte ich insgeheim, den Teller, genau genommen: das Essen darauf, irgendwo diskret entsorgen zu können, aber vorläufig behielt mich Éliane scharf im Auge. Sie stand inmitten einer Gruppe von Frauen und unterhielt sich scheinbar angeregt, aber ich sah, dass sie immer wieder zu mir hinüberblickte. Ich hätte um das Haus herumgehen und den widerlichen Nudelsalat einfach in die Mülltonne kippen können, aber ich mochte Madame nicht provozieren. Wenn Éliane hinwarf, würde das Jugendamt mit der nächsten Variante kommen, und die hieß dann womöglich: Klinik. Oder Heim.

Ich stand also herum und überlegte, was zu tun sei, als Jérôme auf mich zutrat, mich anlächelte und mit einer Kopfbewegung hin zu dem unglückseligen Teller sagte: »Guten Appetit!«

Was soll ich sagen? Er sah einfach toll aus. Er sah zumindest wie der absolute Traum eines jeden weiblichen Teenagers aus: groß, breitschultrig. Ein sehr trainierter Körper. Schwarze, etwas zu lange, lockige Haare. Dunkle Augen. Ein breiter Mund. Er trug Jeans, dazu ein weißes Hemd mit hochgerollten Ärmeln. Seine Füße steckten in ziemlich dreckigen Turnschuhen. Er hielt ein Glas in der Hand. Mir fielen bei seinem Anblick sofort Begriffe ein wie: Lässig. Cool. Verdammt attraktiv.

Häufig wissen Männer, die so aussehen, um ihre Wirkung, und man kann der Liste Adjektive wie arrogant oder überheblich hinzufügen.

Bei Jérôme war das nicht so. Er wirkte zu allem Überfluss auch noch richtig nett. Wie jemand, der zwar weiß, dass er ziemlich toll rüberkommt. Der sich einem aber trotzdem nicht überlegen fühlt.

Und mich lächelte er an! Mich, die essgestörte, siebzehnjährige Nathalie mit der Säufermutter und dem verantwortungslosen Vater. Ich muss wahrscheinlich nicht erwähnen, dass ich mich zu diesem Zeitpunkt für das so ziemlich unansehnlichste Wesen der ganzen Stadt hielt. Vielleicht sogar des ganzen Landes. Ich lebte in einer seltsamen psychischen Zerrissenheit: Ich wollte dünn sein, so dünn wie möglich. Und gleichzeitig erkannte ich, dass mein ausgezehrtes Gesicht, meine hohlen Augen, meine Streichholzbeine nicht wirklich schön waren. Von meinen brüchigen, glanzlosen Haaren ganz zu schweigen. Ich versuchte, mich einigermaßen selbstsicher zu geben, fürchtete aber, dass er mir das nicht abkaufte.

»Danke«, sagte ich. »Aber eigentlich will ich das hier gar nicht essen.«

»Nicht? Warum hast du es dir dann genommen?«

»Éliane hat es mir gegeben. Sie meint, ich müsste mehr essen.«

Neun von zehn Menschen hätten jetzt gesagt, dass Éliane mit dieser Meinung richtiglag. Oder sie hätten gleich eine Bemerkung zu meinem Körper gemacht. Etwas in der Art: »Dich bläst ja jeder Windhauch um!« oder »Bewirbst du dich gerade bei einem Model-Wettbewerb?«

Jérôme sagte nichts davon. Er nickte und bot dann an: »Wir setzen uns ganz nach hinten in den Garten. Und dann esse ich den Teller einfach leer. Ich habe immer noch Hunger, aber es wäre mir peinlich, jetzt schon zum vierten Mal zum Buffet zu gehen.« Er fügte hinzu: »Ich heiße Jérôme.«

»Nathalie«, entgegnete ich.

Wir taten genau, was er vorgeschlagen hatte. Am Ende des Gartens lag ein Baumstamm, auf den wir uns setzten. Ich hielt den Teller in der Hand und Jérôme aß ihn leer. Zwischen uns beiden und Éliane schwirrten so viele Menschen herum, dass sie mich zwar sehen, aber sicher nicht genau ausmachen konnte, ob ich aß oder nicht. Jérôme erzählte ein wenig von sich: Dass er vierundzwanzig Jahre alt war. Seit Jahren schon mit der Schule fertig. Dass er herumjobbte und ständig Ärger mit seinem Vater hatte, weil der wollte, dass er auf die Universität ging. Wozu er keine Lust hatte, weil er überhaupt noch nicht wusste, was er einmal machen würde. Jetzt überlegte er, nach Paris zu ziehen. Metz fand er ziemlich langweilig.

Ich hörte ihm zu und bemühte mich, nicht zu deutlich werden zu lassen, wie verklärt ich war. Verklärt nicht einfach, weil er attraktiv und sexy war und sich trotzdem mit mir beschäftigte. Verklärt vor allem, weil er mir an diesem Nachmittag im September etwas gab, was ich schon lange nicht mehr, vielleicht sogar noch nie von einem anderen Menschen bekommen hatte: das Gefühl, ernst genommen zu werden. Meine Aussage, den Nudelsalat nicht essen zu wollen, hatte er einfach akzeptiert. Er hatte mich nicht überzeugen wollen, mehr essen zu müssen. Er hatte mir nicht erklärt, welche gravierenden medizinischen Probleme übermäßiges Hungern nach sich ziehen konnte. Er hatte nicht irgendetwas Albernes vorgeschlagen wie »Komm, wir essen um die Wette!« oder »Ein Löffel für mich, einer für dich!«, womit er mich zum Kind degradiert hätte.

Nein, er ließ einfach stehen, was ich gesagt hatte. Er respektierte meine Haltung. Dadurch respektierte er mich. Als die Person, die ich war. Als die unvollkommene, magersüchtige, unglückliche, heimatlose Nathalie.

In seinen Augen war ich okay.

Zum ersten Mal, seitdem ich bewusst denken konnte, bekam ich an diesem Nachmittag zumindest den Hauch einer Ahnung davon, wie es sich anfühlen könnte, wenn mir selbst das vielleicht auch gelingen würde: mich okay zu finden.

Wäre ich gläubig, ich hätte still gebetet: Lieber Gott, lass ihn nach diesem Tag nicht einfach verschwinden und nie wiederkommen. So dachte ich: Er ist meine erste echte Chance im Leben.

Wäre ich älter und erfahrener gewesen, hätte ich mir Sorgen gemacht, ihn mit dieser Erwartungshaltung zu überfordern. Ich hätte wahrscheinlich gedacht, dass eine Beziehung – so sie überhaupt entstehen würde – von Anfang an in einer Schieflage befindlich sein könnte, wenn einer der beiden Partner zu hilfsbedürftig und der andere zu sehr der Rettungsanker wäre. Jeder erwachsene Mensch hätte gedacht: Das ist gefährlich. Diese Ausgangssituation macht mich zu schwach und ihn zu stark. Das kann zu verschiedenen denkbaren Szenarien führen, und alle klingen sie für mich nicht gut: Er nutzt seine Überlegenheit aus und dominiert mich. Oder er sehnt sich irgendwann nach einer Partnerin auf Augenhöhe und verlässt mich. Oder er fühlt sich relativ bald unglücklich in einer Beziehung, die seine gerade mal vierundzwanzigjährige Psyche mit zu viel Verantwortung überfrachtet. Konsequenz wie unter Punkt zwei.

So dachte ich jedoch nicht. Ich war siebzehn und so unerfahren, wie man nur sein konnte.

Ich sah nur die Chance, nicht die Gefahr, und ich war entschlossen, sie zu ergreifen.

LA CADIÈRE, FRANKREICH, DIENSTAG, 15. DEZEMBER

Erst am Morgen dieses Tages hatten sie das Haus verlassen, aber Simon hatte, während sie den Berg hinauffuhren, erneut das Gefühl, seit Tagen oder sogar Wochen schon unterwegs zu sein. Es kam ihm vor, als wäre er am Morgen ein anderer gewesen, als er es nun am Abend war. Zu viel war geschehen. Nathalie war nicht mehr das etwas überspannte, magere junge Mädchen, das ihm eine haarsträubende Geschichte erzählt hatte, von der er sicher gewesen war, dass sie sich als falsch herausstellen würde. Was er für eine übersteigerte Fantasie gehalten hatte, hatte sich als Realität entpuppt.

Nicht nur er war ein anderer. Die Wirklichkeit um ihn herum hatte ihr Gesicht verändert, und es war ein Gesicht, das ihm Angst machte und von dem er nicht wusste, wie er damit umgehen sollte.

Sie bogen um die letzte Kurve, da griff ihm Nathalie ins Lenkrad, so abrupt und heftig, dass der Wagen ausscherte und um ein Haar gegen die Steinmauer geprallt wäre, die hier die Begrenzung setzte.

»Spinnst du?«, fragte er, während er gleichzeitig hart auf die Bremse trat.

»Halt an!«, zischte Nathalie.

»Was ist denn los?«

Sie griff an ihm vorbei und schaltete die Scheinwerfer aus. »Das Auto!«

»Welches Auto?«

»Gegenüber vom Tor. Siehst du es?«

Er hätte es von selbst nicht bemerkt, war allerdings auch tief in Gedanken versunken gewesen. Mit Einbruch der Dunkelheit war die Lampe an der Einfahrt zu seinem Grundstück angesprungen, und in ihrem Schein konnte er nun erkennen, dass tatsächlich gegenüber vom Eingangstor ein Wagen in der Parkbucht stand.

»Französisches Kennzeichen«, raunte Nathalie.

»Der kann zu einem der anderen Häuser gehören«, sagte Simon, aber er klang nicht vollends überzeugt. Das letzte Haus, das noch über seinem lag, war ein gutes Stück entfernt; es war nicht nachvollziehbar, weshalb jemand, der dorthin wollte, so weit unten parken und den Rest des steilen Weges zu Fuß gehen sollte – noch dazu bei diesem Wetter. Dasselbe galt für das nächste unterhalb gelegene Haus. Es machte keinen Sinn, nicht dort direkt zu parken, es gab genügend Platz.

»Wer kann das sein?«, fragte Nathalie. »Erwartest du Besuch?«

»Eigentlich nicht«, meinte Simon unbehaglich. Er überlegte kurz. Der Wagen war ziemlich groß. Die Zugehfrau, die das Haus seines Vaters in Ordnung hielt, fuhr ein viel kleineres Auto, zudem parkte sie immer auf dem Grundstück direkt. Außerdem war sie verreist.

»Wir müssen umkehren«, flüsterte Nathalie.

»Das kann doch ganz harmlos sein«, sagte Simon, aber er war sich keineswegs sicher. »Wenn das … *sie* wären, würden sie doch das Auto nicht direkt vor dem Tor parken und uns damit auf sich aufmerksam machen.«

»Sie rechnen damit, dass wir uns nichts dabei denken«,

sagte Nathalie. »Sie wissen nicht, dass wir heute in Lyon waren. Dass wir Yves gefunden haben. Sie wissen auch nicht, dass wir in dem Apartment waren und gesehen haben, dass es durchwühlt wurde. Sie halten uns für arglos.«

»Du bist seit einer Woche vor ihnen auf der Flucht. Für arglos können sie dich gar nicht mehr halten.«

»Aber sie wissen nicht, dass ich weiß, wie dicht sie mir auf der Spur sind. Simon, ich gehe da nicht rein. Um keinen Preis!« Nathalies Stimme nahm einen hysterischen Klang an.

Nathalie, so stellte Simon fest, hatte sich tatsächlich seit dem Morgen deutlich verändert. Verstört und ängstlich, ratlos und aus der Spur geraten war sie ihm schon von Anfang an erschienen. Seit der Entdeckung des toten Yves kam sie ihm abwechselnd völlig panisch und dann wieder wie paralysiert vor. Anfangs mochte sie selbst noch geglaubt oder zumindest gehofft haben, dass sich das Chaos, in das sie Jérômes Anruf gestürzt hatte, lichten, dass sich das alles am Ende als ein Irrtum herausstellen würde. Davon konnte sie nun nicht mehr ausgehen. Und sie schien dicht davor, völlig durchzudrehen.

»Bitte. Bitte, Simon. Lass uns verschwinden!«

Er hasste es, sich derart verunsichern, sich aus seinem eigenen Haus vertreiben zu lassen. Aber er schaltete den Motor aus, legte den Rückwärtsgang ein und ließ den Wagen lautlos den Berg hinunterrollen.

Nathalie, die schon fast hyperventiliert hatte, atmete etwas ruhiger. »Danke. Das ist eine Falle, Simon. Die warten da drinnen auf uns.«

»Das glaube ich nicht«, sagte Simon, aber er fragte sich, was er stattdessen glaubte. Das Problem war, ihm fiel keine wirklich überzeugende, durchschlagende Erklärung für das Vorhandensein des unbekannten Autos ein. Und vielleicht handelte er unter den gegebenen Umständen richtig: indem er vorerst auf Abstand ging.

Vorerst. Am nächsten Tag würde er zurückkehren. Wer immer dort war, er würde kaum die ganze Nacht warten.

»Und jetzt?«, fragte er, als sie unten angekommen waren.

»Lass uns irgendwo hinfahren. Wir können ja im Auto schlafen.«

»Das halte ich für keine gute Idee. Ich weiß nicht, wie es dir geht, aber ich bin todmüde. Ich brauche ein Bett und ein paar Stunden Schlaf.« Er rieb sich die Augen, die vor Erschöpfung brannten. »Ich kann schon nicht mehr klar denken. Wenn ich das noch könnte, wäre ich jetzt einfach in mein Haus gegangen und hätte nicht den Rückzug angetreten wie ein … wie ein …« Ihm fiel kein Vergleich ein.

»Ich hätte das jedenfalls nicht getan«, sagte er daher nur.

»Der Hausmeister«, sagte Nathalie. Sie schien hellwach zu sein. Wahrscheinlich rauschte das Adrenalin in ihren Adern. »Der Hausmeister und dieser Yanis. Du hast ihnen deinen Namen und deine Adresse genannt.«

»Sicher?« Er konnte sich daran nicht deutlich erinnern.

»Doch. Ich weiß es genau. Der Hausmeister wollte wissen, wer du bist und wo du wohnst, falls sich meinetwegen irgendwelche Probleme für ihn ergeben würden.«

»Stimmt. Ja und? Gehört der Hausmeister jetzt auch schon zu deinen Verdächtigen?«

»Überleg doch mal. *Die* waren im Apartment und …«

»Du *vermutest,* dass sie im Apartment waren«, korrigierte Simon. Man musste vorsichtig sein bei Nathalie. Alles, was man an Behauptungen ihrerseits einfach stehen ließ, machte sie später zu einem: *Du warst doch auch der Meinung, dass …*

»Wenn die von dem Apartment wussten, werden sie auch

herausbekommen haben, wer dort zuständig ist. Dann haben sie sicher den Hausmeister aufgesucht …«

»Wie sollen die an seinen Namen gekommen sein?«

»Anfrage bei der Gemeinde.«

»Und da bekommen sie einfach eine solche Auskunft?«

»Sie können sich als Mietinteressenten ausgeben. Das ist doch kein Problem.«

Simon überlegte. Sie hatte recht. Wahrscheinlich war es wirklich nicht schwierig gewesen.

Nathalie fuhr fort: »Dann suchen sie den Hausmeister auf, fragen nach mir. Der erinnert sich natürlich an mich. Und sagt ihnen, dass ich mit dir fortgegangen bin. Nennt ihnen deinen Namen. Und wo du wohnst.«

»Warum sollte er das tun?«

»Ich habe die Typen gesehen, Simon. Glaub mir, wenn die dich etwas fragen, dann antwortest du. Du bist froh, richtig froh, dass du eine Antwort hast. Weil du genau spürst, dass das deine beste, vielleicht deine einzige Chance ist, dass sie dich in Ruhe lassen und wieder gehen.«

»Mir klingt das alles zu abenteuerlich«, sagte Simon. Sie hatten die Brücke über der Autobahn überquert und waren den Berg hinaufgefahren, auf dem der Kern des kleinen Dorfes La Cadière lag. Wegen des Regens und der Dunkelheit herrschte auch hier kaum Leben auf den Straßen, aber immerhin gewahrten sie ein einsames Paar, das unter einem Regenschirm spazieren ging. In den meisten Häusern brannte Licht, und über der Hauptstraße – die so schmal war, dass keine zwei Autos aneinander vorbeigekommen wären – spannte sich weihnachtlicher Lichterschmuck. Simon fühlte sich sofort besser. In der Siedlung, in der das Haus seines Vaters stand, lagen die Häuser weit auseinander und tief in den großen Gärten versteckt, daher hatte dort eine gespenstische Dunkelheit geherrscht und das Gefühl völliger Einsamkeit und Schutzlosigkeit vermittelt. Hier hingegen sah alles friedlich und schön und weihnachtlich aus. Umso grotesker erschien ihm jetzt die Flucht.

Und doch: Irgendetwas hatte ihn so handeln lassen, und das war nicht nur die hysterische Nathalie gewesen. Irgendetwas hinderte ihn auch jetzt, einfach umzukehren. Es war sein Instinkt, der ihm ununterbrochen Warnungen zuraunte. Er wusste bloß nicht, ob es ein Fehler war, ihn ernst zu nehmen.

Er parkte den Wagen auf dem Parkplatz des größten Hotels am Ort, und sie rannten rasch durch den Regen zum Eingang hinauf.

»Nenn auf keinen Fall unsere Namen«, zischte Nathalie.

»Ich bin ja nicht blöd«, gab Simon zurück und dachte, dass er genau das war. Schlimmer: völlig idiotisch.

Sie mussten sich ein Zimmer teilen, weil das Hotel über Weihnachten nur wenige Zimmer vermietete und nur eines noch frei war. Sie mussten sich sogar ein Bett teilen, weil das einzige Sofa im Raum zu kurz war, als dass selbst die vergleichsweise kleine Nathalie darauf hätte schlafen können. Simon war so müde, dass es ihm schon egal war; er litt inzwischen an einer maßlosen Erschöpfung, die vermutlich vor allem mit nervlicher Überlastung zu erklären war. Er sehnte sich nach dem Schlaf wie ein Ertrinkender nach dem sprichwörtlichen Strohhalm. Er sehnte sich nach dem Vergessen, in das er, zumindest vorübergehend, eintauchen konnte.

Anders Nathalie. Nachdem klar war, dass Simon überhaupt keine Chance hatte, auf dem Sofa zu schlafen, und sich deshalb ins Bett gelegt hatte, versuchte Nathalie es selbst, scheiterte jedoch ebenfalls, knipste zum wiederholten Male das Licht an und kam schließlich auch ins Bett, was sie zunächst weit von sich gewiesen hatte. Sie zog ihren Mantel und ihre Stiefel aus, blieb aber ansonsten vollständig angezogen, was Simon absolut lächerlich fand.

»Der einzige Mann in meinem Leben ist Jérôme«, erklärte sie. »Auch wenn er gerade nicht da ist, ich nicht weiß, wo er steckt, und wir uns in einer furchtbaren Situation befinden. Es darf kein Missverständnis geben, Simon, ich möchte …«

Er wollte einfach nur endlich schlafen.

»Bitte, Nathalie, leg dich hin und sei still. Ich will nichts von dir, und ganz ehrlich: Selbst wenn, würde mir im Moment die Kraft fehlen. Also mach dir keine Gedanken und schlaf jetzt.«

Sie schien ihm daraufhin fast gekränkt, aber das kümmerte ihn nicht. Er glitt in den Schlaf, schlief tief und fest und traumlos, und wenn es doch Träume gab, so registrierte er sie nicht und konnte sich auch später nicht erinnern.

TOULON, FRANKREICH,
MITTWOCH, 16. DEZEMBER

Lieutenant Jean Caparos von der Police nationale in Toulon ahnte, weshalb er an diesem frühen Morgen zu seiner Chefin zitiert wurde. Im ganzen Haus sprach man von dem tragischen Tod des Zivilisten während des Polizeizugriffs und von der Suspendierung des engsten Mitarbeiters von Inès Rosarde. Lieutenant Perez war überall beliebt gewesen und sehr geschätzt worden, und es gab niemanden, der den Gang der Ereignisse nicht zutiefst bedauert hätte. Zumal jeder darauf gewettet hätte, dass Perez selbst nach einer angemessenen Zeit in der Versenkung niemals wieder an seinen alten Platz zurückkehren würde.

Inès Rosarde sah schlecht aus, stellte Caparos fest, als er ihr Büro betrat und die Tür hinter sich schloss. Ihre Grippe war ganz deutlich noch nicht auskuriert, und sie hätte eher ins Bett gehört als an ihren Schreibtisch. Die Augen übernächtigt und gerötet, das Gesicht ohne jede Farbe. Ihr »Guten Morgen« klang krächzend.

»Setzen Sie sich«, sagte sie und wies auf den Stuhl, der ihrem Schreibtisch gegenüberstand. »Ich nehme an, Sie können sich denken, weshalb Sie hier sind?«

»Ich bin nicht ganz sicher«, sagte Caparos vorsichtig. Die Chefin hatte eine Akte vor sich liegen. Seine Personalakte, wie er annahm. Ihm war bereits zugetragen worden, dass Rosarde sie am Vortag angefordert hatte.

»Lieutenant Perez ist vorübergehend vom Dienst suspendiert, wie Sie wissen. Ich habe mir gedacht, dass Sie geeignet wären, seinen Platz einzunehmen.« Inès kam immer schnell auf den Punkt. Sie hielt langes Herumgerede für Zeitverschwendung.

»Vorübergehend?«, fragte Caparos.

Sie machte eine ungeduldige Handbewegung. »Er wird nicht für immer suspendiert bleiben, aber er wird nicht an seinen alten Platz zurückkehren, da müssen wir uns nichts vormachen. Was Sie betrifft, würde es sich also nicht um eine vorübergehende Position handeln.«

Es war ein großartiges Angebot, das wusste Caparos. Aber auch eines, das eine gewaltige Herausforderung barg: Rosarde und Perez waren perfekt aufeinander eingespielt gewesen. Ein Traumpaar. Sie hatten sich allein durch Blicke verständigen können, kaum Worte gebraucht, intuitiv die Gedanken des jeweils anderen erfasst. Es waren riesengroße Fußstapfen, in die Caparos würde treten müssen. Er fragte sich, ob er sie je würde ausfüllen können.

Rosarde blickte in die Akte. »Jean Caparos, geboren am 3. November 1977 in Marseille. Sie sind achtunddreißig Jahre alt. Seit sechs Jahren sind Sie bei der Police nationale, zunächst vier Jahre lang im Zeugenschutz, seit zwei Jahren hier bei der Kriminalpolizei.« Sie hob den Kopf, sah ihn an. »Sie sind unverheiratet und haben keine Kinder.«

»So ist es«, bestätigte Caparos. Für Inès war das sicher kein unerheblicher Gesichtspunkt. Als engster Mitarbeiter an ihrer Seite würden Überstunden zu seinem Alltag gehören, ein Privatleben würde nur noch sehr eingeschränkt möglich sein. Das störte Caparos nicht. Er hatte sich schon immer als jemand empfunden, der mit seinem Beruf verheiratet war, und er hatte immer so gelebt. Daran waren alle seine Beziehungen zu Frauen letztlich gescheitert, aber das hätte er nur ändern können, indem er beruflich kürzertrat, ab und zu fünf gerade sein ließ, und das entsprach nicht seinem Verständnis von seiner Arbeit.

Er erhielt jetzt den Lohn. Inès Rosarde war schließlich nicht zufällig auf ihn gekommen. Er konnte sich gut vorstellen, welche Attribute sich für sie mit ihm verbanden: zuverlässig, loyal, ernsthaft, engagiert. Er wusste das, weil ihm bekannt war, dass man überall im Haus genauso von ihm dachte.

»Ich muss Ihnen sicher nicht sagen, dass wir unter sehr genauer Beobachtung durch den Commissaire divisionnaire stehen werden«, fuhr Inès fort. »Nach der schrecklichen Geschichte mit dem toten Zivilisten hat man in den oberen Etagen ein scharfes Auge auf uns. Es dürfen uns nicht die kleinsten Fehler unterlaufen.«

»Ich gehe generell davon aus, dass uns möglichst keine Fehler unterlaufen sollten«, sagte Caparos und fand gleichzeitig, dass er sich streberhaft anhörte. Eigentlich hatte er zum Ausdruck bringen wollen, dass man *in den oberen Etagen* wissen musste, wie viel Einsatz und Mühe jeder hier aufbrachte, und dass das nichts mit dem Bewusstsein, unter scharfer Beobachtung zu stehen, zu tun hatte: Jeder gab sein Bestes. So oder so.

»Ja, ja«, sagte Inès etwas schroff. Sie stand auf, und auch Caparos erhob sich. Die Unterredung war offenbar bereits zu Ende. Auch dafür war Inès bekannt: dass sie Dinge schnell erledigte und sich nie länger als unbedingt notwendig mit einer Sache aufhielt.

»Sie sind dann von jetzt an direkt an meiner Seite, Caparos«, sagte sie, »meine rechte Hand sozusagen. Ich bin sicher, wir werden ein gutes Team sein.«

Er bewunderte die Sachlichkeit und Ruhe, mit der sie das sagte. Er konnte sich denken, wie tief es sie getroffen hatte, dass Perez nicht mehr da war. Freiwillig hätte sie ihn nie gehen lassen, aber nun hatten andere entschieden, und ihr blieb nichts übrig, als das Beste aus der Situation zu machen. Die Dinge zu akzeptieren, wie sie waren, und nach vorne zu gehen. Sie tat das mit Entschlossenheit und Disziplin.

Es wird eine Bereicherung für mich sein, mit einem Menschen wie ihr eng zusammenzuarbeiten, dachte Caparos.

Er streckte ihr seine Hand hin, und sie ergriff sie.

»Ich werde mein Bestes geben«, sagte er.

»Davon bin ich überzeugt«, erwiderte Inès, »sonst hätte ich Sie nicht ausgesucht.« Sie lächelte, ein eher tapferes als ein freudiges Lächeln, aber das war angesichts der Umstände nicht verwunderlich. »Ich freue mich auf unsere Zusammenarbeit. Und ich hoffe nicht, dass wir gleich zu Anfang vor allzu dramatischen Herausforderungen stehen werden.«

Ein Satz, der nicht zu Inès Rosarde zu passen schien. Vor Herausforderungen, gleich welcher Art, hatte sie noch nie Angst gehabt. Er ahnte, wie verstört sie sein musste.

»Ich bin zuversichtlich, dass wir jedem Problem gewachsen sein werden«, erwiderte er.

Sie sagte nichts, lächelte aber erneut, und diesmal war es ein Lächeln, das Anerkennung verriet. Innerlich atmete Caparos tief durch: Zumindest in diesem ersten Gespräch als ihr neuer engster Mitarbeiter hatte er offenbar die Erwartungen der Chefin erfüllt.

LA CADIÈRE, FRANKREICH, MITTWOCH, 16. DEZEMBER

Am nächsten Morgen hatte es aufgehört zu regnen, die Sonne schien, die Welt sah neu und glänzend aus, und Simon fragte sich, wie es hatte geschehen können, dass er sich von einem parkenden Auto derart hatte ins Bockshorn jagen lassen. Im Nachhinein kam ihm die Situation vom Vorabend völlig absurd vor. Es musste an der frühen Dunkelheit gelegen haben, am Regen, an der tiefen Müdigkeit, die ihn angefallen hatte wie eine Krankheit.

Natürlich auch an dem toten Yves und an dem durchwühlten Apartment.

Ausgeruht, wie er nun war, und im hellen Sonnenschein war er jedoch geneigt, auch dahinter andere Erklärungen zu vermuten: Vielleicht war Yves von jemandem umgebracht worden, der in keiner Beziehung zu Nathalie und ihrer Geschichte stand. Die Gegend, in der er wohnte, war bekannt dafür, dass dort mit Drogen gedealt wurde. Vielleicht war Yves mit irgendjemandem aus dieser Szene aneinandergeraten.

Und das Apartment: Dank Nathalie waren die Schlösser von Haus- und Wohnungstür aufgebrochen, jeder konnte in dem leerstehenden Haus ungehindert nach oben gelangen. Ein Landstreicher mochte Geld gesucht haben. Oder gelangweilte Jugendliche hatten eine Party gefeiert und randaliert.

Es gab viele denkbare Szenarien, und sie alle, fand Simon, hörten sich wahrscheinlicher an als das, was Nathalie anzubieten hatte.

Er betrachtete sie. Sie hatte sich wie ein Embryo zusammengerollt und atmete tief und gleichmäßig. Ihr Mund stand leicht offen. Sie wirkte selbst im Schlaf verspannt und von Angst gepeinigt. Die Art, wie sie dalag, verriet ihr Bedürfnis, sich zu schützen. Nicht zum ersten Mal fragte er sich, ob sie ihm etwas vorspielte, und wenn sie das tat, was der Grund sein mochte. Welches Ziel verfolgte sie?

Andererseits erschienen ihm gerade ihre Panikanfälle absolut echt. Wenn sie gespielt waren, müsste sie eine begnadete Schauspielerin sein. Vielleicht litt sie an einem Verfolgungswahn, war aber selbst von all dem, was sie innerhalb dieses Wahns fühlte und empfand, tief überzeugt.

Er stand leise auf, zog seine Jeans an und den Pullover, auf dem in rostroten Flecken Yves' Blut eingetrocknet war. Es wurde wirklich höchste Zeit, endlich die Kleidung zu wechseln.

Als er im Frühstücksraum saß, als einer der letzten Gäste, weil er sehr lange geschlafen hatte, stieß schließlich auch Nathalie zu ihm. Sie hatte dunkle Ringe unter den Augen und wirkte ebenso verstört wie am Vortag. Zwölf Stunden Schlaf hatten offenbar nicht vermocht, ihre Stimmung zu verändern.

Sie ließ sich Kaffee bringen, den sie schwarz trank, aber sie rührte weder Croissants noch Baguette an. Sie spielte mit ihrer Serviette herum, schien tief in eigene Gedanken versunken. Schließlich fragte sie: »Und nun?«

»Ich weiß nicht, was du tust«, sagte Simon, »aber ich fahre jetzt in mein Haus. Und ich gehe hinein, völlig egal, ob ein fremdes Auto davor parkt oder nicht.«

»Du willst wirklich ...«

»Ja. Und ich hätte das schon gestern Abend tun sollen.«

Sie wirkte unschlüssig. Schließlich murmelte sie: »Ich weiß nicht, wo ich hin soll.«

Es wäre der Moment, ihr zu sagen, dass ihre Probleme ihn nichts angingen, aber sie sah so elend und verängstigt aus, dass er es nicht fertigbrachte.

»Ich kann dir anbieten, dass du erst noch einmal mitkommst. Ich könnte dir Geld geben für eine Zugfahrkarte nach Paris. Dort ist immerhin deine Wohnung, deine Arbeit. Könntest du nicht einfach versuchen, in dein Leben zurückzukehren?«

»Aber Jérôme ...«

»Der wird sich wieder melden. Aber bis dahin kannst du ja nicht illegal in irgendwelchen Apartments hausen oder ...« Er sprach nicht weiter.

»Oder wildfremden Menschen zur Last fallen«, sagte Nathalie. »Solchen wie dir.«

Er erwiderte nichts. Schließlich hatte sie recht. Sie war ihm eine Last. Von Minute zu Minute immer mehr.

Es war nach zehn Uhr, als sie den Berg auf der anderen Seite des Tals hinauf zu Simons Haus fuhren. Das Licht des Tages veränderte tatsächlich alles, vor allem aber der Sonnenschein. Die Welt schien so friedlich.

Das Auto, das am Vorabend in der Haltebucht gestanden hatte, war verschwunden.

»Na also«, sagte Simon.

Nathalie, die in Ermangelung einer Alternative nun tatsächlich mitgekommen war, machte sich klein in ihrem Sitz und atmete gepresst.

Simon stieg aus und wollte das Gartentor öffnen, stellte dabei jedoch fest, dass es gar nicht geschlossen war. Es bewegte sich leicht im Wind, war nicht eingehakt. Er runzelte die Stirn. Vielleicht hatte er selbst es bei der Abfahrt am Vortag nicht richtig geschlossen.

Sie fuhren über den Kies, parkten und stiegen aus. Als sie die Stufen zum Haus hinaufgingen, sah Simon schon von Weitem, dass die Haustür sperrangelweit offen stand.

»Scheiße«, sagte er.

Nathalie, die seinem Blick gefolgt war, blieb abrupt stehen. »Oh nein!«

In Simon keimte eine Wut, die ihn alle Vorsicht vergessen ließ. Es wäre der Augenblick gewesen, umzukehren und die Polizei zu verständigen, aber diesmal würde er nicht das Weite suchen. Er hatte es einmal getan, ein zweites Mal würde es nicht geben. Wer auch immer in sein Haus eingedrungen war, er würde ihn damit nicht zum Davonlaufen nötigen. Er hatte es satt. Er hatte es so verdammt satt, was sich seit achtundvierzig Stunden in seinem Leben ereignete.

Immer zwei Stufen auf einmal nehmend, sprintete er die Treppe hinauf und stürmte ins Haus. Dort blieb er stehen, entsetzt von dem Anblick, der sich ihm bot: Es sah schlimmer aus als in dem Apartment am Strand. Viel schlimmer. Bilder, die von den Wänden gerissen waren. Ein umgestürztes Sofa. Das ursprünglich neben dem Kamin aufgeschichtete Feuerholz im ganzen Raum verteilt. Die Stühle lagen am Boden um den Esstisch herum. Dazwischen verteilten sich die Scherben des Geschirrs. Die Wanduhr war zertrümmert. Die Vorhänge von den Fensterstangen gerissen.

»Großer Gott«, murmelte Simon.

Er ging in die Küche. Dasselbe Bild: Berge von zerbrochenem Glas und Porzellan. Kaffeebohnen, die sich über den ganzen Raum verteilten. Die Blumentöpfe waren vom Fensterbrett gefegt worden, Erde, Blätter und Wurzeln lagen überall herum. Die Kühlschranktür stand offen. Ein See aus Milch schwamm auf den Fliesen.

Simon vernahm ein Geräusch hinter sich und wirbelte herum. Es war jedoch nur Nathalie, die im Eingang stand.

»Simon …«, flüsterte sie.

»Einbrecher«, sagte Simon. Er fuhr sich mit der Hand durch die Haare. »Verdammte Einbrecher. Wären wir bloß in der Nacht nicht weg gewesen, dann …«

»Dann wären sie trotzdem gekommen. Sie haben uns gesucht. Mich. Oh Gott, Simon, wenn wir hier gewesen wären …« Sie wurde bei diesem Gedanken noch eine Schattierung blasser und sah sich rasch nach einem Stuhl um, sank schließlich, weil es in greifbarer Nähe keinen benutzbaren Stuhl mehr gab, zu Boden und kauerte zwischen all dem Schutt, der dort lag. »Simon, die hätten uns umgebracht.«

»Quatsch«, sagte er, rauer als beabsichtigt. »Die wären gar nicht gekommen. Die haben gesehen, dass hier niemand ist, und wollten einen Beutezug starten, und weil kein Geld herumlag, haben sie in ihrer Wut alles kaputt gemacht. Davon liest man doch immer wieder. Scheiße! Wie konnte ich so blöd sein und mich von dir zu dieser idiotischen Nacht im Hotel überreden lassen!« Wütend trat er gegen eine gläserne Kaffeekanne, die auf dem Boden lag, die allgemeine Zerstörungswut jedoch unbeschadet überstanden hatte. Nun zersprang auch sie in tausend Stücke.

»Aber hier gibt es Dinge zum Klauen«, widersprach Nathalie leise. So verstört sie wirkte, sie hatte dennoch die gesamte Szenerie blitzschnell erfasst. »Die Kerzenleuchter. Die Spiegel. Die Bilderrahmen. Ich habe wirklich nicht viel Ahnung, aber sogar ich erkenne, dass das Silber ist und alt und wahrscheinlich ganz schön wertvoll. Warum haben sie nichts davon mitgenommen?«

»Wahrscheinlich fehlen Dinge«, sagte Simon. »Das kann ich so schnell nicht feststellen.«

»Wollen wir wetten, dass nicht das Geringste fehlt? Die haben uns gesucht. Und das Chaos hier ... das ist eine Warnung an uns. An mich vor allem.«

Er starrte sie an und hätte ihr am liebsten gesagt, dass sie einfach aufstehen und verschwinden sollte, ihn endlich in Ruhe lassen, andere mit ihren Psychosen belästigen ... Aber noch ehe er sich eine Formulierung überlegen konnte, die verletzend genug war, Nathalie für immer aus seinem Umkreis fernzuhalten, erklang eine andere Stimme.

»Was ist denn hier passiert?«, fragte jemand auf Deutsch.

Es war Kristina. Sie stand in der Haustür und blickte völlig fassungslos auf das unglaubliche Durcheinander.

Und auf Simon.

Und auf die am Boden kauernde Nathalie.

Nathalie hatte sich ins Bad zurückgezogen und duschte. Simon und Kristina standen nebeneinander auf der Veranda. Kristina rauchte eine Zigarette. Simon hatte inzwischen dreimal gesagt, dass er nun die Polizei anrufen würde, aber er hatte Angst, dass Kristina jeden Moment verschwinden würde, und wenn sie bloß den Zeitraum nutzte, in dem er telefonierte. Es war ihm ungeheuer wichtig, ihr alles zu erklären, und gleichzeitig dachte er, dass die Geschichte einfach zu unglaubwürdig war. Kristina musste denken, dass er eine gewaltige Story inszenierte, um die beschämende Tatsache zu vertuschen, dass er einen fröhlichen Liebesurlaub mit einer jungen Frau verbrachte, die halb so alt war wie er.

Kristina selbst hatte noch darauf hingewiesen, dass man im Haus nun möglichst nichts mehr berühren sollte und dass es keine gute Idee von Nathalie war, ausgiebig das Bad zu benutzen, aber Nathalie schien ihr nicht einmal zuzuhören. Letztlich war Simon einfach froh, dass sie für einige Zeit beschäftigt war.

»Ich bin auf dem Liegestuhl eingeschlafen«, sagte Kristina. »Gestern. Als ich aufwachte, war es schon dunkel. Und ich fror fürchterlich.« Sie schauderte noch in der Erinnerung. »Du warst immer noch nicht da. Ich bin dann wieder weggefahren.«

»Hattest du das Auto gegenüber vom Grundstück geparkt?«, fragte Simon.

»Ja. Ein Mietwagen. Ich bin gestern Mittag in Marseille gelandet.«

Er seufzte. Kristina. Sie waren am Vorabend vor Kristina geflohen.

»Wo wart ihr?«, fragte Kristina. »Letzte Nacht? Du und … deine Freundin?«

»Nathalie ist nicht meine Freundin. Mir ist klar, dass sich für dich ein ziemlich eigenartiges Bild bieten muss, aber …«

»*Eigenartig* ist ein wenig untertrieben. Ich weiß, dass ich unsere Beziehung beendet hatte, aber immerhin hast du mich noch vorgestern angerufen und gebeten, zu dir hierherzukommen. Wäre es da nicht angemessen gewesen, mir zu sagen, dass du im Falle meiner Absage bereits einen Plan B in der Tasche hattest?«

»Den hatte ich nicht in der Tasche. Als wir telefonierten, kannte ich Nathalie noch gar nicht. Ich habe sie kurz nach unserem Gespräch am Strand getroffen und …«

Kristina zog die Augenbrauen hoch. »Dann ging das aber schnell mit euch!«

Wo sollte er ansetzen?

»Sie steckt in erheblichen Schwierigkeiten. Ich wollte ihr helfen. Und nun, wie es aussieht, stecke ich selbst bis zum Hals im Schlamassel. Von dem Chaos hier drinnen«, er machte eine Handbewegung zum Haus hin, »kann ich im Prinzip nur hoffen, dass es von normalen Einbrechern auf der Jagd nach Geld und Wertgegenständen verursacht wurde …« Während er dies sagte, wurde ihm klar, dass Nathalie mit ihrem Hinweis vermutlich recht gehabt hatte: Es waren keine Wertgegenstände verschwunden, und das Haus beherbergte etliche davon.

»Wenn es nämlich keine normalen Diebe waren, dann waren es die Leute, vor denen Nathalie auf der Flucht ist. Und dann haben sie weder Geld noch Silber noch sonst etwas dieser Art gesucht: Dann hatten sie es auf Nathalie abgesehen. Und inzwischen womöglich auch auf mich. Weil ich zu viel wissen könnte.«

Kristina starrte ihn an. Asche rieselte von ihrer Zigarette auf die Terracottaplatten zu ihren Füßen. »Was denn wissen?«

»Das weiß ich nicht. Das weiß auch Nathalie nicht. Offensichtlich hat sich ihr Freund in irgendetwas Dubioses verstrickt und ist auf der Flucht. Er hat Nathalie telefonisch gewarnt und sie beschworen, ebenfalls unterzutauchen. Sie hat aber keinen Hinweis darauf, worum es dabei geht. Möglicherweise …«

»Hör mal, Simon«, sagte Kristina, »findest du das alles nicht etwas … sehr weit hergeholt? Ich meine, glaubst du selbst, was du da erzählst?«

Er konnte ihr ihre Skepsis nicht verdenken. Sie sah müde aus, älter als sonst und verletzt. Wahrscheinlich bereute sie gerade in diesem Augenblick nichts so sehr wie ihre spontane Reise in die Provence.

»Ich verstehe deine Zweifel. Aber es gibt inzwischen einen Toten. Einen Mann in Lyon, der Nathalie auf ihrer Flucht Obdach gewährt hat – für eine Viertelstunde nur. Aber nun liegt er mit durchschnittener Kehle in seiner Wohnung und …«

»Wie bitte?«

»Ich habe ihn selbst gesehen. Wir waren gestern in Lyon,

Nathalie und ich. Als wir zurückkamen, sahen wir ein Auto hier vor dem Grundstück. Dein Auto, wie ich nun weiß. Wir dachten jedoch, dass … wir flüchteten. In ein Hotel.«

Kristina stieß einen leisen Schmerzenslaut aus. Sie hatte nicht bemerkt, dass ihre Zigarette abgebrannt war. Sie ließ sie fallen, kramte aber gleich die nächste aus der Tasche ihrer Jeans hervor und zündete sie an.

»Ich war auch in einem Hotel. Eine furchtbare Absteige. Ich habe kein Auge zugetan.«

»Es war gut, dass du nicht mehr hier warst. Als … diese Leute kamen.«

»*Diese Leute!* Ganz ehrlich, Simon, bist du sicher, dass du dir mit dieser … *Nathalie* nicht jemanden ins Haus geholt hast, der alles andere als gute Absichten verfolgt?«

»Das habe ich mich natürlich auch gefragt«, sagte er lahm.

»Ich meine, sie hat es immerhin irgendwie geschafft, dich in der letzten Nacht in ein Hotel zu verfrachten. Und in der Zwischenzeit dringt jemand in dein Haus ein. Lässt dich das nicht stutzig werden?«

»Es fehlt aber nichts.«

»Das hast du bereits festgestellt?«

»Ich habe zumindest auf den ersten Blick eine Menge Kostbarkeiten noch herumliegen sehen, die man leicht hätte mitnehmen können. Das hier scheint kein normaler Raubzug gewesen zu sein.«

Kristina zuckte mit den Schultern. Sie sah wütend und traurig aus.

»Und dieser Tote in Lyon … Wozu sollte Nathalie das inszeniert haben? Wenn es bei alldem nur um einen einfachen Diebstahl ging?«

»Keine Ahnung. Vielleicht ist an irgendeiner Stelle irgendetwas aus dem Ruder gelaufen. Ich kenne mich in den Kreisen, in denen sich deine Nathalie offenkundig bewegt, nicht so gut aus.«

»Es ist nicht *meine* Nathalie.«

»Nenn es, wie du willst. Irgendwie hast du dich ja auf sie eingelassen. Das ist dein gutes Recht. Und mich geht das alles ja auch nichts mehr an.«

»Doch«, sagte er. »Doch, Kristina. Es geht dich noch etwas an. Ich gehe dich noch etwas an. Ich bin so froh, dass du hier bist.«

»Tut mir leid, Simon. Dieses Gefühl der Freude teile ich nicht im Geringsten. Ich habe einen riesigen Fehler gemacht, und ich wünschte nur, ich wäre nicht so blöd gewesen. Ich rauche jetzt noch diese Zigarette zu Ende, und dann steige ich ins Auto, fahre nach Marseille und versuche den nächsten Flieger nach Deutschland zu bekommen. Und dann wäre es gut, wenn wir den Kontakt zueinander wirklich ein für alle Mal einstellten.«

»Du kannst jetzt nicht abreisen«, sagte Simon. »Ich rufe die Polizei an. Du bist der letzte Mensch, der hier war, ehe der Einbruch passierte. Sie werden mit dir sprechen wollen.«

METZ, FRANKREICH, MITTWOCH, 16. DEZEMBER

Valérie Moraux schätzte sich selbst als eine tatkräftige und energische Frau ein, und sie lag damit durchaus richtig. Das Leben hatte ihr nichts geschenkt: Als Kind war sie kränklich und schüchtern gewesen, als Teenager plötzlich übergewichtig und immer noch schüchtern, und dann hatte sie sich, kaum zwanzig Jahre alt, auch noch mit dem falschen Mann eingelassen. Als sie ihrer absolut traumatischen Ehe, die mit Demütigungen und Kränkungen angefüllt gewesen war, schließlich mit Ende zwanzig entronnen war, hatte sie sich in eine andere Frau verwandelt: in eine Frau, die entschlossen war, sich nie wieder einschüchtern und kleinmachen zu lassen. Weder von Männern noch von Frauen.

Sie fand es schön, dass in demselben Haus, in dem sie lebte, eine Frau wohnte, mit der sie sich eng angefreundet hatte: Jeanne Berney, mit fünfundzwanzig Jahren fünf Jahre jünger als Valérie, aber eine gescheite, vernünftige Person. Sie hatte eine Wohnung ganz oben im Haus unter dem Dach, um die sie Valérie, die im Erdgeschoss wohnte, ein wenig beneidete. Der Blick war großartig von dort. Man konnte über die ganze Stadt und bis zu den waldigen Hügeln ringsum blicken. Valérie konnte gerade mal zum Balkon des nächsten Hauses schauen. Aber da sie viel Zeit mit Jeanne verbrachte, war das nicht so schlimm. Sie konnte den weiten Blick mit ihr zusammen genießen.

Seit zehn Tagen schlug sich Jeanne mit einer bösen Grippe herum. Valérie hatte sich von Anfang an um sie gekümmert, war in die Apotheke gelaufen und hatte für sie eingekauft. Sie hatte ihr schöne, kräftigende Gemüsesuppen gekocht und nach oben gebracht.

Mehr als einmal hatte Jeanne zu ihr gesagt: »Wenn ich dich nicht hätte, Valérie ...«

Das tat gut, fand Valérie. Es ging nichts über das Gefühl, gebraucht zu werden.

Valérie wusste, dass Jeanne hoffte, über Weihnachten zu ihren Eltern, die in St.-Brevin-les-Pins, einem kleinen Ort an der bretonischen Atlantikküste, lebten, fahren zu können. Valérie selbst hatte zweimal mit Jeannes besorgter Mutter am Telefon gesprochen und sie beruhigt.

»Ich kümmere mich um Jeanne, keine Angst, Madame Berney. Und sie schafft das bis Weihnachten. Da bin ich sicher.«

Während der letzten Tage hatte Valérie Jeanne nicht besuchen können, weil sie an einer externen Schulung teilnehmen musste, zu der ihr Chef sie so kurz vor Weihnachten noch vergattert hatte. Valérie war ziemlich sauer deswegen, aber es nützte ja nichts, sie brauchte den Job. Sie hatte Jeanne einen großen Topf Suppe in die Küche gestellt und ihr gesagt, sie solle sich das Essen portionsweise aufwärmen. Am Abend des Vortages war sie zurückgekehrt und hatte Jeanne gleich besuchen wollen, aber auf ihr Klingeln hatte niemand geöffnet. Während der schlimmsten Zeit der Erkrankung hatte Jeanne Valérie ihren Wohnungsschlüssel gegeben, damit sie kommen und gehen konnte, aber vor dem Aufbruch zur Schulung hatte ihn Valérie wieder auf den Wohnzimmertisch ihrer Freundin gelegt. Sie wollte ihn nicht am Ende noch irgendwo verlieren.

Valérie nahm an, dass Jeanne schlief, und versuchte es nicht noch einmal, schrieb ihrer Freundin jedoch eine WhatsApp. Jetzt, am Morgen danach, hatte sie darauf noch immer keine Antwort, und die Nachricht war zudem nicht einmal abgerufen worden.

Allmählich beschlich Valérie ein ungutes Gefühl. So lange konnte man nicht schlafen, oder? Andererseits war Jeanne nach dieser heftigen Krankheit sicher sehr entkräftet. Trotzdem … es war seltsam …

Am Morgen war sie wieder nach oben gegangen und hatte geklingelt, aber auch diesmal musste sie unverrichteter Dinge abziehen. Das gefiel ihr überhaupt nicht. Hätte sie bloß noch den Schlüssel! Sollte sie den Hausmeister anrufen und ihn bitten, ihr zu öffnen? Aber vielleicht wäre Jeanne dann verärgert. Immerhin war Valérie doch zu nervös, um nun einfach zur Arbeit zu gehen und den ganzen Tag abwesend zu sein. Sie rief in der Firma an und behauptete, eine Grippe zu bekommen. Dann schrieb sie erneut eine Nachricht an Jeanne: *Jeannie, was ist los? Ich bin zurück, habe gestern und heute geklingelt, und nichts rührt sich. Bist du okay? Antworte bitte. Ich mache mir Sorgen.*

Auch diesmal bekam sie keine Antwort.

Am späteren Vormittag beschloss Valérie, dass etwas geschehen musste. Zwischendurch hatte sie überlegt, ob sie Jeannes Eltern anrufen sollte, dann jedoch gefürchtet, dass sie die älteren Leute über die Maßen und dazu noch grundlos erschrecken könnte. Also doch der Hausmeister, egal, ob Jeanne hinterher sauer auf sie wäre. Zuvor wollte sie allerdings noch ein letztes Mal nach oben gehen und klingeln.

Es gab einen Fahrstuhl, aber Valérie nahm stets die Treppe. Sie schleppte immer noch etliche überflüssige Pfunde aus ihrer Teenagerzeit mit sich herum und nutzte jede Gelegenheit, sich zu bewegen. Gerade zum häufigen Treppensteigen hatte ihr Arzt ihr dringend geraten. Meist begegnete sie in dem stillen, immer etwas dämmrigen Treppenhaus keinem Menschen. Die meisten Bewohner benutzten immer den Aufzug.

Ihre Schritte hallten zwischen den Wänden. Ab der zweiten Treppe konnte sie zudem das leise Keuchen ihres eigenen Atems hören. So fit, wie sie immer hoffte, war sie noch nicht, schon gar nicht in der Vorweihnachtszeit, in der man einfach viel zu viel aß. Und zu viel Sekt und Glühwein trank.

Im Januar muss ich dringend die Reißleine ziehen, nahm sie sich vor.

Es war aber nicht nur der volle Magen, der sie schwerer als sonst atmen ließ. Es war auch die Angst. Sie hatte plötzlich ein ganz dummes Gefühl.

Ich hätte mich früher kümmern sollen, dachte sie.

Von oben näherten sich Schritte. Jemand kam die Treppe hinunter. Das war ungewöhnlich. Valérie hielt kurz inne, atmete ein paar Mal tief durch. Wie peinlich, einem anderen Menschen zu begegnen, wenn man gerade schnaufte wie ein Walross.

Sie lief weiter, erreichte den fünften Stock. Als sie um die Ecke bog, um die nächste Treppe in Angriff zu nehmen, stand sie urplötzlich vor einem Mann, der sie wohl ebenfalls gehört und deshalb innegehalten hatte.

Sie blickten einander erschrocken an.

Der Mann wohnte definitiv nicht im Haus, das wusste Valérie sofort. Sie hatte ihn noch nie zuvor gesehen. Zudem wirkte er fast wie ein Obdachloser – ziemlich verwahrlost. Seine Kleidung war völlig zerknittert, die Bartstoppeln sprossen in seinem Gesicht, seine Haare waren struppig. Er war noch jung – keine dreißig Jahre, schätzte Valérie –, aber er sah tief verstört aus wie jemand, der schon Schlimmes gesehen hat in seinem Leben. Er verströmte einen scharfen Geruch nach ungewaschenem Körper und nach Schweiß. Nicht allerdings nach Alkohol. Betrunken war er nicht.

»Wer sind Sie?«, fragte Valérie nach einer Schrecksekunde, von der sie sich schneller erholte als ihr Gegenüber.

Er starrte sie an. Seine Augen waren gerötet von Müdigkeit. »Jeanne Berney … sie ist nicht zu Hause, oder?«, fragte er.

»Sie wollten zu Jeanne?«

Er wies auf die Treppe hinter sich. »Ich war oben. Ich habe mehrfach geklingelt. Aber sie ist nicht da.«

»Wie sind Sie ins Haus gekommen?«

»Mit einem der Bewohner.«

Valérie seufzte. Es herrschte ein allzu reges Kommen und Gehen hier, und niemand achtete darauf, wer alles im Strom mitschwamm. Heutzutage musste man viel vorsichtiger sein, aber gerade unter den jüngeren Leuten galt es als uncool, wenn man nicht großzügig jeden aus- und eingehen ließ, der sich zufällig vor der Haustür herumtrieb. Man war ja weltoffen und furchtlos.

Valérie hielt das angesichts des tatsächlichen Zustandes der Welt für eine gefährliche Einstellung. Noch mehr Sorge machte ihr jedoch für den Moment die Aussage des Fremden, er habe mehrfach bei Jeanne geklingelt und nichts habe sich gerührt. Das war inzwischen *absolut nicht mehr normal.*

»Wer sind Sie?«, fragte sie.

»Ein Freund von Jeanne.« Seinen Namen schien er nicht nennen zu wollen. Mit einem gehetzten Blick schaute er sich um. »Hören Sie, es wäre wirklich wichtig für mich, mit Jeanne zu sprechen. Können Sie mir sagen, wo sie arbeitet?«

Valérie zögerte. »Sie ist nicht bei der Arbeit.«

»Wo ist sie dann?«

Valérie schob sich an ihm vorbei. »Vielleicht macht sie mir auf.«

Der Fremde folgte ihr. Valérie fand, dass er alles andere als vertrauenswürdig aussah, aber er wirkte nicht gefährlich. Er war aufgeregt und nervös, nicht aggressiv.

Oben angekommen, klingelte sie zweimal kurz, dreimal lang – das Klingelzeichen, das zwischen ihr und Jeanne üblich war.

Keine Reaktion.

Sie versuchte es erneut.

»Müsste sie denn daheim sein?«, fragte der Fremde hinter ihr. Er trat nervös von einem Fuß auf den anderen.

»Ich verstehe das nicht«, murmelte Valérie.

Sie klingelte noch einmal, dann entschied sie, keine Zeit mehr verstreichen zu lassen. Sie würde jetzt den Hausmeister holen.

Eine halbe Stunde später stand sie vor der Leiche ihrer Freundin Jeanne und schrie vor Entsetzen und Schmerz. Jeanne war, auf den ersten Blick ersichtlich, grausam misshandelt worden, ehe man sie mit einem Schnitt durch die Kehle getötet hatte. Der kurz darauf zusammen mit der Spurensicherung eintreffende Rechtsmediziner schätzte, dass sie seit ungefähr vierundzwanzig Stunden tot war.

Valérie sah alles schließlich nur noch wie durch einen Nebel, und hätte jemand sie später gefragt, was alles in den ersten Stunden nach der grauenhaften Entdeckung passiert war, sie hätte keine Antwort geben können. Alles verschwamm vor ihren Augen und ging ineinander über: die Polizisten, die vielen Stimmen, das Kommen und Gehen lauter fremder Menschen. Sie selbst saß auf einem Stuhl in

Jeannes Küche und zitterte vor Kälte, obwohl es übermäßig warm in der Wohnung war. Sie hielt ein Glas in den Händen, in das ihr eine nette Polizistin nun schon zum zweiten Mal Wasser nachgeschenkt hatte. Sie trank in kleinen Schlucken und sehr konzentriert. Sie starrte das Wasserglas an, als hätte sie eine komplizierte Mathematikaufgabe vor sich liegen.

Es war wichtig, das Trinken jetzt sehr ernst zu nehmen, sagte sie sich. Wenn sie immer nur über den nächsten Schluck nachdachte, dann musste sie nicht ständig an Jeanne denken. Denn wenn sie an Jeanne dachte, fing sie vielleicht wieder an zu schreien, so wie ganz am Anfang. Das wollte sie nicht. Ihr war so schwindelig geworden beim Schreien.

Ein anderer Polizist setzte sich ihr gegenüber. Er hatte sich vorgestellt, aber Valérie war nicht in der Lage, sich den Namen zu merken.

»Können Sie sprechen?«, fragte er.

Valérie nickte. Nächster Schluck. Ganz wichtig.

»Sie sind eine Freundin von Jeanne Berney?«

»Ja.«

»Und Sie haben sie schon länger vermisst?«

»Ich war weg. Drei Tage. Bei einer Schulung.«

»Wo fand die statt?«

»In … Reims.«

»Und wann genau?«

Wann war das gewesen? Vor hundert Jahren?

»Montag und Dienstag. Sonntagabend bin ich schon nach Reims gefahren, weil es am Montag so früh losging. Gestern Abend kam ich zurück.«

»Dann haben Sie Jeanne Berney …«

»… am Sonntag zuletzt gesehen. Mittags. Ich habe ihr etwas zu essen gebracht. Jeanne hatte die Grippe. Sie lag im Bett.«

»Seit wann?«

»Seit etwa zehn Tagen.«

»Und Sie haben sich um sie gekümmert?«

»Ja. Sie ist meine Freundin.«

»Ich verstehe. Und ist Ihnen irgendetwas aufgefallen während dieser zehn Tage? Oder auch davor? Irgendetwas, das anders war als sonst?«

Valérie nahm erneut einen Schluck Wasser. Wenn nur ihre Gedanken nicht so wirr durcheinanderrasen würden ... »Nein. Nein, ich glaube nicht.«

»Hatte sie Angst? Jeanne, meine ich. Oder war sie nervös? Unruhig?«

»Sie war sehr krank. Sie hatte zeitweise hohes Fieber. Nein, sie wirkte nicht ängstlich. Sie machte sich nur Sorgen, dass sie nicht bis Weihnachten gesund wird. Sie wollte zu ihren Eltern fahren und ...« Valérie zuckte zusammen. »Ihre Eltern. Ich muss ihre Eltern anrufen.«

Der Polizist legte ihr beruhigend die Hand auf den Arm. »Wir kümmern uns darum. Alles, was ich im Moment von Ihnen möchte, ist, dass Sie versuchen, sich zu erinnern. An die letzte Zeit mit Jeanne Berney. Vielleicht gab es irgendetwas, das sie gesagt oder getan hat, etwas, das Ihnen ganz unbedeutend vorkam, aber im Licht der ... schrecklichen Ereignisse an Bedeutung gewinnt?«

Die letzte Zeit mit Jeanne Berney ... Valérie spürte, dass ihr erste Tränen über das Gesicht liefen. Das wollte sie nicht. Jetzt an Jeanne denken. Das konnte sie nicht. Außerdem war da nichts gewesen. Nichts Ungewöhnliches oder Seltsames. Jeanne war wie immer gewesen. Wenn man davon absah, dass sie Fieber gehabt und sich hundeelend gefühlt hatte. Aber sie hatte absolut nicht ängstlich gewirkt. Das Einzige war ...

Valérie setzte das Glas ab, das sie gerade wieder hatte zum Mund führen wollen.

»Der Mann«, sagte sie.

»Welcher Mann?«

»Der vorhin zu ihr wollte. Er ist mir im Treppenhaus begegnet. Er hatte bei ihr geklingelt, aber sie hatte nicht geöffnet.« Valérie biss sich auf die Lippen. Wie blöd dieser Satz war. Natürlich hatte Jeanne nicht geöffnet. Sie lag seit dem gestrigen Tag mit durchgeschnittener Kehle …

Hastig sprach sie weiter: »Ein Freund von ihr, sagte er. Er wollte unbedingt zu ihr. Er war sehr komisch. Total verwahrlost. Und nervös. Er stand doch hinter mir. Er stand die ganze Zeit direkt hinter mir.« Sie drehte sich um, als könnte der Fremde noch immer hinter ihr stehen, aber da war niemand.

»Ich kannte ihn nicht. Ich hatte ihn nie zuvor gesehen.«

Der Polizist neigte sich vor. Er schien von einer Sekunde zur anderen unter Hochspannung zu stehen.

»Können Sie den Mann beschreiben?«, fragte er.

LA CADIÈRE, FRANKREICH, MITTWOCH, 16. DEZEMBER

Die beiden Polizisten von der Police municipale, der Gemeindepolizei, trafen gegen Mittag im Haus von Simons Vater ein: Thierry Leboyer und seine Kollegin Thérèse Perrin. Sie kamen in der Annahme, einen ganz gewöhnlichen Einbruch in ein Wohnhaus aufnehmen zu müssen: Etwas, das leider in der Gegend häufiger vorkam.

Während sich Thierry Leboyer auf dem Grundstück umsah, setzte sich Thérèse Perrin an den Tisch auf der Veranda zu Simon und Kristina. Nathalie war in ihrem Zimmer geblieben, Simon hatte gehört, dass sie weinte.

»Ich würde Ihnen gerne einen Kaffee anbieten«, sagte er. »Aber meine Kaffeemaschine liegt in Trümmern, und die Kaffeebohnen rollen überall in der Küche herum.«

»Kein Problem.« Thérèse Perrin legte einen – im Zeitalter der nahezu alleskönnenden Mobiltelefone seltsam altmodisch anmutenden – Block und einen Stift vor sich hin. »Sie sind Madame und Monsieur …?«

»Wir sind nicht verheiratet«, sagte Kristina in einem Tonfall, der klarmachte, dass es ihr wichtig war, diesen Umstand zu betonen. Sie sprach ein recht flüssiges Französisch, wie Simon feststellte, suchte nur gelegentlich nach Begriffen. »Ich bin Kristina Dembrowski. Wohnhaft in Hamburg. Deutschland.«

»Simon Lemberger. Auch aus Hamburg. Das hier ist das Ferienhaus meines Vaters.«

Perrin schrieb eifrig mit, musste sich aber Simons Nachnamen einmal und Kristinas Nachnamen zweimal buchstabieren lassen. »Sie machen hier also gemeinsam Urlaub?«

»Simon macht hier Urlaub mit einem jungen Mädchen«, sagte Kristina. »Ich bin unerwartet und überflüssigerweise dazugestoßen.«

»Oh«, sagte Perrin und blickte auf. Sie schien betroffen.

Sie ist nicht sehr abgebrüht, dachte Simon. Hoffentlich verkraftet sie, was jetzt kommt.

»Ich mache hier keinen Urlaub mit einem jungen Mädchen.« Er merkte selbst, wie defensiv er klang. »Ich habe eine junge Frau bei mir aufgenommen, die auf der Flucht vor Verbrechern ist.«

»Auf der Flucht vor Verbrechern?«, wiederholte Perrin ungläubig. »Sie meinen …«

»Sie wird verfolgt. Sie weiß allerdings nicht, warum. Offenbar ist ihr Lebensgefährte in dubiose Machenschaften verstrickt. Er will sich hier mit ihr in Les Lecques treffen.«

»Monsieur …«

»Ich weiß«, unterbrach Simon. »Das muss für Sie absolut absurd klingen. Vielleicht sollte ich alles ganz von Anfang an erzählen.«

»Ich hole am besten noch meinen Kollegen hinzu«, sagte Perrin. Sie stand auf und verschwand im Garten.

»Was machst du eigentlich, wenn die Polizei dir diesen ganzen Irrsinn nicht glaubt?«, fragte Kristina. »Und wenn sich am Ende tatsächlich herausstellt, dass du einer kleinen Schwindlerin aufgesessen bist?«

»Du wirst es vielleicht nicht verstehen«, erwiderte Simon, »aber ich wäre froh. Von Herzen froh. Denn dann könnte sie ungehindert ihrer Wege ziehen und ich meiner, und alles wäre gut. Sie bedeutet mir nichts, Kristina. Ich will einfach nur raus aus dieser ganzen Geschichte.«

»Du hättest dich in diese ganze Geschichte gar nicht erst hineinbegeben dürfen«, sagte Kristina. »Wenn du meine Meinung wissen willst.«

Ihre distanzierte Überlegenheit machte ihn plötzlich wütend. »Du machst nie Fehler, oder?«

»Doch«, sagte Kristina. Sie zündete sich die nächste Zigarette an. Der Rauch verwehte in der klaren, kalten Luft. »Wie man gesehen hat. Es war ein großer Fehler, mich mit dir einzulassen.«

»Kristina, denkst du wirklich ernsthaft, dass ich mit diesem jungen Ding ...«

Sie überlegte. »Nein«, sagte sie nach einer Weile. »Ich glaube es nicht. Aber das ist auch gar nicht der springende Punkt. Es ist ... es passt einfach. Dass dir so etwas passiert. Dass gerade du in einen solchen Ärger hineingerätst.«

»Wieso passt es zu mir? Du tust so, als ob ich mich ständig in Geschichten dieser Art verstricken würde, und das ist nun wirklich ziemlich ungerecht.«

»Nein, aber dass du nicht lebst, wie du es möchtest. Das ist der rote Faden. Ob es um deinen Vater, deine Exfrau oder um deine Kinder geht – jeder macht mit dir, was er will. Und zwar deshalb, weil du es geschehen lässt. Weil du immerzu Gründe findest, dich den Forderungen, den Ansprüchen oder dem Willen der anderen unterzuordnen. Aus Rücksichtnahme oder Mitgefühl oder Verständnis oder was weiß ich. Lauter gute, schöne, altruistische Gründe. Aber du kennst die Grenze nicht. Wann ist man ein guter Mensch – und wann nur noch der Trottel für alle?«

Er zuckte zusammen. Das Gespräch war nicht neu, sie hatten es einige Dutzend Male schon geführt. Noch nie aber war Kristina in ihren Formulierungen so hart und so direkt gewesen.

»Diesem Mädchen mit fünfzig Euro zu helfen war eine Sache«, sagte Kristina. »Aber sie dann mitzunehmen, ihr Einlass in dein Leben zu gewähren, dich immer weiter in diesen Sumpf ziehen zu lassen, in dem es ganz offensichtlich gewaltig stinkt – das bist eben du. Das ist typisch Simon.«

»Aha«, sagte er verletzt. »Und was hätte ich sonst tun sollen? An welcher Stelle wäre der Ausstieg möglich gewesen?«

»Das wüsstest du, wenn du nicht so ein Weichei wärest«, sagte Kristina derb.

Hinter ihnen war ein diskretes Räuspern zu hören. Die beiden Polizisten standen auf der Veranda. Simon, der spürte, dass glühendes Rot in seine Wangen gestiegen war, hoffte inständig, dass sie kein Deutsch verstanden.

»Dürfen wir uns setzen?«, fragte Leboyer.

»Natürlich. Bitte.« Simon wies auf die beiden freien Stühle. An Leboyers Miene konnte er erkennen, dass seine Kollegin ihn bereits über die Entwicklung, die der Fall zu nehmen schien, informiert hatte und dass er mehr als skeptisch war. Auf seiner Stirn standen buchstäblich Worte geschrieben wie *Verschwörungstheorien, Wahnsinn, Wichtigtuerei.* Irgendwo inmitten all dieser Begriffe siedelte er die beiden Deutschen aus Hamburg an. Nathalie hatte er noch nicht zu Gesicht bekommen.

»So«, sagte er. »Und jetzt der Reihe nach. Was genau ist geschehen?«

Eine gute halbe Stunde später wirkte Leboyer noch immer äußerst skeptisch.

»Seien Sie mir nicht böse«, sagte er, »aber das alles klingt ziemlich … weit hergeholt. Finden Sie nicht?«

»Doch«, sagte Simon, »das finde ich auch. Aber ich habe vor Yves' Leiche gestanden. Ich habe das durchwühlte Apartment unten am Boulevard de la Plage in Les Lecques mit eigenen Augen gesehen. Ich bin heute früh in mein Haus gekommen und habe es so«, er machte eine Handbewegung in Richtung der aufgebrochenen Tür, »vorgefunden. Ich wünschte, ich könnte einfach glauben, dass Nathalie mir ein Schauermärchen aufgetischt hat, aber mir fällt das, ehrlich gesagt, zunehmend schwer.«

»Einbrüche kommen hier häufiger vor«, mischte sich Perrin ein. »Gerade zu dieser Jahreszeit, in der die Ferienapartments und Häuser leer stehen. Sowohl unten am Strand als auch hier können ganz normale Diebesbanden am Werk gewesen sein.«

»Für wie wahrscheinlich halten Sie das?«, fragte Simon. »Dass innerhalb von zwölf Stunden in zwei Häusern eingebrochen wird, die im Zusammenhang mit dieser jungen Frau aus Paris stehen? Zwei Häuser, in denen sie nacheinander Zuflucht gesucht hat. Könnte das nicht dafür sprechen, dass sie tatsächlich verfolgt wird?«

»Hm«, machte Leboyer. »Und dieser … dieser Yves aus Lyon – haben Sie die genaue Adresse? Oder wenigstens seinen Nachnamen?«

»Rue Marc-Antoine Petit. Das letzte Haus rechts an der Ecke. Vierter Stock links. Inzwischen dürfte man aber auch schon am Geruch erkennen, in welcher der Wohnungen er sich befindet. Den Nachnamen kenne ich nicht.«

»Ich werde die Polizei in Lyon verständigen«, sagte Perrin. »Die sollen das überprüfen.« Sie klang so, als glaubte sie nicht unbedingt, dass die Kollegen fündig würden.

»Ich möchte jetzt mit dieser Nathalie sprechen«, sagte Leboyer.

Es erwies sich als schwierig, Nathalie zum Verlassen

ihres Zimmers zu bewegen. Sie schloss zwar die Tür auf, als Simon anklopfte, aber als sie den uniformierten Leboyer hinter ihm stehen sah, wich sie sofort zurück. »Ich spreche nicht mit der Polizei. Unter keinen Umständen!«

Letztlich gelang es Kristina, Nathalie zur Kooperation zu bewegen, wenn auch nicht durch Überzeugungskraft, sondern eher mit Gewalt. Sie schob sich an den beiden unschlüssig verharrenden Männern vorbei in das Zimmer, packte die überraschte Nathalie am Arm und drängte sie nach draußen.

»So. Sie haben uns das alles eingebrockt. Jetzt helfen Sie auch gefälligst, diese ganze verfahrene Situation wieder in Ordnung zu bringen.«

Nathalie wehrte sich nicht. Sie ließ sich auf die Terrasse ziehen und auf einen Stuhl drücken und beantwortete sodann mit Piepsstimme Leboyers Fragen. Name, Adresse, Arbeitsstelle.

»Ihre Papiere haben Sie nicht mehr, wenn ich das richtig verstanden habe?«

»Nein. Die sind in meiner Handtasche, die ich in Yves' Wohnung zurücklassen musste.«

»Yves. Der Tote in Lyon. Der Sie sexuell bedrängt hat, wie mir berichtet wurde?«

»Ja.«

»Sie haben ihm eine Flasche auf den Kopf geschlagen?«

»Ja.«

»Und Sie sind sicher, dass nicht das die Todesursache war? Und dass Sie die ganze übrige Geschichte nicht erfunden haben, um die Tatsache, dass Sie ein Tötungsdelikt begangen haben, zu verschleiern?«

Nathalie warf Simon einen hilfesuchenden Blick zu. *Siehst du,* sagte der Blick, *ich habe doch gewusst, dass sie es mir anzuhängen versuchen!*

Simon sprang ihr bei. »Ich war dort, Monsieur. Dieser Mann ist definitiv nicht an einem Schlag auf den Kopf gestorben. Man hat ihm die Kehle durchgeschnitten. Sie werden kaum davon ausgehen, dass Nathalie dazu in der Lage gewesen wäre.«

»Wenn Sie in meinem Beruf wären«, entgegnete Leboyer, »würden Sie sich kaum noch wundern, wozu Menschen in der Lage sind. Auch solche, von denen Sie es am wenigsten erwarten.«

»Der Körper des Mannes war noch warm, als wir eintrafen. Die Täter müssen kurz vor uns erst da gewesen sein. Zu diesem Zeitpunkt war Nathalie bereits seit vierundzwanzig Stunden hier bei mir. Sie kommt als Täterin nicht in Frage.«

»Das alles wird genau untersucht werden«, sagte Leboyer in distanziertem Ton.

Simon fragte sich, ob Nathalie recht gehabt hatte. War es ein Fehler gewesen, sich an die Polizei zu wenden? Man würde in Yves' Wohnung ausschließlich seine und Nathalies Fingerabdrücke finden. Zudem sein Erbrochenes in der Spüle. Zweifellos standen sie zunächst im Visier der Polizei – schon in Ermangelung einer Alternative. Die anderen, um wen immer es sich bei ihnen handelte, waren Profis, davon war Simon überzeugt. Man würde keine Fingerabdrücke und nicht die allerkleinste DNA-Spur von ihnen entdecken.

Perrin, die ihr Telefonat mit den Kollegen in Lyon beendet hatte und an den Tisch zurückgekehrt war, musterte ihn aus zusammengekniffenen Augen. »Ist das Blut auf Ihrem Pullover?«, fragte sie.

Simon blickte an sich hinunter. Wie dumm, er trug ja immer noch den Pullover vom Vortag. In all der Aufregung um den Einbruch und das plötzliche Auftauchen von Kristina war er immer noch nicht dazu gekommen, sich umzuziehen.

Er hatte den Eindruck, dass Offenheit im Moment das Einzige war, was helfen konnte. »Ja. Das Blut von Yves. Ich habe seinen Puls gefühlt. Und da um ihn herum alles im Blut schwamm …«

»Verstehe«, sagte Perrin, aber sie hörte nicht auf, ihn zu fixieren.

Leboyer hatte sich inzwischen von Nathalie Jérômes Namen geben lassen, ebenso Namen und Anschrift der Firma, für die er tätig war, sowie den Namen von Nathalies Arbeitgeberin.

»Wir werden die Dinge jetzt Schritt für Schritt überprüfen«, versprach er, aber er klang so, als hielte er das alles nach wie vor für einen gewöhnlichen Einbruchsdiebstahl, um den herum eine wirre Geschichte konstruiert wurde.

Simon gewann den deprimierenden Eindruck, dass er auch für die beiden französischen Polizisten den Idioten in dem Spiel darstellte. Ein vierzigjähriger Mann, der sich von einer jungen, attraktiven Frau am Strand aufgabeln ließ, der im hormonellen Überschwang den Verstand verlor, sich von ihr in ein Hotel locken ließ, damit ihre Kumpanen in Seelenruhe sein Haus ausräumen konnten. Er spürte sehr deutlich das Misstrauen, das die Beamten Nathalie entgegenbrachten, ebenso wie er Herablassung und leises Mitleid wahrnahm, das sie für ihn übrig hatten.

Er musste abwarten. Sie würden Yves entdecken. Und es würde sich herausstellen, dass in seinem Haus nichts fehlte.

Leboyer erhob sich. »Ich muss Sie alle bitten, mit uns zu kommen. Wir müssen Ihre Aussagen protokollieren. Wollen Sie anschließend weiter hier in diesem Haus wohnen?«

Simon hatte inzwischen beschlossen, dass das keine gute

Idee war. Es wäre zum einen schwierig, in einem Haus zu wohnen, dessen ganze Einrichtung kreuz und quer herumflog und in großen Teilen kaputt war. Zum anderen saßen sie hier wie auf dem Präsentierteller. Wer immer hinter Nathalie her war, er war äußerst entschlossen und hatte sich vermutlich noch nicht zurückgezogen. Wenn die Verfolger noch in der Nähe waren, stellte das Haus einen gefährlichen Aufenthaltsort dar.

»Ich würde vorschlagen, wir mieten ein Apartment unten in Les Lecques«, sagte er. »Zurzeit stehen so viele leer, es dürfte nicht allzu schwierig sein.«

»Ich möchte abreisen«, verkündete Kristina. »Ich kann zu den weiteren Ermittlungen nichts beitragen, und ich will mit der nächstmöglichen Maschine zurück nach Deutschland.«

»Es wäre gut, wenn Sie noch etwas blieben«, sagte Perrin.

»Das ist absolut notwendig«, ergänzte Leboyer. Seine Stimme klang höflich, aber stählern.

»Wie lange?«, fragte Kristina.

»Bis morgen mindestens.«

»Bis morgen. Nicht länger.«

Die Polizisten gaben sich vorerst damit zufrieden.

»Ich muss sehen, dass ich jemanden finde, der das Türschloss repariert«, sagte Simon, »damit das Haus nicht offen stehen bleibt.«

Thérèse Perrin bot ihre Unterstützung an. »Ich helfe Ihnen gerne. Auch bei der Suche nach einer Unterkunft.«

Simon fragte sich, ob das echte Hilfsbereitschaft war. Oder eine Form der Kontrolle. Egal. Er konnte jede Art der Unterstützung im Augenblick gut brauchen.

Sie beschlossen, sich auf zwei Autos aufzuteilen, auf das von Simon und auf das Polizeiauto, und zunächst auf die

Wache zu fahren. Kristina würde ihren Wagen stehen lassen und am nächsten Tag abholen, wenn sie zum Flughafen aufbrach. Sie schien diesen Moment inbrünstig herbeizusehnen und kaum noch erwarten zu können.

Sämtliche Erwachsene um mich herum reagierten erst einmal ausgesprochen nervös, als sie herausfanden, dass Jérôme und ich ein Paar waren. Wohlweislich hatte ich es Éliane nicht sofort verkündet, aber natürlich bemerkte sie sehr schnell, dass ich viel seltener zu Hause war, abends immer später kam, wahrscheinlich auch ziemlich abwesend und manchmal zerstreut wirkte.

Irgendwann sprach sie mich darauf an. »Du wirkst verändert, Nathalie. Und wo treibst du dich eigentlich die ganze Zeit über herum?«

»Ich treibe mich nicht herum«, fauchte ich sie an.

Sie wirkte betroffen. »Ich habe das nicht abwertend gemeint. Aber ich muss wissen, wo du bist. Machst du eigentlich deine Schulaufgaben noch ordentlich? Du weißt, das Jugendamt …«

Ich wusste. Das Jugendamt schaute Éliane auf die Finger. Abgesehen davon, fühlte sie sich aber sicher auch verantwortlich für mich. Éliane war im Prinzip in Ordnung. Deshalb – und weil mir nichts anderes übrig blieb – schenkte ich ihr schließlich reinen Wein ein. Sie war ganz perplex. »Du und Jérôme? Du liebe Güte! Meinst du, er ist der Richtige für dich?«

Ich wusste, dass er der Mann meines Lebens war, aber ich wusste auch, dass ich auf eine derartige Aussage hin nur ein mildes Lächeln von ihr ernten würde. Kleines Mädchen, würde sie denken, was weißt du denn schon?

Klar, ich konnte nicht mit den großen Erfahrungen aufwarten. Aber ich wusste, wann ich meinen Gefühlen trauen durfte. Und stärker und intensiver waren sie nie zuvor gewesen.

»Natürlich ist er der Richtige«, sagte ich daher nur.

Éliane besprach sich mit ihrem Freund, der wiederum Jérômes Vater informierte. Die Folge war, dass wir uns plötzlich von besorgten Menschen geradezu umzingelt fühlten. Da ich bei Éliane wohnte und Jérôme noch bei seinem Vater, gab es wenige Orte, an denen wir uns ungestört treffen konnten. Cafés natürlich, Parks. Aber langsam hielt der Herbst Einzug, mit den Parks würde es zunehmend schwierig werden. Jérôme war genervt. Ich war siebzehn Jahre alt, aber alle gebärdeten sich, als hätte er eine Zwölfjährige aufgegabelt und schickte sich an, ihre kindliche Unschuld zu missbrauchen. Ich geriet langsam in Panik, weil ich fürchtete, er könne sich nach einer unkomplizierteren Gefährtin umsehen. Zum ersten Mal wünschte ich mich dringend in die hässliche Neubauwohnung und an die Seite meiner dauerbetrunkenen Mutter zurück. Meine Mutter hätte sich kein bisschen darum geschert, ob ich einen Freund hatte oder nicht, sie hätte es wahrscheinlich kaum mitbekommen.

Éliane versuchte, mein Verständnis für ihre Besorgnis zu wecken. »Du hast nun einmal psychische Probleme, Nathalie, und …«

»Ich habe keine psychischen Probleme!«

Sie blieb geduldig. »Nathalie, sei nicht albern. Du weißt, dass es psychische Gründe sind, die deiner Essstörung zugrunde liegen. Das besprichst du doch mit deiner Therapeutin.«

Meine Therapeutin hing mir so dermaßen zum Hals heraus, aber das erwähnte ich nicht, weil man sonst einen anderen Therapeuten für mich gesucht hätte, und alles wäre von vorne losgegangen.

»Ich esse doch wieder mehr«, sagte ich.

Das stimmte tatsächlich. Ich aß nicht berauschend viel und nach den sogenannten normalen Maßstäben sicher noch ziemlich wenig, aber ich spürte nicht mehr diesen furchtbaren

Widerstand gegen das Essen. Zumindest dann nicht, wenn ich mit Jérôme unterwegs war. Aufgrund der etwas komplizierten Umstände suchten wir häufiger als andere Paare Cafés, Restaurants oder Bars auf, und natürlich mussten wir dort auch immer etwas bestellen. Okay, in den Bars kamen wir mit Getränken davon. Aber Jérôme hatte einen gesegneten Appetit, und er bestellte reichlich Kuchen oder Pastagerichte oder was immer es dort, wo wir gerade Zuflucht vor dem Regen draußen suchten, zu essen gab. Ich bestellte dann ebenfalls eine Kleinigkeit, und meist aß ich sie auch auf. Es war irgendwie so unkompliziert, in Jérômes Gegenwart zu essen. Vielleicht auch deshalb, weil er mich, genau wie auf der Geburtstagsfeier, nie drängte. Es war einfach kein Thema für ihn. Er verspeiste fröhlich seine Portion, unterhielt sich dabei mit mir und achtete nicht darauf, ob ich ebenfalls aß oder nur herumstocherte. Letzteres tat ich natürlich noch manchmal, aber wenn mich dann der Kellner beim Abräumen bekümmert fragte: »Na, hat es denn nicht geschmeckt?«, dann antwortete Jérôme einfach mit »Nein«, und das war es. Éliane und ihr Anhang hatten sich in solchen Momenten immer für mich geschämt und hatten dem Kellner irgendwelche fadenscheinigen Erklärungen präsentiert, die ich fast jedes Mal als eine Herabsetzung meiner Person empfunden hatte. Mit Jérôme konnte ich essen oder auch nicht, für ihn war beides in Ordnung. Und genau dieser Umstand machte alles einfacher. Das Essen. Das Leben überhaupt.

Zum Glück kam ich auf die Idee, den Punkt mit dem Essen bei Éliane noch einmal zu betonen.

»Ich kann mit Jérôme zusammen besser essen.«

Der i-Punkt war dann, dass ich gleichzeitig eine Gewichtszunahme um zwei Kilo aufweisen konnte. Plötzlich war nicht mehr die Rede davon, dass Jérôme nicht gut für mich sei, eine Behauptung, für die ohnehin nie jemand einen Beleg hatte bringen können. Élianes Freund hatte nur einmal gesagt, er habe »sich umgehört« und dabei erfahren, dass Jérôme »kein unbeschriebenes Blatt« sei. Es habe schon etliche Frauengeschichten gegeben. Liebe Güte! Er war vierundzwanzig! Ich hätte es bedenklicher gefunden, wäre ich die erste Frau in seinem Leben gewesen.

Da Éliane noch immer darauf erpicht war, ihre Fähigkeiten als begnadete Pädagogin dem Jugendamt gegenüber unter Beweis zu stellen, geriet sie über die beiden zugelegten Kilos geradezu in Euphorie. Sie ließ mich wissen, dass ich die Beziehung fortsetzen konnte, aber bitte »vorsichtig« sein solle.

»Was meinst du mit vorsichtig?«, fragte ich angenervt.

Éliane druckste ein wenig herum. Letztlich kam heraus, dass sie ziemliche Angst hatte, ich könnte schwanger werden. Natürlich, einen fetteren Minuspunkt könnte sie sich beim Jugendamt kaum einhandeln.

Ich hatte zu diesem Zeitpunkt überhaupt noch nicht mit Jérôme geschlafen, aber ich sah ein, dass es Sinn machte, mir die Pille verschreiben zu lassen. Der Besuch bei der Gynäkologin war furchtbar, denn diese war ziemlich geschockt von meiner Magerkeit und wollte unbedingt ein tiefschürfendes Gespräch über meine familiäre Situation mit mir führen. Sie war ganz entsetzt, als sie von meinen Eltern erfuhr, aber ich versicherte ihr, sie brauche sich keine Sorgen zu machen, und berichtete von Jérôme.

»Das Beste an ihm ist«, sagte ich, »dass er mich einfach der Mensch sein lässt, der ich bin. Er bedrängt mich nicht dauernd, dass ich mich ändern soll. Zum Beispiel beim Essen.«

Sie blickte mich durchdringend an. »Sie empfinden das als Toleranz?«, fragte sie.

»Ich empfinde das als Liebe«, erwiderte ich.

»Sie kennen einander noch nicht lange«, meinte sie, »und Liebe ist ein großes Wort.«

Ich schaute durch sie hindurch. Sie konnte mich mal.

»Toleranz und Gleichgültigkeit können manchmal in einer engen Nachbarschaft zueinander leben«, fuhr sie fort, »und die Grenze ist unter Umständen sehr schwer zu erkennen.«

Was wusste sie schon?

Immerhin bekam ich das Rezept. Dadurch war nun auch Éliane beruhigt.

Das erste Mal schlief ich dann mit Jérôme in seinem Auto, auf dem zurückgekippten Beifahrersitz. Es war inzwischen Dezember geworden, das Wetter war schauderhaft, und wir verbrachten ziemlich viel Zeit im Auto. Wir parkten auf irgendwelchen Rastplätzen außerhalb der Stadt, oft am Rande der Autobahn. Wir hörten Musik und rauchten. Wir kauften uns riesige Futtertüten von McDonald's, und ich machte bei ihrem Verzehr gar nicht so schlecht mit. An diesem Tag hatten wir beide allerdings nicht genug Geld dabei, wir waren hungrig und ziemlich verfroren, und schließlich gingen uns auch noch die Zigaretten aus. Draußen waberte fast undurchdringlicher Nebel. Ab und zu bog ein anderes Auto auf den Rastplatz, der gleich hinter Nancy lag. Wir konnten nicht viel mehr von ihnen sehen als das durch den Nebel milchig und diffus scheinende Licht der Scheinwerfer. Unser Auto stand schon fast im Gebüsch, weil Jérôme Angst hatte, irgendjemand würde in uns hineinfahren, weil er uns zu spät sah – wenn überhaupt.

Wir hielten einander eng umschlungen, was nicht nur mit Liebe und Romantik, sondern auch mit der Kälte zu tun hatte und mit der Feuchtigkeit, die immer nachdrücklicher durch sämtliche Ritzen ins Innere des Autos kroch. Wir waren absichtlich bis hinter Nancy gefahren und hatten dabei die Heizung voll aufgedreht, in der Hoffnung, dass die Wärme eine Zeitlang anhalten würde, aber letztlich hatte es nicht allzu viel gebracht.

»Es ist so scheißkalt«, sagte Jérôme verärgert, »irgendwie macht das alles nicht mehr allzu viel Spaß. Und der Winter hat gerade erst angefangen.«

Ich merkte, dass sich sofort mein Herzschlag beschleunigte. Das war meine Angst, schon die ganze Zeit über: dass er die Geduld verlor. Dass ihm das alles zu mühsam, zu unbequem, zu kompliziert wurde. Schon auf der ganzen Hinfahrt hatte er gejammert, dass er das viele Benzin, das wir verbrauchten, bald nicht mehr würde bezahlen können.

»Wir könnten auch zu mir gehen«, sagte ich nun. »Éliane hat nichts mehr gegen dich.«

»Die ist total gegen mich«, behauptete Jérôme. »Das spüre ich auf Schritt und Tritt. Sie wirft uns im Moment keine Steine in den Weg, weil sie merkt, dass ich dir guttue, aber hast du mal die Blicke gesehen, mit denen sie mich anschaut?«

Das stimmte, Éliane betrachtete Jérôme nicht gerade mit Wohlwollen. Sie mochte ihn nicht. Sie hielt ihn für einen notorischen Herzensbrecher und fürchtete, er werde mir eines Tages sehr wehtun. Ich wusste, dass das nicht passieren konnte, weil wir einander gesucht und gefunden hatten und weil alle anderen Frauen zuvor in Jérômes Leben eben nicht für ihn vorgesehen gewesen waren. Einer Frau wie Éliane, die sich viel auf ihre Lebenserfahrung einbildete – meiner Ansicht nach aber nicht allzu viel davon besaß –, war das jedoch kaum zu vermitteln. Ich vermutete nach wie vor, dass sie irgendwann einmal etwas mit meinem Vater gehabt hatte, was bedeutete, sie hatte sich selbst in genau die Situation gebracht, vor der sie mich nun ständig warnte: Nur eine von unzähligen Eroberungen eines unbelehrbaren Casanovas gewesen zu sein. Vielleicht hatte sie aus dieser Erfahrung ein Trauma davongetragen. Und nun konnte sie sich nicht vorstellen, dass andere Menschen einen besseren Instinkt hatten als sie.

»Aber sie sagt nichts«, erwiderte ich nun auf Jérômes Frage.

»Na und? Wenn Blicke töten könnten ... Ich fühle mich jedenfalls bei euch im Haus nicht wohl. Absolut nicht. Und mein Vater – na ja, den kann man sowieso vergessen.«

Auch ich konnte Jérômes Vater nicht leiden. Er regte sich furchtbar auf, weil sein Sohn weder ein Studium noch sonst irgendeine Ausbildung anstrebte und sich mit Gelegenheitsarbeiten durchschlug. Ständig hielt er ihm deswegen langatmige Vorträge, auch in meiner Gegenwart, was sowohl für Jérôme als auch für mich ziemlich peinlich war. Unverhohlen prophezeite er ihm ein »schlimmes Ende«. Man hätte darüber lachen können, wäre es nicht so nervig gewesen. Intellektuell steckte Jérôme seinen Vater dreimal in die Tasche. Was der Alte nur nicht kapierte, weil er über seine eigene Nasenspitze nicht hinausschauen konnte.

»Ich überlege, nach Paris zu gehen«, sagte Jérôme.

Paris hatte er schon bei unserer ersten Begegnung erwähnt, aber ich hatte gehofft, dieser Plan habe sich erledigt. Was uns und unsere Beziehung anging, hätte er dann auch gleich ans andere Ende der Welt ziehen können.

»Jérôme!«, sagte ich entsetzt.

»Wann wirst du achtzehn?«, fragte er.

»Im April.«

»Dann könntest du mitkommen.«

»Ich bin dann aber noch nicht mit der Schule fertig.«

Er warf mir einen Blick zu, der mir sagte, dass er diese Antwort dumm fand, und wenn ich es genau überlegte, war ich ganz seiner Meinung. Éliane und die Weiber vom Jugendamt konnten gar nicht genug betonen, wie wichtig das Abitur für mich war; wenn man ihnen zuhörte, bekam man den Eindruck, dass mein weiteres Leben damit stand oder fiel. Ich aber dachte nun: Leben. Das ist es. Und den Moment ergreifen. Nicht einen Punkt nach dem anderen abhaken, so, wie es von einem verlangt wird, und am Ende feststellen, dass man nicht gelebt hat.

»Egal«, sagte ich. »Klar könnte ich mitkommen.«

»Kurierfahrer werden dort händeringend gesucht«, sagte Jérôme. »Ich könnte ziemlich viel Geld verdienen.«

Zu diesem Zeitpunkt wusste ich noch nicht, dass Jérôme dazu neigte, Behauptungen aufzustellen, deren Richtigkeit er zuvor nicht wirklich gründlich geprüft hatte. Ich habe wirklich nie den lieben Gott in ihm gesehen, und das hier war definitiv eine Schwäche von ihm. Wahrscheinlich hatte ihm irgendjemand das mit den Kurierfahrern erzählt, und nun war es für ihn eine sichere Sache. In Paris sollte sich dann herausstellen, dass man keineswegs händeringend auf ihn gewartet hatte. Aber gut. Wer von uns ist schon ohne Fehler?

»Ich gehe, wohin du gehst«, sagte ich.

Er schaute mich an, und auf einmal war sehr viel Zärtlichkeit in seinen Augen.

»Ich weiß«, sagte er leise.

Ich wusste es plötzlich. Ich wusste, dass es jetzt gleich passieren würde. Obwohl wir gerade eben noch fast gestritten hätten. Obwohl Jérôme den ganzen Tag über schlechte Laune gehabt hatte. Auf einmal war ein Schalter umgelegt.

»Ich liebe dich«, flüsterte er.

»Ich liebe dich auch.«

Liebe ist ein großes Wort, hatte die blöde Ärztin gesagt. Damit hatte sie recht. Ein großes Wort, ein großer Begriff, ein riesengroßes Gefühl. Ich weiß auch, dass viele leichtfertig damit umgehen. »Ich liebe dich«, ist so schnell gesagt, und manchmal steckt vielleicht nicht mehr als Sympathie dahinter oder Freundschaft oder eine Leidenschaft, die sich ausschließlich auf körperliche Anziehungskraft richtet. So war es bei mir nicht. Ich sagte ihm, dass ich ihn liebe aus meiner tiefsten Seele und meinem ganzen Herzen heraus. Ich wusste, dass unsere Liebe etwas Besonderes war, weil sie sich in mir mit dem Gefühl der Hoffnung verband. Meine Hoffnung auf ein schönes Leben war in all den Jahren, seit mein Vater uns verlassen hatte und meine Mutter in eine Welt entschwunden war, in die ich ihr nicht folgen konnte, immer kleiner und schwächer geworden; manchmal schien sie mir wie zerschlagen, und oft hatte ich gedacht, sie werde sich nie wieder zusammensetzen lassen … Seit Jérôme in meinem Leben war, hatte ich eine wichtige Entdeckung gemacht: In ihrem Kern verfügt die Hoffnung über eine unzerstörbare Kraft, und ganz gleich, wie gründlich sie vernichtet wird, sie erhebt sich wieder und wieder, sie ist wie ein ganz kleiner Funke, der nur ein wenig Wind benötigt, schon züngelt eine Flamme nach oben. Vielleicht klingt das banal, aber für mich war das eine unglaubliche Erfahrung. Mein Leben konnte immer noch schön werden. Glücklich. Strahlend. Es barg Möglichkeiten, Chancen, unerwartete und wunderbare Wendungen.

Es fühlte sich völlig natürlich an, mit Jérôme zu schlafen. Der Autositz war nicht gerade bequem, und es war nach wie vor eisig kalt im Auto, aber das spielte keine Rolle. Wichtig war, dass wir zusammen waren und dass ich das Gefühl hatte, wir vereinigten uns für immer miteinander.

Nichts und niemand konnte uns je wieder voneinander trennen. Es war der beste Tag meines bisherigen Lebens.

Von jetzt an führte mein Weg ins Licht.

SOFIA, BULGARIEN, MITTWOCH, 16. DEZEMBER

Nach einer von alptraumhaften Bildern und entsetzlichen Ängsten begleiteten schlaflosen Nacht beschloss Kiril an diesem Mittwochmorgen, zur Polizei zu gehen und um Hilfe zu bitten. Nachdem er gehört hatte, was mit Selina geschehen war, konnte er sich beim allerbesten Willen nicht mehr einreden, dass mit Ninka alles in Ordnung war. Natürlich bestand noch die ganz schwache Hoffnung, dass Selina ein Einzelschicksal war, dass bei ihr irgendetwas schiefgelaufen war, dass sie sich erst dort, in Paris – warum Paris? – mit den falschen Leuten eingelassen hatte, aber die Wahrscheinlichkeit war gering.

So gering, dass irgendetwas nun geschehen musste.

Ivana hatte am Vortag natürlich gefragt, was denn sein Besuch bei Dano ergeben habe, aber Kiril, selbst noch völlig verstört, hatte ihr nicht sofort reinen Wein einschenken wollen und war daher vage geblieben. »Er wusste auch nichts Genaues. Er meint aber, dass alles in Ordnung ist.«

An diesem Morgen nun überlegte Kiril, ob er auch seinen Gang zur Polizei vor Ivana geheim halten sollte, aber dann fürchtete er, dass die Polizei vielleicht auch mit ihr würde sprechen wollen, und es würde dann seltsam aussehen, wenn er sie vorher beschwindelt hatte. Also sagte er ihr beim Frühstück, was er vorhatte.

Wie zu erwarten gewesen war, erstarrte Ivana vor Entsetzen.

»Du hast irgendwelche neuen Informationen«, sagte sie sofort. »Die du mir nicht erzählen willst.«

Kiril fragte sich, wie weit alles ans Tageslicht kommen würde, wenn erst die Polizei im Spiel wäre. »Ich habe wirklich nichts über Ninka erfahren«, meinte er ausweichend. »Nur …« Er holte tief Luft. »Eine junge Frau, die ebenfalls von Vjara angeworben wurde, ist zurückgekommen. Bei ihr ist irgendetwas schiefgelaufen …«

»Was ist genau schiefgelaufen?«

»Sie ist an die falschen Menschen geraten. So etwas kann schließlich passieren.«

»Was meinst du mit *falsche Menschen*?«

»Sie haben sie ausgenutzt.«

Das Ende von Kirils Herumgestottere, von dem Ivana natürlich merkte, dass sie bestimmte Dinge nicht erfahren sollte, war, dass sie sich nicht mehr davon abbringen ließ, Kiril zur Polizei zu begleiten. Die Kinder waren in der Schule, die jüngste Tochter wurde bei Frau Dimitrova im zweiten Stock abgegeben.

Dann gingen Kiril und Ivana zur Polizei.

Sie mussten ziemlich lange warten, ehe sich ein Beamter fand, der Zeit hatte, ihre Geschichte aufzunehmen. Schon nach Kirils ersten Sätzen fragte er nach Vjaras Nachnamen.

»Den kennen wir leider nicht«, musste Kiril einräumen.

»Sie geben Ihre Tochter einer Frau mit, die Ihnen nicht einmal ihren Nachnamen genannt hat?«, fragte der Beamte ungläubig. »Sie hat sich also nicht ausgewiesen oder Ihnen zumindest eine Visitenkarte gegeben?«

Kiril konnte das selbst nicht mehr verstehen. Warum bloß hatten sie damals – zwei Wochen war es ja erst her – nicht viel genauer nachgefragt? Konkrete Auskünfte verlangt, Papiere sehen wollen. Kontaktadressen angefordert, an die man sich im Notfall hätte wenden können?

Sein einziger Trost bestand darin, dass Vjara, wenn sie tatsächlich nicht die war, als die sie sich ausgegeben hatte, sie wahrscheinlich auch und gerade dann in jedem Punkt belogen hätte, wenn sie selbst wesentlich eindringlicher und fordernder gewesen wären. Falscher Name, falsche Papiere, falsche Adressen, falsche Telefonnummern. Kiril bezweifelte, dass sie jetzt wirklich besser dastehen würden, wenn sie weniger leichtgläubig gewesen wären.

»Wir waren in einer absolut verzweifelten Situation«, sagte Ivana. »Und wir dachten, wir könnten wenigstens einem unserer Kinder eine bessere Zukunft ermöglichen.«

Der Beamte seufzte. Kiril dachte, dass er doch wissen musste, wie die Lage für viele Menschen in Bulgarien war. Natürlich, auch dieses Land befand sich in einem Aufschwung, aber bislang bedeutete das im Grunde nur, dass es einigen wenigen recht gut ging, während die Lebenshaltungskosten für alle wesentlich teurer geworden waren. Für diejenigen, an denen die positiven Auswirkungen des EU-Beitritts vorübergegangen waren, hieß das, dass ihr täglicher Kampf nur schwerer geworden war.

»Also *Vjara*«, sagte der Beamte, notierte den Namen auf einem Papier und unterstrich ihn sorgfältig. »Das ist alles, was wir haben. Das ist nicht viel. Wohin sollte Ihre Tochter gebracht werden?«

»Nach Rom zunächst. Dort ist der Hauptsitz der Modelagentur, die diese Vjara angeblich leitet.«

»Von der Agentur haben Sie auch keine Adresse?«

Kiril blickte zu Boden. Er stand da wie der letzte Idiot. »Wir waren vollkommen am Ende«, sagte er leise. »Im Rückstand mit der Miete, jeden Tag konnte die Kündigung kommen. Die Heizung hatten sie uns schon abgestellt. Wir waren drauf und dran, mit fünf Kindern auf die Straße gesetzt zu werden. Ich suchte seit Monaten verzweifelt nach Arbeit, erfolglos. Es war… ja, es war ein ausweglose Desaster.«

»Man hat Ihnen also Geld für Ihre Tochter angeboten?«, folgerte der Beamte vorsichtig.

»Ja«, flüsterte Kiril.

Er schaute nicht auf, aber er konnte das Kopfschütteln seines Gegenübers förmlich spüren.

Ivana war tapferer. Sie blickte dem Beamten in dessen selbstgerechte Miene. »Das Geld hat uns aus einer schlimmen Notlage geholfen«, sagte sie. »Aber es war nicht der Hauptgrund zu tun, was wir getan haben. Wir wollten ein besseres Leben für unsere Tochter. Man sagte uns, sie könnte mit ihrem Aussehen als Fotomodell viel Geld verdienen. Eine große Karriere machen.« Die Tränen traten ihr in die Augen. »Davon habe ich geträumt. Dass sie nicht irgendwann einmal in demselben Elend lebt wie wir. Mit diesen ständigen Sorgen. Dass sie die Chancen bekommt, die wir nie hatten.«

Der Gesichtsausdruck des Polizisten wurde weicher. »Ich verstehe«, sagte er. »Nur – wie konnten Sie derart vertrauensselig sein?«

»Weil wir keine andere Wahl hatten«, sagte Ivana.

»Wir haben keinen Namen und keine Adresse in Rom«, sagte der Beamte. »Wir haben keinen Namen und keine Adresse hier in Bulgarien. Ich muss Ihnen ehrlich sagen, dass ich kaum Ansatzpunkte für eine Ermittlung sehe. Zumal es ja bisher keinen Hinweis gibt, dass Ihrer Tochter etwas zugestoßen ist.«

»Sie hätte sich längst bei uns gemeldet, wenn ihr *nichts* zugestoßen wäre«, sagte Ivana.

»Ja, aber das ist für uns kein ausreichender Grund, nun

nach ihr zu suchen. Verstehen Sie, es liegt ja nichts vor. Ihre Tochter ist nicht entführt und verschleppt worden, sondern sie ist freiwillig und mit dem vollen Einverständnis ihrer Eltern ins Ausland gereist, um dort als Fotomodell zu arbeiten. Das ist zunächst einmal genau das, was geschehen ist, und das ist nichts, was einen Polizeieinsatz verlangen würde.«

»Ich habe Ihr Gesicht genau beobachtet, als wir Ihnen die ganze Geschichte erzählt haben«, sagte Ivana. »Und ich konnte sehen, dass Sie ganz genau wissen, dass irgendetwas an dieser ganzen Geschichte nicht stimmt.«

»Irrtum. Ich *weiß* das überhaupt nicht. Ich *vermute*, dass alles, was diese Vjara Ihnen erzählt hat, vorgeschoben war, aber ich habe keinerlei Beweise dafür. Was hat denn Ihren Verdacht so plötzlich geweckt? Wirklich nur die Tatsache, dass Ihre Tochter sich nicht meldet?«

»Ja«, sagte Ivana. »Ninka hatte es mir fest versprochen. Und sie ist immer absolut zuverlässig gewesen.«

Es half nichts. Kiril musste nun auch noch mit ein paar weiteren unangenehmen Wahrheiten herausrücken.

Ohne Ivana dabei anzusehen, berichtete er von seinem Treffen mit Dano, der ihn zu Gregor und dessen Frau weitergeschickt hatte. Er berichtete von Selina, die in einer Diskothek von einem Mann namens Mihajlo angesprochen worden war und über ihn die Bekanntschaft von Vjara gemacht hatte. Ihren Versprechungen folgend Sofia verlassen hatte, jetzt jedoch völlig traumatisiert zurückgekehrt war. Er erzählte, dass er die Familie mitten in einem hastigen, ganz offenkundig von Furcht und Schrecken bestimmten Aufbruch angetroffen hatte. Dass sie tief verstört gewesen waren, ihn kaum hatten einlassen, geschweige denn mit ihm sprechen wollen. Dass Selina ihre Familie angefleht habe, sich mit ihr gemeinsam zu verstecken.

»Vor wem versteckt sich diese Selina denn?«, wollte der Polizist wissen, als Kiril eine Pause machte, um Luft zu holen.

»Vor den Menschen, vor denen sie geflohen ist. Sie hat Todesangst. Und ihre Familie inzwischen auch.«

»Oh Gott, Kiril«, hauchte Ivana. Er warf ihr einen kurzen Blick zu. Sie war kalkweiß im Gesicht.

»Was wurde Selina angetan?«

Kiril schluckte. »Prostitution.« Er sagte es so leise, dass man das schreckliche Wort kaum verstehen konnte. »Sie haben versucht, sie zur Prostitution zu zwingen. In Paris übrigens, nicht in Rom. Sie konnte entkommen.«

»Prostitution?«, fragte Ivana mit schriller, entsetzter Stimme.

»Ich verstehe«, sagte der Polizist. Er sah müde aus. Und mitleidig. Und hilflos. »Das alte Lied. Man hört immer wieder davon. Es kursieren so viele Berichte. Man hat den Eindruck, jeder weiß Bescheid. Und trotzdem finden diese Typen immer wieder Menschen, die ihnen vertrauen. Ich kann es mir nicht erklären, ich kann es nicht nachvollziehen. Aber es ist so.«

»Diese Typen«, wiederholte Ivana seinen Ausdruck. »Wer sind *diese Typen*?«

»Menschenhändler. Gewissenlose, skrupellose Menschenhändler. Sie machen Millionen mit diesem Geschäft. Ihre Waren finden sie vor allem bei uns, in den ehemaligen Ostblockländern. Junge Frauen und Mädchen, die den verlockenden Versprechungen eines besseren Lebens erliegen. Eltern, die glauben, dass sie ihre Töchter in ein besseres Leben voller Chancen schicken. Sie haben übrigens noch Glück, Ihre Tochter ist schon siebzehn. Diese Leute nehmen auch gerne Kinder, richtig kleine Kinder. Die finden reißenden Absatz in den entsprechenden Kreisen.«

Kiril rang um Atem. »Und die Polizei tut nichts?«, fragte er fassungslos.

Der Beamte hob beide Arme. »Die Polizei tut nichts, weil Anzeigen wie Ihre selten sind. Und wenn sie erfolgen, hält man jedes Mal ungefähr die gleiche Menge an relevanten Angaben in den Händen wie jetzt – nämlich praktisch keine.« Er schob seinen Stuhl zurück und stand auf. »Kommen Sie. Sie sollten unsere Verbrecherkartei durchsehen. Vielleicht entdecken Sie diese Vjara. Ich glaube es nicht, aber es ist einen Versuch wert.«

Etwa 45 Minuten später hatten sich Kiril und Ivana durch eine Unmenge von Gesichtern geklickt, und das der Frau, die sich Vjara nannte, war nicht dabei. Vor Enttäuschung waren sie beide den Tränen nahe, während der Beamte keinerlei Überraschung zeigte.

»Wie gesagt, es hätte mich gewundert«, erklärte er. »Die Drahtzieher in diesen Organisationen sind raffiniert und mit allen Wassern gewaschen. Die würden hier vor Ort nicht jemanden zu den Familien schicken, der bereits polizeilich erfasst ist. Alleine die Transportketten, die sie in den Westen aufbauen: wechselnde Transportfirmen, wechselnde Fahrer. Sowohl die Personen als auch ihre Routen sind kaum zu verfolgen.«

»Das alles findet ständig statt?«, fragte Kiril mit großen Augen.

Der Beamte nickte. »Es hat einen internationalen Begriff. *Human Trafficking*. Menschenhandel. Er passiert überall auf der Welt. Ganze Ströme von Menschen werden von Land zu Land, von Kontinent zu Kontinent geschoben, und fast immer stehen dahinter Organisationen, die ein Vermögen verdienen. Das Infame ist, dass die Ausgangslage immer Not und Elend der Menschen ist – Hunger, materielle Sorgen, Krieg, politische Verfolgung. Das macht sie zur Beute. So, wie es auch im Fall Ihrer Tochter geschehen ist.«

»Was können wir denn jetzt tun?«, fragte Ivana.

Dem Polizisten war anzusehen, dass sie ihm leidtat – vor allem deshalb, weil er ihr so wenig anbieten und versprechen, so wenig Hoffnung machen konnte.

»Eine Möglichkeit wäre sicherlich diese Selina«, meinte er. »Sie könnte vielleicht nähere Auskunft darüber geben, wer die Leute sind, mit denen sie es zu tun hatte. Wo genau sie festgehalten wurde. Sie könnte Anzeige gegen Unbekannt erstatten. Dann hätte ich etwas in der Hand, das eine Ermittlung rechtfertigen würde.«

Kiril stöhnte auf. »Ich stand bei der Familie in der Wohnung. Und habe sie einfach so abhauen lassen. Ich bin so dumm!«

»Wie hätten Sie sie denn an der Abreise hindern sollen? Das wäre Ihnen doch gar nicht möglich gewesen.«

»Du musst noch einmal zu Dano gehen«, sagte Ivana. »Vielleicht hat er eine Idee, wo sie sich versteckt halten könnten.«

»Kann die Polizei nicht nach ihnen suchen?«, fragte Kiril, aber der Polizist schüttelte den Kopf. »Es tut mir leid, aber dafür fehlt jede Voraussetzung. Die junge Frau hat sich nicht bei uns gemeldet, es liegt keine Anzeige vor. Letztlich geht es um eine Familie, die mit unbekanntem Ziel verreist ist. Das ist kein Grund, sie von der Polizei suchen zu lassen.«

»Letztlich geht es um unsere Tochter!«, schrie Kiril.

Ivana legte ihm beschwichtigend die Hand auf den Arm. Es brachte nichts, laut zu werden. Es brachte vor allem nichts, die Nerven zu verlieren. Sie mussten jetzt einen kühlen Kopf bewahren und ihre Kräfte zusammenhalten.

Sie verließen die Polizeiwache, nachdem sie offiziell eine

Vermisstenanzeige erstattet hatten – wissend, dass Ninka damit nun zwar als vermisst galt, dass aber die Polizei praktisch keinen Ansatzpunkt hatte, eine Suche zu beginnen. Kirils Schritte waren schleppend und mühsam wie die eines ganz alten Mannes. Bis zu diesem Moment war er der Stärkere gewesen, er hatte noch Energie und Tatkraft gezeigt, während Ivana immer mehr zu einer leblosen Hülle geworden war, die nur noch mit äußerster Anstrengung und dennoch immer weniger im Alltag zu funktionieren versuchte. Plötzlich hatten sie die Rollen getauscht. Kiril brach zusammen, während Ivana von neuen Kräften durchflutet wurde.

Sie stand im düsteren Licht dieses grauen Dezembertages auf der Straße und reckte den Kopf.

»Wir werden jetzt Selina suchen und finden«, erklärte sie.

LES LECQUES, FRANKREICH, MITTWOCH, 16. DEZEMBER

Die Wohnung lag über einem Eissalon, der um diese Jahreszeit geschlossen hatte, und in unmittelbarer Nähe des Strands, getrennt nur von der schmalen Promenade. Sie war feucht und kalt und ganz sicher seit dem vergangenen Sommer nicht mehr bewohnt worden. Es gab ein Wohnzimmer mit eingebauter Küchenecke und zwei Schlafzimmer.

Kristina hatte sofort erklärt: »Ich schlafe nicht mit dir in einem Zimmer, Simon. Vergiss es.«

Er hatte gar nicht damit gerechnet, insofern musste er auch nichts vergessen. Kristinas Abneigung gegen ihn war so sehr mit den Händen zu greifen, dass nur ein völliger Idiot eine Chance auf eine Wiederherstellung der alten Beziehung hätte erhoffen können. Die Sache war aus und vorbei.

»Du und Nathalie bekommt jede ein Zimmer«, sagte er. »Und ich nehme das Sofa im Wohnzimmer. Es ist ja nur für eine Nacht.«

Nachdem sie auf der Polizeiwache das Protokoll ihrer Aussagen unterschrieben hatten, hatte Simon einen Schlosser organisiert. Noch bevor sie aufgebrochen waren, hatte er das Haus in Cadière, so weit es ging, gesichert, indem er alle Fensterläden schloss und verriegelte. Er glaubte allerdings nicht, dass es einen erneuten Einbruch geben würde. Diejenigen, die dort alles auf den Kopf gestellt hatten, waren nicht hinter materiellen Gütern her gewesen.

Thierry Leboyer hatte ihnen das Apartment beschafft. Es war nicht so einfach gewesen, etwas zu finden, da die meisten Vermietungsbüros geschlossen hatten und auch telefonisch nicht erreichbar waren. Über einen Freund von Leboyer, der um ein paar Ecken den Vermieter des Hauses mit dem Eissalon darin kannte, hatten sie hier schließlich eine Bleibe gefunden. Kristina hatte erklärt, lieber in ein Hotel gehen zu wollen, aber Leboyer hatte sie ziemlich scharf darauf hingewiesen, dass sie sich nun, angesichts der mehr als abenteuerlich anmutenden Geschichte, die Simon präsentiert hatte, kooperativ verhalten und der Polizei die Arbeit nicht erschweren durfte.

»Ein Hotel ist zu unsicher. *Wenn* – ich betone: *wenn* – an all dem etwas dran ist, klappern die ominösen Verfolger von Nathalie Boudin wahrscheinlich auch die Hotels der Umgebung ab. Eine überschaubare Anzahl übrigens, denn allzu viele haben im Moment gar nicht geöffnet. Sie hier in diesem Apartment aufzustöbern dürfte schwieriger sein.«

Leboyer hatte ihnen sodann eingeschärft, die Wohnung nicht zu verlassen. »Wir werden den Fall an die Gendarmerie weitergeben. Die Kollegen werden ein paar Dingen auf den Grund gehen. Der Vorfall in Lyon wird überprüft. Man wird das Apartment am Boulevard de la Plage genau ansehen. So lange halten Sie sich hier zur Verfügung.«

Nathalie hatte sich sofort in ihrem Schlafzimmer verkrochen und rührte sich nicht mehr. Auf dem Weg in die Unterkunft hatte sie in einer billigen Boutique Wäsche und Strümpfe zum Wechseln gekauft, die Simon für sie bezahlte, und danach hatten sie alle sich im Supermarkt mit ein paar Vorräten versorgt.

Simon kochte nun einen Tee, und Kristina öffnete eine

Packung mit Keksen. Draußen ging der Tag bereits in die erste Dämmerung über. Der Himmel über dem Meer, der von einem hellen Blau gewesen war, färbte sich dunkler, der Wind jagte ein paar schwarze Wolkenfetzen von Westen nach Osten. Trotz der geschlossenen Fenster konnten sie das Meer rauschen hören. Sie hatten die elektrische Heizung eingeschaltet, aber es wurde dennoch nicht richtig warm. Dafür roch es intensiv nach staubbedeckten Heizkörpern.

Kristina trank ihren Tee und aß einen Keks, aber sie setzte sich dazu nicht hin, sondern ging die ganze Zeit über auf und ab. Simon konnte spüren, wie heftig sie sich selbst innerlich anklagte: Für ihren spontanen Entschluss, nach Südfrankreich zu fliegen und ihrer Beziehung zu Simon eine letzte Chance zu geben.

»Du hast keinen Fehler gemacht«, sagte er. »Mit einer Geschichte wie dieser konntest du nicht rechnen.«

»Ich konnte damit rechnen, dass du dich nicht ändern würdest. Es war blöd von mir zu denken, alles könnte auf einmal anders sein.«

»Lass uns das hier durchstehen. Danach ...«

»Es gibt kein Danach. Mir ist klar geworden, dass ich mit dir nur immer wieder von Neuem in frustrierenden Situationen landen werde. Letztlich spielt es ja keine Rolle, ob deine Kinder der Auslöser sind oder deine Exfrau oder irgendein Mädchen, das du aufgelesen hast.«

»Du kannst die Kinder und Maya doch nicht in einem Atemzug mit Nathalie nennen. Das sind zwei völlig unterschiedliche Angelegenheiten. Was dich an meinem Umgang mit den Kindern stört, ist mir völlig klar. Ich habe da große Fehler gemacht. Aber was mir mit Nathalie passiert ist ... Da beurteilst du mich nicht fair. Der einzige Moment, an dem ich diese ganze Geschichte hätte vermeiden können, war der allererste. Als ich den Strand entlang durch den Regen lief und mich idiotischerweise in eine Situation eingemischt habe, die mich nichts anging. Es war die falsche Entscheidung, im Bruchteil von Sekunden getroffen, und sie führte dann von einer Katastrophe zur nächsten, ohne dass ich die Chance für einen Absprung sah.«

Kristina zuckte mit den Schultern. »Im Grunde ist das jetzt ja auch völlig egal.«

»Mir ist es nicht egal«, sagte Simon.

»Aber mir«, sagte Kristina.

Nathalie kam aus dem Nebenzimmer. Sie hatte verweinte Augen. »Kann ich dein Handy noch mal haben, Simon? Ich möchte schauen, ob Jérôme geantwortet hat.«

Kristina seufzte betont laut und wandte sich ab, als Simon Nathalie sein Smartphone reichte.

Nathalie verschwand wieder in ihrem Zimmer.

»Ich kann sie wirklich nicht mehr sehen«, sagte Kristina gereizt.

»Sie tut dir doch gar nichts«, meinte Simon beschwichtigend.

»Sie hat so etwas an sich«, sagte Kristina, »ich weiß auch nicht … diese Magerkeit. Die riesigen Augen. Dieses … Hilfsbedürftige, das sie ausstrahlt. Ich mag sie einfach nicht.«

»Nicht so laut. Sie kann ziemlich gut Deutsch.«

»Sie darf ruhig wissen, was ich von ihr denke.«

»Du kennst sie doch gar nicht genug, um sie zu beurteilen.«

»Glaubst du, dass du entscheidest, wen ich wie beurteile?«, fauchte Kristina.

Er wich einen Schritt zurück. Kristina wurde mit jeder Sekunde gereizter.

»Lass uns irgendwie bis morgen gemeinsam durchhalten«, sagte er. »Ohne die ganze Zeit über zu streiten.«

»Ja, Streit hältst du nicht aus, stimmt's? Es könnte ja sein, dass irgendjemand dich nicht mehr liebhat. Und das wäre das Schlimmste für dich. Weißt du, was mich so wundert, Simon? Wie du mir erzählt hast, hat dein Vater dir praktisch deine gesamte Kindheit und Jugend hindurch erklärt, dass er dich für ein Riesenweichei hält, und du hast schrecklich darunter gelitten. Aber nun verbringst du dein Erwachsenenleben damit, deinen Vater immer wieder zu bestätigen. Alles, was er dir voller Wut an den Kopf geworfen hat, manifestierst du. Kommst du dir dabei nicht absolut dämlich vor?«

Er konnte spüren, dass er blass wurde.

»Warum tust du das, Kristina? Alles, was du hier gerade aufführst, dient nur dazu, mich zu verletzen und zu demütigen. Weshalb?«

»Vielleicht möchte ich, dass du dich endlich einmal wehrst!«

»Und wie?«

»Das musst du doch wissen. Soll ich dir ein Drehbuch schreiben, am besten für jede denkbare Alltagssituation, damit du weißt, wie man sich normal verhält? Vor allem, wenn man angegriffen und provoziert wird?«

»Vielleicht wäre das nicht schlecht«, sagte Simon. »Wahrscheinlich bist du mir darin überlegen. Was wäre denn dein Rat für diese Situation?«

»Was würdest du denn gerne tun?«, fragte Kristina zurück.

Er zuckte die Schultern. Er fand das alles absurd. »Keine Ahnung.«

»Das gibt es nicht. Man hat immer eine Vorstellung davon, was man gerne tun würde. Manchmal ist sie nur völlig verschüttet, weil man schon das ganze Leben lang daran gearbeitet hat, die Kontrolle zu bewahren, um auf gar keinen

Fall irgendetwas zu tun oder zu sagen, das einen unbeliebt machen könnte. Aber tief innen, ganz tief innen weißt du es ganz genau.«

»Nein.«

Sie sah ihn herausfordernd an. »Doch. Was möchtest du tun? Mich ohrfeigen?«

Er schüttelte den Kopf. »Tut mir leid, nein. Vielleicht hättest du dann mehr Achtung vor mir. Aber tatsächlich möchte ich …«

»Was?«

»Ich möchte dich am liebsten in die Arme nehmen und dich bitten, uns noch eine Chance zu geben«, sagte Simon.

Sie starrte ihn an. Er starrte zurück, und ein oder zwei Minuten lang sagte keiner von ihnen ein Wort.

Bitte, dachte Simon, bitte. Nimm es an. Nimm mein Angebot an.

Mit einer so heftigen Bewegung, dass der Tee überschwappte, setzte Kristina ihren Becher auf dem billigen Plastiktisch in der Mitte des Zimmers ab.

»Ich gehe«, sagte sie. »Ich halte es mit dir einfach nicht mehr aus, Simon.«

Um ein Haar hätte er gefragt: *Was war denn jetzt so falsch an meinen Worten?* Aber er schluckte den Satz hinunter. Er merkte selbst, dass er wie jemand geklungen hätte, der um Gnade winselt.

Nathalie kam ins Zimmer und legte das Handy auf das Sofa. »Nichts von Jérôme. Ich habe keine Ahnung, wo er steckt. Er ist wie vom Erdboden verschluckt.«

»Das ist sicher ein gutes Zeichen«, meinte Simon, aber er sagte das nur zum Trost und spürte gleichzeitig, dass Nathalie ihn durchschaute. Denn was sollte daran ein gutes Zeichen sein?

Kristina kontrollierte gerade den Inhalt ihrer Handtasche

und zog dann ihren Mantel an, den sie zuvor über einen Sessel geworfen hatte. »Ich gehe.«

»Wohin denn? Jetzt um diese Zeit?«

»Ich fahre nach Marseille. Ich will nach Hause.«

»Meinst du, du bekommst jetzt einen Flug nach Hamburg?«, fragte Simon.

»Wenn nicht, dann vielleicht einen nach Frankfurt. Und dann sehe ich weiter. Hauptsache, ich bin hier weg. Raus aus dieser ganzen verdammten Geschichte.«

Er hörte das Unausgesprochene: *Raus auch aus der Geschichte mit dir.*

»Die Polizei hat doch ausdrücklich gebeten, dass wir …«, setzte er an, aber Kristina fuhr herum wie eine giftige Schlange, die eine Beute wittert.

»Im Unterschied zu dir lasse ich mir keine Vorschriften machen, Simon. Von niemandem. Schon überhaupt nicht von irgendwelchen Polizisten, die mich gegen meinen Willen in einem Land festhalten, in das ich niemals hätte kommen sollen. Ich mache, was ich will, und ich will jetzt nach Hause!«

»Jetzt sei doch vernünftig. Du hast deinen Mietwagen gar nicht hier. Du musst ihn aber zurückgeben. Warte bis morgen, dann …«

»Ich nehme ein Taxi. Fahre damit nach Cadière und steige dort in den Mietwagen um. Mach dir keine Sorgen. Ich komme zum Flughafen. Ich komme nach Deutschland.«

Er begriff, dass sie sich nicht würde aufhalten lassen. »Komm. Ich fahre dich nach Cadière.«

»Nein. Ich will das nicht. Ich nehme ein Taxi. Ich habe so dermaßen die Schnauze voll von allem. Und von dir!« Schon war sie zur Wohnung hinaus. Die Tür fiel krachend hinter ihr zu.

Nathalie erstarrte. »Was hat sie denn?«

Er stand mitten im Zimmer und fragte sich, ob er seine persönliche Situation eigentlich noch weiter verschlimmern konnte. Nein, entschied er. Das ist der Tiefpunkt.

»Geht sie wegen mir?«, fragte Nathalie.

Er schüttelte den Kopf. »Nein. Mach dir keine Gedanken. Du bist der Auslöser, aber letzten Endes geht sie meinetwegen. Wir passen einfach nicht zueinander.«

»Es tut mir so leid«, sagte Nathalie. Sie brach erneut in Tränen aus.

Er hatte keine Lust, sie zu trösten. Er hatte zu gar nichts mehr Lust. Er wollte einfach nur alleine sein. Er ging in das zweite, nun frei gewordene Schlafzimmer hinüber und schlug die Tür hinter sich genauso laut zu, wie Kristina es zuvor getan hatte.

Und das zumindest verschaffte ihm ein wenig Befriedigung.

MARIGNANE, FRANKREICH, MITTWOCH, 16. DEZEMBER

Sie hatte sich mit dem Taxi nach La Cadière zu Simons Haus fahren lassen, hatte unterwegs eine WhatsApp-Nachricht an ihre Freundin Lena geschickt und sie wissen lassen, dass sie spätestens am Mittag des nächsten Tages in Hamburg sein und sich sofort melden würde. Sie ahnte, dass sie nach ihrer Rückkehr den Trost ihrer Freundin brauchte.

Sie betrat Simons Grundstück nicht mehr, sondern stieg sofort in den Mietwagen um, der noch immer in der kleinen Haltebucht gegenüber der Toreinfahrt parkte. Aufatmend hatte sie sich im Fahrersitz zurückgelehnt, kurz die Augen geschlossen und versucht, sich wenigstens für einen Moment zu entspannen. Du tust das Richtige, sagte sie sich, das absolut Richtige. Simon und du – das hat einfach keine Zukunft. Also sieh zu, dass du nach Hause kommst, und dann bring dein Leben in Ordnung.

Genau genommen war ihr Leben ja keineswegs in Unordnung. Beruflich und finanziell hatte sie alles im Griff, und das war mehr, als manch anderer von sich sagen konnte. Ihr *Privatleben* sah auch nicht nur schlecht aus; es gab genügend Freunde und Bekannte, mit denen sie die Wochenenden und auch den einen oder anderen Urlaub verbringen konnte. Natürlich wäre es schön, einen Menschen zu haben, der ganz und gar zu ihr gehörte, aber vielleicht sollte man nicht zu viel wollen im Leben. Schließlich war sie überdies gesund und fit. Viele, auch schon in ihrem Alter, schlugen sich mit schweren Krankheiten herum. Alles war gut, im Prinzip. Kein Grund, sich aufzuregen.

So redete sie im Stillen auf sich ein, während sie durch den inzwischen dunklen Dezemberabend auf der Autobahn Richtung Marignane, Flughafen Marseille-Provence, fuhr. Es waren nicht viele Menschen unterwegs, streckenweise hatte sie nur in weiter Ferne die roten Rücklichter eines anderen Autos vor sich. Auch auf der Gegenfahrbahn hielt sich die Verkehrsdichte in Grenzen.

Kristina wischte sich mit der Hand über das Gesicht. Sie fragte sich, weshalb sie heulte. Schließlich stellte sie gerade fest, dass alles in Ordnung war.

Sie passierte etliche Mautstellen, zahlte mit ihrer Kreditkarte. Ihre Finger zitterten dabei. Scheiße, die Sache mit Simon ging ihr einfach viel zu sehr an die Nieren.

Über die Lufthansa-App hatte sie herausgefunden, dass um 18.45 Uhr ein Flug nach Hamburg ging, mit Zwischenstopp in Frankfurt. Müsste zu schaffen sein. Sie hätte gerne bereits gebucht, aber ihr war das Risiko zu groß gewesen, dass sie doch länger zum Flughafen brauchte und umdisponieren musste. Sie wollte flexibel bleiben, und in der Business-Class gab es mit Sicherheit noch Plätze. Geld war jetzt egal. Sie wollte nur so schnell wie möglich so weit wie möglich weg.

Alles lief gut, bis sie Marseille erreichte. Der Verkehr wurde über eine Schnellstraße am Stadtrand entlanggeführt, in unmittelbarer Nähe des Hafens. Kristina konnte die Lichter der riesigen Schiffe sehen, die hier vor Anker lagen, und sie sah die dunklen Umrisse der gewaltigen Kräne, die wie Skelette in den Nachthimmel ragten. Sie fuhr an der wundervollen Kathedrale vorbei, die hell angestrahlt inmitten der

Altstadt von Marseille lag. Sie fragte sich, wie es gewesen wäre, hier die Zeit mit Simon zu verbringen, sich all das anzusehen, Städte und Orte, von denen sie viel gehört, die sie jedoch noch nicht besucht hatte: Marseille, Aix-en-Provence, Sanary, Bandol, Cassis. Es hätte Spaß gemacht, dies alles zusammen mit Simon zu erkunden, der sich auskannte und sicher ein guter Fremdenführer gewesen wäre. Wie so vieles mit ihm gemeinsam schön gewesen war.

Jetzt flossen die Tränen stärker. Kristina angelte nach ihrer Handtasche auf dem Beifahrersitz, kramte ein Taschentuch hervor. Sie musste, verflixt nochmal, aufhören, über Simon nachzudenken. Sie stand sonst gleich mit völlig verheultem Gesicht auf dem Flughafen …

Ihre Gedankenkette riss jäh ab, weil Kristina mit solcher Kraft auf die Bremse trat, dass sie nach vorne flog und mit einem schmerzhaften Ruck von ihrem Gurt aufgefangen wurde. Der Verkehr hatte sich bereits während der letzten zehn Minuten ständig verdichtet, und nun kam er vollständig zum Erliegen.

Alles stand.

Kristina fluchte und versuchte zu erkennen, was weiter vorne vor sich ging. Unglücklicherweise hatte sie mehrere Lastwagen vor sich, die ihr jegliche Sicht nahmen. Zu ihrem Entsetzen bewegte sich auch fünfzehn Minuten später immer noch nichts. Stattdessen vernahm sie die Sirenen von Krankenwagen und Polizei. Ein Unfall, womöglich größeren Ausmaßes. Wenn kein Wunder geschah, konnte sie ihren geplanten Flug vergessen.

Es war halb acht, als die Kolonne begann, sich wenigstens im Schritttempo vorwärtszubewegen. Kristina passierte die Unfallstelle, sah drei verbeulte Autos, Glassplitter überall, Polizeiautos, hektisches Warnblinklicht. Der Krankenwagen hatte den Ort bereits wieder verlassen.

Sie schlug mit der Faust auf ihr Lenkrad. Irgendwie hatte sie den Eindruck, dass sich im Moment einfach alles gegen sie verschwor.

Es war acht Uhr, als sie den Flughafen erreichte. Sie gab ihren Wagen ab und stürmte in die Abflughalle. Es gelang ihr, einen freien Mitarbeiter des Infoschalters zu erwischen, der aussah, als könnte er ihr weiterhelfen. Der Lufthansaflug nach Hamburg war natürlich weg, aber vielleicht gab es eine andere Möglichkeit mit einer anderen Fluggesellschaft.

»Ich brauche einen Flug nach Hamburg. Heute Abend noch.«

Der Mann schüttelte bedauernd den Kopf. »Das wird schwierig. Sie sind sehr spät, Madame.«

»Es gab einen Unfall«, sagte Kristina und kam sich kindisch vor. Warum erklärte sie das, und glaubte sie, es würde etwas an den Tatsachen ändern? »Ich hing ewig fest.«

»Das tut mir leid.«

»Ich muss hier weg.« Kristina war sich bewusst, dass sie hysterisch klang. Wahrscheinlich *war* sie hysterisch. »Gibt es mit der Air France eine Möglichkeit?«

»Um 20.50 Uhr. Nach Paris Orly. Aber von dort kommen Sie erst morgen weiter.«

»Und sonst?«

»Um 20.35 Uhr geht eine British-Airways-Maschine, aber die sind schon beim Boarding. Sie haben mindestens zwölf Stunden Aufenthalt in London. Das lohnt sich kaum.«

»Andere Möglichkeiten?«

»Es ist überall dasselbe: Sie sitzen über Nacht in irgendwelchen europäischen Städten fest und kommen erst morgen früh weiter.«

Das klang in der Tat nicht vernünftig.

»Warum nehmen Sie nicht ein Hotel?«, schlug der Mann

vor. »Und checken morgen früh in die erste Maschine nach Hamburg ein?«

»Wann geht die?«

»6 Uhr 15 morgen früh mit Lufthansa über München. Oder mit der Air France um 6 Uhr 55 über Amsterdam.«

Kristina nickte langsam. Sie stand mitten in der Halle, in der nicht viel los war, und realisierte, dass ihr niemand helfen würde. Niemand würde sie in ein Flugzeug setzen und nach Hamburg fliegen. Niemand würde sie jetzt in diesem Moment nach Hause bringen.

»Okay«, sagte sie beschwichtigend zu sich selbst. »Okay. Das ist kein Beinbruch.«

»Genau«, sagte der Flughafenangestellte erleichtert, weil er schon gefürchtet hatte, die Frau würde gleich durchdrehen. »Es gibt ganz ordentliche Hotels hier. Und die Nacht ist dann schnell vorbei.«

Er fixierte plötzlich einen Punkt hinter ihrer Schulter. Kristina drehte sich um. Zwei Männer waren hinter ihr aufgetaucht. Sie trugen gut geschnittene dunkelgraue Anzüge und Krawatten. Einer von ihnen zückte einen Ausweis. »Kristina Dembrowski?«

»Ja?«

»Lieutenant Gaillard. Mein Kollege Lambelet.«

Der andere Mann nickte Kristina zu. Beide hatten sie unbewegliche Mienen, die nicht verrieten, was in ihnen vorging.

»Wir sind von der Police nationale«, sagte Gaillard.

Der nette Mitarbeiter am Infoschalter hob beide Augenbrauen. In seinen Gedanken bekam der Umstand, dass die Fremde so schnell und geradezu panisch Frankreich hatte verlassen wollen, nun ein anderes Gewicht. Eine gesuchte Kriminelle?

»Hören Sie«, sagte Kristina. Sie hatte das Gefühl, dass sie

fehlerhaft und stockend sprach, ihr Französisch litt unter ihrer Nervosität. »Ich weiß, dass ich bis morgen hätte warten sollen. Aber ich kann tatsächlich absolut nichts zur Klärung des ... Problems beitragen. Ich wollte spontan einen Freund besuchen, der hier in der Provence Weihnachten verbringt, und ich musste feststellen, dass er sich offenbar in eine höchst...dubiose Geschichte verstrickt hat. Aber was es damit auf sich hat ... Ich habe wirklich keine Ahnung!«

»Das wird sich alles klären«, sagte Gaillard höflich. »Ich muss Sie bitten, jetzt mit uns zu kommen.«

Wie hatte die Polizei so schnell von ihrer Flucht erfahren? Waren Leboyer oder Perrin zufällig kurz nach ihrem Aufbruch in dem Apartment in Les Lecques aufgekreuzt und hatten festgestellt, dass sie fehlte? Sie hatten sich leicht ausrechnen können, wohin sie gefahren war, und hatten nur noch die Kollegen in Marseille verständigen und zum Flughafen schicken müssen.

Oder hatte Simon die Polizei angerufen? In dem Versuch, sie, Kristina, am Abflug zu hindern?

»Ich verstehe nicht, weshalb ich hier gegen meinen Willen festgehalten werde«, sagte sie.

»Wir halten Sie nicht fest«, sagte Gaillard. »Wir haben nur einige Fragen.«

»Ich sagte doch schon, ich kann Ihre Fragen leider nicht beantworten.«

»Lassen Sie das unsere Sorge sein«, erwiderte Lambelet. Es war das erste Mal, dass er sprach. Er war ein großer, gutaussehender Mann, den Kristina unter anderen Umständen als äußerst charismatisch wahrgenommen hätte.

»Ich denke, es ist mein Recht, Frankreich jederzeit zu verlassen«, sagte sie.

»Im Augenblick scheint Ihnen das so oder so nicht zu gelingen«, sagte Gaillard. »Und daher steht doch einem kurzen Gespräch mit uns nichts wirklich im Wege, oder? Wir nehmen Sie jetzt mit in unsere Dienststelle, klären, was wir zu klären haben, und fahren Sie anschließend in ein Hotel. Von dort können Sie morgen in aller Frühe aufbrechen.«

Kristina zögerte. Sie hatte keine Lust, sich noch tiefer in etwas hineinziehen zu lassen, wovon sie nicht einmal genau wusste, was es war, aber andererseits fiel ihr kein echtes Gegenargument ein. Gaillard hatte recht: Nach Hause kam sie im Moment sowieso nicht.

»Nun gut«, willigte sie ein.

Sie verließ mit den beiden Männern das Flughafengebäude. Gaillard ging vorneweg, Lambelet, der ihr höflich die Reisetasche abgenommen hatte, folgte ihr.

Wäre ich nur nie hierhergekommen, dachte Kristina und überlegte gleich darauf, wie oft sie diesen Gedanken während der letzten 48 Stunden schon gehabt hatte. Unzählbar oft, schien es ihr.

Lambelet bezahlte das Parkticket am Automaten, während Gaillard mit ihr schon zum Auto, einer großen schwarzen Limousine, ging. Es parkten viele Autos auf den großen Parkplätzen, aber es waren nur wenige Menschen zu sehen. Erstaunlich, dachte Kristina, wie still ein Flughafen plötzlich sein konnte. Bei ihrer Ankunft zwei Tage zuvor hatte es von Reisenden gewimmelt, Autofahrer hatten rangiert, gehupt und einander beschimpft, weil es immer irgendwo nicht weiterging. Jetzt verstärkte dieser Ort nur ihr Gefühl von plötzlicher Einsamkeit. Das lag an der Ruhe, aber auch an der Dunkelheit. Am gelben Schein der hohen Straßenlaternen. An den Schatten.

Daran, dass sie es plötzlich als unheimlich empfand, zu zwei fremden Männern ins Auto zu steigen.

Polizisten, beruhigte sie sich. Mach dich nicht lächerlich, Kristina.

Ihr kam ein Gedanke. »Hat sich etwas wegen Lyon ergeben?«, fragte sie. Das war ja die höchst eigenartige Geschichte mit dem ermordeten Alkoholiker, den Simon selbst gesehen haben wollte. Immerhin, inzwischen hatte die Police nationale ihre Hände im Spiel, was darauf hinwies, dass in dem Fall eine neue Stufe erreicht worden war. »Der Mann, der dort in seiner Wohnung getötet wurde? Das sollte doch überprüft werden.«

»Dazu kann ich im Moment leider keine Auskunft geben«, sagte Gaillard mit unbeweglicher Miene.

»Es würde mir helfen, etwas besser zu verstehen, was hier eigentlich los ist«, entgegnete Kristina.

Er hielt ihr die hintere Autotür auf. »Steigen Sie bitte ein.«

Kristina stieg ein. Sie versank fast in den tiefen, weichen Sitzen. Gleich darauf wurde die Tür auf der anderen Seite geöffnet und der andere Polizist, Lambelet, der zuvor Kristinas Tasche in den Kofferraum gelegt hatte, setzte sich neben Kristina. Gaillard nahm hinter dem Steuer Platz.

»Fesseln legen Sie mir aber nicht an?«, erkundigte sich Kristina spitz. Sie fand das Verhalten der Männer etwas übertrieben. Sie hätten sich auch beide nach vorne setzen können, ohne befürchten zu müssen, dass sie während der Fahrt plötzlich aus dem Wagen sprang. Langsam fühlte sie sich wie eine Kriminelle behandelt. Andererseits folgten die Beamten vielleicht einfach nur einer Routine, ohne sich groß Gedanken zu machen, ob das im jeweiligen Fall passend war oder nicht.

Auf ihre ironische Frage bekam sie keine Antwort. Gaillard steuerte den Wagen vom Parkplatz, lavierte ihn durch einen Kreisverkehr nach dem anderen, ehe sie die Autobahn erreichten. Dort trat er das Gaspedal durch. Sie schossen so abrupt los, dass Kristina in ihren Sitz zurückgedrückt wurde.

Ziemlich schnell wechselte Gaillard die Autobahn schon wieder. Kristina, die erwartet hatte, dass sie in die Innenstadt von Marseille zu den Büros der Police nationale fahren würden, richtete sich auf und starrte aus dem Fenster. *Avignon,* las sie auf den Hinweisschildern, *Lyon.*

»Moment. Wohin fahren wir denn? Wo liegt denn Ihr Büro?«

Sie erhielt keine Antwort. Der Wagen fuhr mindestens 200 Stundenkilometer, was weit über der zulässigen Höchstgeschwindigkeit von 130 Kilometern pro Stunde lag.

»Ich habe Sie etwas gefragt«, sagte Kristina. Sie konnte die Angst hören, die in ihrer Stimme mitschwang. Das sah einfach nicht gut aus.

Die beiden Männer verhielten sich inzwischen merkwürdig, fand sie.

Sie wandte sich an Lambelet. »Darf ich bitte noch einmal Ihren Ausweis sehen?«, fragte sie. »Oder den Ihres Kollegen?«

Wiederum bekam sie keine Antwort.

Verzweifelt versuchte sich Kristina an den Ausweis zu erinnern, den Gaillard ihr am Flughafen vor die Nase gehalten hatte. Sie hatte ihn nicht genau angeschaut. Wenn sie ehrlich war, wusste sie, dass alles und nichts darauf hätte stehen können. Hätte Gaillard mit dem abgelaufenen Mitgliedsausweis seiner Mutter aus der Leihbücherei gewedelt, sie hätte es nicht gemerkt. Weil sie sich von der Geste bereits hatte beeindrucken lassen.

Tief durchatmen, befahl sie sich. Es wird alles seine Richtigkeit haben. Das sind vielleicht ganz hohe Tiere von irgendeiner Sondereinheit. Simon hat sich da womöglich in eine hochbrisante Geschichte verwickeln lassen.

Vermutlich aber war es keine Sondereinheit. Vermutlich waren es nicht einmal Polizisten.

Scheiße, Scheiße, Scheiße.

Am liebsten hätte sie sich jetzt doch aus dem fahrenden Auto fallen lassen. Was natürlich angesichts der Geschwindigkeit glatter Selbstmord gewesen wäre.

»Ich möchte zum Flughafen zurück«, sagte sie. Sie bemühte sich, ihrer Stimme Festigkeit zu geben und zu verbergen, dass sie vor Angst zitterte. Um keinen Preis wollte sie sich von diesen beiden Männern kleinmachen lassen. »Haben Sie mich verstanden? Ich möchte sofort zum Flughafen zurück!«

Gaillard fuhr unbeirrt mit hoher Geschwindigkeit geradeaus.

Lambelet wandte sich ihr zu. In der schwachen Beleuchtung, die im Auto herrschte, konnte Kristina sein Gesicht nur undeutlich sehen, aber sie nahm die völlige Kälte in seinem Ausdruck wahr und das Fehlen jeglicher Emotion in seinen Augen.

»Wir haben eine Vereinbarung«, sagte er. »Wir stellen Ihnen Fragen. Und Sie beantworten sie.«

»Wer sind Sie?«, fragte Kristina, aber im Grunde wusste sie, dass sie genauso gut mit einer Felswand hätte reden können. Es kam nichts zurück.

Das Auto verschwand in der Nacht.

METZ, FRANKREICH,
DONNERSTAG, 17. DEZEMBER

Am Donnerstagmorgen waren die völlig verstörten Eltern der toten Jeanne Berney in der Lage, das Computerbild, das nach Valéries Angaben von dem Fremden im Treppenhaus angefertigt worden war, anzusehen. Sie waren, von der Polizei verständigt, am Vorabend in Metz eingetroffen, betäubt, fassungslos, noch unfähig zu begreifen, was geschehen war.

»Sie wollte doch Weihnachten zu uns kommen«, sagte Jeannes Mutter immer wieder, fast beschwörend, so als könnte es angesichts dieses Vorhabens nicht möglich sein, dass ihre Tochter plötzlich tot war. »Sie hatte es ganz fest vor. Sie wollte zu uns kommen und bis zum ersten Januar bleiben.«

Der Vater hatte versucht, seine Frau zu beschwichtigen, aber sie fing immer wieder davon an. »Ich wollte ihr Lieblingsessen kochen. Jeanne kocht nicht gerne. Sie ernährt sich ziemlich ungesund. Und dann freut es sie so, wenn jemand anderes für sie kocht. Sie hat so viel Spaß an einem schön gedeckten Tisch …« Sie hatte zu weinen begonnen.

»Sie wollte doch Weihnachten kommen«, wiederholte sie schluchzend.

Am Donnerstagmorgen sagte sie nichts mehr von Weihnachten. Sie und ihr Mann hielten einander an den Händen, als sie auf die Polizeiwache kamen. Zwei zerbrochene

Menschen, sichtlich gealtert in der vergangenen Nacht. Die Ermittlungsleiterin bot ihnen Mineralwasser und Kaffee an und bat sie, sich an einen Tisch zu setzen, auf dem ein Computer stand.

»Ich bin Kommissarin Nicole Duroi. Ich leite die Ermittlungen im Fall Ihrer Tochter«, stellte sie sich vor. »Wir haben hier ein Phantombild, das nach den Angaben von Valérie Moraux entstanden ist. Das ist die Freundin Ihrer Tochter, die, wie Sie wissen, gestern den Hausmeister verständigt hat und der im Treppenhaus ein Fremder begegnet ist, der ihr ziemlich suspekt vorkam. Er wollte unbedingt mit Ihrer Tochter sprechen. Er verschwand jedoch, noch bevor die Polizei eintraf.«

Niemand bei der Polizei glaubte, dass Jeannes Eltern etwas mit dem Bild anfangen konnten, es war eher eine Routinemaßnahme, dass man es ihnen zeigte. Aber dann warfen die beiden einen einzigen Blick darauf und sagten wie aus einem Mund: »Jérôme Deville!«

»Sie kennen diesen Mann?«, fragte Nicole Duroi perplex.

»Ja«, sagte Jeannes Vater. »Er war Jeannes Freund. Sie ging damals noch zur Schule.«

»Er war oft bei uns zu Hause«, ergänzte Madame Berney. Sie starrte das Computerbild mit einer Intensität an, als könnte sie eine Antwort darin finden. Ihre Seele lag in Trümmern, und sie schien sich zu fragen, ob der Mann, den sie vor sich sah, dafür verantwortlich war.

Nicole Duroi, die bis dahin gestanden hatte, zog sich einen Stuhl heran und nahm gegenüber dem Ehepaar Platz. »Jérôme Deville«, sagte sie. »Ich muss alles über ihn wissen. Sehen Sie sich in der Lage, mit mir über ihn zu sprechen?«

»Hat er unsere Tochter … umgebracht?«, fragte Monsieur Berney mit zittriger Stimme.

»Das wissen wir nicht, und vorläufig halten wir ihn auch

nicht für dringend tatverdächtig«, sagte Duroi. »Aber er war im Haus, und er machte laut der Zeugin einen verstörten, fast ängstlichen Eindruck. Valérie Moraux meinte, er lebe offenbar schon seit einiger Zeit auf der Straße – seinem abgerissenen Zustand nach zu urteilen. Das macht ihn natürlich nicht zu einem Verbrecher, aber es hat jedenfalls den Anschein, als wäre in seinem Leben irgendetwas nicht in Ordnung. In jedem Fall könnte er zumindest etwas beobachtet haben, was uns weiterhilft. Wissen Sie zufällig, wo er zuletzt gewohnt hat?«

»Er hat damals bei seinem Vater gewohnt«, sagte Madame Berney. »Hier in Metz. Der Vater ist aber im vorigen Jahr gestorben, das hat Jeanne in der Zeitung gelesen. Ich meine, sie hätte gesagt, Jérôme habe zuletzt ohnehin nicht mehr bei seinem Vater gewohnt, sondern Metz verlassen, aber genau wusste sie es auch nicht.«

»Wir überprüfen das. Wissen Sie die Adresse auswendig?«

Die Berneys diktierten synchron die Adresse.

»Er war ja mal Teil unseres Lebens«, meinte Madame Berney fast entschuldigend. »Daher wissen wir noch genau, wo er wohnte.«

»Wie lange war er mit Ihrer Tochter zusammen?«

»Zweieinhalb Jahre. Jeanne war sechzehn, als sie einander kennenlernten. Bei einem Schulfest. Er war ein paar Klassen über ihr. Sie war gerade neunzehn geworden, als er sie verließ.«

»Er verließ sie? Also gab es keine einvernehmliche Trennung?«

Jeannes Mutter sah aus, als müsste sie jeden Moment in Tränen ausbrechen. »Nein. Ganz und gar nicht einvernehmlich. Er hatte ein anderes Mädchen kennengelernt und war zunächst sogar zu feige, es Jeanne zu sagen. Ihr fiel auf, dass er seltener anrief, sie kaum noch treffen wollte und überhaupt nicht mehr allzu viel Enthusiasmus zeigte. Wie sich später herausstellte, fuhr er mehrere Monate lang zweigleisig. Irgendwann wurde er mit seiner neuen Freundin von anderen gesehen, die es dann Jeanne sagten. Die arme Jeanne war am Boden zerstört. Er war ihre erste große Liebe, wissen Sie?« Nun liefen Madame Berneys Tränen wirklich. Ihr Mann reichte ihr ein Taschentuch, mit dem sie sich die Augen abtupfte. »Es war eine schlimme Zeit«, fuhr sie fort. »Wirklich ganz schlimm. Jeanne hat ihm ewig nachgetrauert.«

»Mit dem Mädchen davor hatte er es genauso gemacht«, sagte Monsieur Berney. »Mit der Freundin, die er vor Jeanne hatte, meine ich. Die verließ er von heute auf morgen, nachdem er sich in meine Tochter verliebt hatte. Mir gefiel das nicht besonders, und ich habe Jeanne gewarnt. Ich habe ihr gesagt, dass er ihr vielleicht irgendwann dasselbe antun wird und dass sie sich bloß nicht zu tief an ihn binden soll. Aber … nun ja. Sie war jung und über alle Maßen verliebt. Sie hat mir gar nicht richtig zugehört.«

Nicole Duroi nickte. Eine traurige Geschichte, aber natürlich absolut nicht außergewöhnlich. Daraus war nichts zu rekonstruieren, das einen Hinweis auf das schreckliche Verbrechen gab.

»Mochten Sie Jérôme Deville?«, fragte sie. »Ich meine – bevor er Ihre Tochter verließ? Was war er für ein Typ?«

Jeannes Mutter seufzte. »Wir mochten ihn beide nicht besonders. Dabei konnten wir nichts wirklich gegen ihn sagen. Er war sehr charmant. Sehr nett. Aufmerksam. Höflich. Liebenswürdig. Aber … von allem etwas zu viel. Dadurch wirkte er auf mich nie so richtig echt. Wie jemand, der sehr gekonnt ein bestimmtes Programm abspielte. Die Rolle hieß in unserem Fall: der perfekte Schwiegersohn.

Aber die ganze Zeit über dachte ich, dass wir ihm eigentlich total egal sind. Dass ihm im Prinzip auch Jeanne ziemlich egal ist. Er fand sie hübsch und schmückte sich mit ihr, aber theoretisch hätte es auch ein anderes hübsches Mädchen sein können. Ich habe immerzu gefürchtet, dass er irgendwann das Interesse verliert und sie austauscht, und genauso ist es ja dann auch gekommen.«

»Was machte Jérôme beruflich? Er muss ja noch während der Beziehung mit Ihrer Tochter die Schule beendet haben.«

»Ja. Aber das gefiel uns dann eben auch nicht: Er machte nichts. Kein Studium, keine Ausbildung. Gelegenheitsjobs, das war alles. Einen Sommer lang arbeitete er mal aushilfsweise in einer Gärtnerei. Dann schleppte er Kisten in einem Supermarkt. Jobbte bei einem Pizza-Lieferservice. Solche Dinge. Mit seinem Vater, auf dessen Kosten er hauptsächlich lebte, geriet er deswegen ständig aneinander.«

»Eine Mutter gab es nicht mehr?«

»Die Eltern haben sich scheiden lassen, da war Jérôme noch ganz klein. Und kurz nach der Scheidung ist die Mutter dann gestorben. Deshalb wuchs Jérôme bei seinem Vater auf.«

»Wissen Sie etwas über sein damaliges soziales Umfeld? Welchen Umgang hatte er?«

Jeannes Mutter überlegte kurz. »Keinen schlechten, glaube ich«, sagte sie dann, und es schien ihr fast schwerzufallen, etwas Positives über den Mann zu sagen, der ihrem Kind so wehgetan hatte. »Zunächst einfach die Mitschüler aus der Schule, in die er und Jeanne gingen. Mit vielen war er auch noch Jahre später befreundet. Während seiner diversen Jobs lernte er auch den einen oder anderen kennen … aber … Nein, nach allem, was wir mitbekamen, trieb er sich nicht in anrüchiger Gesellschaft herum. Das kann sich natürlich geändert haben. Wir haben ihn ja vor vier Jahren zuletzt gesehen.«

»Das war …«

»… kurz bevor wir in die Bretagne zogen. Da war er von Jeanne bereits seit über einem Jahr getrennt. Ich bin ihm in der Stadt in der Fußgängerzone begegnet.«

»Und?«

»Er hat mich gegrüßt, aber ich habe nicht geantwortet. Er hatte … die andere bei sich.«

»Kannten Sie sie?«

»Nein.«

»Hm.« Nicole Duroi überlegte. Allem Anschein nach handelte es sich bei Jérôme Deville um einen charmanten Leichtfuß, der das Leben von der sonnigen Seite nahm, sich nicht allzu viele Gedanken um die Zukunft oder um andere Menschen machte und – zumindest so weit es den Beschreibungen der Berneys zu entnehmen war – als junger Erwachsener durch eine gewisse Reifeverzögerung aufgefallen war. Aber war er ein brutaler Verbrecher? Oder suchte die Nähe zu Menschen, die ein grauenhaftes Verbrechen begingen? Dafür sprach bisher absolut gar nichts.

Doch es gab die Aussage von Jeannes Freundin. Valérie. *Er war sehr komisch. Total verwahrlost. Und nervös.*

Das klang nicht so, als wäre er am gestrigen Tag zufällig bei Jeanne vorbeigekommen und hätte seine alte Liebe spontan besuchen wollen. Das klang so, als steckte dieser Mann in ziemlich ernsthaften Schwierigkeiten.

»Wissen Sie, ob Ihre Tochter noch Kontakt zu Jérôme Deville hatte?«, fragte Duroi. »Nach der Trennung. Oder ob sie später den Kontakt wiederaufgenommen hat? Wenn alle Verletzungen geheilt sind, schaffen es ja manche Menschen, einfach wieder gute Freunde zu werden.«

Madame Berney schüttelte sofort den Kopf. »Nein. Da

gab es keinen Kontakt mehr. Das wüsste ich. Jeanne und ich haben …« Sie verbesserte sich mit belegter Stimme: »Wir *hatten* ein sehr enges Verhältnis. Sie vertraute mir alles an, was sie bewegte und beschäftigte. Sie hätte mir mit Sicherheit erzählt, wenn Jérôme auf irgendeine Art wieder in ihrem Leben aufgetaucht wäre.«

»Ich verstehe«, sagte Duroi. Ihrer Erfahrung nach schätzten Mütter die Offenheit ihrer Töchter ihnen gegenüber manchmal falsch ein, aber dies zu erwähnen hätte nichts genutzt. Jeannes Eltern wussten jedenfalls nichts von einem erneuten Kontakt des jungen Mannes und ihrer Tochter.

Sie stellte noch einige weitere Fragen, die vor allem den Alltag und das soziale Umfeld von Jeanne betrafen. Nirgendwo schien es jedoch etwas zu geben, wo sie einhaken konnte. Jeannes Leben war relativ unspektakulär verlaufen, und nichts deutete darauf hin, dass sie sich mit den falschen Menschen eingelassen oder sich in zwielichtigen Kreisen bewegt hatte. Das hatte auch ihre Freundin Valérie am Vortag schon bestätigt. »Jeanne war ein total netter, liebenswerter, unkomplizierter Mensch. Jeder mochte sie. Sie hatte viele Freunde, die auch alle sehr nett waren. Mit Sicherheit war sie nicht in irgendwelche dunklen Machenschaften verstrickt. Und sie war auch nicht der Mensch, der sich mit zweifelhaften Typen eingelassen hätte. Nie im Leben. Sie war klug, und sie hatte eine gute Menschenkenntnis.«

Hatte sie die wirklich? Oder hatte sie sich ausgerechnet bei ihrer ersten großen Liebe, bei Jérôme Deville, gründlich geirrt, was angesichts ihres damaligen Alters von sechzehn Jahren ja durchaus verständlich gewesen wäre. Und war ihr dieser Irrtum nun zum Verhängnis geworden?

Die Berneys hatten sich bereits verabschiedet und langsam und sichtlich gebeugt das Gebäude verlassen, da kehrte Monsieur Berney noch einmal alleine zurück.

»Ich habe meiner Frau gesagt, dass ich mein Handy liegen gelassen habe«, erklärte er, »aber ich wollte Sie noch kurz alleine sprechen.«

»Ja?«, sagte Nicole Duroi.

Die Hände des Mannes zitterten. »Ich habe ja meine Tochter gestern Abend noch angeschaut.« Er hatte darauf bestanden, trotz der Warnungen von Seiten der Polizei. Jeanne war einigermaßen hergerichtet worden, aber die Spuren stundenlanger Folterungen hatte niemand beseitigen können. Man hatte der jungen Frau ansehen können, dass sie grausam zu Tode gequält worden war. Madame Berney hatte sich den Gang in die Gerichtsmedizin nicht zugetraut, und Nicole Duroi dankte dem Himmel dafür.

»Meine Tochter wurde gefoltert«, fuhr er fort. »Man hat sie nicht einfach umgebracht. Man hat sie gequält. Dafür muss es einen Grund geben.«

»Ja. Und den werden wir herausfinden. Wir werden alles tun, Monsieur Berney, das verspreche ich Ihnen.«

»Ich denke, dass es mit Jérôme zu tun hat«, sagte Jeannes Vater. »Ich denke, dass Jérôme in Schwierigkeiten steckt und dass jemand Informationen über ihn haben wollte. Jemand, der wusste, dass Jeanne mehrere Jahre mit ihm zusammen war.«

»Das ist durchaus möglich, Monsieur Berney, und wir ...«

Er unterbrach sie. »Sie verschwenden Zeit, wenn Sie nun das Umfeld meiner Tochter durchforsten oder ihr Leben umgraben. Dort werden Sie auf nichts stoßen, was Ihnen weiterhelfen könnte. Jérôme Deville muss nicht der Täter sein, aber die Tat hängt mit ihm zusammen, da bin ich ganz sicher. Deshalb müssen Sie ihn finden, wenn Sie den oder die Mörder meiner Tochter finden wollen.«

»Wir werden ...«

»Ich konnte Jérôme vom ersten Moment an nicht leiden«,

fuhr Berney unbeirrt fort. »Und zwar nicht nur deshalb, weil er ein oberflächlicher Charmeur war, der die Frauen wechselte, wie es ihm gerade passte, und sich um ihre Gefühle nicht groß scherte. Es war vor allem seine Falschheit, die mir nicht gefiel. Wie meine Frau es vorhin beschrieb: Dass er so übermäßig nett und sympathisch auftreten konnte und dass man trotzdem das Gefühl hatte, er werde sich von jetzt auf gleich einen Dreck um einen scheren, wenn er keinen Vorteil mehr davon hätte. Er fand das Zusammensein mit unserer Tochter ganz nett und schnorrte sich innerhalb unserer Familie gut durch – wenn ich alleine daran denke, wie oft er bei uns gegessen hat oder wie oft wir ihn mitgenommen haben in Restaurants oder sogar auf Urlaubsreisen, und immer wurde er eingeladen. Aber als er das alles von anderer Seite haben konnte, waren wir vergessen. Es war etwas Kaltes und Berechnendes in seinem Wesen, und das empfand ich als umso unangenehmer, als es ihm wegen seiner Scheißfreundlichkeit nie nachzuweisen war. Natürlich ist das alles Jahre her, und vielleicht ist mein Urteil anmaßend, aber ich sage Ihnen, Jérôme Deville hat seinen eigenen Vorteil immer allzu sehr im Blick. Ich könnte mir sehr gut vorstellen, dass er in falsche Kreise geraten ist, wenn die Verlockung groß genug war. Er ist an sich nicht kriminell, das will ich nicht behaupten, aber unter gewissen Umständen zieht er vielleicht keine klaren Grenzen. Er ist gefährlich, weil sein eigenes Wertesystem schwankt, sowie es um seinen persönlichen Gewinn oder Verlust geht. Meiner Ansicht nach ist er käuflich, und ich glaube, es gibt weniges, was er unter gar keinen Umständen tun würde, wenn am Ende etwas für ihn dabei herausspringt. Bitte, Kommissarin Duroi, nehmen Sie mich ernst. Finden Sie ihn. Er ist der Schlüssel.«

LES LECQUES, FRANKREICH, DONNERSTAG, 17. DEZEMBER

Am nächsten Morgen tauchte in aller Frühe ein Polizist im Ferienapartment in Les Lecques auf. Er wies sich als Lieutenant de Police Jean Caparos von der Police nationale aus, war über alle Geschehnisse informiert und reagierte ungehalten und verärgert, als er von Kristinas Abreise erfuhr.

»Ich gehe davon aus, die Kollegen haben sich klar ausgedrückt«, schnaubte er.

Simon, der mit einer Tasse Kaffee in der Hand auf der Veranda gestanden, über das Meer im rosaroten Morgenlicht geblickt und seinem weißen Atem in der kalten, kristallenen Luft nachgeschaut hatte, als Caparos klingelte, zuckte mit den Schultern. »Ich konnte sie nicht fesseln und einsperren. Sie wollte einfach nur weg. Um jeden Preis und sofort. Was hätte ich machen sollen?« Er schloss die Terrassentür. Es war ziemlich kalt draußen. »Darf ich Ihnen einen Kaffee anbieten, Lieutenant Caparos?«

Caparos, der etwas müde und unausgeschlafen wirkte, nickte. »Ja. Danke. Ein Kaffee wäre jetzt das Richtige.«

Simon holte ihm einen Becher aus der Küche, stellte Zuckerdose und Milchkännchen auf den Tisch und bat seinen Besucher, Platz zu nehmen. Dann setzte auch er sich. Er hatte selbst kaum geschlafen. Er fühlte sich, als sei er während der letzten vierundzwanzig Stunden um mindestens zwanzig Jahre gealtert.

»Mademoiselle Nathalie Boudin ist aber schon noch hier?«, erkundigte sich Caparos misstrauisch.

Simon nickte. »Sie schläft noch. Ich habe sie die halbe Nacht herumwandern gehört. Vermutlich ist sie jetzt völlig erschöpft.«

Caparos nahm ein paar Schlucke Kaffee, und es schien, als nehme sein graues Gesicht ein wenig Farbe an. »Die ganze Sache spitzt sich bedenklich zu«, sagte er dann. »Daher haben wir von der Police nationale jetzt die Ermittlungen übernommen.«

»Yves' Leiche in Lyon wurde gefunden«, folgerte Simon.

Caparos nickte. Er kramte einen Zettel aus der Tasche. »Laut meinen Informationen handelt es sich bei dem in einer Wohnung in der Rue Marc-Antoine Petit in Lyon gefundenen Toten um einen Monsieur Yves Soler. Geboren am achten Juni 1973 in Lyon.«

1973. Der alte Mann in der verlotterten Küche war gerade zweiundvierzig Jahre alt. Unfassbar. Simon hätte ihn auf mindestens fünfundzwanzig Jahre älter geschätzt.

»Er lebte schon lange von der Sozialhilfe«, fuhr Caparos fort.

»Ihre Kollegen werden festgestellt haben, dass Yves Soler nicht an einem Schlag auf den Kopf gestorben ist«, sagte Simon.

»Zweifellos war das nicht die Todesursache«, bestätigte Caparos. »Man hat ihm die Kehle durchgeschnitten.«

»Wie ich der Police municipale bereits sagte, ja.«

»Es ist sehr unverständlich, Monsieur, dass Sie nach der Entdeckung des Toten vor zwei Tagen nicht unverzüglich die Polizei verständigt haben. Damit haben Sie sich selbst in eine komplizierte Lage gebracht.«

»Inwiefern? Sie verdächtigen jetzt nicht ernsthaft *mich*, der Täter zu sein?«

Caparos machte eine Handbewegung, die eine gewisse Ambivalenz signalisierte.

»Wenn ich Sie *ernsthaft* verdächtigen würde, hätte ich wahrscheinlich schon dafür gesorgt, dass Sie festgenommen werden. Aber Ihre Rolle in dem Stück ist schwer durchschaubar. Es könnten durchaus noch Probleme auf Sie zukommen, denn jetzt werden wir, vor allem unsere ermittelnde Kommissarin, uns der Sache sehr gründlich annehmen. Ich rate Ihnen dringend, nichts Unüberlegtes zu tun. Überstürzt das Land zu verlassen, wie es Ihre Bekannte gemacht hat. Absolute Kooperation mit uns wäre jetzt das Vernünftigste, was Sie tun können.«

»Ich kooperiere die ganze Zeit über schon.«

»In Lyon taten Sie es nicht. Nach der Entdeckung von Yves Solers Leiche.«

»Nathalie hatte panische Angst davor, die Polizei hinzuzuziehen. Ihr Freund hatte sie eindringlich davor gewarnt. Ich wollte mich nicht einfach darüber hinwegsetzen. Im Nachhinein denke ich auch, dass das ein Fehler war. Aber versuchen Sie vielleicht zu verstehen, dass auch ich von der Entdeckung in Lyon geschockt war und dass in diesem Moment alles, was mir Nathalie bereits über ihre ominösen Verfolger erzählt hatte, ein anderes Gewicht bekam. Bis zu jenem Moment in der Rue Marc-Antoine Petit hatte ich noch geglaubt, ein etwas verwirrtes junges Ding erzählt mir irgendwelche abstrusen Geschichten. Doch plötzlich wurde alles, was sie gesagt hatte, äußerst real.«

»Über diese Nathalie Boudin«, sagte Caparos, »haben wir gestern noch Erkundigungen eingezogen.«

»Ja?«

»Sie stammt aus Metz. Der Vater verließ die Familie, als

sie sieben war. Sie wuchs dann bei ihrer Mutter auf, einer Schwerstalkoholikerin. Kurz vor Nathalies siebzehntem Geburtstag griff das Jugendamt ein, gab sie in eine Pflegefamilie. Nathalie hatte psychische Probleme und litt an einer gravierenden Magersucht. Sie lernte dann Jérôme Deville kennen, einen jungen Mann, der wie sie aus Metz stammt. Mit achtzehn brach sie die Schule ab, kurz vor dem Baccalauréat, und ging mit ihm nach Paris.«

»Okay«, sagte Simon, »das klingt nach einem sehr problematischen Lebensweg. Was sie aber noch nicht zu einer Lügnerin oder gar einer Verbrecherin macht. Und wie ich bereits sagte: Yves Soler ist definitiv, unmittelbar bevor wir ihn fanden, ermordet worden. Sie *kann* nichts damit zu tun gehabt haben.«

»Irrtum«, korrigierte Caparos. »Sie kann es vielleicht nicht selbst getan haben. Sie kann aber durchaus etwas damit zu tun gehabt haben. Im Sinne einer Mitwisserschaft oder sogar einer Anstiftung.«

»Ihre Angst kam mir sehr echt vor. Sie hat mir da nichts vorgespielt.«

»Sie ist vielleicht mit allen Wassern gewaschen. Denken Sie an ihre Vergangenheit. Da lernt ein junger Mensch, mit harten Bandagen zu kämpfen.«

Nein, dachte Simon. Er mochte eine Menge Defizite mit sich herumschleppen – Kristina hatte ihn ja gerade erst wieder unmissverständlich darauf hingewiesen –, aber mangelnde Menschenkenntnis gehörte nicht zu seinen Problemzonen. Im Gegenteil. Er wusste, dass er über ein hohes Maß an Einfühlungsvermögen verfügte und dass er sich deshalb recht gut in andere hineinversetzen konnte. Er hatte Nathalies Panik *gespürt*. Sie hatte ihm nicht einfach nur von ihrer Angst erzählt, und er hatte das voller Naivität geschluckt. Er hatte ihr inneres Zittern, ihr Entsetzen empfinden können, und daher war er überzeugt, dass sie ihm nichts vorgemacht hatte. Er hatte nur am Anfang geglaubt, dass sie selbst irgendeiner weit hergeholten Schauergeschichte auf den Leim gegangen war. Angesichts der Ereignisse hielt er das jedoch inzwischen für immer unwahrscheinlicher.

»Wir haben außerdem auch Kontakt mit *Denegri Transports* in Paris aufgenommen«, fuhr Caparos fort, »der Firma, für die Jérôme Deville arbeitet. Man ist dort sehr ungehalten, weil Deville offenbar von einer Fahrt nach Kopenhagen, von der er tiefgekühlten Fisch mitbringen sollte, nicht zurückgekehrt ist. Der Lieferwagen mitsamt der Fracht ist verschwunden und er selbst auch. Man ist verärgert, weil man einen wichtigen Kunden verloren hat. Wir hatten nicht den Eindruck, dass in dieser Firma irgendetwas nicht stimmt.«

Simon dachte an Nathalies Telefonat mit Madeleine Denegri, der Geschäftsführerin. Er hatte das Gefühl gehabt, dass Denegris Interesse an Nathalie und ihrem Aufenthaltsort sehr ungewöhnlich gewesen war, aber er sagte nichts dazu, weil er inzwischen nicht mehr wusste, ob er sich nicht doch etwas eingebildet hatte.

»Kommen wir zum nächsten Punkt«, sagte Caparos, und irgendetwas an seinem Tonfall und an seinem Gesichtsausdruck verriet Simon, dass die Polizei sowohl seinen als auch Nathalies Berichten zögernd zu glauben begann. »Die Kollegin Perrin von der Police municipale war gestern Abend noch bei dem Hausmeister, der das Haus am Boulevard de la Plage verwaltet, in dem Nathalie Boudin Unterschlupf gesucht hatte.«

»Ja?«, fragte Simon aufmerksam.

»Er kam ihr ziemlich aufgeregt vor. Offensichtlich sind vorgestern am späteren Nachmittag zwei Männer bei ihm aufgetaucht und haben ihn auf ebendiese Wohnung angesprochen. Sie gehört ja einem Verwandten von Jérôme Deville, seinem Onkel.«

»Ja. Ich weiß.«

»Der Hausmeister erinnerte sich natürlich noch gut an die junge Frau, die sein Mitarbeiter dort aufgestöbert hatte, und er erinnerte sich auch an Sie. An *einen Deutschen,* der vorbeikam und sich der jungen Frau annahm, indem er den Schaden, den sie angerichtet hatte, bezahlte. Ob Sie sie anschließend mitgenommen hatten, wusste er nicht, hielt es jedoch für möglich. Die Frau sei in einem Zustand gewesen, in dem man sie kaum einfach hätte auf der Straße stehen lassen können.«

»Wenigstens einer«, murmelte Simon, »der das mal versteht.«

Caparos ließ diesen Satz unkommentiert. »Sie hatten dem Hausmeister damals Ihren Namen genannt. Und den gab er nun bereitwillig an die beiden Männer weiter. Und auch die Adresse, unter der Sie hier wohnen.«

»Wie kann er die einfach wildfremden Leuten geben?«

»Er fand nichts Schlimmes daran. Die beiden hatten nicht eindeutig gesagt, wer sie waren, aber sie erklärten, nach Nathalie Boudin zu fahnden. Der Hausmeister nahm automatisch an, dass es sich um Mitarbeiter einer Behörde handelte, wahrscheinlich vom Jugendamt. Er selbst hatte Nathalie für eine jugendliche Ausreißerin gehalten. Sie ist zwanzig, aber nach allem, was man mir über sie sagte, ist sie so klein und dünn, dass sie auch als Sechzehnjährige durchgehen könnte. Er hatte Angst, selbst in die Schusslinie zu geraten, weil er sie damals nicht zur Polizei gebracht hatte – was er vermutlich deswegen nicht tat, weil er die Türschlösser selbst reparieren wollte und die fünfzig Euro von Ihnen zu gerne entgegennahm. Nun bemühte er sich also, besonders kooperativ zu sein.«

»Und diese Männer«, sagte Simon, »kamen aber nicht vom Jugendamt? Oder von der Polizei oder von sonst irgendeiner Behörde?«

Caparos schüttelte den Kopf. »Das haben wir natürlich gleich gecheckt. Nein. Mit einer Behörde hatten die nichts zu tun. Da unmittelbar danach offenbar in Ihr Haus eingebrochen wurde ...«

»... halten Sie es für möglich, dass die beiden ominösen Männer die Täter sind?«

»Wir können das zumindest nicht ausschließen«, sagte Caparos zurückhaltend.

»Woher«, überlegte Simon, »wussten die aber von der Wohnung in Les Lecques?«

Caparos zuckte mit den Schultern. »Weil sie Jérôme Deville kennen? Näheres über ihn wissen – zum Beispiel, dass es diesen Onkel mit der Wohnung hier gibt?«

»Vielleicht sollte man auch mit dem Onkel selbst sprechen?«

»Da sind wir dran. Er lebt in Chalon-sur-Marne, ist aber nicht erreichbar. Vielleicht verreist.«

Schweigend tranken sie beide ihren Kaffee. Es war sehr kalt im Zimmer. Simon dachte an sein schönes, großes, warmes Haus, in dem er jetzt sein könnte, zusammen mit Kristina, wenn das alles nicht passiert wäre. Er fühlte eine tiefe Traurigkeit, weil er wusste, dass die Beziehung irreparabel kaputt war, dass es keine Chance für sie beide mehr gab. Und sicher, sie waren nun an dieser Geschichte gescheitert, aber eigentlich hatten sie schon vorher keine gemeinsame Basis gehabt. Zwischen ihnen stimmte es ohnehin nicht, sonst hätten sie das, was hier in Südfrankreich geschehen war, leicht ausgehalten. Aber diese rationalen Überlegungen spielten sich in seinem Kopf ab, sein Herz erreichten sie nicht.

»Ich würde gerne auch noch mit Nathalie Boudin sprechen«, sagte Caparos. »Wir müssen unbedingt Jérôme Deville finden. Falls Mademoiselle Boudin ehrlich ist und tatsächlich nicht weiß, was hier gespielt wird, bleibt er der einzige Mensch, der uns helfen kann, diesen Fall zu lösen. Oder überhaupt erst einmal zu verstehen, um welche Art Fall es sich handelt.«

»Sie ist keine Lügnerin«, sagte Simon. »Ihre Panik, als ich sie kennenlernte, und ihre Angst, als wir in Lyon waren ... So kann man sich nicht verstellen.«

»Das bedeutet nicht zwangsläufig, dass sie die Hintergründe nicht kennt«, sagte Caparos. »Im Gegenteil: Ihre Panik könnte so echt sein, weil sie *genau weiß*, vor wem sie auf der Flucht ist.«

Der Gedanke war nicht von der Hand zu weisen, trotzdem glaubte Simon nicht, dass es so war. Er hatte keine Argumente dafür, nur sein Bauchgefühl, seinen Instinkt. Nichts, was Caparos für relevant halten würde.

»Ich wecke Nathalie«, bot er an. »Und holen Sie sich doch inzwischen noch einen Kaffee.«

Caparos entfernte sich dankbar in Richtung Küchenzeile, während Simon nach einem vorsichtigen Anklopfen Nathalies Schlafzimmer betrat. Es war dunkel, die Fensterläden geschlossen. Er konnte Nathalies gleichmäßigen Atem hören.

»Nathalie!« Er trat an ihr Bett, berührte sanft ihre Schulter. »Du musst aufstehen. Hier ist jemand, der dich sprechen möchte.«

Offensichtlich hatte sie nur leicht geschlafen, denn sie war sofort wach. Sie setzte sich auf. In der Dunkelheit konnte er ihre Augen glänzen sehen.

»Jérôme?«, fragte sie atemlos.

Es tat ihm leid, sie zu enttäuschen. »Nein. Ein Lieutenant Caparos von der Police nationale.«

Ihre Schultern sackten nach unten.
»Ist etwas passiert?«, fragte sie.
»Sie haben Yves' Leiche gefunden«, sagte Simon.

Ich hatte erwartet, dass es ein Drama auslösen würde, wenn ich am Tag meines achtzehnten Geburtstages die Schule abbrechen und Jérôme nach Paris folgen würde, aber ich hatte nicht gedacht, dass es so schlimm werden würde.

Jérômes finanzielle Situation war über den Winter immer prekärer geworden, weil er überhaupt keinen Job fand, und sein Vater hatte deswegen nur noch geätzt, und so hatte Jérôme bereits Anfang Februar seine wenigen Habseligkeiten gepackt und war nach Paris entschwunden, um dort sein Glück zu versuchen, »bevor mein Vater und ich einander erschlagen«, wie er sagte. Ich hatte ihn angefleht, auf mich zu warten, aber er hatte erklärt, es beim besten Willen nicht mehr auszuhalten.

»Du kommst einfach nach. Und ich richte uns bis dahin schon eine schöne Wohnung ein.«

Ich war drauf und dran gewesen, sofort mitzugehen, knapp drei Monate vor meinem achtzehnten Geburtstag, aber Jérôme hatte Komplikationen gefürchtet und mir geraten, die paar Wochen noch zu warten. Ich stand Höllenqualen aus. Ich hatte Angst, unsere Beziehung werde diese Trennung nicht überstehen, Jérôme würde vielleicht eine andere Frau kennenlernen oder in schlechte Gesellschaft geraten, oder was weiß ich. Wir telefonierten viel miteinander, und während dieser Telefonate weinte ich die meiste Zeit über. Jérôme erzählte mir, er habe eine Wohnung in Clichy-sous-Bois gefunden. Es handelte sich um jene berüchtigte, von Elend und Perspektivlosigkeit ihrer Bewohner geprägte Trabantenstadt östlich von Paris, in der 2005 die großen Unruhen ausgebrochen und fast zum

Steppenbrand geworden waren. Jérôme behauptete jedoch, es sei ganz okay dort, nicht so schlimm, wie es immer dargestellt wurde.

Jedenfalls redete er so während der ersten vier Wochen.

Dann veränderte sich seine Stimmung, und er hörte auch auf, seinen – unseren – neuen Wohnort zu preisen. Er hatte einen Job als Kurierfahrer bekommen, verdiente dabei jedoch wenig Geld, weil die Auftragslage schlecht war. Er fing an, den Dreck im Haus zu schildern, berichtete von der Unsicherheit, die in den Straßen nach Einbruch der Dunkelheit herrschte, von Jugendbanden, die herumstreiften und vor denen man sich in Acht nehmen musste. Er klang abwechselnd wütend und deprimiert, in jedem Fall fast immer schlecht gelaunt.

Ich versuchte ihn aufzumuntern. »Warte, bis ich da bin. Ich suche mir dann auch Arbeit, und dann haben wir mehr Geld. Du wirst sehen.«

»Hoffentlich findest du Arbeit«, meinte er frustriert.

Aber auch wenn er an manchen Tagen unsere Zukunft nur grau sah, merkte ich doch, dass ihn der Gedanke, ich würde bald nachkommen und ihn finanziell unterstützen, aufmunterte. Zu Beginn hatte er gar nicht so viel davon gesprochen, wie es sein würde, wenn ich nach Paris kam, aber nun schmiedete er Pläne und malte sich aus, wie dann alles besser werden würde. Das war Balsam für meine Seele. Er liebte mich, er sehnte sich nach mir, er träumte genau wie ich von der gemeinsamen Zukunft. Eines Tages Ende März berichtete er, er habe einen Job für mich.

»Eine Frau, die ein kleines Schmuckgeschäft hat«, sagte er, »in einer Seitenstraße der Champs-Élysées. Ich hatte eine Lieferung für sie, so habe ich sie kennengelernt. Sie sucht eine Verkäuferin – eine, auf die sie sich verlassen kann. Ihre letzte Angestellte hat sie beklaut, und nun traut sie niemandem mehr über den Weg. Ich habe in den höchsten Tönen von dir geschwärmt. Du sollst dich gleich bei ihr vorstellen, wenn du nach Paris kommst.«

Ich in einem Juweliergeschäft auf den Champs-Élysées! Das war nicht das Studium, das sich Éliane für mich wünschte, aber es klang auch nicht schlecht.

Ich schaute hinaus in den Garten. Es war ein klirrend kalter Tag, eher winterlich als frühlingshaft. Zwei Narzissen, die sich leichtfertig bereits aus der Erde gewagt hatten, bogen sich im scharfen Nordwind. Jérôme und ich, dachte ich bei ihrem Anblick, gebeutelt, aber unverwüstlich und standhaft. Am nächsten Morgen lagen die beiden Narzissen gebrochen auf dem Boden. Sie hatten den verspäteten Wintersturm nicht ausgehalten. Ich verdrängte meinen Gedanken vom Vortag. War sowieso Blödsinn gewesen.

Am 29. April wurde ich achtzehn. Am Morgen empfing mich Éliane mit einer albernen Torte, auf der achtzehn Kerzen brannten, und mit einem Lied, das sie mir sang. Ihr Freund nahm an dieser Zeremonie nicht teil. Er ließ sich nur noch selten blicken, verbrachte viel Zeit in der kleinen Wohnung, die er sich immer als Rückzugsort bewahrt hatte. Ich spürte, dass hier etwas zu Ende ging und dass Éliane unglücklich, wenn nicht verzweifelt war. Obwohl sie es vor mir zu verbergen suchte. Mir war klar, dass ich den schmerzhaften Schnitt schnell vollziehen musste. Éliane klammerte sich immer stärker an mich, seit sie praktisch wieder als Single lebte, aber ich durfte mich nicht fesseln lassen. Nicht von ihrem Schmerz und nicht von meinem Mitleid.

»Vielen Dank«, sagte ich, nachdem Éliane das Lied zu Ende gesungen hatte, und dann holte ich ganz tief Luft und fügte hinzu: »Éliane, ich werde heute nach Paris fahren.«

Sie schaute mich verwirrt an. »Nach Paris? Du hast heute Schule!«

Ich schüttelte den Kopf. »Ich gehe nicht mehr in die Schule.«

»Wie meinst du das? Du gehst nicht mehr in die Schule? Willst du dir heute freinehmen und …«

Sie war wirklich schwer von Begriff.

»Ich beende die Schule jetzt. Heute. Ich ziehe zu Jérôme nach Paris.«

Éliane wusste natürlich, dass Jérôme nach Paris gegangen war, und insgeheim hatte sie vermutlich geglaubt – oder sogar gehofft –, dass unsere Beziehung dadurch allmählich im Sand verlaufen würde. Ganz offenbar hatte sie keine Sekunde lang damit gerechnet, dass ich ihm folgen würde, denn sie starrte mich an, als verwandelte ich mich vor ihren Augen gerade in ein Marsmännchen. »Nathalie … du stehst unmittelbar vor dem Abitur. Du kannst doch nicht … Bitte sag, dass das nicht dein Ernst ist!«

Sie tat mir in ihrem Entsetzen fast ein wenig leid.

»Es ist mein Ernst, Éliane. Ich habe schon das Zugticket gekauft. Jérôme holt mich am Bahnhof ab.«

Ich hatte das Ticket von meinem Taschengeld gekauft. Ich hatte in der Nacht zwei große Koffer gepackt, die nun in meinem Zimmer standen.

»Ich lasse das nicht zu«, erklärte Éliane. Sie war kreideweiß im Gesicht.

»Wie willst du mich daran hindern?«, fragte ich kühl. »Ich bin achtzehn Jahre alt. Ich bin volljährig.«

»Ich werde jetzt sofort die für dich zuständige Betreuerin beim Jugendamt anrufen.«

»Das Jugendamt ist nicht mehr zuständig, insofern gibt es auch keine zuständige Betreuerin. Ich bin eine erwachsene Frau. Ich kann hingehen, wohin ich will.«

»Du kannst doch nicht deine Zukunft wegwerfen!«

»Jérôme ist meine Zukunft.«

Éliane sah aus, als wollte sie sich am liebsten die Haare raufen. Ich gefährdete ihr Ansehen als Super-Pflegemutter gegenüber dem Jugendamt und gegenüber meinem Vater.

»So kurz vor dem Abitur ... Das ist Wahnsinn! Das ist einfach nur Wahnsinn, Nathalie! Die Prüfungen beginnen jetzt im Mai. Es geht nur noch um ein paar Wochen, um Gottes willen. Was willst du denn machen in Paris?«

»Ich habe schon einen Job. Jérôme hat ihn mir besorgt.« In Wahrheit hatte ich natürlich bloß ein Vorstellungsgespräch, aber so sehr ins Detail musste ich ja nicht gehen. An Élianes schreckgeweiteten Augen konnte ich erkennen, dass ihr gerade aufging, dass dies alles kein spontaner Einfall war. Sondern dass Jérôme und ich alles ganz genau vorbereitet hatten. Hier in ihrem Haus, vor ihrer Nase, hatte ich meine Pläne geschmiedet, und sie hatte absolut nichts davon mitbekommen.

»Ich arbeite in einem Juweliergeschäft auf den Champs-Élysées«, fügte ich noch hinzu, weil ich fand, dass sich das zumindest seriös anhörte.

Éliane schüttelte verzweifelt den Kopf. »Du lieber Himmel«, flüsterte sie, »du lieber Himmel.«

Ich warf einen Blick auf meine Geburtstagstorte. Die Kerzen brannten unvermindert weiter, das Wachs tropfte in die Buttersahnecreme. Egal. Ich wollte sowieso nichts davon essen. Ich hatte mich ein wenig verbessert, was mein Essverhalten anging, aber eine fettige Torte war undenkbar für mich. Typisch Éliane, dass sie das nicht berücksichtigt hatte. Sie war wahrscheinlich wieder nur von dem Wunsch getrieben gewesen, irgendwie eine Menge Kalorien in mich hineinzustopfen, und sie hatte gedacht, mich mit solch einer Torte nötigen zu können – weil mich schon die Höflichkeit zwang, etwas davon zu nehmen. So war sie immer gewesen: nett, aber hinterrücks. Ewig damit beschäftigt, mich dorthin zu dirigieren, wo sie mich haben wollte. Mit subtilen, freundlichen Methoden, die eine gewisse Wehrlosigkeit in mir erzeugten. Das hatte ich immer so gehasst. Und genau so war Jérôme eben überhaupt nicht.

Sie hob den Kopf und sah mich an. »Wenn Jérôme das wirklich mit dir durchzieht«, sagte sie, »wenn er dich am Bahnhof abholt und es gutheißt, dass du dein Abitur hinwirfst – dann ist er ein absolut gewissenloser und egoistischer Mensch, der sich einen Dreck um deine Zukunft und dein Wohlergehen schert. Es ist ihm egal, wie dein weiteres Leben aussehen wird. Jetzt im Moment bist du nützlich für ihn, und der Rest interessiert ihn nicht. Wahrscheinlich kommt er in Paris genauso wenig auf die Füße wie hier in Metz, und du sollst ihm jetzt helfen, sein marodes Dasein zu finanzieren. Und du bist dumm genug, das nicht zu durchschauen!«

Indem sie Jérôme angriff, hatte sie den entscheidenden Fehler gemacht. So konnte man bei mir gar nichts erreichen.

»Ich gehe«, sagte ich kalt. »Ich höre mir deine Hasstiraden nicht länger an, Éliane.«

»Das sind keine Hasstiraden. Das ist die Wahrheit.«

Ich wandte mich ab. Sie packte meinen Arm.

»Nathalie! Bitte!«

»Lass mich los«, sagte ich.

Sie verstärkte ihren Griff. »Ich lasse dich nicht gehen. Ich lasse das nicht zu!«

Ich versuchte, mich zu entwinden. Sie krallte sich auch noch in meinen anderen Arm.

Ein paar absurde Momente lang führten wir eine Art Ringkampf auf. Ich war überrascht, wie stark sie war. Natürlich war sie besser genährt als ich.

»Lass mich sofort los«, keuchte ich.

»Nur wenn du deine Abreise verschiebst. Wenn du vorher mit deinem Vater telefonierst. Wenn du mit dem Jugendamt wenigstens sprichst.«

Ich hätte fast gelacht. Was bildete sie sich ein? Glaubte sie ernsthaft, mir irgendwelche Bedingungen stellen zu können?

»Lass mich los«, verlangte ich noch einmal.

Tatsächlich ließ sie mich plötzlich los, so abrupt, dass ich fast gefallen wäre. Vielleicht merkte sie selbst, dass sie ein unwürdiges Spektakel aufführte.

»Bitte, Nathalie«, sagte sie leise.

Ich rieb mein Handgelenk. Sie hatte mir wehgetan mit ihrem harten Griff.

»Éliane, ich werde zu Jérôme gehen, und wenn du willst, dass wir Freunde bleiben, versuchst du nicht, mich daran zu hindern. Es war eine gute Zeit mit dir, und ich bin dir dankbar für alles, was du für mich getan hast. Aber nun beginnt eben ein neuer Abschnitt. Das musst du akzeptieren.«

»Kannst du nicht wenigstens noch dein Abitur machen? Und dann nach Paris gehen?«

Ich schüttelte den Kopf. Undenkbar. Jérôme wartete händeringend auf meine Hilfe. Und irgendwo in mir spürte ich, dass er sich anderweitig Hilfe suchen würde, wenn ich jetzt, heute, nicht kam. Ich durfte das um keinen Preis riskieren.

»Oder du gehst in Paris zur Schule. Und machst dort den Abschluss«, insistierte Éliane weiter.

»Ich will arbeiten«, sagte ich. Ich rieb ihr nicht unter die Nase, dass ich arbeiten musste, weil wir es sonst finanziell nicht schafften. Sie hätte dann wieder begonnen, auf Jérôme herumzuhacken.

Ich ging natürlich auch schon an diesem Morgen nicht mehr zur Schule, sondern begab mich gleich nach dem unglücklich verlaufenen Auftritt mit Éliane nach oben, um fertig zu packen. Éliane nutzte die Zeit, um meinen Vater anzurufen und ihm die Sachlage zu schildern, dann kam sie in mein Zimmer und reichte mir das Telefon. »Dein Vater will dich sprechen.«

Ich dachte erst, er wollte mir zum Geburtstag gratulieren, aber er übersprang diesen Teil und begann sofort auf mich einzureden, ich solle »mit diesem absoluten Schwachsinn aufhören«. Er meinte, ich sei völlig durchgeknallt, und forderte mich auf, »schnellstens zur Vernunft zu kommen«.

Ich fand das fast schon witzig. Mein Vater hatte sich seit mehr als zehn Jahren nicht um mich gekümmert, ich war ihm absolut egal gewesen, er hatte mich sogar eher in eine Pflegefamilie gehen lassen, als mich nach dem Totalausfall meiner Mutter bei sich aufzunehmen. Und jetzt zog er eine Show ab wegen meines Schulabschlusses. Wahrscheinlich tat er das nur, weil er wusste, dass man das von ihm als Vater irgendwie erwartete. Und weil er vor sich selbst ein reines Gewissen bewahren wollte. Er wollte sich immer sagen können, dass er alles versucht hatte, mich von meinem Plan abzubringen. In Wahrheit, davon war ich überzeugt, ließ ihn die Frage, welche Art von Schulabschluss ich hatte und was ich weiterhin mit meinem Leben anstellte, vollkommen kalt.

Ich legte einfach auf, während er noch lamentierte, und gab Éliane das Telefon zurück.

»Lasst mich doch einfach in Ruhe«, bat ich, inzwischen schon ein wenig erschöpft.

Am Mittag, als ich zum Zug wollte, änderte Éliane ihre Strategie und bestand darauf, mich zum Bahnhof zu bringen. Wegen meiner beiden sehr schweren Koffer konnte ich nicht den Bus nehmen und hatte ein Taxi eingeplant, aber letzten Endes ließ ich mich auf Élianes Angebot ein, weil ich jeden Cent sparen musste. Ein Fehler. Éliane hatte mittlerweile meine Betreuerin beim Jugendamt verständigt, und diese wartete auf dem Bahnsteig. Der Zug war noch nicht eingefahren. Beide Frauen begannen nun hysterisch auf mich einzureden.

Irgendwann reichte es mir. Ich ignorierte die Frau vom Jugendamt einfach und wandte mich an Éliane – und jetzt wurde ich richtig brutal. »Éliane, du bist eine nicht mehr junge Frau, der gerade der letzte Mann abhandenkommt, den sie noch ergattern konnte, ehe sie mangels Attraktivität dieses spezielle Spielfeld verlassen muss. Du hältst dich an mir fest, weil du genau weißt, dass du dein ödes, leeres Haus und dein ebenso ödes, leeres Leben alleine nicht erträgst. Du hast eine irre Angst vor dem Alleinsein, aber ich bin nicht dazu da, die Stütze deines Alters zu werden. Bring dein Leben in Ordnung, und lass mich in Ruhe.«

Éliane war blass geworden. Mit der Erwähnung ihrer scheiternden Beziehung hatte ich ihren wundesten Punkt getroffen.

»Es geht um deinen Schulabschluss«, beharrte sie dennoch tapfer. »Um nichts sonst.«

»Es geht dir um dich. So war es von Anfang an. Irgendwann, vor langen Jahren, hast du es geschafft, meinen Vater zu verführen, und seitdem kaust du an der Tatsache herum, dass er außer einem One-Night-Stand nichts weiter von dir wollte. Du hast mich bei dir aufgenommen, weil du immer noch darum kämpfst, seine Anerkennung zu bekommen, nachdem er dich damals wahrscheinlich einfach nur benutzt hat. Vergiss es, Éliane! Er wird nie etwas anderes in dir sehen als eine seiner zahllosen Nummern im Bett, und er verachtet dich höchstens noch dafür, dass du dir die Probleme mit seiner Tochter hast aufs Auge drücken lassen, nachdem er selbst nicht im Traum daran dachte, sich selbst all den Ärger aufzuhalsen. Ich könnte mir denken, dass er dich ziemlich bescheuert findet.«

Éliane war jetzt nicht nur einfach blass, sondern eher grau, und sie hatte einen Ausdruck in den Augen, der an ein angeschossenes Reh erinnerte. Für einen kurzen Moment regte sich Mitleid in mir. War ich zu hart gewesen?

Die Frau vom Jugendamt schaute mich entsetzt an, weil sie erstmals von den intimen Verstrickungen meines Vaters mit Éliane erfuhr und weil ihr wohl klar wurde, dass es nicht die beste Idee gewesen war, mich einer Frau anzuvertrauen, die mit meinem Vater eine Affäre gehabt hatte und ihm noch immer hinterhertrauerte. Aber für derlei Überlegungen war es zu spät.

Der Zug fuhr ein.

Nachdem ich meine Koffer ins Gepäcknetz gewuchtet hatte, schaute ich noch einmal kurz nach draußen. Éliane stand auf dem Bahnsteig und heulte. Die Jugendamtmitarbeiterin hatte ihr den Arm um die Schulter gelegt und redete auf sie ein.

Ich verließ Metz.

Ich war aufgeregt und glücklich.

SOFIA, BULGARIEN,
DONNERSTAG, 17. DEZEMBER

Kiril, der sich bis zum Morgen des nächsten Tages noch nicht von dem Besuch bei der Polizei erholt hatte und wie ein Häufchen Elend vor seiner Kaffeetasse in der Küche saß, konnte nur staunen beim Anblick seiner Frau. Ihn selbst hatten die Begriffe *Prostitution* und *Menschenhandel* niedergestreckt, ebenso wie die deutlich spürbare Gewissheit des Polizeibeamten, dass man in Hinblick auf Ninka nichts werde unternehmen können – und dass man, sollte man doch etwas unternehmen, so gut wie überhaupt keine Chance hatte, jemals ihre Fährte zu finden. Ninka war in die Hände absolut skrupellos und zugleich höchst geschickt und ausgeklügelt vorgehender Menschen geraten. Genau genommen: von ihren eigenen Eltern in diese Hände gegeben worden.

Kiril hatte die ganze Nacht über wach gelegen und sich gefragt, wie er weiterleben sollte. Dann war er aufgestanden, hatte sich angezogen und sich an den Küchentisch geschleppt. Er wusste nicht, wie er von dort wieder wegkommen sollte. Jegliche Energie hatte ihn verlassen.

Ivana hingegen, die während der vergangenen Wochen wie ein Schatten ihrer selbst dahinvegetiert hatte, eilte wie ein Wiesel in der Küche umher, räumte den Tisch ab, wischte die Arbeitsflächen, öffnete die Fenster, um frische

Luft in die kleine Wohnung zu lassen, schloss sie wieder, ehe die Räume zu sehr auskühlten. Sie wirkte geschäftig und zielstrebig. Sie hatte den Kindern ihre Schulbrote geschmiert und sie auf den Weg geschickt, nur Jannica, die Jüngste, kauerte noch auf der Eckbank und trank in kleinen Schlucken ihren Kakao. Ivana trug ein dunkelblaues Wollkleid und hohe Stiefel, ihr bestes Kleid und ihr einziges Paar Stiefel. So zog sie sich nur an, wenn sie etwas Besonderes vorhatte.

»Du gehst weg?«, fragte Kiril lethargisch.

Sie nickte. »Ja. Und du bleibst bitte bei Jannica.«

»Wohin willst du?«

»Ich habe es doch gestern schon gesagt. Ich muss diese Selina finden. Sie ist unsere einzige Hoffnung.«

»Wir haben nicht den kleinsten Anhaltspunkt, wo sie sich mit ihrer Familie aufhalten könnte.«

»Das stimmt, aber eine Familie löst sich nicht einfach in Luft auf. Es gibt immer irgendjemanden, der jemanden kennt, der jemanden kennt, der eine Vermutung hat. Verstehst du? Und den Anfang dieser Kette muss ich finden.«

Kiril starrte sie hoffnungslos an. »Hier in Sofia? In dieser riesigen Stadt? Das ist illusorisch, Ivana.«

»Ich fange mit den Nachbarn an. Ich gehe von Tür zu Tür. Ich frage jeden, der die Semjonovs kennt, egal, wie entfernt. Und wenn ich die ganze Stadt durchstreife und Wochen und Monate brauche – ich werde eine Spur finden.«

Kiril war fast geneigt, ihr zu glauben. Ivana strahlte eine unglaubliche Entschlossenheit aus. Sie würde nichts unversucht lassen, sie würde dem kleinsten und unscheinbarsten Anhaltspunkt nachgehen.

Er bewunderte sie. Er schämte sich, aber er selbst konnte ihr nicht helfen. Er konnte nur hier sitzen und beten, dass alles gut werden würde.

Ivana wusste, dass sie nicht in großen, kühnen Gedanken planen und dass sie keine schnellen Erfolge erwarten durfte. Kleine Schritte und verbissene Zähigkeit waren jetzt gefragt. Die Semjonovs versteckten sich vor Menschen, die hochkriminell waren und vor denen sie sich genug fürchteten, um nicht auf den Schutz durch die Polizei zu vertrauen. Stattdessen nahmen sie ihr Geschick lieber selbst in die Hand. Sie waren untergetaucht. Das konnte keine leichte Entscheidung gewesen sein und verriet etwas über das Ausmaß ihrer Verzweiflung und ihrer Angst. Untertauchen bedeutete den Ausstieg aus dem eigenen Leben. Den kompletten Abbruch aller sozialen Beziehungen. Ein Leben im gesellschaftlichen Nirgendwo. Und das auf unabsehbare Zeit, ohne einen Fixpunkt am Horizont, der Hoffnung auf ein Ende der Ausnahmesituation versprach. Menschen mussten in großer Panik sein, um sich das selbst anzutun.

Und sie mussten ihre Gegner als absolut lebensbedrohlich einschätzen.

Ivana war sich bewusst, dass sie sich selbst in Gefahr brachte. Denn vermutlich befanden sich auch die Jäger der Semjonovs auf der Suche nach einer frischen Fährte. Sie könnten einander in die Quere kommen. Sie musste vorsichtig sein und alle ihre Sensoren ausrichten. Jede Warnung ernst nehmen. Jedem Unbehagen Bedeutung beimessen. Es durfte ihr nichts zustoßen, sonst wäre Ninka verloren. Ivana machte sich nichts vor: Kiril alleine würde in dieser Angelegenheit nichts bewegen, so war er nicht geschaffen. Er war ein netter, umgänglicher Mann, und Ivana hatte es nie bereut, ihn geheiratet zu haben. Aber er war nicht stark, nicht stark genug für das Leben mit seinen endlos vielen Hürden und Hindernissen und Fallstricken. Kiril kapitulierte, wenn die Lage zu brenzlig wurde. Er neigte dazu, in endlose Klagen zu versinken und nichts mehr zu unternehmen, anstatt sich selbst aus dem Sumpf zu ziehen.

Und wenn er sich dann irgendwann aufraffte und doch etwas tat, dann war es das Falsche. Er hatte die Familie vor dem finanziellen Kollaps bewahrt, aber um den Preis, seine älteste Tochter unwissentlich an Menschenhändler verkauft zu haben. Aber auch sie, Ivana, hatte mitgemacht. Zögerlicher und mit einem dummen Gefühl, aber letztlich hatte sie es nicht verhindert, hatte auch sie nicht die richtigen Fragen gestellt. Deshalb musste sie das jetzt in Ordnung bringen. Um Ninkas, aber auch um ihrer selbst willen.

Kiril hatte ihr die Adresse der Semjonovs in Ljulin gegeben. Ivana fuhr mit der Metro zu der Plattenbausiedlung, klingelte zunächst bei den Semjonovs, worauf sie erwartungsgemäß keine Reaktion bekam. Dann machte sie bei den Nachbarn weiter.

Nicht jeder öffnete ihr, viele waren um diese Uhrzeit bereits bei der Arbeit. Diese Wohnungen notierte sich Ivana auf einem Notizblock, um in den Abendstunden noch einmal wiederzukommen. Jeden aber, den sie antraf, fragte sie nach der verschwundenen Familie. Gleich die erste Frau, die ihr öffnete, reagierte mit einer misstrauischen Gegenfrage. »Wieso wollen Sie das wissen?«

Ivana hatte sich vorbereitet. »Mein Mann arbeitet mit Gregor Semjonov zusammen am Flughafen. Gregor hat Unterlagen mitgenommen, offenbar ohne sich etwas dabei zu denken, die für meinen Mann extrem wichtig sind. Er braucht sie dringend. Deshalb müssten wir unbedingt Kontakt mit der Familie aufnehmen.«

»Keine Ahnung, wo die hin sind«, brummte die Frau und schlug die Tür zu.

Andere zeigten sich kooperativer, konnten aber auch keine hilfreiche Auskunft geben. Manche hatten auch noch gar nicht mitbekommen, dass die Semjonovs verschwunden waren. Ivana gewann den Eindruck, dass die Menschen in dieser Siedlung nicht allzu sehr aufeinander achteten, sondern weitgehend mit sich selbst beschäftigt waren. Das machte ihr Vorhaben nicht einfacher. Dennoch würde sie sich nicht abschrecken lassen.

»Verschwunden?«, fragte ein junger Mann. »War nicht nur die Tochter ins Ausland gegangen? Irgendwohin nach Westeuropa?«

Immerhin, endlich einer, der etwas mehr zu wissen schien.

Ivana gab sich unwissend. »Ach ja? Westeuropa?«

»Hab' so was läuten gehört. Wer hat mir das denn erzählt?« Der Mann kratzte sich nachdenklich den Kopf. »Ein Freund von dem Mädchen, glaube ich …«

Ivana lächelte ihn gewinnend an. »Wissen Sie vielleicht, wie der Freund heißt? Oder wo er wohnt?«

»Sarko heißt er, glaube ich. Den Nachnamen kenne ich leider nicht. Er wohnt hier irgendwo in der Nähe.« Er machte eine unbestimmte Kopfbewegung in Richtung der anderen Wohnblocks. Ein Gebäude sah hier wie das andere aus. »Ich weiß nichts Näheres über ihn. Wir sind uns nur ein paar Mal begegnet, wenn ich mit meiner Tochter spazieren gegangen bin. Er führt immer seinen Hund aus. Da sind wir ins Gespräch gekommen. Ich habe ihn dann hier im Haus getroffen, und er sagte, dass er der Freund von Selina ist. Später hat er dann einmal erwähnt, dass sie Sofia verlassen hat, weil sie irgendwo im Westen ein tolles Jobangebot bekommen hat.«

Ein Freund von Selina. Das war ein echter Anhaltspunkt. Er wusste vielleicht Näheres über die Familie, kannte Orte, wohin die Semjonovs geflüchtet sein konnten. Sie musste unbedingt mit ihm sprechen.

»Hätten Sie Zeit, mit mir einen Spaziergang zu machen?«, fragte sie. »Vielleicht treffen wir diesen Sarko. Es ist wirklich sehr wichtig, dass ich Selina Semjonova finde.«

Der junge Mann zögerte kurz, aber dann nickte er. »In Ordnung. Ich muss heute sowieso noch mit Lara raus. Meine Tochter, wissen Sie? Meine Frau hat Arbeit, deshalb bleibe ich daheim bei ihr.«

Lara war, wie sich herausstellte, gerade sieben Monate alt und krähte fröhlich vor sich hin, als ihr Vater sie in einen Tragekorb packte und sorgfältig mit Kissen und Decken gegen die Kälte draußen abschirmte. Ivana beobachtete gerührt, mit wie viel Umsicht und Liebe der junge Mann dabei vorging. Die Tränen traten ihr in die Augen, weil sie wieder an Ninka denken musste, die ja ihr erstgeborenes Kind war. Sie und Kiril hatten sich genauso verhalten wie dieser Mann: fast übervorsichtig, ständig besorgt, voller Furcht, sie könnten irgendetwas versäumen oder falsch machen. Bei den späteren Kindern waren sie da schon deutlich entspannter gewesen.

Der junge Mann – er stellte sich als Aleko vor – trug Lara in dem Tragekorb an seinem Arm nach draußen. Dort reihte sich Plattenbau an Plattenbau – so weit das Auge reichte.

»Wissen Sie, in welchem Gebäude er wohnt?«, fragte Ivana.

Aleko schüttelte bedauernd den Kopf. »Wie gesagt, er läuft hier manchmal mit seinem Hund herum. Daraus habe ich geschlossen, dass er in dieser Siedlung wohnt, aber in welchem Gebäudekomplex… Das kann ich überhaupt nicht sagen. Vielleicht wohnt er auch ganz woanders und kam nur hierher, weil seine Freundin hier wohnte.«

Es war zum Verzweifeln. Sie hatten keinen Nachnamen, und die Siedlung schien sich bis zum Horizont zu erstrecken. Sie standen zwischen all den Hochhäusern unter einem tiefgrauen Himmel in feuchter, winterlicher Kälte, und für Momente brach die Hoffnung, die Ivana heute früh hatte aus dem Bett springen und losziehen lassen, völlig in sich zusammen.

Jetzt ließen sich die Tränen nicht mehr zurückhalten. Zitternd vor Verzweiflung stand Ivana auf der Straße und weinte haltlos.

Aleko war bestürzt und verwirrt. »Was ist denn los? Was ist denn so schlimm? Ist es wirklich so wichtig für Sie, diesen Sarko zu finden?«

»Es ist absolut wichtig, Selina zu finden«, schluchzte Ivana. »Es ist lebenswichtig!«

Sie hatte ihm zu Anfang, wie den anderen auch, die Version von den *Unterlagen* erzählt, die ihr Mann dringend brauchte, aber nun hatte sie plötzlich nicht mehr die Kraft, diese Geschichte aufrechtzuerhalten. Sie sank auf eine Parkbank, und Aleko setzte sich neben sie, hielt die Tasche mit seiner Tochter darin auf dem Schoß und legte unbeholfen einen Arm um die Schultern der schluchzenden Frau.

»Was ist denn los?«, fragte er.

Sie erzählte es ihm. Alles. Von ihrer bitteren Not und Armut. Vom Umzug nach Sofia. Von Kirils vergeblichen Bemühungen, Arbeit zu finden. Von Vjara. Von ihren wunderbaren, verheißungsvollen Versprechungen. Von der besseren Zukunft, die sie für Ninka gesehen hatten.

»Ich liebe Ninka so sehr«, sagte sie mit gebrochener Stimme. »Ich liebe sie so, wie Sie Lara lieben.«

»Ich verstehe das«, sagte Aleko sanft.

Sie berichtete schonungslos von ihren Ängsten, ihrem Misstrauen. Ihrer inneren Stimme, die sie von Anfang an gewarnt und über die sie sich dann doch hinweggesetzt hatte. Um von da an keinen einzigen Tag mehr froh gewesen zu sein. Sie hatte das Unheil gespürt, es war fast greifbar gewesen. Und dann hatte Ninka sich nicht gemeldet.

»Alle um mich herum denken, es ist normal, wenn so ein junges Mädchen nichts mehr von sich hören lässt. Aber ich kenne meine Ninka. Sie würde mich nicht vergessen. Wenn sie nicht anruft und keinen Brief schickt, dann heißt das, sie ist nicht in der Lage dazu. Und das bedeutet nichts Gutes.«

»Ich verstehe«, wiederholte Aleko.

Ivana berichtete, was Kiril von seinem Freund Dano und schließlich von der Tochter der Semjonovs erfahren hatte.

»Sie zwingen die Mädchen, als Prostituierte zu arbeiten. Sie misshandeln sie. Sie sperren sie ein. Nehmen ihnen ihre Papiere und ihr Geld weg. Es klingt, als würden sie wie Sklavinnen gehalten werden.«

Aleko riss die Augen auf. »Du lieber Himmel! Warum geht die Familie nicht zur Polizei?«

Ivana wischte sich die Tränen weg. Sie war zu erschöpft, um noch weiter zu weinen. »Sie haben Angst. Zu viel Angst, um zur Polizei zu gehen. Zu viel Angst, um in ihrer Wohnung zu bleiben. Sie fühlen sich so massiv bedroht von den Leuten, die hinter alldem stecken, dass sie geflohen sind. Untergetaucht. Vom Erdboden verschluckt. Aber ich muss sie finden, verstehen Sie? Selina stellt meine einzige Chance dar, Ninka zu retten.«

»Waren Sie bei der Polizei?«

»Ja. Aber die können im Prinzip nichts tun. Wir haben Ninka offiziell vermisst gemeldet. Aber der Beamte hat uns kaum Hoffnung gemacht.«

»Das ist wirklich grauenhaft. Es tut mir so leid für Sie«, sagte Aleko. Er legte beide Arme um die Tragetasche mit dem Baby darin, als müsste er Lara schon jetzt vor Menschen wie der zwielichtigen Vjara schützen.

»Ich kann mir nicht verzeihen«, sagte Ivana. Ihre Stimme klang tonlos. »Ich kann mir das einfach nicht verzeihen.«

»Hm.« Aleko überlegte. »Sie müssen es sich aber verzeihen«, sagte er dann. »Sie müssen, weil Ihnen keine Wahl bleibt. Ihre Tochter hat jetzt nur noch Sie. Sie müssen für sie kämpfen. Und Sie verlieren Ihre ganze Energie, indem Sie sich ständig anklagen. Das bringt nichts. Ihr nicht und Ihnen nicht.«

»Wie konnte ich mein eigenes Kind …«

»Sie haben das Beste gewollt. Es war ein furchtbarer Fehler, aber Sie lieben Ihre Tochter, und Sie wollten, dass sie ein gutes Leben hat. Sie waren vielleicht naiv, aber nicht lieblos. Das ist wichtig. Die anderen sind die Verbrecher. Nicht Sie.«

»Meinen Sie wirklich?«

»Ja«, sagte Aleko mit Nachdruck. »Das meine ich wirklich.«

Ivana kramte ein Taschentuch aus ihrer Tasche und schnäuzte sich kräftig die Nase. Zum ersten Mal, seitdem das alles geschehen war, fühlte sie sich ein wenig getröstet. Auch Kiril hatte ihr immer wieder gut zugeredet, aber Kiril hatte sich selbst damit beruhigen, sein eigenes Gewissen besänftigen wollen, daher hatte er sie nie überzeugen können. Erstmals traf sie auf das Verständnis eines Außenstehenden, der keinen Grund hatte, die Dinge zu beschönigen. Aleko war ein hingebungsvoller Vater, trotzdem verurteilte er sie nicht. Das konnte sie spüren. Seine Worte waren ernst gemeint.

Wie seltsam. Hier auf dieser Bank zu sitzen neben diesem Fremden, ihm das Herz auszuschütten und ein klein wenig Frieden zu finden.

»Ich werde Ihnen helfen«, versprach Aleko. »Ich werde Ihnen helfen, Sarko zu finden, und wenn Gott will, finden wir dann auch Selina.«

»Wirklich? Sie helfen mir?«

»Wir teilen die Blocks auf. Wir klingeln uns durch alle Wohnungen und fragen nach Sarko. Wenn er hier wohnt, dann erwischen wir ihn auf diese Weise irgendwann.«

»Und wenn nicht?«, fragte Ivana zaghaft. »Wenn er nicht hier wohnt?«

»Im Moment können wir nichts anderes tun, als darauf zu hoffen und mit der Suche anzufangen«, entgegnete Aleko vernünftig. »Denn es gibt keinen anderen Ansatzpunkt.«

Ivana begriff, dass er recht hatte. Sie stand auf.

»Was ist mit Lara?«, fragte sie.

Aleko stand ebenfalls auf. Er betrachtete das friedlich schlafende Baby. »Die nehme ich mit. Solange sie ruhig bleibt, ist das kein Problem.«

»Dann los«, sagte Ivana.

LES LECQUES, FRANKREICH, DONNERSTAG, 17. DEZEMBER

Lieutenant Caparos hatte ziemlich lange mit Nathalie gesprochen, aber nichts herausgefunden, was zumindest auf den ersten Blick die Polizei weiterbringen konnte. Dezidiert war er noch einmal ihre Begegnung mit Yves Soler in Lyon durchgegangen, dann hatte er Genaueres über ihre Beziehung zu Jérôme wissen wollen. Und über Jérôme selbst.

»Was ist er für ein Mensch? Passt es zu ihm, einfach zu verschwinden?«

Nathalie hatte vehement den Kopf geschüttelt. »Nein. Das passt gar nicht. Außerdem ist er nicht *einfach verschwunden.* Er hat mich ja angerufen. Er muss sich verstecken. Er ist auf der Flucht.«

»Aber vor wem?«

»Das weiß ich nicht.«

Caparos hatte sich den Namen François notiert; jener Freund, der mit Jérôme zusammenarbeitete und den er zweimal mit nach Hause gebracht hatte.

»Freund ist eigentlich schon zu viel gesagt. Aber sie kannten sich eben aus der Firma und waren einander ganz sympathisch.«

»Den Nachnamen kennen Sie aber nicht?«

»Nein.«

»Den bekommen wir über *Denegri Transports* heraus.

Halten Sie es für möglich, dass dieser François etwas weiß?«

Nathalie hatte hilflos die Schultern gezuckt. »Kann sein. Aber so eng waren sie nicht.«

Caparos hatte alles andere als zufrieden gewirkt. »Auf jeden Fall müssen wir mit ihm sprechen. Wir haben nicht allzu viele Puzzleteile, wir müssen sehen, wie weit wir damit kommen.« Er sah gestresst aus. »Sie bleiben bitte hier. In dieser Wohnung. Solange wir nicht mehr wissen, sollten Sie nicht draußen herumlaufen. Haben Sie genug zu essen? Und zu trinken?«

»Bis morgen kommen wir damit hin«, sagte Simon. Er empfand die Situation als zunehmend schrecklich. Er hasste das hässliche Apartment und die kalte, modrige Luft, die darin herrschte. Draußen schien die Sonne, und er durfte nicht einmal zu einem Strandspaziergang aufbrechen.

Caparos ging schließlich, nachdem er noch einen weiteren Kaffee getrunken hatte. Stille senkte sich über den schäbigen Raum, und obwohl Simon nicht fand, dass Caparos über eine besonders sympathische oder sonst irgendwie anziehende Ausstrahlung verfügte, vermisste er ihn plötzlich. Seine Anwesenheit hatte zumindest den Anschein erweckt, dass irgendetwas geschah, dass sich die Polizei mit dem Fall beschäftigte, dass die Dinge vorangingen. Jetzt schien wieder alles zu stagnieren. Simon sagte sich, dass die Polizei ganz sicher weiter ermittelte, auch wenn er das jetzt nicht mitbekam, aber es war einfach etwas anderes, wenn es direkt vor der eigenen Nase geschah. Nun mussten sie warten, bis sie neue Informationen bekamen.

»Sie ist wegen mir abgereist, oder?«, fragte Nathalie mit Piepsstimme. Sie lehnte an der Küchentheke. Sie sah müde und verfroren aus. Ihre Haare hingen wirr und ungebürstet über ihre Schultern. Sie wirkte wie ein verlorenes, kleines Mädchen.

»Wer?«, fragte Simon, noch in eigene Gedanken versunken.

»Kristina. Sie denkt, wir hätten etwas miteinander. Deshalb ist sie abgereist.«

»Nein. Ich habe ihr den Zusammenhang erklärt. Sie ist nicht deinetwegen abgereist. Sie wollte sich einfach nicht in diese Geschichte verstricken.«

»Die hängt aber auch mit mir zusammen.«

»Ich kreide Kristinas Abreise nicht dir an, Nathalie.«

»Was funktioniert nicht zwischen euch?«

»Wie meinst du das?«

»Na ja, es ist ja seltsam, dass ihr nicht gleich zusammen hierher gereist seid. Dass sie dir, ohne vorher etwas zu sagen, schließlich nachkommt. Und dass sie das alles dann nicht mit dir zusammen durchsteht. Das wundert mich.«

Er war versucht, ihr zu sagen, dass sie das nichts anging, aber sie wirkte so angeschlagen und elend, dass er nicht barsch sein wollte.

»Sie hatte eine andere Vorstellung von unserer Beziehung«, erwiderte er ausweichend.

»Inwiefern anders?«

»Sie hat wohl einen Menschen in mir gesehen, der ich nicht bin.«

»Was bist du für ein Mensch?«

Langsam fand er das Frage-Antwort-Spiel anstrengend. Und ärgerlich. »Nathalie, ehrlich, ich will nicht über mich sprechen. Wir haben andere Sorgen.«

»Du hattest bestimmt eine bessere Kindheit als ich.«

Oh Gott! Jetzt kam sie wieder damit. Ihre schlimme Kindheit, während er der reiche Sohn war, den das Leben von all seinen Härten verschont hatte.

»Woher willst du das wissen?«, fragte er. »Du hast doch keine Ahnung.«

»Ihr habt Geld. Das habe ich an dem Haus in La Cadière gesehen.«

»Und wer Geld hat, ist glücklich?«

Sie hob die Schultern. »Er hat ein paar Sorgen weniger. Weißt du, ich glaube, dass sich Jérôme wegen des Geldes in irgendetwas Böses verstrickt hat. Weil er mehr Geld wollte.«

Simon sah sie überrascht an. »Das hättest du Lieutenant Caparos sagen müssen.«

»Es ist nur eine Vermutung«, sagte Nathalie. »Weil es meistens Geld ist, das Menschen dazu verführt, Dinge zu tun, die sie nicht tun sollten.«

»War Jérôme so sehr auf Geld aus?«

»Er war darauf aus, seinem Vater zu beweisen, dass er es schafft.«

»Dann haben wir tatsächlich eine Gemeinsamkeit«, sagte Simon und biss sich gleich darauf auf die Lippen. So viel hatte er gar nicht von sich preisgeben wollen.

Sie blickte ihn an. Irgendwie wissend, wie er fand.

»Wie ist dein Vater so?«, fragte sie.

»Ein Arschloch«, sagte Simon.

Und in diesem Moment klingelte sein Handy.

Simon erkannte im ersten Moment weder die Stimme der Anruferin, noch konnte er sofort ihren Namen einordnen.

»Lena?«, fragte er stirnrunzelnd.

»Ich bin die Freundin von Kristina.«

»Oh, entschuldige!« Er stand wirklich neben sich, aber vielleicht war das kein Wunder. »Lena. Natürlich. Klar weiß ich, wer du bist.«

Lena war ein paar Mal dabei gewesen, wenn er und Kristina essen oder in eine Kneipe gegangen waren. Manchmal auch andere Freunde von Kristina, aber Lena hatte eindeutig den ersten Platz in Kristinas Herzen inne. Simon hatte den Wink mit dem Zaunpfahl natürlich kapiert: Kristina machte ihn mit ihrem Umfeld bekannt, führte ihn in ihren Freundes- und Bekanntenkreis ein, weil sie dasselbe auch von ihm wollte. Er hatte sie niemandem, den er kannte, vorgestellt, aus Angst, auf Umwegen könnten seine Kinder davon erfahren. Noch immer waren die meisten seiner Freunde zugleich die Freunde seiner Exfrau, ein Umstand, der seit der Scheidung ohnehin mehr als es Simon lieb war dafür sorgte, dass sie wechselseitig ziemlich gut über das Leben des jeweils anderen informiert blieben.

So war es zu der Schieflage gekommen: Er kannte Kristinas Umfeld und Kristinas Umfeld kannte ihn. In seinen Kreisen jedoch ging man davon aus, dass er noch immer als Single lebte.

An einem Kneipenabend jedenfalls hatten er und Lena, jetzt erinnerte er sich daran, die Handynummern ausgetauscht.

»Wir haben ja von nun an vielleicht öfter miteinander zu tun«, hatte Lena gesagt. »Denn ich hoffe sehr, dass du mit Kristina zusammenbleibst.«

In Lena hatte er eine große Fürsprecherin, das hatte er gleich gespürt. Vielleicht, dachte er jetzt, wäre es mit mir und Kristina sonst schon viel früher zu Ende gewesen.

»Ich mache mir Sorgen«, sagte Lena nun. »Kristina wollte mich sofort anrufen, wenn sie in Hamburg gelandet ist. Und ich höre einfach nichts von ihr.«

»Vielleicht will sie alleine sein«, sagte Simon. »Es ist … es ist nicht gut gelaufen …«

»Ich mache mir Vorwürfe«, sagte Lena. »Ich habe sie gedrängt, nach Marseille zu fliegen. ›Es ist doch Unsinn, dass ihr beide an Weihnachten jeder alleine herumsitzt‹, habe ich ihr gesagt. Ich wollte, dass sie euch eine Chance gibt. Ich finde, ihr gehört zueinander. Wenn man euch zusammen erlebt … Ich weiß nicht, man spürt einfach, dass zwischen euch so viel Harmonie ist …«

Von Harmonie, dachte Simon, war eigentlich schon sehr lange nichts mehr zu spüren gewesen.

Aber er wusste, was Lena meinte: Irgendwie passten sie zusammen. Wo sie verschieden waren, ergänzten sie sich gut. In vielem stimmten sie zudem überein: Sie konnten über dieselben Dinge lachen. Sie mochten dieselben Bücher und dieselben Filme. Sie liebten dieselben Landschaften, fanden dieselben Leute unerträglich und dieselben gut. Sie diskutierten leidenschaftlich gern über Politik und tranken dabei ebenso leidenschaftlich gern einen guten Rotwein. Kristina hatte immer gewusst, dass sie ihn ohne Probleme in ihrem Umfeld präsentieren konnte, weil er dazu passte, dieselbe Sprache wie die anderen sprach und sie ganz sicher nicht blamieren würde. Umgekehrt war ihm das genauso klar gewesen. Jeder in seinem Umfeld hätte Kristina toll gefunden.

Hätte. Denn sie war ja sein bestgehütetes Geheimnis geblieben.

»Normalerweise …«, setzte er an, doch ehe er den Satz zu Ende sprechen konnte, hakte Lena schon ein.

»Was ist denn nur passiert, Simon? Wieso ist sie am nächsten Tag schon wieder abgereist? Ich bekam gestern Abend eine Nachricht über WhatsApp von ihr, dass sie heute spätestens am Mittag in Hamburg eintrifft. Jetzt ist es fast Mittag, und sie meldet sich nicht. Ich habe ihr mehrere Nachrichten geschrieben, auf die sie nicht reagiert. Ich habe sie angerufen, aber es springt sofort die Mailbox an.«

»Es geht ihr wahrscheinlich nicht so gut.«

»Sie hatte aber geschrieben, dass sie sich sofort melden würde, und wenn sie so etwas ankündigt, tut sie es auch. Simon …?«

»Ich stecke hier in einer dummen Geschichte. Das war das Problem.«

»In welcher Geschichte?«

Er überlegte, wie er das in Kurzform darstellen sollte, ohne dass es zu eindeutig klang. Ab dem Punkt, an dem er eine junge Frau aufgegabelt und mit nach Hause genommen hatte, wurde es stets kompliziert. Unglücklicherweise war das gleich der erste Punkt. Lena würde das ganz falsch interpretieren.

»Ich stecke in einer Mordermittlung«, sagte er. »Und es ist zu umständlich, das jetzt zu erklären.«

»In einer *Mordermittlung*?«, fragte Lena entsetzt.

Vermutlich war das auch nicht die richtige Form gewesen, die Situation zu schildern.

»Ich habe damit nichts zu tun«, sagte er schnell. »Ich bin nur Zeuge, gewissermaßen. Deshalb musste ich aus meinem Haus ausziehen und muss mich ständig für Befragungen durch die Polizei bereithalten.« Er versuchte ein Lachen, es geriet sehr gekünstelt. »Nicht gerade eine gute Voraussetzung für einen romantischen Kurzurlaub.«

»Zeuge eines Mordes?«, fragte Lena völlig konsterniert.

»Zumindest so ähnlich.«

»Du lieber Gott.« Sie überlegte, sortierte offenbar mühsam das eben Gehörte.

»Und da steht Kristina dir nicht zur Seite?«, fragte sie dann.

»Lena, ich kann es nicht gut erklären. Es ist einfach alles … etwas unglücklich verlaufen.«

Lena schien endlich zu kapieren, dass sie mehr von ihm nicht erfahren würde.

»Aber wo steckt Kristina denn dann jetzt? Ich habe alle Flugmöglichkeiten, die sie seit gestern Abend von Marseille aus hatte, gecheckt. Sie müsste inzwischen hier sein.«

»Du weißt nicht, ob sie nicht eine ganz komplizierte Verbindung erwischt hat. Vielleicht hat es auch bei einem Zwischenstopp größere Verzögerungen gegeben. Ich denke, es ist zu früh, sich Sorgen zu machen.«

Allerdings, dachte er, ein wenig seltsam ist es schon. Sie war seit gestern Abend unterwegs.

»Wenn sie irgendwo festsitzen würde«, sagte Lena, »würde sie auf meine Versuche, sie zu kontaktieren, reagieren. Selbst wenn sie nicht reden will, hätte sie mir eine SMS geschickt, die mich beruhigt.«

»Vielleicht ist ihr Akku leer und sie hatte keine Gelegenheit, ihn aufzuladen.«

»Kann ich mir kaum vorstellen. Kristina und ihr Handy sind praktisch miteinander verwachsen. Sie hat …« Lena holte tief Luft. »Um jetzt schon zu dir nach Frankreich fliegen zu können, hat sie einige berufliche Termine canceln müssen. Ich weiß, dass das gar nicht einfach war. Sie musste sich für die Firma erreichbar halten, weil die Dinge nun per Telefon geklärt werden mussten. Ich kann mir nicht vorstellen, dass sie in dieser Situation vergessen hat, ihr Handy aufzuladen.«

Simon dachte, dass Kristina andererseits in wirklich verstörende Zusammenhänge hineingerutscht war. Nathalie, der Einbruch. Dann hatte sie von Yves erfahren, dann war die Polizei aufgetaucht. Schließlich waren sie zu ihrer aller Sicherheit in das Apartment in Les Lecques gebracht worden. Inmitten eines solchen Trubels konnte man durchaus das Aufladen eines Handys vergessen. Aber er mochte das alles Lena jetzt nicht erzählen.

»Ich bin ganz sicher, dass es eine harmlose Erklärung

gibt«, sagte er. »Und dass sie bald auftaucht. Vielleicht könntest du mir dann kurz Bescheid sagen? Ich fürchte, von selbst wird sie sich nicht bei mir melden.«

»Ich sage dir *kurz* Bescheid«, entgegnete Lena in einem Tonfall, der Simon verriet, dass er sich wieder einmal unpassend ausgedrückt hatte. »Aber ich fürchte, da ist irgendetwas nicht in Ordnung. Kristina steckt in Schwierigkeiten, und ich kann nicht verstehen, wieso du das auf die leichte Schulter nimmst. Zumal du vermutlich der Auslöser für ihre Probleme bist.«

Mit diesen Worten legte sie den Hörer auf.

Man kann es sich auch leicht machen mit den Schuldzuweisungen, dachte Simon. Aber irgendwie hatte Lena ihn angesteckt.

Er machte sich jetzt auch Sorgen um Kristina.

VERDUN, FRANKREICH, DONNERSTAG, 17. DEZEMBER

Das Ärgerliche am Monat Dezember war die früh einsetzende Dunkelheit. Ab 17 Uhr war es praktisch schon Nacht. Nicht, dass François im Dunkeln nicht genauso gut gesehen hätte wie im Hellen, mit seinen Augen hatte er keine Probleme. Aber er wurde früher müde, musste vehement gegen das Bedürfnis, sich hinzulegen und einfach einzuschlafen, ankämpfen. Vor allem dann, wenn er schon seit vielen Stunden unterwegs war. Am frühen Morgen war er in Berlin aufgebrochen, fuhr seitdem, von einer einzigen Mittagspause unterbrochen, den schweren Lieferwagen durch das eintönige Grau des Wintertages. Das kam nämlich noch hinzu: Es wurde nicht nur früh dunkel und im Grunde nicht einmal zwischendurch richtig hell, die Welt ringsum versank auch noch in Farblosigkeit und Trübsinn. Tiefhängende Wolken. Kahle Felder. Schwarze, leere Astgabeln, die sich scharf vor dem lichtlosen Himmel abhoben. Kilometer um Kilometer Autobahn, ohne dass sich das Auge rechts und links der Straße an irgendetwas festhalten konnte. Das schläferte ein. Und wenn man es halbwegs überstanden hatte, wurde es schon wieder schwarz ringsum, und das war dann die Krönung des mühsam durchkämpften Tages.

Es half einfach nichts. Er brauchte einen ganz kurzen Stopp. Er war jetzt auf der Höhe von Verdun, er wollte heute noch bis Paris. Irgendwann sehr spät würde er ankommen. Vernünftiger – und vorschriftsgemäß – wäre es gewesen, noch ein Stück zu fahren, dann zu übernachten und am nächsten Morgen die restliche Strecke zurückzulegen. Aber dazu hatte er keine Lust. Er wollte es hinter sich bringen, wollte noch für ein paar Stunden wenigstens in sein eigenes Bett. Er konnte dann guten Gewissens etwas länger schlafen; die Ware, die aus zerlegten Baugerüsten bestand, wäre überpünktlich abgeliefert worden, und damit hatte er dann mehr als sein Soll erfüllt. In solchen Dingen zeigte sich die Chefin großzügig. Man durfte dann durchaus einen halben Tag blaumachen, ohne dass sie Anstoß daran nahm.

Aber eine Pause musste drin sein. Er wollte ein paar Schritte durch die kalte, klare Luft gehen, in der Hoffnung, dass dies seine Lebensgeister wecken würde. Eine Zigarette und einen starken Kaffee, dann war er wieder fit.

Am nächsten Rastplatz verließ er die Autobahn. Es standen schon viele Lastwagen hier, er reihte sich ein, stellte den Motor ab und streckte sich erleichtert. Es gab ein Restaurant, dort würde er den Kaffee bekommen. Er wollte gerade aussteigen, als sein Handy klingelte.

Auf dem Display erschien der Name Victor. Victor war ein Kollege aus der Firma. François ging manchmal mit ihm ein Bier trinken und hörte sich sein Gejammer wegen seiner Scheidung an. Victors Frau wollte eine Menge Unterhalt und hatte, laut Victor, den gerissensten Anwalt von ganz Paris an ihrer Seite. Die Scheidung zog sich hin, und Victor geriet immer mehr in Panik, sprach über nichts anderes mehr.

François seufzte. Hoffentlich nicht irgendein neuerliches Drama. Im Augenblick war er einfach zu müde, um Trost zu spenden.

»Ja. Victor? Was gibt es?«, meldete er sich.

Victors Stimme klang ein wenig gepresst, als bemühte er sich, leiser als sonst zu sprechen. »Wo bist du?«, fragte er.

»Verdun. Ungefähr. Warum?«

»Die Polizei war gerade hier in der Firma. Sie wollen dich unbedingt sprechen.«

François schloss die Wagentür, die er bereits geöffnet hatte, vorsichtshalber wieder. Vielleicht war es besser, wenn niemand etwas von dem Gespräch mitbekam.

»Mich? Die Polizei?«

»Ja. Wegen Jérôme.«

Jetzt war François mit einem Schlag hellwach. Wacher, als er das durch den schwärzesten Kaffee der Welt hätte werden können.

»Wie kommen die auf mich?«, fragte er angespannt.

»Keine Ahnung. Wahrscheinlich haben sie irgendwie rausbekommen, dass du mit Jérôme befreundet bist.«

»Ich bin nicht mit ihm befreundet«, erwiderte François reflexartig. »Ich kenne ihn im Grunde kaum!«

»Ihr habt euch aber auch privat getroffen.«

»Zwei- oder dreimal. Mehr nicht.« Das Herz schlug ihm bis zum Hals. Verdammter Mist, dachte er.

»Egal. Die denken jedenfalls, dass ihr befreundet seid«, sagte Victor ungeduldig. »Und ich dachte, du solltest es wissen. Bevor du zurückkommst.«

»War es Madame Denegri, die die Polizei informiert hat?«

»Soweit ich das mitbekommen habe – nein. Hier kursieren jetzt die wildesten Gerüchte, und ich habe keine Ahnung, was daran wahr ist, aber es heißt, dass Jérôme im Zusammenhang mit einem Mord gesucht wird.«

»Mit einem Mord?«, fragte François entsetzt, während sich gleichzeitig seine Gedanken zu überschlagen begannen. Wie passte denn das jetzt zusammen? Jérôme hatte weiß Gott genug Probleme am Hals, er musste nicht noch ein Kapitalverbrechen hinzufügen. Das konnte einfach nicht stimmen.

Gerüchte, sagte er sich. Aber irgendetwas hatte die Polizei auf den Plan gerufen.

»Ich weiß doch auch nichts Genaues«, sagte Victor. Noch leiser fügte er hinzu: »Weißt du denn etwas? Wo Jérôme steckt, meine ich? Warum er mit der Lieferung abgehauen ist? Was will er denn damit? Das ist doch Wahnsinn!«

»Ich habe keine Ahnung«, behauptete François. Sein Herz ging sehr schnell, und ihm brach der Schweiß aus.

Warum hatte er sich da reinziehen lassen? Wie hatte er so dumm sein können?

»Also, wenn du überhaupt nicht weißt, wo er steckt, und auch keine Ahnung hast, was ihn umtreibt, dann können die dir auch nichts anhaben«, sagte Victor. »Ich wollte ja auch nur, dass du vorbereitet bist. Ist immer besser, wenn man weiß, was auf einen zukommt.«

»Klar. Danke, Victor. Das war wirklich nett.«

»Okay. Dann bis morgen«, sagte Victor.

»Bis morgen«, sagte François.

Statt auszusteigen und sich einen Kaffee zu holen, wie er es vorgehabt hatte, blieb er im Auto sitzen und dachte nach. Genau genommen: Er *versuchte* nachzudenken. Er bemühte sich, seine Gedanken wenigstens ansatzweise zu ordnen.

Er steckte in der Bredouille, das war klar. Er hatte einen riesigen Fehler gemacht, aus schierer Gutmütigkeit, und er hatte sich darauf verlassen, dass nie jemand davon erfahren würde. Jérôme hatte es ihm versichert. »Ganz ehrlich, François, wenn du mir hilfst, dann bin ich dir für ewig dankbar. Das vergesse ich dir nie. Und ich werde absolutes Stillschweigen bewahren, das schwöre ich dir. Egal in welche

Schwierigkeiten ich gerate – dein Name wird niemals fallen!«

François hatte ein dummes Gefühl gehabt, aber nicht so richtig gewusst, wie er seinen Kopf aus der Schlinge ziehen sollte. Das Problem mit Jérôme war, dass er Menschen mit seinem Charme einwickelte, und zwar auf eine so jungenhafte und ungestüme Art, dass er jedem, der Bedenken äußerte, das Gefühl gab, alt, unflexibel und spießig zu sein. François hatte nicht als Feigling vor ihm dastehen wollen, der es nicht wagte, einen Schritt aus den sicheren und vorgegebenen Bahnen seines Lebens zu tun. Er hatte, das gestand er sich jetzt ein, Jérômes Freundschaft nicht verlieren wollen.

François war einsam, das war eine Tatsache. Er war achtundzwanzig Jahre alt, es hatte noch nie eine Frau in seinem Leben gegeben, und wie es aussah, würde sich daran auch nichts mehr ändern. Er war manchmal versucht, das Problem auf seinen Beruf zu schieben: Wie sollte man schon jemanden kennenlernen, wenn man ständig unterwegs war, Lastwagen quer durch Europa steuerte, zu den unmöglichsten Zeiten wach war, zu den unmöglichsten Zeiten schlief und sich so selten in der eigenen Wohnung aufhielt, dass man sie im Prinzip als *Wohnung* schon gar nicht mehr bezeichnen konnte. Sie war der Ort, an dem man seine Wäsche wusch und seine Post vorfand. Mehr nicht.

In seinen ganz ehrlichen Momenten wusste François aber, dass es nicht an dem Job bei *Denegri Transports* lag. Denn er war ja nicht immer dort gewesen. Es hatte eine Schulzeit gegeben und eine Zeit, in der er eine Mechanikerausbildung gemacht hatte. Er hatte in einer Werkstatt gearbeitet und ein geregeltes Leben geführt. Trotzdem hatte nie eine Frau angebissen, und nie hatten Menschen seine

Freundschaft gesucht. Durch den Wechsel später zu *Denegri Transports* war die Situation nicht einfacher geworden, aber François machte sich nichts vor: Es war gleichgültig, mit welcher Arbeit er seinen Lebensunterhalt verdiente. Er würde es nie schaffen, eine Beziehung mit einer Frau einzugehen.

Er sagte sich, dass es vor allem an seinem Übergewicht lag, an seinen schwammigen Gesichtszügen und an seiner schwerfälligen Art, sich zu bewegen, aber er wusste, dass es nicht nur mit seinem Aussehen zu tun hatte, sondern auch mit seiner Art. Er konnte nicht flirten. Er konnte nicht unterhaltsam sein. Er beherrschte kaum etwas so wenig wie die Kunst des Small Talks. Im Gegenteil, bekam er tatsächlich einmal die Gelegenheit, mit einer Frau zu sprechen, fand er keine Worte mehr und fing zu allem Überfluss auch noch an zu stottern.

Erbärmlich. Versager. Verlierer. Das waren Eigenschaften und Bezeichnungen, die ihm einfielen, wenn er an sich selbst dachte. Der einzige Mensch, der sich in den letzten Monaten mit ihm abgegeben hatte, war Jérôme gewesen. Ausgerechnet. Wenn François hätte benennen sollen, welche Art Mann er gerne gewesen wäre, dann hätte er gesagt: »So einer wie Jérôme!«

Jérôme hatte alles, was er nicht hatte: Charme, gutes Aussehen, Lässigkeit, die Fähigkeit, das Leben leichtzunehmen. Er verstand es, sich über sich selbst lustig zu machen, genau in der Dosierung, die gut ankam. Die Frauen himmelten ihn reihenweise an. Er war erst seit nicht einmal zwei Jahren in der Firma und hatte schon das Vertrauen von Madame Denegri gewonnen – etwas, das andere nach frühestens zehn Jahren erreichten. Es war ihm gelungen, sogar diese knallharte, schmallippige Person, die *Denegri Transports* mit unnachsichtiger Strenge regierte, irgendwie um den Finger zu wickeln.

François schlug mit der Faust auf sein Lenkrad. Was sollte er jetzt bloß tun? Er schwebte in Gefahr, daran bestand kein Zweifel. Und das Schlimme war: Er hatte von Anfang an geahnt, dass die Sache möglicherweise schlecht ausging. Sein Instinkt, seine Intuition, sein Bauchgefühl, was auch immer, sie alle hatten geschrien: Finger weg! Lass dich nicht auf diese Geschichte ein. Geh auf Distanz zu Jérôme, und zwar so schnell du kannst.

Aber genau das war das Problem gewesen: Er mochte Jérôme und hätte es nie fertiggebracht, ihn zu enttäuschen. Denn noch immer konnte er es nicht fassen, dass der attraktive, beliebte Jérôme unter all den Kollegen in der Firma sich gerade mit ihm, François, dem Loser, näher angefreundet hatte. Na ja, vielleicht war es zu viel, von Freundschaft zu sprechen. Aber es schien so, als hätte er Zutrauen zu ihm gefasst, als fände er ihn sympathisch. François war völlig perplex gewesen. *Ihn? Ausgerechnet?*

Zweimal hatte er ihn zu sich nach Hause eingeladen. François hatte die hübsche, aber – wie er insgeheim fand – geradezu krankhaft magere Nathalie kennengelernt, mit der Jérôme zusammenlebte. Sie hatten gemeinsam gegessen, und François hatte fast kein Wort herausgebracht, weil ihm das in Gegenwart von Frauen grundsätzlich nicht gelang. Lieber war er einmal mit Jérôme ein Bier trinken gegangen. Nur sie beide. Da schaffte er es dann wenigstens, eine Unterhaltung zu führen. Und genoss das erhebende Gefühl, sich plötzlich nicht mehr nur als Versager zu empfinden. Immerhin hatte er jetzt so etwas wie einen … Kumpel. Jemanden, der offenbar ganz gerne hin und wieder mit ihm zusammen war. Das war mehr, als François zuvor jemals erlebt hatte.

Und wenn er sich, an diesem kalten, dunklen Dezembertag auf irgendeinem Rastplatz bei Verdun, vor Angst schlotternd, fragte, weshalb er tatsächlich dumm genug gewesen war, sich auf Jérômes Ansinnen einzulassen und sich selbst in eine absolut gefährliche Lage zu bringen, dann wusste er im Grunde, wie die Antwort lautete: Er hatte Jérôme nicht verlieren wollen. Den einzigen Menschen, der sich je für ihn interessiert hatte. Deshalb hatte er sich in diesen Wahnsinn gestürzt. Um Jérômes Freundschaft zu erhalten. Vielleicht sogar, um zu erreichen, dass sich Jérôme ihm verpflichtet fühlte. Denn es war klar, wenn er ihm einen so großen Gefallen tat und damit selbst ein erhebliches Risiko einging, würde Jérôme ihm ewig dankbar sein müssen. Jérôme würde noch in dreißig Jahren sagen: »François, ja, das ist ein wahrer Freund. Der ist nicht nur in guten Zeiten da, sondern auch dann, wenn man ihn wirklich braucht. François hat viel für mich getan. Das hat uns zu Freunden fürs Leben gemacht.«

François hatte sich großartig und heroisch und fast berauscht gefühlt.

Jetzt hingegen hatte er einfach nur noch Angst.

Gut. Er musste die Nerven behalten. Keine Panik. Er hatte Glück im Unglück gehabt, weil Victor ihn gewarnt hatte. Victor war auch so etwas wie ein Kumpel. Aber keiner, auf dessen sogenannte Freundschaft man sich etwas einbilden konnte. Da machte François sich nichts vor: Victor brauchte jemanden, der ihm zuhörte, wenn er wegen seiner Scheidung schwadronierte, und da dazu inzwischen niemand mehr bereit war, weil er allen auf die Nerven ging, war er an dem gutmütigen François hängengeblieben, der einsam genug war, sich auch den größten Mist hundert Mal ergeben anzuhören. Wenn die Scheidung irgendwann durch und Victors Wunden halbwegs geheilt wären, würde er François gar nicht mehr kennen.

Also, ganz offensichtlich war noch mehr schiefgegangen, als es zunächst den Anschein gehabt hatte. Schon dass Jérôme frühzeitig untergetaucht war, ohne das Firmenfahrzeug samt Fracht abzuliefern, hatte nicht der Planung entsprochen.

Aber jetzt suchte die Polizei im Zusammenhang mit einem Mord nach ihm, und das war überhaupt nicht einzuordnen. Irgendetwas war vollständig aus dem Ruder gelaufen. François konnte sich nicht vorstellen, dass Jérôme selbst einen Mord begangen hatte, er war nicht der Typ, der ein Gewaltverbrechen verübte.

Oder?

Tatsache war, dass François Jérôme natürlich nicht wirklich gut kannte. Nicht nur deshalb, weil sie einander so oft nun auch wieder nicht gesehen oder gesprochen hatten. Sondern weil, das fiel ihm jetzt auf, Jérôme auch nie viel von sich preisgab. Obwohl er ständig redete, lachte, gestikulierte. Alles andere als ein verschlossener Mensch war. Doch wenn man über den Inhalt des Gesagten hinterher nachdachte, stellte man fest, dass man eigentlich gar nichts erfahren hatte. Nichts jedenfalls, was wirklich Aufschluss über Jérômes Innenleben, seine Gedanken und Gefühle gegeben hätte. Man war sehr charmant unterhalten worden. Aber wer der Mensch war, der drei Stunden lang fast ohne Pause geredet hatte – das hätte man nicht zu sagen gewusst.

François fragte sich, wie die Polizei gerade auf ihn gekommen war. Woher wussten die von dieser *Freundschaft*, die nicht mehr war als eine lockere Sympathie unter Kollegen? Der einzige Mensch, der ihm einfiel, war Nathalie. Mit ihr hatte die Polizei auf jeden Fall gesprochen, und wahrscheinlich wollten sie wissen, mit wem Jérôme Umgang hatte. Daraufhin hatte sie sicher ihn genannt. *Der fette François aus der Firma.*

Obwohl, *fett* hatte sie wahrscheinlich nicht gesagt. So war sie nicht.

François überlegte fieberhaft. Nach Jérômes Verschwinden waren sie alle befragt worden. Vom Personalchef, in Anwesenheit von Madame Denegri persönlich. Er hatte die Anspannung gespürt, die hinter Madeleine Denegris untadeliger kühler Fassade lauerte. Jeder wurde gefragt, ob er etwas wusste. Ob Jérôme in den Tagen vor seinem Verschwinden etwas angedeutet hatte. Auch Nebensächlichkeiten, die keinen großen Sinn ergeben haben mochten, im Kontext seines spurlosen Untertauchens nun jedoch an Bedeutung gewannen. Jeder hatte darlegen müssen, wo er sich selbst aufgehalten hatte, während Jérôme auf dem Rückweg von Kopenhagen gewesen war. Sofern nicht die Fahrtenbücher ohnehin Aufschluss darüber gaben.

François hatte gesagt, er sei daheim gewesen. Tatsächlich hatte er gerade ein paar Tage frei gehabt.

»Daheim«, hatte Madame Denegri wiederholt und ihn scharf gemustert. »In Ihrer Wohnung hier in Paris?«

Er hatte keine Wohnung in Paris. »In Aubersvillier, Madame«, hatte er gesagt.

»Kann das jemand bestätigen?«

»Nein. Ich lebe alleine.«

Dann hatte er gehen dürfen und draußen feststellen müssen, dass er innerhalb weniger Minuten sein Hemd klatschnass geschwitzt hatte. Jedoch hatte er das Gefühl, dass ihm kein Misstrauen entgegengebracht worden war. Manchmal konnte es durchaus von Vorteil sein, als kontaktschwaches, phlegmatisches, übergewichtiges Individuum zu gelten. Man wurde gerne unterschätzt. Die Leute trauten einem keine besonderen Taten zu, im Guten nicht wie im Schlechten.

Doch jetzt – jetzt war sein Name gefallen. Jetzt hob er

sich von der Masse der Angestellten deutlich ab. Als *Jérômes Freund*. Der er ja in diesem Sinne gar nicht war. Er wusste jedoch, wie schnell sich Informationen verselbstständigten.

Er war in Gefahr, das spürte François. Er wusste nicht genau, wie diese Gefahr aussah, er hatte kein Bild von ihr, keine konkrete Vorstellung. Aber wie eine Gazelle den Löwen wittert, den sie nicht sehen kann und der sie doch bereits ins Visier genommen hat, so witterte François das nahende Verderben. Zum ersten Mal in seinem Leben nahm er die archaische, intuitive Ahnung von Bedrohung wahr, die seine Vorfahren in der Steinzeit vor Raubtieren, kriegerischen Stämmen oder Umweltkatastrophen gewarnt hatte.

Er wusste nicht, was genau ihm womöglich zustoßen würde, aber eine innere Stimme sagte ihm deutlich, dass es besser sei, nicht nach Paris zurückzukehren. Vorläufig zumindest. Er würde es machen wie Jérôme: Er würde mitsamt seinem Wagen und seiner Fracht einfach verschwinden.

Der Unterschied war nur: Jérôme besaß Selbstvertrauen und Mut, und jeder, der ihn kannte, konnte sich vorstellen, dass es ihm gelingen würde, auch den größten Schlamassel irgendwie unbeschadet zu überstehen.

François besaß weder Selbstvertrauen noch Mut, und jeder, der ihn kannte, konnte sich vorstellen, dass er es schaffte, selbst einen kleinen Schlamassel in ein vernichtendes Unheil zu verwandeln.

Das wusste er selbst auch. Aber er hatte nicht den Eindruck, dass ihm eine Wahl blieb.

LES LECQUES, FRANKREICH, DONNERSTAG, 17. DEZEMBER

»Wieso ist dein Vater ein Arschloch?«, fragte Nathalie.

Sie lehnte an der Küchentheke. Sie hatte fast den ganzen Tag dort gestanden und durch das gegenüberliegende große Balkonfenster auf das Meer gestarrt. Ein sonniger, kalter Tag, aber am Nachmittag waren Wolken aufgezogen, und mit Einbruch der Dunkelheit hatte es zu regnen begonnen.

Nathalie hatte mehrere Becher Kaffee getrunken, jedoch keinen Bissen gegessen, obwohl Simon am Mittag Spaghetti gekocht und ein Glas Tomatensoße warm gemacht hatte. Er fand ihre Art, sich zu ernähren – nämlich praktisch gar nicht –, besorgniserregend, drängte sie jedoch nicht, nachdem sie deutlich erklärt hatte, keinerlei Appetit zu haben.

»Ich kotze, wenn ich jetzt esse«, sagte sie. Das war deutlich, fand Simon.

Am Nachmittag hatte sie sich immer wieder über sein Smartphone bei Facebook eingeloggt, aber es war keine Nachricht von Jérôme eingegangen, was sie völlig fertigmachte.

»Das kann doch nicht wahr sein! Er hat sich mit mir in Les Lecques verabredet. Er muss sich doch wieder melden.«

»Er wird sein Mobiltelefon aus Sicherheitsgründen ständig ausgeschaltet haben«, erklärte Simon.

»Und wie sollen wir jemals wieder zusammenkommen?«

Darauf wusste Simon keine Antwort. Er achtete inzwischen darauf, dass auch sein Handy ausgeschaltet blieb, wenn Nathalie nicht gerade nach einer Botschaft schaute. Allmählich hatte sie ihn wirklich angesteckt. Er fürchtete selbst schon, er könnte von irgendjemandem geortet werden.

Mit Einbruch der Dunkelheit wurde Nathalie zunehmend apathisch, und die Frage nach seinem Vater war das erste Mal, dass sie nach einer Stunde völligen Schweigens sprach. Simon stand am Fenster, aber er sah nur sein eigenes Spiegelbild in der Scheibe, nicht mehr das Meer, den Regen und die Nacht.

Er wandte sich um. »Er ist von einer unglaublichen Selbstherrlichkeit«, antwortete er. »Er ist erfolgreich, klug, sehr wohlhabend, und er ist überzeugt, dass er einfach alles im Leben immer richtig macht. Und richtig gemacht hat.«

»Und ist das nicht so?«, fragte Nathalie.

Simon hatte sich diese Frage selbst oft gestellt. War sein Vater einfach perfekt – und lief deshalb alles so reibungslos in seinem Leben?

»Nein. Ich glaube, er hat so viel Erfolg, weil er einfach rücksichtslos ist. Seine Interessen rangieren an alleroberster Stelle. Dann kommen an zweitoberster Stelle wieder seine Interessen. An dritter Stelle auch. Und dann kommt nichts mehr.«

»Wo kommt ihr? Seine Familie?«

»Gar nicht. Meine Mutter und ich sind nur insofern von Bedeutung, als wir dazu beitragen sollen, sein perfektes Bild abzurunden. Darüber hinaus sind wir nichts, was ihn groß beschäftigt.«

Nathalie dachte kurz nach. »Und hat deine Mutter das immer geschafft? Sein perfektes Bild abzurunden?«

»Ja. Sie bekommt es ganz gut hin. Sie hat immer funktioniert und tut es bis heute. Wie es in ihrem Inneren aussieht, weiß ich gar nicht, denn sie spricht nicht darüber, zumindest nicht mit mir. Ich vermute, dass sie depressiv ist, aber das würde sie nie zugeben. Sie tut, was er von ihr verlangt, und darin hat sie wohl eine Art Lebenssinn gefunden. Ich glaube, es gibt ihr etwas, wenn er mit ihr zufrieden ist.«

»Und du hast es gar nicht geschafft, ihm zu gefallen?«

»Mit mir war er nie zufrieden. Insofern weiß ich nicht, wie es sich anfühlen würde, wenn er es wäre.«

»Nie? Er war *absolut nie* mit dir zufrieden?«

Simon schüttelte den Kopf. »Ich kann mich an nicht eine einzige Situation erinnern.«

Sie schwiegen beide. Schließlich fragte Nathalie: »Wie hast du deine Kindheit und Jugend überlebt?«

»Wie meinst du das?«

»Na ja, eine Kindheit wie deine und meine überlebt man nur, wenn man sich an irgendetwas oder an irgendjemandem festhalten kann. Bei mir war das zunächst mein Vater. Ich habe ihn unglaublich idealisiert und immer geglaubt, er würde mich eines Tages zu sich holen, und das hat mir geholfen, meine Mutter zu ertragen. Und als sich die Hoffnung auf meinen Vater als Illusion herausstellte …« Sie sprach nicht weiter, schluckte.

Es tut immer noch weh, dachte Simon.

»Da kam zum Glück bald Jérôme«, fuhr Nathalie schließlich fort. »Ohne Jérôme hätte ich es nicht geschafft. Vielleicht wäre ich verhungert, oder ich hätte angefangen, Drogen zu nehmen. Oder zu trinken wie meine Mutter. Jérôme hat mich gerettet. Er hat mein Leben gerettet.«

Sie hatte schon einmal etwas in dieser Art gesagt, entsann sich Simon. Zuerst war ihr Vater praktisch der liebe

Gott gewesen, dann der junge Mann, der unverhofft in ihr Leben getreten war und sie nun in erhebliche Schwierigkeiten gebracht hatte. Was sich nicht recht mit seinem gottähnlichen Status vertrug, aber das sagte Simon nicht, weil es vermutlich auch nichts genutzt hätte. Ebenso wenig, wie es der Moment war, mit ihr über das Problem von Abhängigkeit und Verklärung zu sprechen. Letztlich geht es mich natürlich auch nichts an, dachte er.

»Und dich?«, fragte Nathalie. »Wer hat dich gerettet?«

Es überraschte ihn ein wenig, wie selbstverständlich sie den Begriff *Rettung* benutzte. Es schien für sie die einzig vorstellbare Möglichkeit zu sein, mit dem eigenen Schicksal fertigzuwerden.

»Mich hat niemand gerettet«, sagte er. »Ich habe auch meine Zweifel, ob das möglich wäre. Nein, ich versuche, damit zu leben, dass mein Vater mich verachtet. Ich versuche, mit dem zu leben, was es in mir angerichtet hat.«

Sie nickte nachdenklich, schien zu überlegen, ob dies ein gangbarer Weg sein könnte: Mit den Verletzungen zu leben, sie zu akzeptieren, zu versuchen, irgendwie das Beste daraus zu machen.

»Glaubst du, es hängt mit deinem Vater zusammen, dass deine Ehe gescheitert ist?«, fragte sie. »Und dass es mit Kristina schon wieder nicht geklappt hat?«

Simon war einen Moment lang versucht, diese Frage zu bejahen – natürlich war es die Schuld seines Vaters, wer sonst war verantwortlich, dass er mit seinem Leben und natürlich auch mit seinen Beziehungen nicht zurechtkam? Aber dann schluckte er die Antwort hinunter. Sie wäre zu einfach gewesen.

»Ich bin vierzig Jahre alt«, sagte er. »Ich bin für die Dinge, die in meinem Leben geschehen, selbst verantwortlich. Leider. Es bringt nichts, sich vor dieser Erkenntnis zu drücken. Es löst das Problem nicht. Wenn ich eines inzwischen gelernt habe, dann das.«

Wieder verfiel Nathalie in nachdenkliches Schweigen. Offensichtlich offenbarte Simon ihr eine Sicht der Dinge, die für sie völlig neu war und die sie nun einer eingehenden Prüfung unterzog.

Er nutzte ihr Schweigen, schaltete sein Handy ein und probierte zum wiederholten Male an diesem Tag, Kristina zu erreichen. Lena hatte ihn beunruhigt mit ihrem Anruf. Sowohl auf Kristinas Mobilgerät als auch auf ihrem Festnetzanschluss sprang die Mailbox an. Es konnte natürlich sein, dass Kristina absichtlich nicht abnahm, weil sie seine Nummer angezeigt bekam. Vielleicht sagte sie ihm mit ihrer Unerreichbarkeit einfach nur: *Lass mich bitte von jetzt an in Ruhe!*

Schließlich rief er bei Lena an. Er hatte das bislang vermieden, weil er schon bei dem ersten Telefonat ihre Vorwürfe gespürt hatte und sich dem nicht ein weiteres Mal aussetzen wollte. Aber sie war seine einzige Möglichkeit, etwas in Erfahrung zu bringen.

Lena meldete sich sofort, sie schien ihr Telefon griffbereit gehabt zu haben. »Simon?«, fragte sie atemlos. »Hast du etwas von Kristina gehört?«

Simons Hoffnung zerrann. »Nein. Und so, wie du fragst – du auch nicht?«

»Nein. Und das ist jetzt wirklich kaum mehr erklärbar. Ich habe mit jeder einzelnen Fluggesellschaft telefoniert, die gestern Abend und heute Vormittag von Marseille geflogen ist. Sie dürfen über die Passagiere keine Auskunft geben, aber ich habe herausgefunden, dass es bei fast allen Flügen noch freie Plätze gab. Kristina hätte von Marseille wegkommen können. Und egal, wie umständlich sie geflogen ist: Inzwischen sind vierundzwanzig Stunden vergangen. Sie müsste längst hier sein!« Lena klang, als wäre sie kurz davor, in Tränen auszubrechen.

»Warst du mal bei ihrer Wohnung?«, fragte Simon.

»Schon zwei Mal. Alles dunkel und still. Ich habe keinen Schlüssel, aber ich habe mit der Frau, die unter ihr wohnt, gesprochen, und die sagt, sie wüsste, wenn Kristina zu Hause wäre. Es ist ja ein Altbau, die Fußböden knarren, wenn jemand herumläuft. Und sie sagt, aus Kristinas Wohnung dringe wirklich kein Laut. Es müsste ja auch irgendwo ein Licht brennen ... Warum sollte sie im Dunkeln herumsitzen?«

Es wurde immer schwieriger, eine harmlose Erklärung zu finden. Simon schluckte schwer. Da stimmte etwas ganz und gar nicht. Ich hätte sie nicht gehen lassen dürfen, dachte er, aber was hätte ich tun können?

»Ich habe auch noch ein paar Mal versucht, dich zu erreichen«, sagte Lena. »Was ist los? Schaltest du dein Handy aus?«

»Ja. Tut mir leid, aber das muss ich zurzeit so machen.« Er sprach schnell weiter, ehe sie nachhaken konnte. »Hör zu, ich werde den Polizeibeamten anrufen, der unseren Fall hier bearbeitet. Ich werde ihn bitten, Nachforschungen anzustellen. Irgendwo muss Kristina sein.«

»Für mich klingt das alles mehr als seltsam«, sagte Lena. »Dieser Fall, von dem du sprichst, die Polizei ... Gott im Himmel, was ist da los, Simon? Und wie konntest du da Kristina mit hineinziehen?«

Es hätte nahegelegen, ihr zu antworten, dass er von Kristinas Kommen nichts gewusst hatte und dass es nicht gerecht war, von einem *Hineinziehen* zu sprechen, aber Lenas Stimmung schien so desolat, dass er fürchtete, sie werde dann wirklich in Tränen ausbrechen. Glücklicherweise klingelte es genau in diesem Moment an der Tür.

»Es kommt jemand«, sagte er. »Lena, ich melde mich wieder. Ich spreche mit der Polizei. Behalte die Nerven!«

Er schaltete das Handy aus, ehe sie etwas erwidern konnte. Dann öffnete er die Tür.

Er hatte es sofort an Lieutenant Caparos' Gesichtsausdruck gesehen: Es gab keine guten Neuigkeiten. Zudem begleitete ihn eine Frau, die als Inès Rosarde vorgestellt wurde, Kommissarin aus Toulon. Inès Rosarde sah blass und erschöpft aus und sprach mit rauer Stimme. Sie schien eine schwere Erkältung oder Grippe knapp überstanden zu haben und sich noch immer sehr elend zu fühlen. Sie würde die weiteren Ermittlungen leiten, wie Caparos mitteilte.

»Was ist passiert?«, fragte Simon.

Sie saßen im Wohnzimmer um den wackeligen Plastiktisch herum. Nathalie hatte sich in ihr Zimmer verziehen wollen, war aber von Inès Rosarde nachdrücklich und mit einiger Schärfe zum Bleiben aufgefordert worden. Zu Simons Verwunderung hatte sie sich sofort anstandslos gefügt.

Simon bot Kaffee und Mineralwasser an, aber niemand wollte etwas. Die Kommissarin kam sogleich zur Sache.

»Es geht um Jérôme Deville«, sagte sie.

Von Nathalie erklang ein leiser Aufschrei. »Wissen Sie, wo er ist?«

»Nein. Leider nicht. Und inzwischen sucht auch die Polizei in Metz nach ihm.«

»In Metz?«, fragte Nathalie verwundert.

»Ja, in Ihrem und Monsieur Devilles Heimatort. Sagt Ihnen der Name *Jeanne Berney* etwas?«

Selbst wenn Nathalie auf diese Frage keine Antwort gegeben hätte, wäre es sofort klar gewesen, dass dies kein unbekannter Name für sie war. Sie riss ihre Augen weit auf.

»Ja«, flüsterte sie.

Alle blickten sie an.

Nathalie schluckte. »Eine Exfreundin von Jérôme«, fügte sie hinzu. So, wie sie das Wort *Exfreundin* aussprach, hatten ihre Zuhörer den Eindruck, dass sie selbst mit verflossenen Liebschaften von Jérôme ein Problem hatte.

»Kennen Sie sie persönlich?«, fragte Inès Rosarde. Sie hatte sehr blaue, eindringlich blickende Augen, deren Intensität in Farbe und Ausdruck durch die Brille, die sie trug, noch verstärkt wurde. Simon konnte sie sich gut in Verhören vorstellen. Sie wirkte sicherlich sehr einschüchternd auf ihr jeweiliges Gegenüber.

»Nein«, sagte Nathalie. »Ich habe sie nie gesehen. Jérôme hatte mir von ihr erzählt.«

»Er und Mademoiselle Berney waren von 2006 bis 2009 ein Paar«, sagte Rosarde. »So lautet die Auskunft ihrer Eltern.«

»Der Eltern?«, fragte Simon hellhörig.

Inès Rosarde sah ihn aus ihren intensiven Augen an. »Mit Jeanne Berney konnten die Kollegen in Metz nicht mehr sprechen. Sie ist tot. Sie wurde in ihrer Wohnung ermordet.«

Fassungsloses Schweigen folgte ihren Worten.

»Die Polizei in Metz hat Jérôme Deville zur Fahndung ausgeschrieben«, erläuterte Rosarde. »Dadurch bekamen wir Kenntnis von dem Fall. Und da der Name auch in der Geschichte um …«, sie warf einen Blick in ihr Notizbuch, »um Yves Soler aus Lyon eine Rolle spielt, haben wir uns mit den Kollegen in Metz in Verbindung gesetzt. Das Ganze ist mehr als verworren.«

»Wann wurde Jeanne Berney umgebracht?«, fragte Simon.

»Laut Aussage des Rechtsmediziners vor zwei Tagen.

Da sie mit einer Grippe im Bett lag und krankgeschrieben war, fiel ihr Fehlen am Arbeitsplatz nicht auf. Misstrauisch wurde jedoch eine Freundin, die im selben Haus wohnt. Als Jeanne weder auf ihr Klingeln noch auf Telefonanrufe oder SMS reagierte, ließ sie die Wohnungstür durch den Hausmeister öffnen.«

»Oh Gott«, flüsterte Nathalie.

»Jeanne Berney wurde äußerst brutal ermordet«, erläuterte Rosarde. »Und sie wurde eindeutig vor ihrem Tod misshandelt.«

»Und jetzt überprüft die Polizei alle Freunde oder früheren Freunde?«, fragte Simon.

Rosarde schüttelte den Kopf. »Nein. Es wird nur nach Jérôme Deville gesucht. Denn er ist Jeannes Freundin im Treppenhaus begegnet, als diese auf dem Weg zu Jeannes Wohnung war. Berneys Eltern haben ihn dann anhand der Beschreibung eindeutig identifiziert.«

»Er war bei ihr?«, fragte Nathalie schrill, und Simon fragte sich, ob sie die Tatsache, dass Jérôme als Täter in Frage kam, aus der Fassung brachte oder der Umstand, dass ihr Lebensgefährte eine frühere Freundin aufgesucht hatte. Irgendwie hatte er das Gefühl, dass sie Letzteres schlimmer fand.

»Das ist nicht ganz klar«, sagte Rosarde. »Er selbst sagte der Freundin, er habe bei Jeanne Berney geklingelt, sie habe jedoch nicht reagiert. Dann verschwand er. Laut der Zeugin sah er so aus, als kampiere er seit Tagen auf der Straße. Hätte er auch nur einen Tag in Jeannes Wohnung verbracht, hätte er sich und seine Kleidung waschen können und vielleicht etwas zivilisierter gewirkt. Aber das ist nur eine Vermutung. Er kann auch in der Wohnung gewesen sein, ohne sein Äußeres in Ordnung gebracht zu haben.«

Weil er mit Foltern und Morden beschäftigt war, dachte

Simon. Ihn beschlich ein tiefes Unbehagen, was Jérôme anging. Wer war dieser Mann, den Nathalie in den Himmel hob, dem sie mit Haut und Haaren verfallen war? Verfolgtes Opfer in einer kriminellen Geschichte? Oder inzwischen – oder sogar von Anfang an – selbst Täter?

»Er lebt«, sagte Nathalie erleichtert. »Ich hatte solche Angst, ihm wäre etwas Schlimmes zugestoßen.«

»Wie hat sich Deville Ihnen gegenüber zu Jeanne Berney geäußert? Hatten Sie jemals den Eindruck, dass es noch Kontakt gab? Oder dass bestimmte Dinge noch nicht geklärt waren?«

»Was für Dinge?«, fragte Nathalie.

Rosarde seufzte.

»Sie suchen nach einem Motiv, nicht wahr?«, sagte Simon. »Weshalb Jérôme Deville seine Exfreundin ermordet haben könnte?«

»So etwas würde er nie tun«, sagte Nathalie sofort. »Er ist kein Mörder. Zwischen ihm und Jeanne war außerdem alles abgeschlossen. Es gab keinen Kontakt mehr. Jérôme war überhaupt nicht mehr in Metz, seitdem er dort weggezogen ist. Er hat mir erzählt, dass er und Jeanne ein Paar waren, dass er sich aber irgendwann in der Beziehung nicht mehr wohlgefühlt habe. Jeanne wollte ständig die gemeinsame Zukunft bis in alle Ewigkeit planen, und er fühlte sich eingeengt. Deshalb trennten sie sich. Da war nichts, weshalb er sie Jahre später *foltern und ermorden* würde!«

»Nach unseren Informationen hat er sich von ihr getrennt, weil es eine neue Frau in seinem Leben gab«, sagte Rosarde und blickte aufmerksam in Nathalies Gesicht. »Und er hat sie monatelang betrogen, bevor sie ihm auf die Schliche kam.«

Nathalie blickte zu Boden. Niemand sagte etwas. Niemand wusste irgendetwas zu sagen.

Rosarde seufzte erneut. »Das Liebesleben von Monsieur Deville steht hier natürlich nicht auf dem Prüfstand«, fuhr sie fort. »Aber er spielt definitiv irgendeine Rolle bei der Ermordung seiner Exfreundin. Er war wohl kaum zufällig gerade jetzt bei ihr im Haus.«

»Er ist auf der Flucht«, sagte Nathalie. »Er hat nichts und niemanden mehr. Deshalb sah er auch so heruntergekommen aus. Wahrscheinlich brauchte er für ein, zwei Tage einen sicheren Ort zum Ausruhen. Er braucht etwas zu essen. Er braucht Geld. Er hoffte, dass Jeanne ihm helfen würde. Aber offenbar öffnete sie ihm nicht. Weil sie bereits tot war.«

»So könnte es gewesen sein. Aber natürlich auch ganz anders.« Rosarde blickte wieder in ihre Unterlagen. »Er wollte hierher nach Les Lecques kommen, haben Sie gegenüber den Kollegen ausgesagt. In das Apartment seines Onkels?«

»Ja«, bestätigte Nathalie.

Etwas machte klick in Simons Kopf. »Könnte es das sein?«, fragte er. »Das Apartment … Wir haben uns gefragt, woher die Täter – wer immer sie sind – von diesem Ort wussten. Hat Jeanne es ihnen vielleicht verraten? Wurde sie deshalb misshandelt? Weil sie Orte preisgeben sollte, an denen sich Jérôme möglicherweise aufhalten könnte. Man durfte ja annehmen, dass sie als ehemalige Freundin vielleicht etwas wusste.«

»Nicht unplausibel«, meinte Caparos. Es war das erste Mal, dass er an diesem Abend etwas sagte. Er wandte sich an Nathalie. »Wissen Sie, ob Mademoiselle Berney diese Adresse hier in Les Lecques kannte?«

»Sie und Jérôme haben hier auch Ferien gemacht, ja«, sagte Nathalie.

»Das ist natürlich Spekulation«, sagte Rosarde. »Die Kollegen in Metz haben jede Menge Fingerabdrücke in der Wohnung von Jeanne Berney sichergestellt. Die meisten stammen von ihr selbst, aber es sind auch andere dabei. Wir lassen sie mit den Spuren in der Wohnung von Yves Soler in Lyon abgleichen. Es wäre gut, Mademoiselle Boudin, wenn Sie uns gestatteten, auch Fingerabdrücke in Ihrer Pariser Wohnung sicherzustellen.«

»Um Jérôme als Täter zu überführen?«, fragte Nathalie. »Er war das nicht. Nicht in Lyon und nicht in Metz. Er ist Opfer. Er ist Gejagter. Er ist kein Verbrecher!«

»Dann werden wir seine Fingerabdrücke an den beiden Tatorten auch nicht finden«, sagte Rosarde.

Was natürlich noch gar nichts aussagt, dachte Simon. Wer immer Yves und Jeanne auf dem Gewissen hatte, würde nicht unbedingt Spuren hinterlassen haben.

»Was ist mit *Denegri Transports*?«, fragte Nathalie. »Stecken die in der Sache mit drin?«

»Dafür gibt es bislang keine Anhaltspunkte«, sagte Rosarde. »Die Kollegen von der Pariser Polizei waren dort. Man hat keine Ahnung, wo Jérôme Deville abgeblieben ist.«

»Die Geschäftsführerin war aber ganz schön hinter mir her«, sagte Nathalie. »Sie wollte unbedingt wissen, wo sich Jérôme aufhalten könnte.«

»Nun ja, er ist mit einem der Wagen und mit der gesamten Fracht verschwunden. Das Interesse von *Denegri Transports* herauszufinden, wo das alles abgeblieben ist, erscheint mir keineswegs seltsam«, meinte Rosarde. »Man hat dort ziemlichen Ärger deswegen.«

»Konnte die Polizei mit François sprechen? Seinem Kollegen?«

»Der ist unterwegs, wird morgen früh zurückerwartet. Dann ist sofort eine Vernehmung geplant.« Rosarde sah

Nathalie an. »Dürfen wir in Ihre Wohnung? Vielleicht finden wir Hinweise, die etwas Licht in diese ganze mysteriöse Angelegenheit bringen.«

Nathalie zögerte. Sie wollte, dass Jérôme gefunden und dass ihm geholfen wurde, aber sie wollte ihn keinesfalls in Schwierigkeiten bringen.

Rosarde schaltete einen Gang höher. »Es gilt derzeit immer noch der Ausnahmezustand hier in Frankreich. Wir dürfen Ihre Wohnung sogar ohne richterliche Verfügung durchsuchen.«

Simon verstand: Die Kommissarin war an einer friedlichen Kooperation interessiert, aber am Ende würde sie genau das tun, was sie für richtig und zwingend hielt – mit oder ohne Nathalies Einverständnis.

Auch Nathalie begriff das. »Okay«, sagte sie. »Ich habe aber keinen Schlüssel. Der ist noch in der Handtasche, die in Lyon liegen geblieben ist.«

»Die Kollegen in Lyon konnten Ihre Tasche leider nicht sicherstellen«, sagte Rosarde. »Wahrscheinlich haben Yves Solers Mörder sie mitgenommen. Aber wir kommen auch so in Ihre Wohnung, keine Sorge.«

Simon verfolgte noch einen anderen Gedanken. »Eines erscheint mir etwas seltsam«, meinte er. »Sie sagen, *Denegri Transports* habe ein verständliches Interesse daran, Jérôme Deville zu finden, weil er mit dem Eigentum der Firma einfach verschwunden ist. Warum aber hat man eigentlich von Seiten der Firma nicht die Polizei eingeschaltet? Wäre das nach ein paar Tagen nicht normal gewesen?«

»Vielleicht wollten sie ihm eine Chance geben, von alleine zurückzukehren. So viel Zeit ist ja nicht verstrichen.«

Simon erwiderte nichts. So, wie Madame Denegri am Telefon geklungen hatte, hielt er sie nicht für den Typ Chefin, der einem Angestellten allzu viele Chancen einräumte, wenn er einen Fehler gemacht hatte.

Inès Rosarde stand auf, und auch Caparos erhob sich. Ehe die beiden Polizisten gehen konnten, sprach Simon das merkwürdige Abtauchen von Kristina an.

»Eines noch«, sagte er. »Es geht um Kristina Dembrowski. Meine … Lebensgefährtin.«

Rosarde runzelte die Stirn, aber Caparos, der sich an das Gespräch vom Morgen entsann, nickte. »Ja. Was ist mit ihr?«

»Sie ist verschwunden«, sagte Simon. »Und ich habe die Sorge, dass sie in größten Schwierigkeiten steckt.«

Ich hatte mich so sehr darauf gefreut, wieder mit Jérôme zusammen zu sein, aber die erste Zeit in Paris war mehr als schwierig, und irgendwann hörte ich auch auf, mir diesen Umstand schönreden zu wollen. Genau genommen wohnten wir ja auch nicht in Paris, sondern in Clichy-sous-Bois, und dort war es einfach nur schrecklich. Unsere Wohnung im sechsten Stock eines Hochhauses war klein, eng, dunkel und nur spärlich möbliert. In fataler Weise erinnerte sie mich an die Wohnung, in der ich mit meiner Mutter gelebt hatte. Es gab einen winzigen Balkon – gerade zwei Menschen konnten darauf stehen, mehr Platz gab es nicht –, und wieder ging er nach Nordosten und bekam kaum Sonne. Als wäre ich auf kalte, schattige Balkone abonniert. Von der Zeit bei Éliane war ich eine schöne Umgebung gewohnt; ich hatte einen Garten gehabt und die Nähe zu einem Wald, in dem ich spazieren gehen konnte. Hier gab es Hochhäuser, Hochhäuser, Hochhäuser, so weit das Auge reichte, hässliche, kaputte, heruntergekommene Plattenbauten, dazwischen rissigen Asphalt und dann und wann ein Stück Grünfläche, das nicht grün, sondern braun war, weil kaum noch ein Grashalm darauf wuchs. Jeder warf seinen Müll vor die Haustür. Mit den Nachbarn konnte ich mich nicht unterhalten, weil niemand Französisch sprach.

Wer das perfekte Beispiel für gründlich misslungene Integration sehen wollte, der musste nur hierherkommen. Arbeitslose Jugendliche arabischer Herkunft mit tief in die Gesichter gezogenen Kapuzen lungerten an allen Ecken herum, kickten mit Bierdosen und pöbelten Vorübergehende an. Besonders nach Einbruch der Dunkelheit zogen kriminelle Banden durch die Gegend, so dass ich mich nicht mehr nach draußen wagte. Der Sommer kam, und manchmal hätte ich gerne am Abend noch einen Spaziergang gemacht, aber auch Jérôme hatte keine große Lust dazu. Ich weiß nicht, ob er auch Angst vor den Typen da draußen hatte oder ob es sein allgemeiner Frust war, der ihn so phlegmatisch werden ließ. Er saß stundenlang vor dem Fernseher, wenn er überhaupt daheim war. Oft musste er auch spät abends noch Kurierfahrten erledigen.

Noch immer verdiente er mehr schlecht als recht bei dem Kurierdienst. Es reichte vorne und hinten nicht. Manchmal schimpfte er voller Wut auf seinen Chef, kündigte an, er werde den Job hinwerfen und sich selbstständig machen, schlimmer als jetzt könnte es dann auch nicht werden. Zum Glück war er dann doch stets realistisch genug, um zu wissen, dass es sehr wohl schlimmer werden konnte und vermutlich auch schlimmer werden würde. So lausig sein monatliches Einkommen war, es war doch immerhin ein verlässlicher Betrag, der auf seinem Konto einging, etwas, womit wir rechnen und planen konnten.

Jérôme hatte mich an meinem Geburtstag am Bahnhof abgeholt und war von dort sofort mit mir zu dem Schmuckgeschäft in der Seitenstraße der Champs-Élysées gefahren, damit ich mich dort vorstellen und, wie er von Herzen hoffte, sogleich den Anstellungsvertrag unterschreiben konnte. Er war nervös und wortkarg, es war klar, dass viel davon abhing, dass ich die Stelle bekam. Ich verstand das, und trotzdem war ich enttäuscht. Es war mein Geburtstag, ich war Stunden unterwegs gewesen, und ich hatte einen großen Schritt getan. Die Schule abgebrochen, meine Beziehung zu Éliane vermutlich irreparabel zerstört. Meine Heimatstadt verlassen. Ich war sehr cool und entschlossen an jenem Morgen aufgetreten, aber tief im Inneren fühlte ich mich ängstlich und verzagt. Und es tat mir im Nachhinein leid wegen Éliane. Sie war wirklich in Ordnung, und sie hatte sich große Mühe mit mir gegeben. Aber wäre ich weniger schroff gewesen, dann hätte sie mich vielleicht umstimmen können. Ich hatte so gnadenlos auf Konfrontation gehen müssen, um mich selbst davor zu schützen, meine Entscheidung wieder in Frage zu stellen.

Mein Zug war am Nachmittag in Paris eingetroffen, und insgeheim hatte ich gehofft, Jérôme werde sich den Rest des Tages freinehmen und etwas Schönes mit mir unternehmen. Zum Beispiel, mir die Stadt zu zeigen. Ich wäre gerne auf den Eiffelturm hinaufgefahren und über die Champs-Élysées gebummelt, oder wir hätten nach Versailles fahren können oder auf den Künstlerfriedhof von Montmartre. In einem Bistro zusammen essen. Uns an den Händen halten. Einfach zusammen sein. Gemeinsam die trostlosen Wochen vergessen, die wir getrennt voneinander hatten verbringen müssen.

»Ich muss arbeiten«, sagte Jérôme auf der Fahrt zum Schmuckgeschäft, als ich ihn zaghaft fragte, ob wir vielleicht irgendwo einen Kaffee zusammen trinken könnten. »Und, ehrlich gesagt, ich hoffe, dass du auch so schnell wie möglich anfangen kannst. Wir brauchen das Geld.«

Er klang angespannt. So hatte ich ihn früher nie erlebt. Er war meist locker und fröhlich gewesen, es sei denn, er hatte gerade Streit mit seinem Vater gehabt. Aber auch davon hatte er sich immer recht schnell erholt. Jetzt wirkte er verändert. Seine Niedergeschlagenheit schien keine kurzfristige Missstimmung zu sein, sondern hatte in größerem Ausmaß von ihm Besitz ergriffen. Er hatte abgenommen, und sein Gesicht sah verhärmt aus. Es war deutlich, dass er sich ununterbrochen mit großen Sorgen herumschlug, seit er in Paris war.

Ich berührte seinen Arm. »Jetzt bin ich da«, sagte ich. »Und zusammen schaffen wir das alles.«

Er warf mir einen kurzen Blick zu. »Bete, dass du den Job bekommst«, sagte er nur.

Ich bekam ihn, was vermutlich vor allem Jérômes Charme zu verdanken war, mit dem er die Inhaberin der kleinen Bijouterie zuvor umgarnt hatte. Ich sollte auch gleich die paar Stunden bis Geschäftsschluss bleiben, um mich einzufinden. Jérôme, der mich mit seinem Kurierwagen in die Innenstadt gefahren hatte, behielt meine Koffer im Auto und versprach, sie am Abend mit nach Hause zu bringen.

»Es wird spät heute«, sagte er, als er mir den Wohnungsschlüssel sowie einen Zettel aushändigte, auf dem ich lesen konnte, wie ich nach Clichy-sous-Bois fahren musste. »Leider. Ich kann nicht vor zehn Uhr Schluss machen. Gegen elf oder vielleicht schon halb elf bin ich da.«

»Was?« Vor Schreck schrie ich es fast. »So spät?«

»Nathalie, mein Boss gibt mir nicht frei, nur weil meine Freundin hier eintrifft. Das ist wirklich traurig, aber ich kann es mir nicht leisten, ihn zu verärgern. Du wirst schon klarkommen.«

Ich starrte auf den Zettel mit den Metrostationen und Bahnhöfen und der Skizze, wie ich unser Haus finden würde. »Und wenn ich mich verirre?« Paris kam mir riesig vor, Paris war auch einfach riesig. Ein unüberschaubares Gewirr aus Straßen, Menschen und hupenden Autos. Ich würde in die falsche Metro steigen. Ich würde Gott-weiß-wo landen. Ich würde niemals unsere Wohnung finden.

»Ich bin über mein Handy immer zu erreichen. Ruf an, wenn es Probleme gibt.« Er gab mir einen Kuss auf die Wange. »Ich muss weiter. Gib dir Mühe mit der Arbeit, okay? Nicht, dass die Alte es sich anders überlegt. Bis später!«

Dann war er weg. Ich stand da und kämpfte mit den Tränen. Ich heulte nur deshalb nicht einfach los, weil das der denkbar schlechteste Einstand in dem Schmuckladen gewesen wäre.

So viel hatte ich bereits begriffen: Wenn ich den alten Jérôme wiederhaben wollte, musste ich helfen, seine Sorgen zu verringern.

Ich habe mich an jenem Tag insgesamt gut geschlagen. Habe sogar den Weg zu unserer Wohnung gefunden. Einen abenteuerlichen Weg, der über eine Stunde dauerte, weil ich mehrfach umsteigen musste, von der Metro auf die S-Bahn und von dort auf den Bus. Mir schwirrte der Kopf von den fremden Namen, die alle diese unbekannten Stationen trugen: Charles de Gaulle-Étoile, La Chapelle, Le Raincy Villemomble, La Lorette.

Erst in meinem neuen Zuhause, in den karg eingerichteten zwei Zimmern, deren Wände vom Vormieter definitiv nicht gestrichen worden waren – was wahrscheinlich in diesem Ort generell nicht üblich war – und wo ganz offensichtlich seit Jahrzehnten niemand mehr das Bad geputzt hatte, ließ ich den Tränen freien Lauf. Ich lag auf der Matratze, die uns als Bett diente, und schluchzte in die Kissen. Das Licht kam von einer nackten Glühbirne, die an der Decke hing, und draußen brüllten irgendwelche Menschen einander an.

Ich hatte es mir so anders vorgestellt. So ganz anders.

Im Prinzip ging es dann so weiter wie an jenem ersten Tag, aber es war nicht so, dass ich jeden Tag weinte. Ich sagte mir, die Hauptsache sei, dass wir zusammen sein konnten, alles andere zählte nicht. Wir würden es schon schaffen, irgendwie. Immerhin verdiente ich jetzt mit, so dass sich Jérôme nicht mehr ganz so schrecklich sorgen musste. Wir konnten uns sogar ein paar Kleinigkeiten für die Wohnung leisten: ein Regal und einen Webteppich von Ikea sowie eine Vase, in die ich den ganzen Sommer über immer selbstgepflückte Wiesenblumen stellte (wenn man lange genug lief, kam man auch von uns aus in die Natur). Leider war Jérôme wenig daheim, weil er auch an den meisten Wochenenden arbeitete, und er war häufig schlecht gelaunt.

»Alles wird besser werden«, sagte ich einmal, als er wieder einen Durchhänger hatte, aber er blaffte mich an: »Wie denn? Es ändert sich ja nichts. Wir werden in einem Jahr dasselbe verdienen wie jetzt und in zehn Jahren auch. Was sollte also besser werden?«

»Manchmal ergeben sich plötzlich neue Möglichkeiten«, entgegnete ich tapfer.

»Was soll sich schon ergeben?«, meinte Jérôme trübsinnig. »Wir sind Clichois geworden, das heißt: Wir sind ganz unten.«

Clichois nannte man die Bewohner unseres Vorortes, und das war ein Etikett, das jeden Aufstieg in bessere Lebensumstände extrem erschwerte.

Dennoch sollte ich mit meinem Optimismus recht behalten.

Im Dezember desselben Jahres kam Jérôme eines Abends nach Hause und war zum ersten Mal seit Monaten deutlich besser gelaunt als sonst.

Es habe sich eine wirklich gut klingende Chance ergeben, erzählte er mir. Ein Jobangebot. In einer Spedition.

Ich wollte natürlich sofort mehr wissen, und er berichtete, dass er an diesem Tag eine Fahrt zu den Büros einer Speditionsgesellschaft mit Sitz in Mauregard, direkt am Flughafen Charles de Gaulle gelegen, gehabt hatte und dass er sich mit einem Angestellten dort unterhalten, ihm auch von seiner schwierigen Situation als Kurierfahrer berichtet habe. Der Mann habe ihm daraufhin geraten, sich doch einmal bei ihnen zu bewerben.

»Sie suchen noch Fahrer«, erzählte Jérôme, »und er sagte, sie würden nicht schlecht zahlen.«

Ich nahm eine Karte, die er mir hinhielt. »Denegri Transports«, las ich, »Internationale Spedition.«

»Die fahren durch ganz Europa«, berichtete Jérôme. »Und wenn sie wirklich gut zahlen … Das wäre doch endlich ein Lichtblick am Horizont.«

»Dann bist du aber tagelang unterwegs«, meinte ich unbehaglich. Sosehr ich mich über seine gute Laune freute, betrübte mich doch die Vorstellung, dann noch weniger Zeit mit ihm zu verbringen als jetzt. Wir wohnten zusammen und hatten doch weniger voneinander als früher in Metz, als wir in zwei verschiedenen Haushalten und noch dazu in zwei verschiedenen Stadtteilen gelebt hatten. Ich hatte mich einigermaßen an die Situation gewöhnt, aber nach wie vor war ich enttäuscht und wurde zudem von einer unbestimmten Unruhe gequält: Würde unsere Beziehung dieses Leben auf die Dauer aushalten?

»Ja, aber dazwischen bin ich dann sicher auch länger zu Hause«, meinte Jérôme. »Bestimmt mal zwei oder drei Tage am Stück. Wahrscheinlich haben wir mehr voneinander als jetzt, wo ich überhaupt nie irgendetwas planen kann.«

Der Gedanke leuchtete mir ein. Zudem war mir klar: Der Fortbestand unserer Liebe hing auch davon ab, dass Jérôme wieder ein wenig Lebensfreude und Zuversicht zurückgewann.

Gleich am nächsten Tag vereinbarte Jérôme einen Vorstellungstermin bei Denegri Transports für den übernächsten Tag. Ich war nervöser als er, so dass sogar meine Chefin in der Bijouterie irgendwann fragte: »Was ist denn mit Ihnen los? Sie stehen ja heute völlig neben sich.«

»Alles okay«, erwiderte ich rasch und riss mich zusammen.

Als ich an diesem Abend nach Hause kam, war Jérôme schon da, und er hatte tatsächlich eine Flasche Champagner gekauft. Und Kerzen angezündet. Ich wusste natürlich sofort, was geschehen war.

»Du hast den Job!«, rief ich und umarmte ihn.

Jérôme entkorkte die Flasche, und mangels Sektgläsern tranken wir den Champagner aus unseren Kaffeebechern, was uns jedoch nicht störte und Jérômes jubelnder Freude keinen Abbruch tat.

»Am 1. Februar fange ich an. Jetzt geht es bergauf, Nathalie«, sagte er wieder und wieder. »Du wirst sehen. Jetzt haben wir es geschafft!«

Ich war insgeheim skeptischer als er – hoffentlich geht nur nichts schief, dachte ich sorgenvoll –, aber ich behielt meine Gedanken für mich. Ganz gleich, was geschehen würde, dieser Abend war es wert.

Wie sich in den folgenden Monaten herausstellte, hätte ich mir gar nicht so viele Sorgen machen müssen. Es wurde tatsächlich alles besser. Wir waren auch jetzt nicht reich, aber wir konnten in eine etwas bessere Vorstadt ziehen, nach Issy de Moulineaux. Das dreistöckige Haus in der Rue Édouard Naud war nicht schön, zudem recht laut, denn direkt daneben dröhnten in regelmäßigen Abständen die Vorstadtzüge über ein Viadukt. Die Mieter im Erdgeschoss hatten ihre ohnehin schon vergitterten Fenster zusätzlich mit Brettern vernagelt, was nicht geeignet war, mein Vertrauen in die Sicherheit dieser Gegend zu verbessern. Unsere Wohnung im ersten Stock jedoch verfügte über einen zwar winzig kleinen, aber tatsächlich nach Süden ausgerichteten Balkon, wir konnten uns ein richtiges Bett kaufen, einen Kleiderschrank und einen Esstisch mit Stühlen. Jérôme war tagelang unterwegs, aber, wie er es sich gedacht hatte, dann auch immer ein paar Tage daheim. Insgesamt verbrachten wir mehr Zeit miteinander als früher, und vor allem war Jérôme gut gelaunt und ausgeglichen, unternehmungslustig und optimistisch. Das Schicksal hatte sich zum Guten gewendet, und mich wunderte nur die Tatsache, dass ich mir das jeden Tag fast gebetsmühlenartig vorsagte. So, als müsste ich immer wieder von Neuem etwas beschwören, woran ich unbedingt glauben wollte, aber ganz tief im Inneren zweifelte. Warum nahm ich die Dinge nicht einfach, wie sie waren? Wir hatten ein gutes Leben.

Woher kamen meine Ängste und Zweifel?

Irgendwann kapierte ich es: Der Kern meines Misstrauens gegenüber dem Schicksal bestand in der Angst, ich könnte Jérôme verlieren. Diese Angst trug ich in mir seit dem Tag unseres Kennenlernens. Ich hatte jedoch bisher stets einen Grund für meine Angst gesehen. Unsere Liebe mochte das Unverständnis der Erwachsenen ringsum nicht überstehen, die Phase des Getrenntseins oder auch Jérômes fast depressive Stimmung. Das hatte sich schlimm angefühlt, aber ich wusste stets, warum.

Jetzt aber gab es diese Gründe nicht mehr. Keine Éliane, die alles besser wusste, kein Vater, der Jérôme das Leben schwermachte. Wir wohnten zusammen, und Jérôme war bester Dinge.

Aber meine Angst war trotzdem noch da.

Sie entstand auf unerklärliche Weise in mir, und ich konnte ihr nichts entgegensetzen. Das machte sie bedrohlicher als zuvor. Sie schien grundlos zu sein.

Aber irgendetwas sagte mir, dass nichts auf der Welt jemals grundlos ist.

SOFIA, BULGARIEN, FREITAG, 18. DEZEMBER

Es war noch dunkel draußen, als es an der Wohnungstür klingelte, aber Kiril und Ivana waren bereits wach. Sie hatten beide kaum geschlafen und lagen nun schon seit Stunden hellwach im Bett, starrten an die Zimmerdecke und sprachen kein Wort. Beide dachten ununterbrochen an Ninka. Wo war sie? Was geschah gerade mit ihr? Wie hatte ihre Nacht ausgesehen?

Wie sahen alle ihre Nächte aus?

Als die Klingel ertönte, sprangen sie beide aus dem Bett. Es war noch nicht einmal sieben Uhr. Es konnte sich keinesfalls um einen normalen Besucher handeln.

»Vielleicht die Dimitrova von unten«, sagte Kiril. »Vielleicht hat Ninka angerufen!«

Ivana hatte schon ihren alten, zerschlissenen Morgenmantel angezogen und öffnete die Tür. Da die Haustür unten einfach aufzudrücken war, standen ihre Besucher schon vor ihr: Aleko, der nette, junge Mann, der ihr seine Hilfe angeboten hatte.

Hinter ihm ein anderer Mann, noch jünger, höchstens zwanzig. Er hielt einen großen schwarzen Hund an der Leine. Die Stiefel der beiden Männer hinterließen nasse Abdrücke auf dem Linoleumboden, und auch aus dem dicken Fell des Hundes tropfte Wasser. Offenbar regnete es draußen.

»Ich habe ihn«, sagte Aleko. Er strahlte vor Stolz. »Das ist Sarko!«

»Du lieber Himmel«, sagte Ivana. »Wo haben Sie ihn denn um diese Uhrzeit aufgetrieben?«

Aleko war sichtlich von sich selbst begeistert. »Ich habe überlegt, wann die Leute ihre Hunde ausführen. Doch meist ganz schön früh am Morgen, bevor sie zur Arbeit müssen. Wenn also Sarko irgendwo dort in unserer Gegend wohnt, wäre das die beste Zeit, um ihn zu treffen. Na ja, und da bin ich eben früher aufgestanden und habe mich zwischen den Häusern herumgetrieben ... und plötzlich sah ich ihn. Mit seinem Hund. Wie ich es mir gedacht hatte. Und dann sind wir sofort hierher gefahren.«

»Sie sind extra morgens früh bei Dunkelheit und Regen draußen herumgelaufen?« Ivana war fast zu Tränen gerührt.

»Ich hab doch gesagt, ich helfe Ihnen«, sagte Aleko.

Kiril, der rasch Jeans und Pullover angezogen hatte, tauchte mit verstrubbelten Haaren auf. Ivana erklärte ihm, um wen es sich bei den frühen Besuchern handelte. Sie baten die Gäste in die Küche, Kiril setzte Kaffeewasser auf. Der große schwarze Hund streckte sich unter dem Tisch aus und leckte seine Pfoten.

»Sie sind also Selinas Freund?«, fragte Ivana.

Sarko blickte unschlüssig drein, als wäre er sich über diesen Punkt selbst nicht so recht im Klaren. Er war ein schlaksiger, hochaufgeschossener Junge, der ein wenig schüchtern wirkte – und erstaunt über den Verlauf, den dieser Morgen nahm.

»Sarko arbeitet am Flughafen«, erklärte Aleko, der bereits die Zeit genutzt hatte, sich mit Sarko zu unterhalten. »Dort hat er Semjonov kennengelernt, Selinas Vater. Und über ihn, bei irgendeinem geselligen Anlass, dann Selina. Das habe ich so richtig verstanden?«

Sarko nickte. »Ja. So war es.«

»Sie wissen, dass wir Selina dringend suchen?«, fragte Ivana. Sie hätte Sarko am liebsten geschüttelt. *Sag uns alles, was du weißt. Sag alles, was dir im Zusammenhang mit Selina einfällt. Wir brauchen jede Information. Und zwar schnell!*

»Ja«, sagte Sarko. Er leckte sich nervös mit der Zunge über die aufgesprungenen Lippen. »Aber ich weiß gar nicht, ob ich Ihnen helfen kann.«

»Jeder noch so kleine Hinweis bringt uns vielleicht weiter«, ermunterte ihn Ivana.

»Selina und ich waren schon befreundet«, berichtete Sarko. »Aber während es mir richtig ernst war, hatte ich bei ihr immer das Gefühl...« Er zögerte.

»Ja?«

»Sie fand mich nett, das ja, aber ich glaube, ich habe ihr einfach nicht gereicht. Sie wollte eigentlich keinen Jungen aus Sofia, der noch dazu in demselben armen Viertel lebt wie sie selbst. Selina... wollte höher hinaus. Sie wollte in den Westen. Sie wollte Karriere machen.«

»Welche Karriere?«

»Als Model. Oder Schauspielerin. Selina sieht irre gut aus. Und das wusste sie auch. ›Mein Aussehen ist mein einziges Kapital‹, sagte sie oft.«

Ivana nickte. Das hatten die Menschen, die sie verschleppt hatten, sicher auch so gesehen.

»Ich wollte eine gemeinsame Zukunft«, fuhr Sarko fort. Er gewann ein wenig an Sicherheit. »Ich habe sie jeden Tag getroffen. Manchmal ging ich ihr, glaube ich, auf die Nerven.«

Kiril stellte die Becher auf den Tisch und schenkte den Kaffee ein. Ivana neigte sich vor.

»Sarko, das ist wichtig: Kennen Sie die Leute, mit denen Selina schließlich fortgegangen ist? Namen? Beschreibungen? Irgendetwas?«

»Nein.« Sarko schüttelte den Kopf. »Sie kam nur eines Tages zu einer Verabredung und war total aufgeregt. Sie ist in einer Disco angesprochen worden. Von einem Mann, der ihr sagte, sie habe das Zeug zu einer ganz großen Karriere als Model. Er arbeite für eine Frau, die eine große Modelagentur in Rom leite. Er meinte, über sie könne er Probeaufnahmen für Selina in Rom organisieren. Er hat die beiden dann zusammengebracht.«

Schon wieder Rom und nicht Paris. Aber das half jetzt wirklich nicht weiter. Ivana dachte erneut: *Wahrscheinlich können wir bei sämtlichen konkreten Angaben, die wir haben, davon ausgehen, dass sie falsch sind.*

»Wissen Sie, wie die Frau heißt, die angeblich diese Agentur leitet?«

Sarko überlegte kurz. »Einfach Vjara, ohne Nachnamen. Laut Selina ist sie in ihrer Branche eine Berühmtheit – nur unter diesem Namen. Vjara.«

Und wir haben das einfach so geglaubt, dachte Ivana verzweifelt. *Wir sind beeindruckt von einer Frau, die eine solche Größe im Modelgeschäft ist, dass sie mit einem Vornamen auskommt. Wir sind so einfache Opfer gewesen.*

»Mehr wissen Sie nicht über Vjara?«

»Nein. Nur, dass Selina total begeistert von ihr war.«

»Haben Sie Vjara jemals zu Gesicht bekommen?«

»Nein. Nach diesem Treffen habe ich dann auch Selina nicht mehr gesehen. Sie hatte keine Zeit mehr, weil sich nun alles nur noch um die geplante Abreise drehte. Einmal war ich noch bei ihren Eltern, um sie zu treffen, um mit ihr zu sprechen. Aber da war sie schon fort.«

Sarko sah traurig aus. Ivana glaubte ihm, dass er in Selina verliebt gewesen war, und sie konnte sehen, wie sehr er noch immer unter dem abrupten Ende der Beziehung litt. Selina hatte ihn beiseitegeschoben wie ein ausrangiertes

Möbelstück und war den Weg gegangen, von dem sie sich mehr erhoffte. Den falschen Weg, wie sich herausgestellt hatte. Wäre sie bloß bei diesem netten Jungen mit dem großen Hund geblieben.

»Hat Aleko Ihnen erzählt …?«, tastete sich Ivana vorsichtig voran.

Sarko sah sie mit den großen, erschrockenen Augen eines Kindes an. »Ja. Er hat es erzählt. Ist das wahr? Wurde sie … musste sie …?« Er konnte es nicht aussprechen.

Ivana nickte. »Ja. Das Ganze hatte nichts mit einer Modelkarriere zu tun. Das erzählen sie den jungen Mädchen nur. Weil sie darauf in Scharen hereinfallen.«

Und die Eltern auch, fügte sie in Gedanken hinzu.

»Oh Gott«, murmelte Sarko. »Wie schrecklich.«

Sein Hund schien zu bemerken, dass etwas nicht stimmte. Er schob den Kopf unter dem Tisch hervor und begann, Sarkos Hände zu lecken.

»Meine Tochter«, sagte Ivana mühsam, »ist denselben Leuten auf den Leim gegangen.« Das war beschönigend, sie wusste es. Selina war wenigstens in einer Diskothek angesprochen worden und hatte ihre Eltern hinterher so lange bedrängt, bis diese nachgegeben hatten. In Ninkas Fall hatte der eigene Vater den Kontakt hergestellt. »Diese Vjara war hier bei uns. Eine sympathische, sehr seriös wirkende Frau. Wir haben ihr vertraut.«

»Es ist schrecklich«, wiederholte Sarko. »Einfach nur schrecklich.«

»Ja. Aber Jammern hilft nichts. Wir müssen Ninkas Spur aufnehmen. Und dazu müssen wir mit Selina reden. Sie ist die Einzige, die uns helfen kann. Sie kann uns etwas über den Ort sagen, an dem Ninka festgehalten wird. Sie kann uns Namen nennen. Wir müssen sie finden.«

»Sarko hat sich schon auf dem Weg hierher den Kopf

zerbrochen, wo sie sein könnte«, mischte sich Aleko ein. »Leider ohne Erfolg.«

»Wir waren ja noch nicht so lange zusammen«, sagte Sarko. »Und sie war es ohnehin nur halbherzig. Ich glaube, ich habe ihr viel mehr von mir anvertraut als umgekehrt.«

»Bitte, denken Sie nach. Vielleicht hat sie ganz beiläufig irgendetwas erwähnt. Ein Ferienhaus. Verwandte. Enge Freunde ihrer Eltern. Einen Ort, an dem sie früher einmal gewohnt hat.«

Kiril, der bislang geschwiegen hatte, meldete sich erstmals zu Wort. »Aber würden sie sich irgendwo verstecken, wo sie schon einmal waren? Bei Freunden oder Verwandten? Ich meine, das sind richtig gefährliche Verbrecher, die sie suchen. Menschen, die sicher über eine Menge Möglichkeiten verfügen, Spuren zu verfolgen. Würden die Semjonovs da nicht irgendwohin gehen, wo sie noch niemals waren und wohin niemand eine Verbindung herstellen kann?«

Ivana schüttelte den Kopf. »Wenn sie die Wahl hätten, würden sie das sicherlich tun. Aber ich vermute, das würde am Geld scheitern. Gregor Semjonov hat mit Sicherheit keine Ersparnisse. Ob ihm sein Gehalt weitergezahlt wird, ist zweifelhaft, zudem geht er ein zusätzliches Risiko ein, wenn er Geld abhebt. Wovon sollen sie leben? Sie können auch auf keinen Fall Unterstützung beantragen, weil das nun wirklich Spuren hinterlässt. Meiner Ansicht nach müssen sie bei Menschen untertauchen, die bereit sind, sie eine Weile mitzuversorgen. Und das können keine Wildfremden sein.«

Das Argument leuchtete den anderen ein.

»Verwandte«, sagte Ivana, »wären am ehesten zu so etwas bereit. Eine dreiköpfige Familie mit durchzufüttern ist ziemlich teuer.«

»Mit Verwandten kann man aber auch völlig überworfen sein«, gab Aleko zu bedenken. »Manchmal hat man zu Freunden das bessere Verhältnis.«

Alle starrten Sarko an. Ivana warf ihm geradezu hypnotisierende Blicke zu, in der Hoffnung, er werde sich erinnern. An irgendein Detail. Klein, unbedeutend, einfach dahingesagt … und doch vielleicht der Schlüssel.

»Ihr Bruder«, sagte Sarko plötzlich.

»Selina hat einen Bruder?«, fragten Ivana, Kiril und Aleko fast gleichzeitig.

»Selinas Mutter sagte ausdrücklich, dass Selina ihr einziges Kind sei«, meinte Kiril verwirrt. »Ich bin mir ganz sicher.«

»Sie ist das einzige Kind von Katarina Semjonova«, erklärte Sarko. »Aber Selina hat mir erzählt, dass ihr Vater schon einmal verheiratet war. Die Frau starb an Tuberkulose, soweit ich mich erinnere. Aus dieser Verbindung stammt Selinas Bruder – ihr Halbbruder natürlich, um genau zu sein. Als Kind hat sie ihn oft getroffen, und sie erzählte, dass er ihr immer tolle Tricks beigebracht hat. Sie war damals wohl ziemlich vernarrt in ihn.«

»Wo lebt dieser Bruder?«

Sarko rieb sich beide Schläfen. »Sie hat es mir gesagt … Moment … in Mirkovo. Ja, Mirkovo. Ich bin sicher.«

»Mirkovo?«, fragte Kiril. »Das ist nicht weit. Sechzig Kilometer etwa.«

»Ihr Bruder betreibt dort eine kleine Tischlerei.«

Ivanas Hände krampften sich um die Kante der Tischplatte, so heftig, dass ihre Knöchel hervortraten und die Haut sich gelblich spannte wie altes Pergament. »Das ist es! Ein erster Anhaltspunkt. Selbst wenn sie sich dort nicht aufhalten, kann uns der Bruder vielleicht weiterhelfen. Wissen Sie zufällig, Sarko, wie das Verhältnis innerhalb der Familie war?«

»Anscheinend gut. Selina hat, wie gesagt, früher viel Zeit mit ihrem Bruder verbracht. Ich wollte Näheres wissen, aber wie üblich …«, Sarko machte eine Handbewegung, die Resignation ausdrückte. »Wie üblich wollte sie es nicht vertiefen.«

»Diese Fährte«, meinte Kiril, »können die anderen auch entdecken.«

Ivana stand auf. »Und deshalb müssen wir schneller sein. Wir haben keine Zeit zu verlieren. Wir müssen noch heute nach Mirkovo. Hat irgendjemand ein Auto?«

Betretenes Schweigen.

»Dano hat eines«, sagte Kiril schließlich.

»Dann gehst du sofort zu ihm und bittest ihn, es dir zu leihen«, sagte Ivana.

Kiril seufzte. »Er wird absolut nicht begeistert sein.«

»Mach ihm klar, dass es lebenswichtig ist«, sagte Ivana.

LES LECQUES, FRANKREICH, FREITAG, 18. DEZEMBER

Sie hatten literweise Früchtetee getrunken. Und starken schwarzen Kaffee zwischendurch. Sie hatten in einer Schublade ein Kartenspiel entdeckt, einige Runden gespielt und einander hinterher gestanden, dass sie beide Kartenspiele hassten. Simon hatte mittags wieder Spaghetti gekocht und Nathalie sogar dazu gebracht, ein paar Bissen zu essen. Nathalie wollte über Simons Kindheit und Jugend reden, und Simon blockte ständig ab, weil er es bereits bereute, ihr überhaupt etwas von sich erzählt zu haben. Man konnte sich in diesem Apartment nicht aus dem Weg gehen, das war das Schlimme. Sie hätten sich in ihre jeweiligen Schlafzimmer zurückziehen können, aber die beiden Zimmer waren noch trostloser möbliert als der Wohnraum, und die Heizungen funktionierten dort überhaupt nicht. Es war kalt, und es regnete wieder. Das Meer dümpelte wellenlos dahin.

Simon fragte sich, wie lange sie hier festsitzen würden. Es brannte ihm unter den Nägeln, sich endlich um die wichtigen Dinge zu kümmern, die erledigt werden mussten: Er wollte Nachforschungen anstellen, was aus Kristina geworden war. Mit jeder Minute, die verging, wurde er unruhiger. Er hatte mehrmals am Tag mit Lena telefoniert, die immer nur wieder die niederschmetternde Nachricht bereithielt, dass Kristina immer noch nicht in ihrer Wohnung, vermutlich auch nicht in Hamburg war. Sie reagiere nicht auf Anrufe, nicht auf Mails, nicht auf WhatsApp. Kristina war wie vom Erdboden verschluckt.

Zudem hätte sich Simon gerne um das Haus gekümmert. Die Verwüstung beseitigt, eine Bestandsaufnahme der Schäden gemacht. Er wusste, dass er dringend auch seinen Vater wegen des Einbruchs informieren musste. Ihm graute vor diesem Moment, deshalb schob er ihn vor sich her. Wie sollte er seinem Vater erzählen, was los war? Sein Vater würde mit Sicherheit behaupten, dass der Einbruch von Nathalies Komplizen begangen worden und dass sein Sohn dumm genug gewesen war, sich von einer Zufallsbekanntschaft in ein Hotel locken zu lassen. Dass manches dabei nicht passte, würde seinen Vater nicht stören. Er würde sofort anreisen und außer sich geraten, wenn er das Ausmaß der Verwüstung sah.

Trotzdem konnte er die Geschichte nicht dauerhaft unterschlagen, natürlich nicht. Längst gehörte auch die Versicherung verständigt. Simon hoffte, dass sich der ganze Fall nun endlich aufklären würde; dann konnte er seinem Vater zumindest genau erklären, was passiert war, und müsste sich selbst nicht als Trottel fühlen.

Gegen sechs Uhr abends war nur noch ein schwaches Licht im Westen über dem Meer zu sehen. Die Tage hier im Süden waren im Dezember deutlich länger hell als in Deutschland. Aber nicht mehr lange, und die nächste Nacht begann.

Kurz nach sechs Uhr, als Simon gerade versuchte, über den kleinen Fernseher irgendeinen Sender zu empfangen, was sich als hoffnungslos herausstellte, tauchte Inès Rosarde wieder auf. Schon die Art, wie sie an die Tür klopfte, verriet nichts Gutes: ein wenig zu zögerlich. So, wie es eigentlich nicht zu ihr passte. Sie hatte einen Mitarbeiter im Schlepptau, den Simon noch nicht kannte. Rosarde stellte ihn vor, aber Simon vergaß den Namen gleich wieder.

Irgendetwas schnürte ihm die Kehle zu. Vielleicht der Ausdruck in Inès Rosardes Augen: weniger streng. Fast etwas mitfühlend.

»Ich habe leider keine guten Nachrichten«, sagte sie.

Ohne dass sie konkreter geworden wäre, wusste Simon, um wen es ging.

»Kristina«, sagte er.

Rosarde relativierte ihre Formulierung: »Wir wissen nichts Genaues. Und möglicherweise gibt es eine harmlose Erklärung. Aber die Sache ist zumindest … befremdlich.«

»Ja?«

»Können wir uns setzen?«

Sie nahmen wieder an dem Plastiktisch Platz, nur Rosardes Kollege blieb mit verschränkten Armen neben der Wohnungstür stehen. Simon verzichtete diesmal darauf, Kaffee oder Tee anzubieten. Er wollte jetzt schnell wissen, was los war.

Inès Rosarde räusperte sich. »Wir haben Nachforschungen wegen Kristina Dembrowski angestellt. Zunächst fanden wir heraus, dass sie Frankreich offenbar nicht per Flugzeug verlassen hat. Ihr Name findet sich im entsprechenden Zeitraum auf keiner in Frage kommenden Passagierliste. Ihr Mietwagen wurde jedoch am Mittwochabend am Flughafen Marignane abgegeben.«

»Ja«, sagte Simon. »Sie wollte zurück. Das hatte sie ja angekündigt.«

»Meine Kollegen haben sich auf dem Flughafen intensiv umgehört. Und sind auf einen Mitarbeiter des zentralen Infoschalters gestoßen, der sich erinnert, mit einer Frau, auf die Kristina Dembrowskis Beschreibung passt, am Mittwochabend gesprochen zu haben. Die Frau war Deutsche, sprach aber ein recht gutes Französisch. Sie wollte unbedingt nach Hamburg, was am selben Abend nicht mehr möglich war. Sie kam dem Mann ziemlich aufgelöst und gestresst vor.«

Wie viele deutsche Frauen, die aussahen wie Kristina, hatten am Mittwochabend verzweifelt versucht, einen Flug von Marseille nach Hamburg zu bekommen?

»Das war Kristina«, sagte Simon. »Mit absoluter Sicherheit.«

»Ich nehme grundsätzlich nichts als vollkommen sicher an, was nicht bewiesen ist«, sagte Rosarde. »Aber ich stimme Ihnen zu, wahrscheinlich handelte es sich bei dieser Frau um Ihre verschwundene Lebensgefährtin.«

Lebensgefährtin war nicht das exakt richtige Wort, um die Beziehung zwischen Kristina und Simon zu beschreiben, doch Simon verzichtete auf eine Richtigstellung.

»Und?«, fragte er. Er hatte den starken Eindruck, dass Rosarde noch mehr wusste.

»Der Flughafenangestellte erinnerte sich vor allem deshalb so deutlich an diese Frau, weil, noch während er mit ihr sprach, zwei Männer auftauchten, Beamte der Police nationale. Sie erklärten, einige Fragen an Madame Dembrowski zu haben, und forderten sie auf, sie zum Revier zu begleiten. Sie wollten sie anschließend in ein Hotel bringen, sodass sie am nächsten Morgen den ersten Flug nach Deutschland hätte nehmen können.«

»Police nationale?«

Rosarde seufzte. »Es handelte sich nicht um Polizisten. Das hatten wir schnell geklärt.«

»Was?« Simon starrte sie fassungslos an. »Falsche Polizisten? Und Kristina soll einfach mitgegangen sein? Haben die sich nicht ausgewiesen?«

»Doch. Aber offenbar hat sich Ihre Lebensgefährtin die Ausweise nicht genau angeschaut. Ein ziemlich typischer Vorgang. Wenn Sie ehrlich sind: Wie genau haben Sie die Ausweise von Lieutenant Caparos und mir studiert?«

Gar nicht. Simon hatte sich damit zufriedengegeben, dass die betreffenden Personen etwas gezückt hatten, das nach Ausweis aussah. Rosarde wusste, was in ihm vorging. »Das ist bei ganz vielen Menschen so. Man lässt sich von der Geste beeindrucken. Man hinterfragt sie in diesem Moment nicht.«

»Gott«, stöhnte Simon. Er barg das Gesicht in den Händen. »Wer sind diese Männer?«, murmelte er. »Und was haben sie mit Kristina vor?«

»Und woher wussten sie, dass Kristina Dembrowski am Flughafen Marseille war«, fügte Rosarde hinzu. »Auch dieser Umstand hat auf Kristina fatalerweise sicher glaubwürdig gewirkt: Die Polizei konnte es natürlich wissen, wenn ihre Abreise hier aus Les Lecques bereits von den Kollegen vor Ort entdeckt worden war. Oder von Ihnen gemeldet wurde.«

Simon hob den Kopf. »Sie meinen, Kristina dachte, ich habe sie verraten?«

Rosarde ging darauf nicht ein. »Ich habe mit den Kollegen von der Police municipale in Saint Cyr gesprochen. Nach ihren Angaben stand der Mietwagen nach wie vor gegenüber Ihrem Haus in La Cadière. Ist das richtig?«

»Ja. Wir sind zusammen mit meinem Wagen hierher gefahren. Kristina nahm am Mittwochabend ein Taxi nach La Cadière. Dort wollte sie dann umsteigen.«

»Verstehe. Möglicherweise wurde Ihr Haus observiert. Dann mussten sie nur noch dem Mietwagen zum Flughafen folgen.«

»Aber … was wollen die von Kristina?«

»Das ist schwierig zu beantworten, solange wir nicht wissen, wer *die* sind. Aber offensichtlich wollen sie Ihrer habhaft werden – um jeden Preis. Wobei allerdings vermutlich Nathalie Boudin stärker in ihrem Fokus steht. Also weshalb Ihre Lebensgefährtin? Es könnte sein, dass man von Kristina Dembrowski Ihren Aufenthaltsort herausbekommen will. Das wäre ein denkbarer Grund für diese Entführung.«

Simon starrte sie an. »Sie sagten vorhin, es gebe vielleicht eine harmlose Erklärung. Aber in Wahrheit wissen Sie, dass es genau die nicht gibt. Das galt meiner Beruhigung. Was machen die mit Kristina, damit sie ihnen die Adresse von diesem Scheißapartment hier gibt?«

»Es ist nur eine Vermutung, dass ...«

Er war jetzt wütend, obwohl er wusste, dass Inès Rosarde für das alles nichts konnte. »Hören Sie doch auf. Wie viele unverfängliche Möglichkeiten fallen Ihnen ein, wenn Sie erfahren, dass sich zwei Männer als französische Polizisten ausgeben und eine Frau vom Flughafen verschleppen und man danach von dieser Frau nichts mehr hört? Da braucht niemand mehr von einer *Vermutung* zu sprechen. Wir *wissen,* dass Kristina in einer furchtbaren Situation steckt, wenn sie überhaupt noch lebt.«

»Sie dürfen nicht gleich das Schlimmste denken.«

»Nein? Was soll ich denn denken? Seit Tagen bin ich wie gefangen in einem immer verrückter erscheinenden Alptraum, und niemand kann mir sagen, was eigentlich los ist. Die Polizei stellt ständig Fragen, die ins Nichts führen, und hinkt sämtlichen Ereignissen hinterher. Wenn man doch zumindest ...«

»Vielleicht haben Sie die Polizei auch ein wenig spät eingeschaltet«, unterbrach Rosarde. Ihre heisere Stimme klang schärfer als zuvor. »Nach allem, was ich weiß, haben Sie volle vierundzwanzig Stunden verstreichen lassen, ehe

Sie es nach der Entdeckung der Leiche von Yves Soler in Lyon für angebracht hielten, wenigstens die Kollegen hier vor Ort zu verständigen – wenn schon nicht die in Lyon. An dem Vorsprung, den die offensichtlichen Verfolger von Nathalie Boudin haben, tragen Sie eine nicht unerhebliche Mitschuld. Also gehen Sie ein wenig vorsichtig mit Vorwürfen um.«

Sie hatte recht. Er schwieg. Er wusste, dass er einen Fehler nach dem anderen gemacht hatte. Noch aus Solers Wohnung in Lyon hätte er die Polizei anrufen müssen. Und Kristina zahlte den Preis. Wenn er sie nicht lebend wiedersah – er wusste nicht, wie er dann weitermachen sollte.

Etwas besänftigt – da sie sein Schweigen als ein Eingeständnis interpretierte – fuhr Rosarde fort: »Der Lastwagen wurde gefunden. Der Wagen von *Denegri Transports*, mit dem Jérôme Deville unterwegs war. Die Fracht scheint unangetastet zu sein.«

Nathalie, die wie üblich kein Wort gesagt, sondern nur nervös die Knöchel an ihren Fingern massiert hatte, hob sofort den Kopf.

»Gibt es einen Hinweis auf Jérôme?«

»Leider nein«, sagte Rosarde. »Der Wagen stand offenbar seit etwa zehn Tagen auf einem Ausflugsparkplatz am Rande eines Dorfes südlich von Paris. Allmählich kam den Anwohnern die Sache seltsam vor, daher haben sie die Polizei verständigt. Von Deville keine Spur. Er hat den Lieferwagen verlassen und sich auf andere Art weiter durchgeschlagen. Irgendwie muss er ja bis nach Metz gekommen sein.«

»Es ging nie um einen Diebstahl«, murmelte Simon. Das hatte er jedoch sowieso zu keinem Moment geglaubt. Nathalies Freund war nicht einfach mit der Fracht durchgebrannt. Die Sache war weitaus komplexer.

»Nein, wohl nicht«, bestätigte Rosarde. Mit zerfurchter Stirn betrachtete sie ihre Unterlagen: ein zerfleddertes schwarzes Notizbuch, das, soweit es Simon erkennen konnte, mit einer völlig unleserlichen Handschrift bekritzelt war.

»François Rigot«, sagte sie. »Devilles Freund. Er ist verschwunden.«

»Er ist nicht direkt Jérômes Freund«, sagte Nathalie, während Simon gleichzeitig konsterniert fragte: »Er jetzt auch?«

Rosarde nickte. »Wir wollten heute mit ihm sprechen. Er sollte gestern Nacht mit Fracht aus Berlin eintreffen. Heute hätte er eigentlich frei, aber man hat ihm eine SMS geschickt, dass er in die Firma kommen soll. Darauf hat er nicht reagiert. Der Wagen ist nicht auf dem Firmengelände aufgetaucht, Rigot ist augenscheinlich nicht in seiner Wohnung. Niemand weiß, wo er steckt.«

»Das gibt es doch nicht!« Simon schüttelte den Kopf. »Jérôme. Kristina. Nun dieser ... dieser François Rigot. Das wird immer seltsamer.«

»Ja«, sagte Rosarde. »Und inzwischen ist es mir zu seltsam. Wir können nicht noch mehr Tote riskieren. Sie und Mademoiselle Boudin sind hier nicht mehr sicher.«

»Ich kehre jederzeit gerne nach Deutschland zurück«, bot Simon an, während er gleichzeitig dachte: Es geht eigentlich nicht. Ich muss mich um das Haus kümmern. Und was soll ich in Hamburg – solange ich nicht weiß, was aus Kristina geworden ist?

Die Angst um Kristina senkte sich jetzt wie ein Bleigewicht auf seine Brust. Ihr war etwas Furchtbares zugestoßen, das wusste er so sicher, dass er sich keinerlei Hoffnung mehr hinzugeben vermochte. Sie war unrettbar verloren. Ganz gleich, was die Polizei jetzt noch anstellte, auf welche

Fährten sie stieß, welche genialen Verbindungen sie herstellte – für Kristina würde das alles zu spät kommen.

Inès Rosarde schüttelte den Kopf. »Das erscheint mir ebenfalls nicht sicher. Ich würde Sie beide gerne in eines unserer Schutzhäuser bringen.«

»Schutzhäuser?«, fragte Nathalie irritiert.

»Die sind Teil unseres Zeugenschutzprogrammes«, erläuterte Rosarde, »Häuser, die sich im Besitz der Polizei befinden, gut gesichert sind, gut geschützt werden können und in denen wir Menschen, die für eine gewisse Zeit untertauchen müssen, unterbringen können. Zwei Beamte würden bei Ihnen sein und Ihre Sicherheit garantieren.«

»Aber… wie soll Jérôme mich dann jemals finden?«, fragte Nathalie.

»Vielleicht wird er das einzig Richtige tun«, entgegnete Inès Rosarde, »und sich bei der Polizei melden.«

»Vielleicht kann er das nicht«, sagte Nathalie. »Vielleicht wird er irgendwo festgehalten.«

»In Metz, wo er sich in unmittelbarer Nähe eines Tatorts herumtrieb, hatte es jedenfalls nicht den Anschein, als werde er von irgendjemandem festgehalten«, sagte Rosarde. »Er hatte definitiv die Chance, den Kontakt zu den Behörden aufzunehmen.«

Niemand erwiderte etwas.

»Wie auch immer«, fuhr Rosarde fort, »ich würde Sie gerne schon heute Abend in unser Haus bringen lassen.«

»Wo liegt das Haus?«, fragte Simon.

»Je weniger Sie davon wissen, desto besser. Und ich muss Ihnen sicher auch nicht sagen, dass Sie von dort keinesfalls Kontakt nach draußen aufnehmen dürfen. *Niemand*, auch nicht nächste Angehörige oder engste Freunde, darf wissen, wo Sie sich aufhalten. Ich darf Ihre Mobiltelefone nicht konfiszieren, aber ich bitte Sie inständig, sie nicht zu benutzen.«

»Ich habe sowieso kein Handy mehr«, sagte Nathalie. Sie sah sehr verstört aus. »Ich habe das Gefühl, dass ich Jérôme im Stich lasse«, murmelte sie.

»Sie wissen doch gar nicht, welche Rolle er in diesem ganzen Stück spielt«, sagte Rosarde behutsam. »Vielleicht müssen Sie ja auch vor ihm auf der Hut sein.«

»Er hat mich gewarnt«, erwiderte Nathalie empört. »Das hätte er wohl kaum getan, wenn er …«

»Er kann die Seiten inzwischen auch wieder gewechselt haben. Woher wollen Sie wissen, dass nicht er es war, der das Apartment hier in Les Lecques verraten hat?«

»Nein, das war sicher Jeanne. Deshalb wurde sie doch …« Nathalie verschluckte den Rest des Satzes.

»Gefoltert und umgebracht«, vollendete Rosarde. »Ja. Das vermuten wir. Aber wir *wissen* es nicht. Und solange wir nicht haargenau wissen, was hier eigentlich los ist, muss ich jede Variante in Erwägung ziehen. Auch die, dass Jérôme Deville zu den Tätern gehört. Ich wünsche Ihnen wirklich, dass es nicht so ist, aber ich darf es nicht ausschließen.«

Nathalie presste die Lippen aufeinander. Sie tat Simon leid, aber er wusste, dass Inès Rosarde recht hatte.

Er stand auf.

»Nathalie, lass uns mitgehen«, sagte er. »Jérôme ist verschwunden. Kristina ist verschwunden. Nun auch noch Jérômes Freund. Yves Soler ist tot. Jérômes Exfreundin aus Metz ist tot. Wir sollten wirklich nichts mehr, absolut nichts mehr auf eigene Faust tun. Wir müssen das Angebot der Polizei unbedingt annehmen.«

»Das ist sehr vernünftig«, stimmte Inès Rosarde erleichtert zu. Auch sie erhob sich. »Wie lange brauchen Sie, um zu packen?«

LE THOLONET, FRANKREICH, FREITAG, 18. DEZEMBER

Um 22 Uhr an diesem kalten, verregneten Winterabend bekam Edmond Girod Durst. Keinen normalen Durst. Zum Essen hatten sie Wasser getrunken, und später hatte Daria eine große Kanne Pfefferminztee gekocht und für ihn Honig hineingerührt.

Sie meinte es gut. Alle meinten sie es gut. Das machte es ihm noch schwerer, fand Edmond. Er hätte sonst irgendwann mit dem Fuß aufstampfen und ihnen erklären können, dass er es satthatte, bevormundet zu werden. Dass er ganz gut für sich alleine sorgen konnte. Dass er es hasste, wie ein kleines Kind behandelt zu werden. Aber er fürchtete sich vor ihren betroffenen Mienen. Vor diesem Wir-haben-dir-doch-nichts-getan-Blick.

Seine Kinder hatten sein Bestes im Sinn gehabt, als sie ihm nach dem Tod der Mutter die Ukrainerin Daria ins Haus gesetzt hatten. Sie bezahlten sie sogar, damit er seine bescheidene Rente nicht anzutasten brauchte.

»Dann kannst du in deinem eigenen Haus wohnen bleiben«, hatte sein ältester Sohn gesagt. »Und du bist gut betreut und nicht alleine.«

Als ob er Betreuung brauchte! Er war 83 Jahre alt und damit natürlich nicht mehr ganz jung, aber er war kerngesund, beweglich und klar im Kopf. Das Alleinsein, ja, das war nicht schön. Aber vielleicht wäre er ja gar nicht alleine geblieben. Edmond war der Ansicht, dass er durchaus noch Chancen bei Frauen hatte – vor allem mit dem schönen Haus in dem südfranzösischen Kleinstädtchen Tholonet in seinem Besitz. Nicht weit entfernt von Aix-en-Provence und mit Blick auf das atemberaubende Massiv des Montagne Sainte-Victoire. Wer zum Baden ans Meer wollte, war in einer Dreiviertelstunde dort. Edmond hätte sich gut vorstellen können, dass sich eine potenzielle Heiratskandidatin von alldem durchaus hätte beeindrucken lassen und über sein fortgeschrittenes Alter großzügig hinweggesehen hätte. Aber, so mutmaßte er gelegentlich, womöglich war es genau das, wovor seine Kinder Angst hatten: eine neue Frau, mit der dann irgendwann das Erbe geteilt werden musste. Und deshalb hatten sie Daria engagiert. Daria war vor den Unruhen in der Ukraine geflüchtet und hatte sich als eine ziemlich resolute Person erwiesen, die klare Vorstellungen hatte und diese auch durchsetzte. Solange sie hier wie ein Drache regierte, würde jede andere Frau abgeschreckt sein.

Natürlich hätte Edmond sie vor die Tür setzen können. Er war noch immer ein mündiger Bürger. Aber er mochte sich nicht mit seinen Kindern überwerfen. Letztlich waren sie die einzigen Menschen, die ihm geblieben waren.

Eines mochte sich Edmond jedoch nicht nehmen lassen: seinen Schnaps vor dem Schlafengehen. Den herrlichen Garlaban, der hier in der Gegend gebrannt wurde und heiß wie Feuer in der Kehle brannte. Jeden Abend hatte Edmond ein Glas davon zu sich genommen, und das würde er so machen, bis er tot wäre. Unglücklicherweise kannte Daria keine Gnade, wenn es um Alkohol ging. Edmond hatte gehört, dass die Menschen in den ehemaligen sowjetischen Ländern viel tranken, und vielleicht hatte Daria zu viele Existenzen scheitern gesehen. Auf jeden Fall fahndete sie nach jeder Flasche Wein im Haus wie ein Drogenhund nach Heroin, und solange sie es verhindern konnte, kam kein alkoholisches Getränk auf den Tisch. Edmond fand das schade, fügte sich jedoch. Sie hatte ja recht: Alkohol war nicht gesund. Und so scharf war er nicht darauf, dass er sich deshalb mit ihr angelegt hätte.

Nur der Garlaban am Abend – an dem hielt er eisern fest.

Die Flasche hatte er in seinem Carport versteckt, seitlich vorne vor dem Auto, wo eine Kiste mit Werkzeugen stand. Zu dem Haus gehörte keine Garage, aber zu seinem achtzigsten Geburtstag hatten ihm die Kinder den Carport geschenkt. Strenge Winter gab es hier unten nicht, aber Regen und Sturm schon, und da war ein Dach über dem Auto gar nicht schlecht. Und nun besaß Edmond dadurch ein geheimes Versteck außerhalb des Hauses. Das war von unschätzbarem Wert.

Jeden Abend sagte er zu Daria: »Ich sehe nur noch mal nach dem Auto.«

Und Daria erwiderte daraufhin: »Ist in Ordnung. Ich gehe schon ins Bett.«

Sie wusste, dass er einen Schnaps trank, und er wusste, dass sie es wusste, aber in einer stillschweigenden Übereinkunft hatten sie sich darauf verständigt, dass sie ihm diese eine Freude ließ, er aber dafür sorgte, dass es nicht vor ihren Augen geschah. Edmond fand das in Ordnung. So hatte jeder von ihnen ein gutes Gefühl.

Wie immer im Herbst und Winter nahm er eine Taschenlampe mit und stapfte durch den Garten hinüber zur Einfahrt. Sein Grundstück war recht groß, worauf er stolz war. Nicht viele Häuser in Tholonet verfügten über einen so großen Garten. Die Gegend war noch erschwinglich gewesen, als er vor mehr als fünfzig Jahren hier gebaut hatte.

Er beschleunigte seine Schritte, weil der Regen stärker wurde, und erreichte den geteerten Weg, der vom Hoftor zum Carport führte, und genau in diesem Moment vernahm er ein quietschendes Geräusch, das so klang, als bewegte sich das Tor im Wind. Überrascht hielt er inne und drehte sich um. Er verschloss das Tor immer sehr sorgfältig, in fünfzig Jahren war es ihm nicht passiert, dass es versehentlich offen geblieben war. Er richtete die Taschenlampe in Richtung Straße, aber der Schein reichte nicht weit genug.

Das ist seltsam, dachte er.

Er war am Morgen mit Daria zusammen zum Einkaufen gefahren, und danach hatte er das Tor verschlossen, den Riegel vorgelegt, sich durch leichtes Rütteln vergewissert, dass es wirklich zu war. Natürlich konnte man den Riegel auch von außen leicht öffnen, aber wer sollte das tun? Und warum?

Edmond ging den Weg hinunter und erreichte das Tor. Er sah es sofort: Der Riegel war geöffnet, das Tor nur angelehnt. Mit jedem etwas stärkeren Windhauch bewegte es sich ein wenig und quietschte dabei.

Edmond schloss das Tor, schob den Riegel vor und runzelte die Stirn. Für ihn stand außer Frage, dass sich ein Fremder hier an dem Tor zu schaffen gemacht hatte. Daria konnte es nicht gewesen sein. Wenn sie fortging, benutzte sie die kleine Gartenpforte, die der Haustür viel näher lag, und überdies war sie an diesem Tag gar nicht mehr weg gewesen.

Vielleicht ein paar Jugendliche? Die nichts zu tun hatten und sich damit vergnügten, die Grundstücke anderer Menschen zu erkunden?

Edmond beschlich ein ungutes Gefühl. Jemand war hier gewesen, definitiv, aber wo war er jetzt? Vielleicht noch irgendwo auf dem Grundstück? Er schaute zum Haus, das von dieser Stelle aus fast vollständig hinter Pinien und Olivenbäumen verschwand. Er sah ein wenig Licht, das war die Lampe im Eingang, die Daria für ihn brennen ließ. Sie selbst hatte sich bestimmt schon in ihr Zimmer zurückgezogen, das zur anderen Seite hinausging. Wenn er um Hilfe rufen musste, schien es fraglich, ob sie ihn hören würde. Er überlegte, was er tun sollte, riss sich dann jedoch zusammen. Er war immer noch ein gestandener Mann auf seinem eigenen Grund und Boden, und er würde sich nicht einschüchtern lassen. Er würde jetzt genau das tun, was er vorgehabt hatte. Einen Schnaps trinken und dann ins Bett gehen.

Er vergewisserte sich noch einmal, dass das Tor wirklich zu war, dann ging er den Weg entlang zum Carport. Das Licht der Taschenlampe malte einen hellen Fleck auf den nassen Asphalt zu seinen Füßen. Rechts und links raschelten die Blätter, pladderte der Regen auf das Laub. Ein schrecklicher Dezember in diesem Jahr, fand Edmond. So nass und so unwirtlich.

Er erreichte den Carport und trat aufatmend unter das schützende Dach. Mit dem Auto schien auf den ersten Blick alles in Ordnung zu sein. Edmond schob sich an der Seite entlang zu der Werkzeugkiste, die vor dem rechten Kotflügel stand. Er zog die Flasche und das kleine Glas hervor, schenkte sich einen ordentlichen Schluck ein und kippte ihn hinunter. Der Schnaps zog eine brennende Spur durch seine Kehle, breitete sich dann heiß und bitzelnd in seinem Magen aus. Edmond liebte diesen Moment und entspannte sich sofort. Er fand das Leben schöner und freundlicher als zuvor. Er ärgerte sich nicht einmal mehr über das Tor und den Regen. Alles war gut, so wie es war.

Er fand, er hatte sich wegen der ganzen Aufregung eine

zweite Ration verdient, und schenkte sich noch einmal nach.

Herrlich. Er würde jetzt tief und fest schlafen und sich am nächsten Morgen beim Aufwachen schon auf den sehr guten Kaffee freuen, den er von Daria zum Frühstück bekommen würde.

Eigentlich, dachte er plötzlich, meint das Leben es gut mit mir. Eigentlich ist die Welt in Ordnung, wie sie ist.

Er verschraubte die Flasche, stellte sie zusammen mit dem Glas in die Werkzeugkiste zurück. Wie jeden Abend überprüfte er beim Zurückgehen automatisch an den Griffen der Autotüren, ob das Auto verschlossen war. Eine kleine Manie von ihm, denn er verschloss sein Auto stets genauso zuverlässig und sorgfältig wie das Gartentor. Aber es geschahen seltsame Dinge, wie er heute gesehen hatte.

Zu seinem schieren Erstaunen ging die hintere, rechte Autotür auf, als er den Griff betätigte. War das möglich? Er betrachtete die Tür voller Irritation. Sie schien nur angelehnt gewesen zu sein. Sie sah aus, als wäre sie aufgebrochen worden.

Das war nicht mehr harmlos zu erklären. Nicht einmal dann, wenn man zwei gut gefüllte Gläser Garlaban getrunken hatte.

Edmond brauchte ein paar Sekunden, um seinen Blick von der Tür zu lösen. Er sah jetzt erst, dass eine Frau auf dem Rücksitz lag. Ihre Füße waren zusammengebunden, ihre Hände schienen auf den Rücken gefesselt zu sein. Sie war spärlich bekleidet und blutüberströmt. Sie hob den Kopf und starrte ihn aus fiebrigen, trocknen Augen an.

Sie sagte etwas, aber in einer Sprache, die er nicht verstand. Ihre Stimme klang gebrochen. Edmonds Frau hatte eine solche Stimme gehabt, kurz bevor sie starb.

»Oh Gott«, sagte Edmond, »oh Gott!«

Kurz erwog er, ob er an einer Wahnvorstellung litt. Das konnte nicht sein, oder? Man ging nicht abends in die Garage, um einen Schnaps zu trinken, und fand dort eine sterbende Frau auf dem Rücksitz des eigenen Autos.

So war das Leben nicht. So etwas gab es in Filmen, nicht in Edmonds beschaulicher Welt.

Die Frau sagte erneut etwas. Ihre Lippen waren geschwollen, rissig und rau, und obwohl er sie nach wie vor nicht verstand, wusste Edmond instinktiv, dass sie um Wasser bat.

»Moment«, sagte er.

Es gab einen Wasseranschluss gleich neben dem Carport. Edmond sah sich hektisch um, fand auf einem Regal einen uralten Becher, spülte ihn unter dem Wasserhahn aus, füllte ihn und eilte zum Auto zurück. Der Kopf der Frau war inzwischen wieder in die Sitze zurückgesunken. Sie reagierte nicht, als er sie ansprach.

»Ich rufe gleich den Krankenwagen«, sagte Edmond, »aber trinken Sie doch erst einmal etwas.«

Wahrscheinlich, mutmaßte er, verstand sie ihn nicht.

Er lief um das Auto herum, versuchte es an der Tür auf der anderen Seite. Wie er es fast erwartet hatte, war auch sie aufgebrochen worden. Anders hätte man die recht große Frau kaum auf dem Rücksitz unterbringen können.

Vorsichtig hob er ihren Kopf an. Ihm fielen ihre dichten blonden Haare auf. Sie hielt die Augen geschlossen. Einen erschreckenden Moment lang dachte er, sie sei schon tot. Aber dann sah er das leise Pochen unter der Haut an ihrem Hals.

Er führte den Becher an ihre Lippen, träufelte ein wenig Wasser darüber. Sofort öffnete sie den Mund. Zwar hielt sie die Augen weiterhin geschlossen, aber sie trank. In kleinen

Schlucken und sichtlich mühsam, aber sie trank den ganzen Becher leer.

»Ich telefoniere jetzt«, sagte Edmond. »Der Arzt wird gleich da sein.«

Er ließ ihren Kopf auf den Rücksitz sinken. Sie gab kein Zeichen von sich, das ihm verraten hätte, ob sie ihn verstanden hatte.

So schnell er konnte, hastete er zum Haus zurück. In seinem Kopf drehte sich alles, und das kam nicht nur vom Alkohol. Er fühlte sich, als wäre er ohne jeden Übergang in einen verrückten Alptraum geraten. Irgendjemand war in sein Grundstück gedrungen. Hatte die Türen seines Autos aufgebrochen. Hatte eine blutüberströmte, halbtote Frau in sein Auto gelegt.

Wer tat so etwas? Warum? Und weshalb traf es ausgerechnet ihn?

Er schloss die Haustür auf, stolperte in den Flur.

»Daria!«, schrie er. »Daria, schnell! Kommen Sie! Ich brauche Ihre Hilfe!«

Er stürzte ans Telefon. Notarzt, Polizei. Er verwählte sich zuerst, so sehr zitterten seine Hände.

Dann sank er auf einen Stuhl und brach, zu seinem eigenen Erstaunen, einfach in Tränen aus.

Es war zu viel.

So etwas war einfach zu viel für ihn.

MIRKOVO, BULGARIEN, FREITAG, 18. DEZEMBER

Die Pension war spottbillig, aber Kiril hatte trotzdem gejammert. »Wir können es uns nicht leisten, dass du nun tagelang in einem Hotel lebst«, hatte er gesagt, aber Ivana war unnachgiebig geblieben. »Wir wissen doch gar nicht, ob es *tagelang* sein wird. Und welche andere Möglichkeit hätten wir denn?«

Kiril schwieg. Ihm fiel natürlich auch keine andere Lösung ein.

Sie waren zusammen nach Mirkovo gefahren, nachdem Dano Kiril tatsächlich sein Auto geliehen hatte. Dano war alles andere als begeistert gewesen und hatte Kiril mit dem Ende ihrer Freundschaft gedroht, sollte irgendetwas mit dem Wagen passieren. Und am Abend wolle er ihn zurückhaben.

»Ich verlasse mich darauf. Heute Abend seid ihr zurück!«

Kiril hatte es hoch und heilig geschworen.

Sarko hatte zur Arbeit gemusst, und Aleko wurde daheim zur Betreuung seiner kleinen Tochter erwartet, deshalb konnten beide nicht mitkommen, aber sie hatten darum gebeten, unbedingt auf dem Laufenden gehalten zu werden. Ivana nahm Aleko in den Arm und drückte ihn fest an sich.

»Danke«, flüsterte sie, »danke für alles!«

»Du weißt noch nicht, ob das die richtige Fährte ist«, sagte Aleko.

»Es ist jedenfalls eine Fährte. Und das ist mehr, als ich in so kurzer Zeit erwarten konnte.«

Sie kamen gegen Mittag in Mirkovo an und fragten sich zu dem Tischlereibetrieb durch. Sie hatten zunächst nichts als den Nachnamen – Semjonov –, erfuhren aber, dass es um Boris Semjonov ging, der recht bekannt in der kleinen Stadt war.

Ein Passant beschrieb ihnen den Weg. Unglücklicherweise war die Tischlerei geschlossen, auch im angrenzenden Wohnhaus war niemand daheim. Ivana klingelte bei den Nachbarn. Eine junge Frau öffnete und starrte sie misstrauisch an. »Ja?«

»Können Sie mir sagen, wann Boris Semjonov nach Hause kommt? Ich muss ihn dringend sprechen.«

»Wer sind Sie?«

»Wir sind Bekannte seines Vaters.« Das war mehr als übertrieben, nachdem es nur eine einzige Begegnung zwischen Kiril und Gregor Semjonov gegeben hatte, aber das ging die Frau nichts an. »Es gibt ein Problem, und wir müssen mit ihm reden.«

»Weiß nicht, wo Boris ist. Ich achte nicht auf meine Nachbarn.«

»Aber wissen Sie vielleicht, ob er länger verreist ist? Oder ob er wahrscheinlich heute irgendwann zurückkommt?«

»Von einer Reise weiß ich nichts.«

»Also war er gestern noch da?«

»Ja.«

Diese Nachbarin war kein leichter Brocken.

Ivana versuchte, nicht zu sehr zu zeigen, wie sehr sie nach Informationen lechzte. Das hätte ihr Gegenüber noch misstrauischer gestimmt. »Lebt Boris ganz allein? Oder hat er eine Familie?«

»Er ist alleine.«

»Und er hat auch keinen Besuch gehabt in der letzten Zeit?«

»Sehe ich so aus, als würde ich den ganzen Tag meine Nachbarn beschatten? Fragen Sie ihn doch selbst!« Damit schlug die Frau die Tür zu.

»Und jetzt?«, fragte Kiril ratlos.

»Ich denke nicht, dass er länger weg ist. Wir müssen warten.«

Eine Weile blieben sie im geparkten Auto vor dem Grundstück sitzen, aber schließlich wurde es ihnen zu kalt. Der Regen draußen ging langsam in Schneefall über. Ivana und Kiril liefen ein Stück, ohne dass ihnen dabei nennenswert warm wurde. Sie fanden ein kleines Restaurant, eher eine Eckkneipe, in der es billiges Essen gab und ein Kachelofen wunderbare Wärme verbreitete. Sie hielten sich so lange dort auf, bis der Besitzer ungeduldig wurde, dann kehrten sie zu Boris Semjonovs Haus zurück. Dort war noch immer alles dunkel und still. Die Dämmerung brach herein, es wurde immer kälter, und Kiril begann sich Sorgen wegen des Heimwegs zu machen. Um die Kinder kümmerte sich an diesem Tag Frau Dimitrova aus der zweiten Etage des Hauses, aber Dano würde bereits auf glühenden Kohlen sitzen.

»Wir müssen nach Sofia zurück. Ich habe es Dano versprochen.«

»Ich kann nicht zurück. Ich muss wenigstens über das Wochenende bleiben.«

»Und wenn er genau für das Wochenende weggefahren ist? Das wäre denkbar.«

»Dann müsste er Sonntagabend wiederkommen. Allerspätestens Montag früh.« Ivana zeigte durch das Autofenster auf das ziemlich heruntergekommene Anwesen des Boris Semjonov. »Seine Lebensumstände sehen mir nicht so aus, als ob er es sich leisten könnte, seine Werkstatt allzu lange geschlossen zu halten. Er wird hier auftauchen.«

»Wenn wir versuchen, am Sonntag wieder herzukommen?«

»Und wenn er schon am Samstag aufkreuzt? Kiril, wir haben keine Zeit zu verlieren. *Ninka* hat keine Zeit zu verlieren. Wenn *die anderen,* wer immer sie sind, Semjonov und seine Familie vor uns entdecken, haben wir keine Chance mehr, Ninka zu finden. Abgesehen davon wissen wir nicht, ob Dano uns noch einmal das Auto geben würde.«

»Wir könnten auch den Zug nehmen.«

»Das ist umständlich und teuer. Lass uns einfach hier auf ihn warten.«

Ivana stieg schließlich aus, klingelte noch einmal bei der Nachbarin und fragte nach einer preiswerten Pension. »Und wenn Boris Semjonov nach Hause kommt, könnten Sie ihm dann bitte sagen, dass ich dort bin? Und ihn dringend sprechen muss?«

»Was denn noch alles?«, knurrte die Frau, willigte aber ein, diese Information weiterzugeben.

Kiril regte sich anschließend über die Preise in der Pension auf, obwohl sie wirklich niedrig waren, doch Ivana schnitt ihm jedes weitere Wort ab. »Wir haben das Geld. Es ist das Geld, das uns Ninka gegeben hat. Das Geld, für das sie ins Elend geraten ist. Es ist nur gerecht, wenn wir es jetzt nutzen, um sie zu retten.«

»Ich habe immer noch keine Arbeit. Und ewig wird das Geld nicht reichen. Ich …«

Sie musste sich beherrschen, um ihm ihre Wut nicht zu zeigen. »Dann bemühe dich endlich um Arbeit. Dieses Geld gehört Ninka, und wir werden es verwenden, um sie zu finden.«

Kiril hatte nicht gewagt, noch einmal zu widersprechen.

Er hatte sich schließlich auf den Rückweg nach Sofia gemacht, um Dano das Auto zurückzugeben und sich um die Kinder zu kümmern. Ivana zog sich in ihr kleines Zimmer unter dem Dach zurück. Die Mansarde war am billigsten, dafür gab es hier oben kein fließendes Wasser. Um sich zu waschen und auf die Toilette zu gehen, musste Ivana das Bad der Vermieter im Keller mitbenutzen. Die Heizung lief auf Sparflamme, so dass der enge Raum mit den schrägen Wänden ziemlich kalt war. Die Bettwäsche sah schmuddelig aus und schien keineswegs jedes Mal gewechselt zu werden, wenn ein neuer Gast kam. Es zog zwischen den defekten Dachsparren hindurch ... Egal. Ninka war es wert. Ninka war alles wert.

Am späteren Abend ging Ivana noch einmal in den Imbiss, in dem sie und Kiril bereits mittags gegessen hatten. Sie aß einen Teller Suppe, danach machte sie einen Umweg an der Tischlerei vorbei zu ihrem Quartier zurück.

Alles dunkel. Kein Auto im Hof. Kein Hinweis darauf, dass Boris Semjonov zurückgekehrt war.

Ivana begab sich wieder in ihre Pension, stieg in ihr kleines Dachzimmer hinauf. Sie zog sich nicht aus, legte sich in ihren Kleidern auf das Bett, ließ das Licht an. Sie dachte an Ninka. Sie wusste, dass sie niemals würde aufhören können, nach ihr zu suchen. Ganz gleich, wie viel Kraft es sie kosten würde. Sie musste ihre Tochter finden, sie musste wissen, was mit ihr geschehen war.

Gegen neun Uhr klopfte es an ihrer Tür, und die Stimme der Wirtin erklang. »Hallo? Sind Sie noch wach? Unten ist ein Mann, der Sie sprechen möchte.«

Ivana sprang sofort aus dem Bett, schlüpfte in ihre Stiefel und öffnete die Tür. »Er soll hinaufkommen«, sagte sie.

Die Wirtin runzelte die Stirn. »Sicher?«

»Ja.« Die Wirtin mochte das unschicklich finden, aber das war Ivana egal, es war jedenfalls sicherer. Sie wusste nicht, wie viele Gäste sich in der Pension aufhielten und wer unten alles ihr Gespräch mitbekommen würde. »Schicken Sie ihn bitte nach oben.«

Die Wirtin wandte sich, Unverständliches murmelnd, ab und ging nach unten. Wenige Minuten später kam ein Mann herauf. Er mochte zwischen dreißig und vierzig Jahren alt sein, sah stämmig und robust aus, hatte dichte schwarze Haare und ein kältegerötetes Gesicht. Er wirkte äußerst misstrauisch und unsicher, ob er das Richtige tat.

»Sie wollen mich sprechen?«, fragte er, noch auf der vorletzten Stufe stehend.

Sie streckte ihm die Hand hin, die er jedoch nicht ergriff. »Ich bin Ivana Dankova. Sind Sie Boris Semjonov?«

Weder bestätigte er dies noch verneinte er es. »Was wollen Sie?«, fragte er nur.

»Kommen Sie doch bitte herein. Es ist besser, wenn niemand etwas von unserem Gespräch mitbekommt.«

Er betrat langsam das Zimmer, schaute sich dabei vorsichtig in alle Richtungen um. Ivana fragte sich, ob das ein Indiz dafür war, dass er in die Flucht der Familie Semjonov verwickelt war. Er schien sich einer Gefahr bewusst zu sein, wusste vielleicht nicht, ob er nicht gerade in eine Falle der Verfolger seines Vaters tappte. Aber vielleicht war er auch einfach ein menschenscheuer, eigenbrötlerischer Typ, den diese Begegnung mit einer fremden Frau am späten Abend überforderte.

»Von meiner Nachbarin habe ich erfahren, dass Sie heute den ganzen Tag um meine Werkstatt und mein Haus herumgeschlichen sind«, sagte er, nachdem Ivana die Tür geschlossen hatte. »Was wollen Sie von mir?«

»Bitte setzen Sie sich.« Sie wies auf den einzigen Stuhl

im Raum, der unter Boris Semjonovs massigem Körper gleich darauf zusammenzubrechen schien. Sie selbst nahm auf dem Bett Platz.

»Ich brauche Ihre Hilfe«, sagte sie.

Zehn Minuten später, nachdem sie ausführlich ihre Geschichte erzählt und erklärt hatte, weshalb sie Selina Semjonova um jeden Preis finden musste, blickte Boris sie noch immer an, ohne eine Regung zu zeigen.

»Aha«, sagte er.

Sie lehnte sich vor. »Boris, Sie sind mein einziger Anhaltspunkt. Der einzige Verwandte, den ich ausfindig machen konnte. Sie sind Gregor Semjonovs Sohn. Sie sind Selinas Halbbruder. Sie leben nicht allzu weit von Sofia entfernt. Ich ... halte es für möglich, dass Ihr Vater Sie um Hilfe gebeten hat.«

»Jeder kann denken, was er möchte«, sagte Boris.

»Bitte. Ich muss mein Kind finden. Wir haben einen entsetzlichen Fehler gemacht, als wir sie gehen ließen. Sie wissen doch, was mit Selina geschehen ist?«

Er reagierte nicht.

»Dasselbe geschieht wahrscheinlich gerade mit meiner Ninka. Sie wird irgendwo gefangen gehalten. Sie wird gezwungen, ihren Körper an fremde Männer zu verkaufen. Sie wird misshandelt und vergewaltigt.« Ivanas Stimme brach. Sie riss sich mühsam zusammen, wischte sich mit einer ärgerlichen Bewegung eine Träne weg. »Ich kann diese Bilder nicht ertragen. Ich muss Tag und Nacht daran denken. Ich kann nicht weiterleben, als wäre nichts geschehen. Ich muss ihr helfen.«

Boris nickte. Immerhin. »Das kann ich verstehen. Aber ich kann nichts für Sie tun.«

»Ich glaube doch«, sagte Ivana.

Sie blickte ihn eindringlich an. Er mauert zu sehr, dachte

sie, mehr, als er es täte, wenn er tatsächlich arglos wäre. Er weiß etwas. Er weiß, wo sich die Semjonovs aufhalten.

»Wo waren Sie heute den ganzen Nachmittag über?«, fragte sie.

Er wirkte ein wenig überrascht. »Geht Sie das etwas an?«, fragte er dann zurück.

»Es ist Freitag«, sagte sie. »Ein ganz normaler Wochentag. Können Sie es sich leisten, Ihre Tischlerei einen halben Tag lang zu schließen und einfach weg zu sein?«

»Vielleicht habe ich fertige Möbel ausgeliefert«, sagte Boris.

»Vielleicht waren Sie bei Ihrem Vater und seiner Familie. Haben Ihre Angehörigen mit Essen und Trinken versorgt. Vielleicht liegt das Versteck nicht hier in der Nähe. Sie waren lang unterwegs.«

»Hören Sie«, begann Boris, aber sie unterbrach ihn: »Sie sind in Gefahr, Boris, und Ihre Familie auch. Ich habe nur zwei Tage gebraucht, Sie aufzustöbern. Mir wurde geholfen von Menschen, die es gut mit Selina meinen, aber dennoch, auch ohne eine solche Hilfe wäre es möglich. Denken Sie nicht, dass die Leute, die hinter Selina her sind, so einfach aufgeben, und denken Sie nicht, dass sie keine Chance haben, sie zu finden. Jeden Moment können auch sie dahinterkommen, dass es da einen Sohn aus erster Ehe gibt, und ich kann Ihnen sagen, die werden ganz schön rau mit Ihnen umgehen, wenn sie Sie erst einmal haben. *Dann* geben Sie das Versteck mit Sicherheit ziemlich schnell preis, und die Frage ist, ob Sie und Ihre Familie das alles am Ende überleben.«

»Woher weiß ich, dass nicht Sie selbst zu den Verbrechern gehören?«

»Weil ich dann nicht hier sitzen und flehentlich auf Sie einreden würde. Diese Verbrecher haben andere Methoden, wenn sie etwas in Erfahrung bringen wollen.«

Er schien hin- und hergerissen. »Letztlich«, sagte er dann, »wissen Sie ja gar nicht, um wen es sich bei den Verbrechern handelt. Daher würde auch die Polizei nicht helfen können.«

»Selina kann ihnen aber wertvolle Hinweise geben. Sie kennt diese Verbrecher, zumindest einige von ihnen. Wenn sie mit ihrem Wissen zur Polizei geht, können diese Leute vielleicht gefunden und verhaftet werden.«

»Und wenn nicht? Wenn die Polizei nichts machen kann?«

»Was ist die Alternative? Wie lange kann denn eine ganze Familie untertauchen? Was passiert, wenn ihre Verfolger sie finden? Und sie werden sie finden. Es ist nur noch eine Frage der Zeit und, wie ich fürchte, einer kurzen Zeit.«

Seinem Gesicht sah sie an, dass es ihr zumindest gelungen war, ihm Angst zu machen.

In dem kleinen, kalten Zimmer herrschte Schweigen.

Dann stand Boris plötzlich auf, ballte beide Hände zu Fäusten. »Ich habe es satt. Ich habe es so satt! Als ob mein Leben nicht so schon schwer genug wäre. Jeden Tag kämpfe ich um meine berufliche Existenz. Wer braucht einen Tischler, der schöne Einzelstücke fertigt? Die Leute kaufen sich ihre Möbel billig in Sofia.«

»Ich kann mir vorstellen, dass Ihr Leben schwierig ist«, sagte Ivana sanft. »Deshalb sehen Sie zu, dass Sie aus dieser Geschichte herauskommen. Tun Sie das Richtige. Sagen Sie mir, wo ich Selina finde.«

Wieder schwieg er eine ganze Weile.

»Kommen Sie morgen früh zu mir«, sagte er schließlich.

Sie hatte Angst, er könnte es sich über die Nacht anders überlegen. »Warum nicht jetzt?«

»Morgen früh«, sagte er mit Bestimmtheit. »Ganz früh. Seien Sie um sechs Uhr bei mir.«

»Ich werde da sein«, versprach Ivana.

Es war im letzten Frühling, als Jérôme mir eines Tages erzählte, er werde einen Kollegen zum Abendessen mitbringen.

»François. Er ist auch Fahrer bei uns. Du wirst ihn mögen.«

Ich freute mich: Ich begrüßte alles, was uns so viel Normalität wie möglich brachte. Keine Ahnung, warum mir das so wichtig war, vielleicht lebte ich noch immer in dem Gefühl, dass unser Leben eben irgendwie nicht normal verlief. Obwohl es keinen richtigen Anhaltspunkt dafür gab. Jérôme hatte eine deutliche Gehaltserhöhung bekommen, und so ging es uns inzwischen ziemlich gut. Mit unserer kleinen, mittlerweile recht kuschelig eingerichteten Wohnung und unseren soliden Jobs hätte man uns sogar fast für spießig halten können. Deshalb war mir überhaupt nicht klar, weshalb ich ständig meinte, ein Unheil am Horizont zu sehen, das bedrohlich für uns werden konnte, wenn wir uns nicht schützten. Eine möglichst bürgerliche Existenz schien mir ein Schutz zu sein, aber ich hätte niemandem erklären können, weshalb das so war. Wie ich auch nicht das ominöse Unheil hätte beschreiben können, das ich witterte. Vielleicht entsprang es einfach meiner pessimistischen Lebenseinstellung, die sich bedingt durch die Erfahrungen mit meinen Eltern in mir breitgemacht hatte und mir, seit wir in Paris lebten, noch bewusster war als früher.

Mit Jérôme sprach ich nicht darüber. Er hätte mich wahrscheinlich ausgelacht.

Jetzt sollte ihn also ein Kollege besuchen, und das fand ich gut. Wir hatten fast gar keinen Kontakt mit anderen Menschen. Zum Teil lag das an Jérômes Arbeit, die ihn tagelang fortführte. Manchmal war er nach solchen Fahrten so müde, dass er einfach nichts anderes wollte, als auf unserem Balkon in der Sonne zu liegen oder mit einer Flasche Bier vor dem Fernseher zu sitzen und Sportsendungen zu sehen. Und ich lernte in meinem Job einfach niemanden kennen. Die Kunden kamen und gingen, niemand suchte ein längeres Gespräch. Man kaufte das Glitzerzeug, das wir anboten, und verschwand dann wieder. Was hätte sich schon Größeres daraus entwickeln sollen?

Jérôme hatte an jenem Tag frei und versprochen, etwas zu kochen. Als ich jedoch am frühen Abend abgehetzt und verschwitzt – es war überraschend warm geworden und ich war viel zu dick angezogen – in der Wohnung ankam, brutzelte weder etwas auf dem Herd, noch war der Tisch gedeckt. Unser Besuch war schon da, und die beiden Männer saßen auf dem Balkon und tranken jeder ein Bier. Sie unterhielten sich leise. Jérôme wirkte ein wenig angespannt.

Ich war erstaunt, als ich François kennenlernte. Er mochte kein inniger Freund von Jérôme sein, aber er hätte ihn sicher nicht eingeladen, wenn er ihn nicht nett gefunden hätte. Dabei war er ein so völlig anderer Typ als Jérôme und ganz anders als die Freunde, mit denen sich Jérôme früher in Metz umgeben hatte. Jérôme sah gut aus und legte viel Wert auf sein lässiges Styling, bei dem alles wie zufällig aussah und doch, wie ich wusste, das Ergebnis langen Nachdenkens und Ausprobierens war. Er mochte es auch, wenn die Menschen um ihn herum durch ihr Aussehen und Auftreten zu seinem attraktiven und coolen Image beitrugen. Éliane hatte einmal gesagt, er suche sich keine Freunde, sondern Accessoires. Aber diese Behauptung hing natürlich damit zusammen, dass sie ihn nicht mochte.

François jedenfalls war definitiv kein Aushängeschild. Er war sehr groß und so übergewichtig, dass ich Angst bekam, ob unser kleiner Balkon ihn überhaupt tragen konnte. Es fiel mir schwer, ihn mir im Führerhaus eines Lastwagens vorzustellen, so viele Fettringe trug er um seinen Körper. Er hatte ein trauriges Gesicht, sah müde und unglücklich aus, und aus irgendeinem Grund wusste man, dass dies nicht Ausdruck einer vorübergehenden niedergeschlagenen Stimmung war, sondern dass sich darin sein Wesen spiegelte. Ein Mann, der noch keine dreißig und doch schon vom Leben enttäuscht war, der einsam und deprimiert und vor allem völlig desillusioniert zu sein schien: In seinem Leben würde sich niemals etwas zum Guten ändern. Das sagte er nicht. Aber das erzählten seine Augen so deutlich, dass es für mich keinen Zweifel gab.

Und mit diesem Mann hatte sich Jérôme angefreundet? Ich war völlig perplex.

François wurde rot, als er mir die Hand gab, und er stotterte, als er meinen Gruß erwiderte. Ich begriff, dass er zu allem Überfluss ein massives Problem mit Frauen hatte. Oder war dieses Problem die Grundlage für alles andere? Ich spürte, dass er über diese Einladung in unsere Wohnung mindestens ebenso überrascht war wie ich.

»Du wolltest doch kochen«, sagte ich zu Jérôme. Ich wollte ihn nicht vor seinem Freund und Kollegen zurechtweisen, aber ich merkte, dass ich zu verärgert war, um einfach zu schweigen. Er konnte nicht jemanden zum Abendessen einladen und sich dann darauf verlassen, dass ich etwas aus dem Hut zaubern würde, während er nichts anderes fertigbrachte, als dem Gast eine Flasche Bier in die Hand zu drücken.

»François, es tut mir sehr leid«, sagte ich, »aber ich dachte, Jérôme kümmert sich um das Abendessen.«

François errötete erneut. »Bitte, wegen mir keine Umstände«, sagte er hastig. »Es ist … es ist alles in Ordnung. Wirklich.«

Jérôme legte mir seine Hand auf den Arm. »Es tut mir leid, aber würde es dir sehr viel ausmachen, eine Kleinigkeit für uns zu kochen?«, fragte er. »Ich habe es einfach nicht geschafft.«

Nicht geschafft? Er war den ganzen Tag über daheim gewesen.

»Nun, ich …«, begann ich, aber er unterbrach mich.

»François und ich haben ohnehin noch etwas alleine zu besprechen.«

»Dann will ich nicht stören«, sagte ich wütend, verließ den Balkon und knallte die Tür hinter mir zu. Ich war außer mir vor Wut. Er gab mir unverblümt zu verstehen, dass ich an seinem Gespräch mit François nicht teilnehmen sollte, und verbannte mich einfach in die Küche. Ich muss wohl kaum betonen, dass es kein besonders gelungenes Essen war, das ich eine halbe Stunde später servierte. Ich hatte es überhaupt nur deshalb zubereitet, weil ich selbst Hunger hatte. Es gab Spaghetti mit Tomatensoße, und die Soße war kaum gewürzt und schmeckte zum Abgewöhnen. Ich war bereit, jeden anzufallen, der deshalb eine abfällige Bemerkung machte, aber François hätte so etwas natürlich ohnehin nie gewagt, und Jérôme, der sich selbst gerne als Gourmet pries, schien seltsamerweise gar nicht zu merken, wie verkorkst das Essen war. Er wirkte, als wäre er völlig in Gedanken versunken, und er hätte es wohl nicht einmal registriert, wenn ich ihm eine gebratene Schuhsohle auf den Teller gelegt hätte.

Was war los? Was hatte er mit François besprochen? Es konnte kaum der lässige Small Talk sein, den Jérôme sonst gerne pflegte. Zum einen war François nicht der Typ dafür. Zum anderen hätte das Jérôme kaum in diese weltabgewandte Stimmung versetzt.

Plötzlich kam mir der Gedanke: Er hatte François nicht eingeladen, weil er ihn mochte. Oder weil die beiden eine Art Freundschaft verband. Oder weil er uns beiden ein wenig mehr Geselligkeit und Kontakte verschaffen wollte. Darum ging es überhaupt nicht. Es steckte etwas ganz anderes dahinter. Etwas, das Jérôme Kopfzerbrechen bereitete. Er hatte irgendein Problem. Es hing mit der Firma zusammen, mit seiner Arbeit. Deshalb François. Aber was konnte das sein? Es lief doch gerade alles so gut?

Spät am Abend, nachdem François gegangen war, versuchte ich Jérôme darauf anzusprechen, aber er stritt ab, dass er einsilbig und grüblerisch gewesen sei, und wurde ärgerlich, als ich darauf beharrte, etwas sei nicht in Ordnung.

»Kannst du nicht irgendwann einmal aufhören, Schwierigkeiten zu sehen, wo keine sind?«, fuhr er mich an. »Mir gehen deine Ängste und Sorgen langsam wirklich nur noch auf die Nerven!«

Ich hatte ihm von meinen diffusen Ängsten ja gar nichts gesagt. Aber Jérôme war nicht unsensibel, auch wenn er manchmal etwas oberflächlich erscheinen mochte. Er hatte meine schwermütige Stimmung offenbar registriert.

»François ist nicht gerade der typische Freund von dir«, meinte ich.

»Ach, und was ist mein typischer Freund? Gott, Nathalie, du bist so etwas von festgefahren! Darf ich nur Freunde haben, die so sind, wie alle meine Freunde immer waren? Darf ich überhaupt Freunde haben? Du möchtest doch am liebsten, dass ich jede freie Sekunde nur und ausschließlich mit dir verbringe. Am besten fändest du, wenn ich gar keine anderen Menschen kennen würde!«

So etwas hatte ich nie gesagt, nie verlangt. Aber vielleicht war es das, was er aus meiner Verlustangst herauslas: einen Besitzanspruch, den er als lästig empfand. Und als lähmend.

Der Abend endete damit, dass ich mich weinend im Bad einschloss, während sich Jérôme hemmungslos betrank.

Am nächsten Morgen – ich mit verschwollenen Augen, er mit Übelkeit und Kopfschmerzen – erwähnten wir die Vorkommnisse nicht mehr.

Im Nachhinein würde ich sagen, dass der Besuch von François bei uns einen Wendepunkt darstellte. Jérôme war nicht mehr der Optimist, der er zuvor gewesen war: fröhlich, voller Pläne, selbstbewusst und guter Dinge. Er war aber auch nicht der Jérôme, der er in der ersten Pariser Zeit gewesen war. Damals hatte er sich Sorgen gemacht, war unwirsch und gereizt gewesen, weil die Dinge nicht so liefen, wie er sich das gedacht hatte. Ich hatte ihn als sehr schwierig empfunden, und es war wirklich nicht gut mit ihm auszukommen gewesen, aber zumindest hatte ich doch stets gewusst, woran ich war. Ich kannte den Grund für seine schlechte Laune. Jetzt jedoch gab es keinen erkennbaren Grund, jedenfalls nicht für mich, und er war auch nicht eigentlich schlecht gelaunt. Er war in sich gekehrt, schien ständig zu grübeln. Etwas belastete ihn, aber er teilte sich mir nicht mit.

Ein paar Mal versuchte ich ihn auf seine eigenartige Stimmung anzusprechen, aber wie ich schon gefürchtet hatte, stritt er ab, dass etwas nicht in Ordnung war.

»Alles gut. Mach dir keine Sorgen.«

Es wurde nicht besser mit ihm, eher schlechter. Der Sommer kam, ging vorüber, der Herbst nahte, es wurde Winter, und Jérôme schien innerlich überhaupt nicht mehr bei mir zu sein. Er merkte offenbar auch gar nicht, wie schlecht es mir deswegen ging. Ich hatte zwischenzeitlich zu einem halbwegs vernünftigen Essverhalten gefunden, nun spürte ich wieder das würgende Gefühl im Hals, sowie ich vor einem gefüllten Teller saß, und sehr oft kippte ich meine Mahlzeit unangetastet in den Müll. Nicht einmal das bewegte ihn, obwohl ich von irgendeinem Zeitpunkt an ganz offen damit umging und nichts zu vertuschen versuchte. Ich verlor radikal an Gewicht. Meine Chefin, die sich normalerweise auch nicht besonders um die Probleme anderer Menschen scherte, sprach mich schließlich darauf an.

»Was ist los mit Ihnen, Nathalie? Sie sehen ja aus wie ein

Gespenst. Machen Sie eine Diät, oder sind Sie krank? Sie scheinen mir gefährlich abgemagert zu sein.«

Ich hatte eigentlich irgendetwas Beschwichtigendes antworten wollen, aber es gelang mir nicht. Stattdessen brach ich zu meinem eigenen Schrecken in Tränen aus.

Madame Guillot wirkte konsterniert, aber zum Glück waren gerade keine Kunden da, sonst wäre sie sicher ärgerlich geworden. »Du lieber Himmel! Was ist denn los?«

»Ich glaube, dass mein Freund eine Affäre hat«, stieß ich unter Schluchzen hervor.

Es war das erste Mal, dass ich diesen Gedanken aussprach. Er ging mir seit ein oder zwei Wochen im Kopf herum und ließ sich nicht mehr verscheuchen. Es passte alles zusammen: Jérômes in sich gekehrte Art. Die Tatsache, dass er mich kaum noch wahrnahm. Es war eine Ewigkeit her, seit er zuletzt mit mir geschlafen hatte. Unter dem Hinweis, er sei zu gestresst, wurde ich ständig abgewiesen. Er beschäftigte sich ganz offensichtlich von morgens bis abends mit irgendetwas – weshalb nicht mit einer Frau? Gelegenheit hatte er reichlich; schließlich war er berufsbedingt tagelang unterwegs, und ich wusste oft nicht, wo er gerade genau steckte. Es wäre nicht schwer für ihn gewesen, ein Doppelleben zu führen, ohne dass ich etwas merkte.

»Er hat eine Affäre?«, fragte Madame Guillot erstaunt. »Sind Sie sicher?«

»Nein. Aber er verhält sich sehr merkwürdig.«

»Das kann viele Gründe haben. Vielleicht hat er Ärger im Beruf?«

Ich schüttelte den Kopf. »Das würde er mir sagen. Solche Dinge hat er mir immer gesagt. Nur diesmal nicht. Was würden Sie da denken?«

»Ich würde ihn auf jeden Fall darauf ansprechen«, sagte Madame Guillot.

Der Gedanke war mir natürlich auch schon gekommen, aber bislang hatte ich mich nicht getraut. Ich hatte Angst, dass er wütend werden würde. Außerdem würde er es so oder so abstreiten.

»Er ist ein sehr attraktiver Mann«, sagte Madame Guillot. Sie kannte ihn ja, er hatte mit ihr wegen meines Jobs gesprochen. »Ich könnte mir denken, dass er bei vielen Frauen ein leichtes Spiel hat und dass er das durchaus genießt.«

Diese Bemerkung war nicht angetan, mich zu beruhigen. Sie traf zudem genau in die Kerbe, die Éliane schon früher geschlagen hatte. Sie hatte behauptet, er sei leichtsinnig, im Allgemeinen, aber ganz speziell in seinen Beziehungen zu Frauen, und ich würde diesbezüglich irgendwann noch mein blaues Wunder erleben.

»Er ist ein notorischer Herzensbrecher«, hatte sie gesagt. »Und der Typ, der sich schnell langweilt, wenn eine Beziehung erst einmal anfängt, in festen Bahnen zu laufen. Glaub mir, Nathalie. Dieser Mann macht dich nicht glücklich.«

Ich hatte das als dummes Gerede abgetan, aber nun äußerte sich Madame Guillot ähnlich. Und vor allem: Auch ich konnte mir sein Verhalten kaum noch anders erklären.

»Gehen Sie für heute nach Hause«, sagte Madame Guillot. »Sie sind ja vollkommen durcheinander. Klären Sie diese Geschichte. Zwingen Sie ihn, sich zu äußern. Und essen Sie etwas, du lieber Gott! Sie sehen wirklich erbärmlich aus.«

Ich fuhr nach Hause. Es war ein kalter, verregneter Tag, der zweite Dezember. Ich erinnere mich bis heute, dass ich in der U-Bahn starke Kopfschmerzen bekam und dass mich viele Leute anstarrten, weil ich so verquollene Augen hatte. Vor allem erinnere ich mich aber an meine Ankunft zu Hause. Ich wusste, dass Jérôme da sein würde, denn er war in der Nacht von einer mehrtägigen Tour zurückgekommen, und an solchen Tagen hatte er immer frei. Meist schlief er dann bis zum späten Nachmittag. Ich rechnete also damit, ihn im Bett anzutreffen.

Stattdessen saß er im Wohnzimmer. Und zwar nicht alleine: François war bei ihm. Es war sein zweiter Besuch bei uns und diesmal einer, in den ich im Vorfeld nicht eingeweiht worden war. Die beiden hatten natürlich nicht mit meiner frühzeitigen Heimkehr gerechnet.

Und ich spürte sofort, dass sie über etwas gesprochen hatten, wovon ich unter keinen Umständen etwas wissen durfte.

HYÈRES, FRANKREICH, SAMSTAG, 19. DEZEMBER

Sie waren nicht weit weg von Les Lecques, so viel war klar. Sie waren etwas über eine Stunde mit dem Auto gefahren, bis sie das Haus erreichten. Zudem hatte der Fahrer ausschließlich Landstraßen, einige Male sogar unbefestigte holprige Wege gewählt – vermutlich in der Absicht, die Insassen des Wagens zu verwirren und mögliche Verfolger zu bemerken. Zu Anfang hatte Simon noch versucht, die Orientierung zu bewahren und herauszufinden, wohin die Reise ging. Er hatte nicht vor, irgendjemanden über seinen Aufenthaltsort zu informieren: Ihm war die Gefährlichkeit der Lage klar, und er würde in seinem eigenen Interesse natürlich kooperieren. Aber es behagte ihm nicht, vollständig die Kontrolle über die Situation abzugeben und keine Ahnung zu haben, wohin man ihn brachte. Es war jedoch stockdunkel draußen, es gab auf den einsamen Straßen keinerlei Hinweisschilder, und nur einmal schnappte er den Namen eines Weges auf, der irgendwohin in die einsame Landschaft abzweigte; in Ermangelung weiterer geographischer Erkenntnisse brachte ihn diese Information allerdings nicht weiter. Irgendwann hatte er aufgegeben. Die Polizisten waren nicht dumm, sie wussten natürlich, wie sie es am besten verhinderten, dass ihre Schützlinge in Erfahrung brachten, wo man sie versteckte.

Es waren zwei Männer, die sie begleiteten. Lieutenant Hasnainy Halabi saß am Steuer. Er hatte dichte schwarze Haare, tiefschwarze Augen und eine ziemlich dunkle Haut und schien arabischer Herkunft zu sein. Der andere Polizist, der sie beschützen sollte, war Lieutenant Caparos, Inès Rosardes engster Mitarbeiter.

Simon und Nathalie hatten auf dem Rücksitz gesessen. Nathalie hatte krampfhaft aus dem Fenster gestarrt, wahrscheinlich, so dachte Simon, ebenfalls in der Absicht herauszufinden, wohin sie fuhren. Ihm war klar, dass er auf sie aufpassen musste: Sie würde versuchen, Jérôme über ihren Aufenthaltsort zu informieren, sowie sich ihr eine Gelegenheit bot. Er nahm an, dass sie genau wie er im Laufe der Fahrt den Faden und jegliche Orientierung verlor, aber das hieß nicht, dass sie nicht, am Ziel angekommen, versuchen würde, eine Adresse oder irgendwelche markanten Anhaltspunkte ausfindig zu machen. Sie besaß kein Mobiltelefon mehr, aber sie würde alles daransetzen, an seines zu kommen. Für ihn bedeutete das äußerste Wachsamkeit. Genau wie Inès Rosarde hielt auch er es durchaus für möglich, dass Jérôme Täter, nicht Opfer in dem Spiel war. Er verstand, dass Nathalie sich dieser Theorie völlig verschloss, aber er selbst hatte nicht vor, ein Risiko einzugehen.

Inès Rosarde hatte ihnen zum Abschied gesagt, sie sollten Ruhe bewahren, ihr erzwungenes Versteckspiel werde nicht lange dauern.

»Wir finden heraus, was eigentlich los ist, und wir lösen diesen Fall. Bleiben Sie ruhig und entspannt.«

»Suchen Sie auch nach Kristina?«, hatte Simon sofort gefragt.

»Natürlich. Vertrauen Sie uns, wir suchen mit allen Kräften nach ihr.«

Später hatte sie ihnen den eintreffenden Beamten Halabi vorgestellt und erklärt, dass auch Caparos dabei sein würde.

»Jean Caparos hat früher im Zeugenschutz gearbeitet, Halabi ist aktuell dort eingesetzt. Die beiden sind äußerst erfahrene Kollegen. Sie werden Sie zu dem Haus bringen und die ganze Zeit über mit Ihnen zusammen dort sein. Sie können sie immer ansprechen. Ich werde im Kontakt mit ihnen sein, damit bin ich auch für Sie jederzeit erreichbar.«

Die beiden Männer waren bewaffnet. Simon hoffte zutiefst, dass es nicht zu einer Situation kommen würde, in der sie von ihren Waffen würden Gebrauch machen müssen.

Soweit er das im Regen und in der Dunkelheit am Vorabend hatte feststellen können, lag das Haus völlig abgeschieden und einsam und war von einem hohen Zaun umgeben. Es gab keine Straßenlaternen, keine Lichter, die auf andere Häuser hinwiesen, keine Straßen mit dem Scheinwerferlicht vorbeifahrender Autos. Die Stille wurde nur vom Rauschen des Regens gestört. Simon meinte sanft hügelige Felder mit Weinstöcken zu erkennen. Sonst nichts. Kein Mensch, kein Haus. Gar nichts.

Caparos war als Erstes in den Garten gegangen, hatte mit einer Taschenlampe das ganze Grundstück abgeschritten und überprüft, ob der Zaun überall in Ordnung war und auch sonst nichts Verdächtiges festgestellt werden konnte. Ziemlich nass, aber zufrieden war er zurückgekommen: keine Auffälligkeiten.

Am heutigen Samstagmorgen regnete es noch immer. Simon war am Vorabend so müde gewesen, dass er sich nicht mehr groß im Haus umgesehen hatte, sondern gleich in das ihm zugewiesene Zimmer im ersten Stock gegangen war. Nun richtete er sich auf. Eine eher karge Möblierung: das Bett, in dem er lag, ein Kleiderschrank, eine Kommode, ein Sessel. Auf dem Fußboden, der aus Holzdielen bestand, lag ein dünner Teppich. Es gab einen elektrischen Heizkörper in der Ecke, aber er war offenbar nicht angeschaltet, denn es war sehr kalt. Die Luft roch klamm und abgestanden, wie das in Häusern der Fall ist, die nicht regelmäßig bewohnt werden.

Simon stand auf und trat ans Fenster. Tiefhängende dunkle Wolken. Regen. Felder und Hügel voller kahler Weinreben, wie er schon am Abend gesehen hatte. Nirgends eine weitere menschliche Behausung. Er nahm ein kleines Waldstück in einiger Entfernung wahr und einen schmalen Schotterweg, der zum Grundstück führte. Das Haus war von einem kleinen, ziemlich verwahrlosten Garten umgeben, darum der hohe Maschendrahtzaun, den Lieutenant Caparos gleich nach der Ankunft kontrolliert hatte. Das Haus hätte der Sitz von ganz normalen Weinbauern sein können, wäre nicht dieser Zaun gewesen: Er verriet, dass die Bewohner ein für die Gegend ganz untypisches Interesse an Schutz und Abgrenzung hatten.

Die Vegetation zeigte Simon, dass sie sich ein gutes Stück im Landesinneren, in deutlicher Entfernung zum Meer befanden. Aber wo genau sie waren – dafür fand er nicht den geringsten Anhaltspunkt.

Er verließ das Zimmer, duschte in dem gegenüberliegenden Bad, zog sich an und ging dann hinunter. Es roch vielversprechend nach Kaffee. Auf der knarrenden Treppe kam ihm plötzlich der deprimierende Gedanke: Was machen wir hier eigentlich den ganzen Tag über? In diesem kalten, einsamen Haus? Im Regen? Ob wir wenigstens spazieren gehen dürfen?

Er traf die beiden Beschützer in der Küche an. Caparos saß am Tisch und zog gerade eine Scheibe Brot aus dem Toaster. Halabi lehnte am Fenster, einen Kaffeebecher in der Hand. Simon entging nicht, dass er so stand, dass er die Gegend draußen ständig im Auge hatte. Was wie ein harmloses Frühstück in einer einfachen Küche aussah, war in Wahrheit eine scharf kontrollierte Situation.

»Kommen Sie«, sagte Caparos. »Setzen Sie sich. Einen Kaffee?«

»Gerne.« Er nahm an dem kleinen Tisch Platz. Die Küche war sehr schlicht und funktional eingerichtet. Ein kleiner, ziemlich zerfleddert wirkender Kalender hing an der Wand; bei einem näheren Blick stellte Simon fest, dass er aus dem Jahr 2002 stammte.

»Nathalie schläft noch?«, fragte er.

»Sie hat sich noch nicht blicken lassen«, bestätigte Caparos und reichte Simon den Brotkorb, der voller frisch getoasteter Weißbrotscheiben lag. Offensichtlich hatten die beiden Polizisten gestern noch eingekauft, nachdem sie den Auftrag erhalten hatten.

»Wir müssen auf sie aufpassen«, sagte Halabi. »Auf Mademoiselle Boudin, meine ich.«

Hatte er es selbst bemerkt? Wahrscheinlich hatte Rosarde ihn instruiert.

»Sie macht sich größte Sorgen um ihren Lebensgefährten«, sagte Simon. »Sie wird versuchen, ihn hierher zu lotsen. Um ihn in Sicherheit zu bringen.«

»Wie ich Kommissarin Rosarde verstanden habe, stellt er selbst ein Sicherheitsrisiko dar«, sagte Halabi.

»Es kann zumindest nicht ausgeschlossen werden«, meinte Simon vorsichtig.

Er strich sich etwas Marmelade auf seinen Toast.

Wir stehen das hier durch, dachte er, wir stehen es durch, und dann ist es vorbei.

Es würde nie vorbei sein, fiel ihm im nächsten Augenblick ein. Nicht, wenn Kristina etwas zugestoßen war.

»Gibt es etwas Neues?«, fragte er.

Für den Bruchteil einer Sekunde bemerkte er eine hauchfeine Reaktion bei beiden Männern. Sie war so unauffällig und subtil, dass er schon einen Moment später gar nicht mehr hätte sagen können, warum sie ihm überhaupt aufgefallen war. Das Zucken eines Augenlids? Eines Mundwinkels? Oder war es nur der Schatten eines veränderten Gesichtsausdrucks gewesen, ehe die Mienen wieder nichtssagend wurden?

»Es gibt etwas Neues«, sagte er. Er konnte spüren, wie sich Herzschlag und Puls beschleunigten. »Was ist passiert?«

»Es ist nichts passiert. Regen Sie sich nicht auf.«

»Haben Sie etwas von Kristina gehört? Kristina Dembrowski? Sie wird seit Mittwoch vermisst. Kommissarin Rosarde wollte verstärkt nach ihr fahnden.«

»Kommissarin Rosarde kommt nachher zu uns«, sagte Caparos. »Dann können Sie alles mit ihr besprechen.«

Das war nicht angetan, ihn zu beruhigen. »Weshalb kommt sie her? So schnell?«

»Wir wissen nur, dass sie kommt«, sagte Halabi. »Näheres hat sie uns auch nicht gesagt.«

Simon versuchte, Halabis Miene zu erforschen, um herauszufinden, ob er die Wahrheit sagte, aber da war nichts zu erkennen. Er fragte sich, ob man das in speziellen Trainingsprogrammen lernen konnte: diese vollständig neutrale Miene.

Er verspürte wenig Appetit, zwang sich aber, eine Scheibe Toastbrot zu essen, und trank durstig zwei große Becher Kaffee. Danach sah er sich im Haus um. Im Erdgeschoss befanden sich neben der Küche noch ein Wohnzimmer und ein kleines Zimmer, in dem offenbar Halabi und Caparos schliefen – abwechselnd schliefen, wie Simon vermutete, denn wahrscheinlich musste immer einer von ihnen

Wache halten. Das Wohnzimmer war spärlich möbliert: Es gab ein Sofa, zwei Sessel und einen niedrigen Couchtisch mit angeschlagenen Ecken. Überhaupt wirkten die Möbel ziemlich schäbig und eher zufällig zusammengewürfelt. Es kostete Geld, ein solches Haus zu erwerben und für seine besonderen Zwecke nutzbar zu machen, und offensichtlich war der Etat eher in die Sicherheitsausstattung geflossen wie etwa den großen Zaun, der das Grundstück hermetisch abriegelte, und höchstwahrscheinlich etliche andere, auch technische Vorkehrungen. Die Frage, ob sich die Bewohner während ihres erzwungenen Aufenthaltes in dieser Behausung wohlfühlten, war zweitrangig. Im Sommer mochte es hier gehen, aber zu dieser Jahreszeit … Es war einfach nur deprimierend. Simon blickte aus dem Fenster. Weinfelder, so weit das Auge reichte. Blühend im Frühjahr, dunkelgrün im Sommer, flammend rot im Herbst. Und jetzt nur kahle, schwarze Strunke, die aus der Erde ragten. Darüber die tiefhängenden grauen Wolken. Und der ewige Regen. Das Land versank in Nässe und Trostlosigkeit.

Im ersten Stock gab es zwei Schlafzimmer und ein Bad, und dann erkannte Simon noch eine Klappe in der Decke. An der Wand lehnte eine Leiter. Ob das da oben eine Rumpelkammer war oder notfalls als weiteres Schlafzimmer dienen konnte, war nicht zu erkennen.

Er ging in sein Zimmer und ordnete seine wenigen Habseligkeiten in den Schrank. Er hatte vorsichtshalber den Akku aus seinem Handy genommen, um eine Ortung zu verhindern, nun setzte er ihn wieder ein, schaltete das Gerät an und überprüfte, ob Nachrichten eingegangen waren. Er hatte ein paar berufliche E-Mails, die keine unmittelbaren Antworten erforderten. Dann gab es drei Sprachnachrichten, wovon die ersten beiden von Lena stammten.

»Bitte, Simon, ruf mich an. Ich habe noch immer kein

Lebenszeichen von Kristina, und ich gerate immer mehr in Panik.« Das war nicht nur dahingesagt. Lenas Stimme klang tatsächlich panisch und vollkommen verzweifelt. »Es ist etwas passiert. Das ist absolut nicht normal. Ich habe keine Ahnung, wie oft ich ihr inzwischen auf die Mailbox gesprochen und sie angefleht habe, sich zu melden. Sie weiß, dass ich außer mir bin vor Sorge. Sie würde mich niemals so hängenlassen. Sie *kann* sich offenbar nicht melden!«

Die zweite Nachricht war im Text ganz ähnlich wie die erste, nur dass Lena inzwischen fast hyperventilierte.

»Bitte, bitte, ruf mich an«, bettelte sie. »Verschwinde du nicht auch noch!«

Sie tat ihm sehr leid, aber es gab die klare Absprache, von nun an keinerlei Anrufe mehr zu tätigen oder Botschaften zu senden, und Simon wollte sich daran halten. Es machte keinen Sinn, einen Weg einzuschlagen und ihn dann nur halb zu gehen. Er hatte sich auf Inès Rosardes Vorgaben eingelassen, nun wollte er nichts riskieren. Letzten Endes konnte er Lena ja auch nichts sagen, was sie hätte trösten können.

Er hörte die letzte Botschaft auf seiner Mailbox ab. Überraschenderweise kam sie von Maya.

»Hallo, Simon, wie geht es dir so einsam am Mittelmeer? Hör mal, ich habe gute Nachrichten für dich: Die Kinder wollen jetzt doch zu dir. Gestern war der letzte Schultag, und schon jetzt hängen sie herum, streiten, jammern und finden es sterbenslangweilig daheim.«

Klang da ein wenig Frust in Mayas betont munterer Stimme mit? Was war denn mit ihrem Neuen, mit Mr. Ich-bin-der-größte-Kinderunterhalter-der-Welt? Klappte da irgendetwas nicht? Hatten sich die Kinder mit ihm gestritten? Oder wurde das Zusammensein mit den lieben Kleinen ihm gerade zu viel? Bislang hatten sowohl Maya als auch der neue Mann an ihrer Seite großen Gefallen daran gefunden, die Kinder zu instrumentalisieren, um Simon zu ärgern und ihn wie den ständigen Verlierer aussehen zu lassen, und Simon hatte sie dabei bereitwillig unterstützt. Er begriff plötzlich, dass der Schrecken der letzten Tage, so furchtbar alles gewesen war und womöglich noch werden würde, paradoxerweise zu einer positiven ersten Veränderung in seinem Verhältnis zu seiner Exfrau geführt hatte: Er war überhaupt nicht mehr dazu gekommen, bei Maya anzurufen und die Kinder sprechen zu wollen. Es hatte keine Bitten seinerseits gegeben, die Kinder möchten vielleicht doch, und sei es nur für ein paar Tage nach Weihnachten, zu ihm kommen. Damit hatte Maya zweifellos gerechnet, denn so war es in der Vergangenheit stets gewesen. Mit einem Simon, der sich nicht mehr rührte, verlor das Spiel dramatisch an Reiz. Zwei streitsüchtige, gelangweilte Kinder bei schlechtem Wetter über zwei Ferienwochen zu bringen barg eine Menge Sprengstoff – gerade für eine junge Beziehung, in der einer der beiden Partner nicht von verwandtschaftlicher Bindung an die Geschöpfe getragen wurde, die sich, das war Simon bei aller Liebe klar, in nervtötende Monster verwandeln konnten. Und genau das offensichtlich auch bereits getan hatten.

»Wir haben nachgeschaut und könnten gleich für morgen einen günstigen Flug für die beiden nach Marseille buchen«, fuhr Maya fort. »Du müsstest sie dann nur am Flughafen abholen. Bitte ruf mich doch rasch an, damit wir alles festmachen können.«

Damit hatte sie aufgelegt. Simon starrte sein Handy an. Das war Maya von ihrer typischen Seite. Sie fragte nicht einmal, ob ihm diese Planänderung recht war. Sie setzte voraus, dass er ihr vor Dankbarkeit die Füße küssen würde. Ihr Anruf war keine *Frage,* sie setzte ihn lediglich in Kenntnis darüber, was sie beschlossen hatte. Mit der Bitte um Rückruf wollte sie sich absichern, dass er die Nachricht erhalten hatte. Es ging nicht darum, seine Zustimmung einzuholen. Die hatte sie selbst bereits gegeben.

Aber natürlich war es unmöglich, dass die Kinder kamen, und genauso unmöglich erschien es Simon, Maya anzurufen und ihr zu erklären, in welcher Situation er sich gerade befand. Er konnte sich vorstellen, wie ungläubig sie reagieren würde, und er hatte einfach keine Lust, sich ihrem Spott und ihrer beißenden Ironie auszusetzen. Abgesehen davon, dass er damit gegen die Absprache mit Inès Rosarde verstoßen würde, hatte er sowieso keine Lust, der brave Simon zu sein, der zuverlässig zurückrief. Keine Lust zu funktionieren. Keine Lust, greifbar zu sein. Keine Lust, den Erwartungen anderer zu entsprechen.

Er würde sich nicht melden. Er war untergetaucht – wie buchstäblich würde sich Maya in ihren kühnsten Träumen nicht vorstellen können. Er hatte nichts als Absagen einkassiert, was dieses Weihnachtsfest anging, und nun sollten sie alle sehen, wie sie ohne ihn zurechtkamen. Auch die Kinder. Es konnte nichts schaden, wenn sie endlich lernten, mit den Konsequenzen des eigenen Handelns umzugehen.

Er tat, was er noch nie getan hatte: Er ignorierte Mayas Aufforderung, sich bei ihr zu melden, schaltete sein Handy aus und entnahm den Akku.

Er beschloss, nach unten zu gehen und zu sehen, ob Nathalie inzwischen am Frühstückstisch saß, aber schon im Treppenhaus begegnete ihm Lieutenant Halabi.

»Ist Nathalie Boudin bei Ihnen?«, fragte er.

»Nein.« Simon schüttelte den Kopf. »Ist sie nicht unten?«

»Nein. Möglicherweise schläft sie noch, aber wir müssen das jetzt überprüfen.« Halabi seufzte. »Eigentlich sollten wir eine Beamtin dabeihaben, aber es war niemand frei. Ich möchte nicht einfach in ihr Zimmer gehen. Könnten Sie gerade nachschauen?«

»In Ordnung.« Simon wandte sich um, stieg wieder die Treppe hinauf und klopfte an Nathalies Tür. »Nathalie? Bist du wach?«

Er bekam keine Antwort. Er klopfte erneut, dann wieder, und als sich immer noch nichts rührte, öffnete er die Tür. Das Zimmer, in das er blickte, sah ziemlich genauso aus wie sein eigenes. Und es war leer.

»Sie ist nicht da«, sagte er perplex.

»Was?« Halabi war mit zwei Sätzen die Treppe hinauf und neben ihm. Er schob ihn zur Seite, betrat das Zimmer, sah sich um. Durchquerte es, prüfte das Fenster. Es war geschlossen.

»Scheiße«, sagte er.

»Vielleicht ist sie doch irgendwo unten«, meinte Simon.

Halabi war schon wieder auf der Treppe. Er rief seinem Kollegen etwas zu, das Simon nicht verstand, und dieser stürzte daraufhin aus der Küche. Simon wollte hinuntergehen, aber Halabi bedeutete ihm mit einer Geste, oben zu bleiben.

»Gehen Sie in Ihr Zimmer«, rief er. »Und verriegeln Sie die Tür.« Er hatte die Waffe gezogen und entsichert. Caparos ebenfalls. Innerhalb einer einzigen Minute herrschte Alarmbereitschaft in dem kleinen Haus inmitten der verregneten Einsamkeit.

Glauben die beiden, dass die Gegner hier sind?, fragte sich Simon. Und dass sie Nathalie gekidnappt haben?

Er konnte sich das kaum vorstellen, aber er wusste inzwischen, dass *die anderen* schlau und gerissen waren und immer wieder Zugang zu wichtigen Informationen bekommen hatten. Ihm fiel Jérômes Warnung ein, die niemand außer Nathalie ernst genommen hatte: Keine Polizei. Auch dort gibt es Leute, die für die andere Seite arbeiten.

Gab es eine undichte Stelle? Hatte jemand ihren Aufenthaltsort weitergegeben? Und damit nicht nur Nathalie und Simon, sondern auch die eigenen Kollegen in Lebensgefahr gebracht?

Er saß in seinem verriegelten Zimmer und kam sich wie in einer Einzelzelle vor. Aus dem übrigen Haus konnte er keinerlei Geräusche mehr hören. Halabi und Caparos sicherten vermutlich das Terrain und versuchten gleichzeitig herauszufinden, was mit Nathalie geschehen war und wo sie sich aufhielt.

Ob sie sich fragten, wo und wann und an welcher Stelle sie nicht aufgepasst hatten? Wahrscheinlich aber sahen sie die Klärung dieser Frage für den Moment als Zeitverschwendung an. Damit konnten sie sich später auseinandersetzen. Simon dachte an Inès Rosardes scharfen und durchdringenden Blick. Er hätte nicht in der Haut der beiden stecken mögen.

Eine gute Stunde später war Nathalie noch immer nicht wieder aufgetaucht, und es war zudem offenkundig, dass sich kein Fremder, überhaupt kein Mensch in der Nähe des Hauses aufhielt. Dafür hatten die Polizisten draußen eine kaputte Stelle im Zaun gefunden, eine Öffnung, die groß genug war, dass ein Mensch mit einiger Mühe hindurchschlüpfen konnte.

Simon durfte sein Zimmer wieder verlassen. Er versuchte herauszufinden, was als Nächstes geschehen würde, aber er bekam keine Antwort; nachdem die Polizisten ihn über den kaputten Zaun in Kenntnis gesetzt hatten, verständigten sie sich in seiner Gegenwart nur noch durch Blicke miteinander. Halabi hatte seinen Platz am Küchenfenster wieder eingenommen und behielt die Gegend im Auge. Caparos ging ins Wohnzimmer hinüber, postierte sich dort ebenfalls am Fenster. Simon pendelte zwischen beiden Räumen. Er fand, dass eine gewisse Unschlüssigkeit von den beiden Männern ausging.

Plötzlich stieß Halabi einen Laut des Erstaunens aus, zog gleichzeitig erneut seine Waffe und entsicherte sie. Simon, der gerade ebenfalls in der Küche war, folgte seinem Blick. Nathalie kam den Schotterweg entlang. Sie ging weder schnell noch langsam, wirkte vollständig entspannt. Sie steuerte auf das Grundstück zu.

»Gartentor«, rief Halabi.

Caparos war schon draußen am Tor, ebenfalls mit gezogener und entsicherter Waffe. Eine halbe Minute später tauchte er mit Nathalie im Hauseingang auf. Nathalie war völlig durchnässt und sehr schmutzig, aber sie lächelte freundlich.

»Ich war spazieren«, erklärte sie. Dann erst schien sie die Anspannung der Männer zu bemerken. »Was ist los?«

»Sind Sie durch die kaputte Stelle im Zaun nach draußen gekommen?«, fragte Caparos mit scharfer Stimme.

Nathalie machte eine Handbewegung zum rückwärtigen Teil des Gartens hin. »Ja. Bin ich.«

Das erklärte, weshalb sie verdreckt wie ein Erdferkel aussah.

»Also doch«, sagte Halabi.

»Was hast du dir nur dabei gedacht?«, fragte Simon.

Nathalie sah ihn pikiert an. »Ich wollte wirklich nur spazieren gehen. Ich wusste nicht, dass wir hier als Gefangene leben.«

»Sie haben doch den Zaun gestern Abend noch inspiziert?«, wandte sich Simon an Caparos.

Caparos, der mit einiger Wahrscheinlichkeit bereits bittere Vorwürfe von seinem Kollegen hatte einstecken müssen, sah so aus, als würde er sich am liebsten selbst ohrfeigen. »Es war stockdunkel. Und es regnete so heftig.«

Er hatte das Problem einfach übersehen. Mit Sicherheit würde das Konsequenzen für ihn haben. Sosehr er sich bemühte, kühl und unbewegt zu wirken, konnte Simon doch erkennen, dass er verstört war.

»Das geht so nicht«, sagte Halabi. »Wir haben die Verantwortung für Ihre Sicherheit.« Er wirkte tief verärgert. Unmöglich konnte Nathalie selbst den stabilen Zaun zerstört haben, es gab also schon länger eine defekte Stelle dort, und auch wenn es Caparos gewesen war, der die Sache vermasselt hatte, würden beide Polizisten ihre Köpfe hinhalten müssen. Die Situation war glimpflich ausgegangen, dennoch würden sie es Rosarde melden müssen, und ihre vernichtenden Kommentare konnte man sich leicht ausmalen. Nathalie hatte augenscheinlich völlig problemlos das Haus verlassen, ohne dass irgendjemand etwas gemerkt hatte, sie hatte das Loch im Zaun entdeckt, und sie war stundenlang in der Gegend herumgestreift, während ihre Beschützer glaubten, sie schliefe noch.

Dilettanten würde wahrscheinlich noch die harmloseste Beschimpfung der Chefin lauten. Der Einstand war mehr als missglückt.

MIRKOVO, BULGARIEN, SAMSTAG, 19. DEZEMBER

Ivana hatte die ganze Nacht über kein Auge zugetan und schließlich um halb fünf bereits ihr Bett verlassen, weil es nichts brachte, sich noch länger schlaflos von einer Seite auf die andere zu drehen. Sie hatte Angst. Sie war seit dem gestrigen Abend der festen Überzeugung, dass Boris in das Verschwinden der Familie Semjonov involviert war – er hatte nicht wirklich perplex reagiert, als sie ihm die ganze Geschichte erzählt hatte, und zudem hatte sie seine Furcht deutlich gespürt. Sie nahm an, dass er sich mit ihr verabredet hatte, um sie zu dem Versteck zu bringen, in der Hoffnung wahrscheinlich, sie werde die Familie überreden, zur Polizei zu gehen. Er wollte die Verantwortung nicht tragen, er wollte nicht länger in Gefahr schweben. Die Frage war, ob er es sich über Nacht nicht anders überlegt hatte. Er konnte immer noch nicht sicher sein, dass Ivana ihm die Wahrheit gesagt hatte, und am Ende war er zu der Überzeugung gelangt, dass er sich noch mehr Ärger einhandelte, indem er Ivana mit ins Boot nahm.

Sie hatte das ungute Gefühl, dass er womöglich gar nicht bis sechs Uhr warten würde. Schließlich beschloss sie, sich anzuziehen und gleich loszugehen. Sie würde sich von ihm nicht austricksen lassen.

Im Haus schlief noch alles, und somit war natürlich

kein Kaffee, geschweige denn ein Frühstück zu bekommen. Ivana hoffte, an irgendeiner geöffneten Bäckerei oder einem Coffeeshop vorbeizukommen, aber sie hatte Pech: Die ganze Stadt lag noch im Tiefschlaf. Es war sehr kalt, und über Nacht hatte es geschneit. Obwohl sie sich in schnellem Tempo vorwärts bewegte, war Ivana bis auf die Knochen durchfroren, als sie vor Boris' Haus ankam. Es war zwanzig Minuten nach fünf, und in der Werkstatt brannte Licht, warf seinen Schein auf den Hof hinaus. Boris Semjonov war dabei, seinen Kleinlaster mit Holzmöbeln zu beladen. Er prüfte gerade die Seile, mit denen er die einzelnen Stücke befestigt hielt. Ivana vermutete, dass er vorhatte, innerhalb der nächsten zehn Minuten loszufahren. Sie beglückwünschte sich zu ihrem Instinkt, der sie früher als geplant hatte aufbrechen lassen. Fraglich blieb jedoch nach wie vor, ob er sie mitnehmen würde.

Boris erschrak, als er sie sah.

»Jetzt schon? Wir waren für sechs Uhr verabredet.«

Ivana wollte ihr Misstrauen für sich behalten. »Ich konnte einfach nicht schlafen. Ich bin schließlich einfach losgelaufen, weil ich es in dem Zimmer nicht mehr ausgehalten habe.«

»Hm.« Er schien unschlüssig. »Hören Sie«, sagte er dann, »ich habe noch einmal nachgedacht …«

»Ja?«

»Ich kann Ihnen wahrscheinlich nicht helfen.«

»Boris, bitte. Sie sind meine einzige Hoffnung.«

Er wies auf den beladenen Wagen. »Ich liefere heute bestellte Anfertigungen aus. Ich werde weit fahren und lange unterwegs sein.«

»Sie fahren ganz sicher bei Ihrem Vater vorbei. Dort können Sie mich rauslassen und einfach weiterfahren.«

»Sie unterstellen, dass ich weiß, wo er sich aufhält.«

Sie blickte ihn einfach nur an. Er schlug schließlich die Augen nieder. »Zum Teufel«, sagte er. »Kann man mich nicht einfach in Ruhe leben lassen? Ich habe niemandem etwas getan. Ich habe mich nicht in irgendwelche zwielichtigen Geschichten verstrickt. Ich kämpfe mich durch den Alltag. Damit habe ich auch weiß Gott genug zu tun.«

»Man kann sich nicht immer raushalten, Boris«, sagte Ivana leise. »Das Leben ist voller Wendungen, und es gelingt niemandem, immer unbeschadet zu bleiben.«

»Doch«, entgegnete Boris wütend, »manchen gelingt es. Es gibt Menschen, die sich in nichts hineinziehen lassen. Die nur sich und ihren Vorteil im Sinn haben und sich nicht irre machen lassen. Die haben am Ende die Nase vorn. Denen passiert nichts.«

Damit hatte er zweifellos recht. Ivana erwiderte nichts. Was hätte sie auch sagen sollen?

Sie sah ihn abwartend an.

Er kapitulierte. Wäre sie nicht früher eingetroffen als geplant, er hätte sich auf und davon gemacht. Sie war cleverer gewesen als er. Er schien zu akzeptieren, dass er sie nicht loswerden würde.

»Steigen Sie ein«, sagte er unwirsch. »Ich decke nur noch die Plane über meine Sachen.«

Dankbar kletterte Ivana auf den Beifahrersitz. Es war im Auto genauso kalt wie draußen, aber wenigstens war sie vor dem scharfen Ostwind geschützt. Sie schlang beide Arme um ihren Oberkörper, wiegte sich vor und zurück. Sie hatte Hunger, und sie hätte ein Vermögen für einen heißen Kaffee gegeben. Aber egal. Es war eben nicht der Moment dafür.

Boris Semjonov schwang sich neben ihr auf den Fahrersitz. Wortlos startete er den Motor. Sie rumpelten vom Hof. Es herrschte tiefste Dunkelheit, und nur die dünne Schneeschicht auf den Straßen und Gebäuden leuchtete weiß. Als sie Mirkovo verließen, setzte neuer Schneefall ein, von einer Sekunde zur anderen und diesmal in verstörender Heftigkeit. Als schüttle jemand Daunen vom Himmel.

Hoffentlich bleiben wir nicht irgendwo stecken, dachte Ivana.

Am Mittag schneite es noch immer, und sie waren weiterhin unterwegs. Sie fuhren über Landstraßen und passierten Dörfer, in denen die Zeit stehen geblieben zu sein schien. Boris hatte bereits mehrere Möbelstücke ausgeliefert. Er sprach fast nichts, aber einmal warf er, ehe er wieder einstieg, einen besorgten Blick zum Himmel.

»Da kommt immer mehr runter«, sagte er. »Wenn das nicht bald aufhört, haben wir ein Problem.«

Rechts und links des Weges hatten sie schon ein paar Autos gesehen, die hoffnungslos in den Schneewehen feststeckten. Boris' Kleinlastwagen verfügte über deutlich größere Räder, daher kamen sie bislang durch. Angesichts der Schneemassen, die vom Himmel fielen, würden aber auch sie demnächst an ihre Grenze stoßen. Zum Glück schlug Boris nicht vor umzukehren, wie es Ivana zwischendurch immer wieder befürchtete. Ihm war wohl klar, dass ihn ein Umkehren in dieselben Schwierigkeiten bringen konnte wie ein Weiterfahren: Um Mirkovo sicher zu erreichen, hatten sie sich bereits zu weit entfernt. Außerdem wollte er seine Möbel loswerden, er brauchte dringend das Geld.

Irgendwann hielt er am Straßenrand an und griff nach hinten auf den Rücksitz, holte eine Thermosflasche hervor.

»Kaffee«, sagte er. »Möchten Sie auch?«

Der Kaffee war schwarz, stark und noch immer heiß, und Ivana hatte noch nie etwas mit solcher Dankbarkeit begrüßt wie die ersten Schlucke. Wärme breitete sich in ihr aus, und ihre inzwischen fast vollständig versiegten Lebensgeister meldeten sich zurück. Sie kniff die Augen zusammen, versuchte durch den wilden Schneefall etwas von der Umgebung zu erkennen. Weite. Endlos scheinende Felder ohne jede Begrenzung. Es gab nicht einmal mehr einen Horizont, weil Himmel und Erde längst in einheitlichem Grau und im Wirbel der Flocken miteinander verschmolzen waren. Es sah hier aus wie am Ende der Welt.

»Wir sind jetzt bald da«, sagte Boris und trank nun ebenfalls ein paar Schlucke Kaffee.

»Am Ende Ihrer Tour? Sie meinen, Sie haben jetzt bald alles ausgeliefert?«

Er schüttelte den Kopf. »Wir sind bald da, wo Sie hinwollen. Ich muss dann noch weiter ein Stück nach Norden und im Bogen nach Mirkovo zurück.«

»Vielleicht sollten Sie die Nacht über eine Pause machen. Der Schnee …«

»Nein. Ich will weiter.«

»Sie kommen dort auch auf dem Rückweg nicht mehr vorbei?«

»Vor dem nächsten Wochenende nicht, nein.«

Sie hatte es ihm selbst vorgeschlagen: *Sie lassen mich raus und fahren einfach weiter.*

Wie sollte es auch anders gehen? Sie würde Gregor und seine Familie nicht in wenigen Sätzen für den Plan gewinnen, dass sie mitkommen und die Polizei aufsuchen sollten. Ivana nahm an, dass es ein Stück harte Arbeit sein würde, Gregor zu überreden, falls es ihr überhaupt gelang.

Und dann? Wie kamen sie weg aus dieser Einöde?

Darüber muss ich nachdenken, wenn es so weit ist, entschied Ivana.

Sie fuhren weiter. Die Räder mahlten langsam durch den sich immer höher türmenden Schnee. Einige Male kam der ganze Wagen so ins Rutschen, dass Ivana sich und Boris bereits im Straßengraben liegen sah. Sie wagte sich diesen Fall kaum vorzustellen. Seit Stunden waren sie keinem anderen Auto mehr begegnet, sie befanden sich in einer Gegend, in der offenbar kaum jemand je vorbeikam, schon gar nicht bei einem solchen Wetter. Wenn ihnen irgendetwas zustieß, würde niemand auf sie aufmerksam werden. Sie fragte sich, ob Boris ein Handy besaß, aber im nächsten Moment schon zweifelte sie, dass dies von Nutzen wäre. Unwahrscheinlich, dass man hier Empfang hatte.

Es ging bereits auf drei Uhr zu, und es würde höchstens noch zwei Stunden dauern, ehe es dunkel war, da durchbrach Boris die Stille. »Da vorne ist es.«

Ivana konnte, sosehr sie sich anstrengte, *da vorne* nichts sehen, denn die Schneeflocken bildeten inzwischen fast eine geschlossene Wand. Als sie jedoch näher an das Ziel kamen, gewahrte sie die Umrisse einer Hütte, die sich aus dem Schneetreiben herausschälte. Eine Art Blockhaus, nicht sehr groß, aber, wie es schien, stabil. Es lag geduckt in einer Talsenke und versank fast unter dem Schnee, der sich auf seinem tiefgezogenen Dach türmte.

Boris hielt an. »Näher kann ich nicht heranfahren, ich schaffe es nicht, da unten zu wenden, und ich komme bei diesem Wetter den Hügel nicht mehr hinauf. Sie müssen hier aussteigen.«

Ivana schluckte. »Die Familie ist aber ganz bestimmt auch da?« Angesichts der bitteren Kälte und hoffnungslosen Einsamkeit würde sie in eine lebensbedrohliche Situation geraten, wenn sie hier plötzlich alleine wäre.

Boris nickte. »Wo sollen die hin? Hier führt kein Weg fort, jedenfalls nicht bei diesem Wetter.« Er machte eine Kopfbewegung zu der Hütte hin. »Die Tür hat sich ein Stück geöffnet. Sie haben mich bemerkt. Und jetzt sind sie ziemlich verstört. Ich habe ihnen gestern Lebensmittel gebracht. Vor dem nächsten Wochenende haben sie mich nicht erwartet.«

»Sie sind gestern schon diesen weiten Weg gefahren? Obwohl Sie heute hier praktisch vorbeikommen?«

Er schaute an ihr vorbei. »Ich wäre hier heute nicht vorbeigekommen. Ich bin einen ziemlichen Umweg gefahren, um Sie hier abzusetzen.«

»Oh, das ist …«

Er winkte ab. »Sie brauchen nicht dankbar zu sein. Sie hatten recht heute Morgen, es war gut, dass Sie früher da waren. Ich wollte ohne Sie weg. Ich wollte nicht alles noch komplizierter machen.«

»Das kann ich verstehen«, sagte Ivana. Sie konnte es wirklich.

»Aber nachdem Sie dann da waren … Ich meine, es tut mir echt leid mit Ihrer Tochter. Das ist eine Scheißsituation. Ich weiß zwar nicht, ob mein Vater Ihnen helfen kann, aber …« Er zuckte mit den Schultern.

Ein Mann schob sich aus der Tür.

»Mein Vater«, sagte Boris.

»Gehört Ihnen die Hütte?«, fragte Ivana.

Er schüttelte den Kopf. »Sie gehört einer alten Frau, deren Geschäft ich früher regelmäßig mit Möbeln beliefert habe. Eine Datscha, eine Hütte für den Sommer. Ich habe den Schlüssel, weil ich nach dem Rechten sehe, wenn ich hier in der Gegend bin. Die alte Frau ist ziemlich unbeweglich und hat mich darum gebeten.« Boris hatte offenbar ein Problem damit, dass man ihn für hilfsbereit halten könnte, denn er fügte hinzu: »Sie hat keine Erben. Ich hoffe, dass sie mir das Ding vererbt. Gehört ein bisschen Land dazu. Mit gutem Baumbestand.«

»Ich verstehe«, sagte Ivana. Es war in seiner totalen Abgeschiedenheit das ideale Versteck. Allerdings konnte es keine Dauerlösung sein. Das musste sie den Semjonovs klarmachen.

Als wüsste er, was in ihrem Kopf vorging, sagte Boris: »Ich weiß nicht, was sich mein Vater denkt. Wohin soll das führen? Im Sommer kann man hier ganz gut wohnen, aber jetzt im Winter… Dafür ist die Hütte nicht gedacht. Es ist saukalt da drinnen, auch wenn sie den ganzen Tag und die ganze Nacht über den Ofen brennen lassen. Sie sind vollkommen abhängig von mir. Mein Vater hat mir seine Ersparnisse gegeben, davon kaufe ich Lebensmittel, aber in absehbarer Zeit ist nichts mehr da. Ich kann nicht drei Leute mit durchfüttern, ich schaffe es gerade, mich selbst über Wasser zu halten. Wir haben erst Dezember, und schauen Sie sich das Wetter an. Das ist noch nicht einmal der richtige Winter, der kommt im Januar und Februar. Was, wenn ich mich nicht mehr hierher durchschlagen kann? Wovon sollen sie dann leben?«

»Im Grunde«, sagte Ivana, »ist es einfach Wahnsinn.«

Die Angst der Semjonovs musste überwältigend groß sein. Zu Recht?

»Meiner Ansicht nach«, sagte Boris, »waren sie von Panik bestimmt, als sie beschlossen haben unterzutauchen. Von absoluter Panik. Nur dann tut man so etwas.«

Er öffnete die Tür. Sofort strömte Kälte ins Innere des Wagens. Boris sprang in den Schnee, der ihm bis zu den Knien reichte, und hob winkend den Arm. »Ich bin es!«, rief er. »Boris!«

Gregor, der abwartend an der Haustür stehen geblieben war, setzte sich in Bewegung. Ivana sah, wie er kämpfen musste, um durch den hohen Schnee vorwärtszukommen. Er keuchte, als er bei ihnen angelangt war. Seine Wangen glühten rot von der Kälte.

»Boris! Was ist passiert? Du wolltest doch erst nächste Woche kommen.«

Ivana stieg aus. Gregor starrte sie an.

»Wer sind Sie?«

»Diese Frau möchte mit dir reden, Vater«, sagte Boris. »Und du solltest ihr gut zuhören.«

HYÈRES, FRANKREICH, SAMSTAG, 19. DEZEMBER

»Was wolltest du da draußen?«, fragte Simon. Er war wütend, und er musste sich beherrschen, nicht laut zu werden. Er und Nathalie befanden sich in Nathalies Zimmer. »Erzähl mir nichts von Spazierengehen! Du bist überhaupt nicht der Typ, der bei einem so miesen Wetter stundenlang draußen herumstreift.«

»Woher weißt du denn, was für ein Typ ich bin?« Nathalie steckte noch immer in ihren nassen Klamotten; in Ermangelung anderer Kleidungsstücke blieb ihr nichts anderes übrig. Triefend und verdreckt saß sie im Sessel, hatte lediglich ein Handtuch um ihre Haare geschlungen. Sie schien kein bisschen schuldbewusst zu sein, obwohl ihr bereits Halabi und Caparos in sehr deutlichen Worten gesagt hatten, was sie von ihrem Benehmen hielten. »Du kennst mich doch gar nicht!«

»Und ich wünschte mir nichts so sehr, wie dass ich dir nie begegnet wäre«, sagte Simon, »denn du hast mich in die gefährlichste Lage meines bisherigen Lebens gebracht. Ganz zu schweigen davon, dass Kristina in einer noch gefährlicheren Situation stecken dürfte.« Er war so zornig, dass er am liebsten irgendeinen Gegenstand an die Wand geworfen hätte. Wann begriff dieses kindische Geschöpf vor ihm endlich, was es angerichtet hatte?

»Weißt du, was ich glaube, Nathalie? Ich glaube, du hast sehr gezielt hier die Gegend erkundet, um herauszufinden, wo wir eigentlich sind. Weil du noch immer nicht den Plan aufgegeben hast, deinen Jérôme irgendwie hierher zu lotsen. Und es ist dir scheißegal, wenn du uns alle dabei in Lebensgefahr bringst!«

»Jérôme ist auch in Lebensgefahr!«

»Das weißt du doch überhaupt nicht. Du hast keine Ahnung, wo er eigentlich steht in diesem Spiel. Du weißt ja nicht einmal, was überhaupt gespielt wird. Wie kannst du da so vertrauensselig sein?«

»Er hätte mich wohl kaum gewarnt, wenn er …«

»Ach, verdammt, Nathalie, wach auf! Es kann so viele verschiedene Gründe für diese Warnung geben! Vielleicht wollte er dich einfach nur aus dem Weg haben, weil du aus irgendeinem Grund zu einem Risiko für ihn geworden bist. Er musste verhindern, dass du zur Polizei gehst, daher diese Geschichte von der involvierten, korrupten Polizei. Das ist alles so durcheinander, und …«

»Warum sind diese Leute hinter mir her, wenn ich nur aus Paris weg sein sollte?«

»Weil die vielleicht denken, dass du etwas weißt, obwohl du in Wahrheit keine Ahnung hast. Es ist auch vollkommen egal! Wichtig ist, dass wir jetzt kooperieren. Es gibt bereits zwei Tote, und Kristina ist verschwunden. Das Ganze ist zu gefährlich, um Risiken einzugehen. Wir dürfen das Haus nicht verlassen, und wir dürfen niemanden wissen lassen, wo wir sind. Auch nicht deinen geliebten Jérôme!«

»Ich kann ihn ohnehin nicht kontaktieren«, sagte Nathalie.

Er nickte. »Und ich werde aufpassen wie ein Luchs, sei sicher. Du wirst mein Handy nicht mehr in die Finger bekommen.«

»Klar«, sagte Nathalie. »Es war ja absehbar, dass du den Schwanz einziehen würdest.«

»Indem ich verhindere, dass du unsere Lage noch brisanter machst, als sie schon ist? Das nennst du *Schwanz einziehen*?«

»Du bist unterwürfig und angepasst, Simon, das warst du schon immer und wirst es immer sein. Du machst *Sitz* und *Platz* und *bei Fuß,* je nachdem, was diese Inès Rosarde gerade befiehlt. Das ist so lächerlich. Aber ich bin ein anderer Mensch. Ich tue, was ich will.«

»Angepasst und unterwürfig? Kommt dir gar nicht die Idee, dass ich der Meinung sein könnte, Inès Rosarde hat recht mit ihren Warnungen und Vorsichtsmaßnahmen?«

Nathalie zuckte mit den Schultern.

Sie will mich einfach nur provozieren, dachte Simon. Trotzdem spürte er, dass sie ihn getroffen hatte. Und verletzt.

Weil ein Körnchen Wahrheit in ihren Worten war. Nicht unbedingt, was sein Verhalten in der augenblicklichen Situation anging. Aber was sein übriges Leben betraf.

Es war auch nicht nur ein Körnchen. Es war ein ziemlich großes Korn. Er war vierzig Jahre alt, und wenn er es richtig überlegte, hatte er an diesem Morgen zum ersten Mal in seinem Leben bewusst nicht den Erwartungen eines ihm nahestehenden Menschen entsprochen: Als er Mayas Nachricht ignoriert und nicht zurückgerufen hatte. Er entsann sich, wie stark und befreit er sich in diesem Moment gefühlt hatte.

Aber diesem Moment waren vierzig verschwendete Jahre vorausgegangen.

Er wandte sich zur Tür. »Ich bin unten. Inès Rosarde will nachher vorbeikommen.«

Nathalie wandte den Kopf zum Fenster. Sie sagte nichts.

Ihm kam der Gedanke, dass da ein Paket Dynamit im Sessel saß. Diesen Eindruck vermittelte sie. Sie würde das Ziel ihrer Wiedervereinigung mit Jérôme nicht aufgeben, das war deutlich. Sie würde dabei skrupellos vorgehen, ohne Gedanken an mögliche Folgen.

Er musste höllisch aufpassen.

Inès Rosarde hatte schlechte Nachrichten. Das sah Simon sofort. Es war fast halb fünf am Nachmittag, als sie eintraf, deutlich später als angekündigt. Ihr Begleiter blieb draußen im Auto sitzen, während sie alleine ins Haus kam. Zwischen Halabi, Caparos und ihr musste es bereits ein Telefonat wegen Nathalies eigenmächtigem Spaziergang am Morgen gegeben haben, denn die Blicke, die sie beiden Männern zuwarf, waren vernichtend, und sie behandelte sie mit Eiseskälte. Sie sah erschöpft und fast deprimiert aus.

»Kommen Sie«, sagte sie zu Simon. »Ich muss mit Ihnen sprechen.«

Sie gingen ins Wohnzimmer. Noch immer war die Luft dort klamm und abgestanden. Der Heizkörper verströmte kaum nennenswerte Wärme.

»Nicht gerade ein gemütlicher Ort, nicht wahr?«, sagte Rosarde. »Tut mir leid. Aber zu dieser Jahreszeit … Viele Häuser hier unten im Süden sind seltsamerweise nicht richtig auf den Winter ausgelegt. Dabei kommt er schließlich auch hierher – und zwar jedes Jahr.«

Simon schloss die Tür hinter sich. Er blieb mitten im Raum stehen. »Was ist mit Kristina?«, fragte er ohne Umschweife.

Sie holte tief Luft. Sie war ebenfalls stehen geblieben. »Es tut mir leid, Simon«, sagte sie. Sie nannte ihn jetzt beim Vornamen. Eine Geste der Anteilnahme?

»Ja?«

»Sie ist tot.«

Irgendwie war es, als schaltete sein Kopf mehrere Gänge zurück, als würde er plötzlich viel langsamer und schwerfälliger im Denken. »Tot?«, wiederholte er, als wäre er sich über die Bedeutung dieses Begriffes nicht im Klaren.

»Ein Mann hat sie gestern Abend gefunden. In seiner Garage. In seinem Auto. Man hat sie auf den Rücksitz gelegt.«

»Sind Sie sicher, dass es Kristina ist?«, sagte er ungläubig.

»Leider ja. Sie lebte noch, war aber sehr schwer verletzt. Im Notarztwagen ist sie gestorben.«

»Was … woran ist sie genau gestorben?«

Inès schüttelte den Kopf. »Ersparen Sie es mir, Ihnen die Einzelheiten zu nennen. Sie möchten nicht wissen, was die mit ihr gemacht haben.«

»Oh Gott.« Er wusste nicht, was er sagen, was er tun sollte. Benommenheit breitete sich in ihm aus.

»Man hat sie sadistisch gequält, und das tut man, wenn man Rache üben oder Informationen erhalten will. Da das Rachemotiv aller Wahrscheinlichkeit nach entfällt, ging es vermutlich darum, Ihren und Nathalie Boudins Aufenthaltsort in Erfahrung zu bringen.« Inès schauderte bei der Vorstellung, was sich daraus hätte entwickeln können. »Ich hätte Sie beide viel früher hierherbringen müssen. Das war lebensgefährlich für Sie in Les Lecques.«

»Aber dort ist niemand aufgetaucht?«

»Wir bewachen das Apartment Tag und Nacht. Niemand, der in irgendeiner Weise auffällig schien, hat sich bisher dort blicken lassen.«

Er fuhr sich mit der Hand über die Augen. Er hatte das Gefühl, in Tränen ausbrechen zu wollen, es aber nicht zu können. Seine Körperfunktionen waren wie erstarrt.

»Sie meinen, sie hat uns nicht verraten? Sie haben sie

gequält und gefoltert, und sie hat nichts preisgegeben?«
Kristina, dachte er. Du tapfere, starke, mutige Frau. Wie kann jemand so unerschrocken sein wie du?

»Mit hoher Wahrscheinlichkeit war es so«, bestätigte Inès. »Natürlich gibt es auch die Möglichkeit, dass man von einer polizeilichen Überwachung des Apartments ausgeht und sich deshalb zurückhält, aber es kann sehr gut sein, dass Ihre Lebensgefährtin tatsächlich geschwiegen hat. Sie hat Ihnen damit vermutlich das Leben gerettet.«

»Sie war eigentlich gar nicht meine Lebensgefährtin.« Er wusste nicht, weshalb er das Inès Rosarde erzählte. Vielleicht, weil gerade niemand sonst da war. »Das war das Schlimme. Ich kannte sie seit einem halben Jahr. Ich bin geschieden, wissen Sie. Und sie war die erste Frau seit der Scheidung, mit der ich mir ... mit der ich mir wieder eine gemeinsame Zukunft vorstellen konnte ...«

Er hätte es nicht geglaubt, aber er sah Wärme und Mitgefühl in Inès' stets kühlen Augen. »Wie schrecklich«, sagte sie, »so ganz am Beginn von etwas Neuem ... nachdem man eine Scheidung durchgemacht hat ... Es tut mir sehr, sehr leid, Simon. Wirklich sehr leid.«

»Aber das Schlimmste ist, ich habe es gar nicht wirklich begonnen. Ich war unfähig, mein Leben zu ordnen. Sie wirklich in mein Leben zu lassen. Ich habe sie den meisten Menschen in meiner Umgebung verschwiegen, weil ich die Reaktion meiner Exfrau fürchtete, Ärger mit meinen Kindern ... Kristina hat darunter sehr gelitten ... Unsere Beziehung war praktisch am Ende, ohne richtig begonnen zu haben. Kristina kam nach Frankreich, um einen letzten Versuch zu unternehmen, uns beide zu retten. Das hat ihr den Tod gebracht. Einen qualvollen, entsetzlichen Tod.« Er schloss die Augen, als könnte er so die Bilder verdrängen, die sich in seinem Kopf einnisteten.

»Es ist … unfassbar«, stöhnte er.

»Simon …«

Er versuchte, sich zusammenzureißen. Inès war nicht der Mensch, mit dem er seine Trauer, sein verkorkstes Privatleben, seine Fehler, seine Schuldgefühle besprechen konnte. Sie stand ihm nicht nahe, und sie hatte jetzt anderes zu tun.

»Es ist wirklich ganz sicher, dass *sie* es ist? Kristina?«

»Ja. Wir haben sie eindeutig identifiziert. Im Fußraum lag ihre Handtasche mit allen Papieren. Zudem hat sie den Sanitätern noch selbst ihren Namen genannt.«

»Und dieser Ort … Wo ist das, wo man sie gefunden hat?«

»Le Tholonet. Ein kleiner Ort nahe Aix-en-Provence. Nicht weit von Les Lecques.«

»Der Mann, in dessen Garage sie … kann der etwas damit zu tun haben?«

»Nein. Unsere Überprüfungen sind noch nicht beendet, aber ich würde ihn mit fast völliger Sicherheit ausschließen. Er ist über achtzig und vollkommen geschockt von der Entdeckung, die er da gemacht hat. Meiner Ansicht nach könnte sich kein Mensch derart verstellen. Er ist inzwischen im Krankenhaus, weil er einen Zusammenbruch hatte und mehrere Beruhigungsspritzen brauchte.«

»Aber warum dann … sein Auto?«

Inès zuckte mit den Schultern. »Ich glaube, das war Zufall. Er hat keine Garage wie die meisten anderen Leute in dem Ort, sondern einen leicht zugänglichen Carport. Er besitzt das letzte Grundstück in der Straße. Das Haus liegt weiter hinten, man hat von dort keinen Blick zum Ausfahrtstor. Wir vermuten, dass die Täter Kristina im Auto hatten und nach einer Möglichkeit suchten, die sie dann dort erblickten.«

»Hätte man sie nicht …« Er schluckte. Es klang, als

würden sie nicht über Kristina sprechen, sondern über ein Stück Müll.

Inès wusste, was er fragen wollte. »Ja. Man hätte sie leicht irgendwo ablegen können, wo sie niemals jemand gefunden hätte. Hinter Le Tholonet beginnen gleich die Berge voller Schluchten und Abgründe. Man wollte offenbar, dass sie entdeckt wird.«

»Aber sie lebte ja noch. Sie hätte es schaffen können. Hatten die keine Angst, dass sie redet?«

»Offenbar nicht. Beschreibungen der beiden Männer, die sich am Flughafen Marseille als Polizisten ausgegeben haben, haben wir sowieso, aber sie bringen uns nicht weiter. Sie könnten auf so viele Menschen zutreffen… Und ich nehme an, dass Kristina keine Ahnung hatte, wo sie gefangen gehalten wurde.«

»Wohl kaum in Le Tholonet?«

»Wir suchen auch dort, aber ich halte das für unwahrscheinlich. Irgendwo im weiteren Umkreis sicherlich – aber wir müssten viel Glück haben, wenn wir den Ort finden sollten.«

Er nickte. Er wunderte sich, dass er mit sachlicher Stimme solche Fragen stellen konnte. In seinem Inneren sah es entsetzlich aus, so entsetzlich, dass er sich kaum damit beschäftigen konnte. Wahrscheinlich stellte er deshalb all diese Fragen. Um nicht wahnsinnig zu werden. »Warum? Warum … sollten wir sie finden?«

»Einschüchterung. Die wollen zeigen, wie stark und skrupellos sie sind. Sie scheinen sich ziemlich sicher zu fühlen. Aus Erfahrung kann ich Ihnen sagen, Simon, dass ihnen genau diese Überheblichkeit irgendwann zum Verhängnis werden wird. Ich habe das schon oft erlebt.«

Es würde Kristina nicht mehr lebendig machen. Er fragte sich, ob es ihm Trost bringen würde, ihre Mörder hinter

Gittern zu wissen. Er wusste es nicht. Diese Stelle in seinem Kopf fühlte sich leer und schwarz und belanglos an.

»Was geschieht jetzt?«, fragte er.

»Kristina wird gerichtsmedizinisch untersucht«, erklärte Inès. »Es ist möglich, dass wir wichtige Spuren finden. Übrigens, in diesem Zusammenhang: Unsere Kollegen waren inzwischen in der Wohnung von Nathalie Boudin und Jérôme Deville in Paris. Leider konnte nichts von Belang sichergestellt werden. Deville scheint seinen Laptop mitgenommen zu haben. Wir haben Fingerabdrücke genommen, die wir mit denen in der Wohnung von Jeanne Berney in Metz vergleichen werden. Sollten wir keine Übereinstimmungen finden, schließt das Deville natürlich noch nicht zwangsläufig als Täter aus, schließlich kann er Handschuhe getragen haben. Dennoch lässt fast jeder irgendetwas zurück … Hautpartikel, Fasern. Wir werden bald verstehen, welches Spiel er spielt.«

Jeanne Berney. Noch eine tote Frau, um die eine Familie trauerte. Dazu Yves Soler. Kristina. Drei Tote.

»Gott im Himmel«, sagte er leise.

Inès schien in dieselbe Richtung zu denken wie er. »Ich bin froh, dass Sie und Nathalie hier sind. Alles andere wäre zum gegenwärtigen Zeitpunkt unverantwortlich. Aber auf Nathalie müssen wir aufpassen. Ich habe gehört, was heute früh geschehen ist.«

»Dieser Spaziergang …«

Inès gab ein Schnauben von sich. »Spaziergang! Wir wissen beide, dass ihr nicht einfach nach frischer Luft zumute war. Sie hat nach Anhaltspunkten gesucht, die ihr verraten, wo wir uns hier befinden.«

Genau das waren auch seine Gedanken gewesen.

»Sie macht sich große Sorgen um Jérôme Devilles Sicherheit«, sagte er.

»Und ich mache mir große Sorgen um Ihre Sicherheit«, erwiderte Inès. »Ich möchte nicht, dass Deville hier auftaucht.«

»Vielleicht wäre das aber gar nicht schlecht. Ich meine, wie es aussieht, ist er wirklich der Einzige, der uns sagen kann, worum es in diesem Wahnsinn überhaupt geht.«

»Deshalb suchen wir auch mit Hochdruck nach ihm. Aber Lockvogelspiele sind mit mir nicht zu machen«, erklärte Inès entschieden. »Nathalie Boudin wird nicht eingesetzt. Ich werde ihr jetzt in aller Deutlichkeit klarmachen, was ich von ihr erwarte.«

Simon bezweifelte, dass Inès' Worte Nathalie beeindrucken oder gar von ihrem Vorhaben abbringen würden, aber er nickte, als hielte er das für eine gute Idee. Es war ihm ohnehin für den Moment fast gleichgültig. Er konnte nur an Kristina denken und daran, wie sie gestorben war. Irgendwie endeten alle seine Gedanken an dieser Stelle: bei ihrem Tod. Als ginge es danach auch für ihn nicht weiter. Als könnte nach einer solchen Ungeheuerlichkeit das Leben nicht einfach seinen Lauf nehmen.

»Was ist das nur?«, fragte Inès. »Was verbindet sie mit ihm? Abhängigkeit? Hörigkeit?«

»Liebe«, sagte Simon, »es ist wohl einfach Liebe.«

Inès bewegte das Wort in ihrem Kopf hin und her, als müsste sie sich über die genaue Bedeutung klar werden.

»Vielleicht«, sagte sie zweifelnd.

»Es gibt Menschen, die stehen zu denen, die sie lieben«, erklärte Simon. Seine Stimme schwankte. »Gegen alle Vernunft, gegen alle Vorsicht. Gegen die ganze Welt, wenn es sein muss. Er könnte in schlimme Dinge verstrickt sein, er könnte an mehreren Morden beteiligt sein, es scheint ihr egal zu sein. Sie bleibt unerschrocken an seiner Seite.«

Er lauschte seinen eigenen Worten.

Sie ist das Gegenteil von dir, sagte eine innere Stimme erbarmungslos. *Sie gibt Jérôme das, was Kristina von dir nicht einmal ansatzweise bekommen hat.*

Erst als er Inès: »Aber nicht doch, Simon, nicht«, sagen hörte, registrierte er, dass er angefangen hatte zu weinen.

SÜDDOBRUSCHDA, BULGARIEN, SAMSTAG, 19. DEZEMBER

Es war, wie Boris gesagt hatte, schrecklich kalt in der Hütte. In dem gusseisernen Ofen loderte ein Feuer, aber seine Wärme schaffte es nicht, gegen die Kälte anzukommen, die durch die dünnen Wände drang. Die ganze Familie Semjonov trug Schichten von Kleidung übereinander. Selina, die Tochter, hatte sich zusätzlich in eine Wolldecke gewickelt. Sie alle sahen blass aus, ungepflegt, mit struppigen Haaren, und sie rochen ungewaschen.

Gregor Semjonov hatte sich dafür entschuldigt. »Es gibt hier kein fließendes Wasser. Wir tauen Schnee in einer kleinen Wanne. Aber es ist schwierig ... sich selbst zu waschen, die Wäsche zu waschen ...«

Was glauben die, wie lange sie das noch durchhalten können, fragte sich Ivana.

Ihr Erscheinen hatte größten Schrecken ausgelöst. Auch wenn die Semjonovs schnell begriffen hatten, dass sie nicht in feindlicher Absicht kam, blieb das Entsetzen, dass überhaupt jemand ihr Versteck entdeckt hatte. Dass jemand Boris, den unbekannten Sohn aus erster Ehe, hatte ausfindig machen und die Verbindung herstellen können.

Das Gute daran war: Ivana wusste, sie musste nicht mehr allzu viel Überzeugungsarbeit leisten. Die Semjonovs konnten selbst eins und eins zusammenzählen. Wenn Ivana sie gefunden hatte, konnte jeder sie finden.

»Wo sind wir hier überhaupt?«, fragte Ivana. Sie saßen dicht um den Ofen herum, wärmten sich die Hände an Bechern mit heißem Kaffee. Die Semjonovs waren am Vortag von Boris mit frischen Lebensmitteln versorgt worden und hatten wenigstens genug zu essen und zu trinken.

»Dobruschda«, sagte Katarina Semjonova. Sie sprach mit einer fast tonlosen Stimme. »Es ist nicht mehr weit bis zur rumänischen Grenze.«

Die Dobruschda, eine weite, leicht hügelige Landschaft, die sich bis zu den Ufern des Schwarzen Meeres erstreckt. Die Norddobruschda liegt im südöstlichen Rumänien, die Süddobruschda im Nordosten Bulgariens. Es gibt einige größere Städte, dazwischen aber auch kilometerweite völlige Einsamkeit. Felder und Wälder, so weit das Auge reicht. Näher zum Meer hin wird das Klima milder, fast schon mediterran.

An dieser Stelle jedoch befanden sie sich noch zu weit im Landesinneren. Die Gegend war bekannt für ihre eisigen Winter und heftigen Schneefälle. Der kalte Wind kam von Russland hinunter.

»Der nächste Ort…?«, fragte Ivana.

»Dulowo«, sagte Gregor. »Ich schätze, fünfzehn Kilometer von hier.«

Nicht unüberwindbar. Oder doch, angesichts des Wetters? Sie mussten um die fünf bis sechs Autostunden von Sofia entfernt sein, und Boris käme erst am Freitag der folgenden Woche wieder. Vorher sollte sie längst den Rückweg angetreten haben.

Später, entschied sie. Darüber nachzudenken ist der zweite Schritt.

Sie hatte den Semjonovs bereits den Grund für ihren Besuch geschildert. In Teilen wusste die Familie schon durch Kiril Bescheid. Katarina hatte tröstend ihre Hand gehalten, als sie von Ninka berichtete. Von ihrer abgrundtiefen Angst und Verzweiflung. Katarina verstand sie. Natürlich. Welche Mutter hätte das nicht getan?

»Bitte«, sagte Ivana jetzt, »gehen Sie zur Polizei. Erstatten Sie Anzeige, und schildern Sie alles, was Sie wissen. Es ist meine einzige Chance, Ninka vielleicht irgendwann wiederzusehen.«

Gregor wiegte kummervoll den Kopf hin und her. »Die Polizei wird uns nicht schützen können. Das ist das Problem.«

»Sie kann die Menschen, vor denen Sie solche Angst haben, festnehmen.«

»Es sind zu viele«, sagte Gregor. »Die Verflechtung ist unglaublich. Selbst wenn tatsächlich ein paar von ihnen verhaftet werden, selbst wenn man ihnen vor Gericht etwas nachweisen und sie ins Gefängnis bringen kann, werden genügend andere davonkommen. Die Gefahr für uns ist nie wieder zu bannen.«

»Aber Sie können doch auch nicht hier Ihr weiteres Leben verbringen.« Ivana sah sich in der spartanisch eingerichteten kleinen Hütte um, schauderte vor der Kälte und dem Dreck. »Das ist kein Leben. Sie halten das nicht durch. Boris hält das nicht durch. Sie haben Glück, wenn Sie über den Winter kommen. Vielleicht schaffen Sie auch den Sommer. Aber keinesfalls den nächsten Winter. Über Jahre ... ohne jede Perspektive ...«

»Wir sehen das hier als Übergangslösung«, sagte Gregor. »Ich wusste, dass es diese Hütte gibt und sich Boris darum kümmert. Er spekuliert auf eine Erbschaft. Mir erschien das hier als eine geeignete erste Anlaufstelle. Wir mussten schnell aus Sofia weg. Wir konnten nicht lange über den perfekten Ort nachdenken.«

»Ich verstehe das. Aber …«

»Wir werden natürlich nicht hierbleiben«, fuhr Gregor fort. »Wahrscheinlich werden wir nach Rumänien gehen. Schlimmer als in Bulgarien kann das Leben dort auch nicht sein.«

»In Sofia haben Sie Arbeit. Sie wissen nicht, ob Sie in Rumänien etwas finden.«

Er zuckte mit den Schultern. »Ich muss es versuchen. Wir haben ja keine Wahl.«

»Doch«, sagte Ivana verzweifelt. »Die Polizei. Der Kampf gegen diese … Bande. Stellen Sie sich gegen sie. Lassen Sie sich nicht auf ein Leben ein, das Sie ständig auf der Flucht verbringen werden!«

Niemand sagte etwas. Die Semjonovs waren nicht kopflos vor Angst, so viel war Ivana klar geworden, aber sie schienen sich keine realistische Überlebenschance auszurechnen, wenn sie nach Sofia zurückkehrten. So einfach war das. Rumänien mit der gesamten Unwägbarkeit eines Neustarts in einem fremden Land erschien ihnen als die bessere Variante. Und vielleicht hatten sie tatsächlich eine Chance: Tauchten sie erst in Rumänien unter, gelangten sie von dort vielleicht sogar nach Moldawien oder noch weiter nördlich in die Ukraine, konnten sie sich dem Zugriff ihrer Verfolger womöglich irgendwann entziehen. Schon gar, wenn man das Durcheinander bedachte, das von Kiew ausgehend die Region im Griff hielt. Wer würde dauerhaft auf der Spur dieser dreiköpfigen Familie bleiben können und wollen?

Ein Gedanke, der Ivana plötzlich auf eine andere Frage brachte, die untergründig die ganze Zeit da gewesen war, ohne dass sie sich bislang wirklich klar über sie geworden wäre: Wieso waren die Verfolger eigentlich derart besessen hinter Selina her? So sehr, dass ihre Familie diese abenteuerliche und riskante Flucht angetreten hatte. Warum?

Konnte Selina den einen oder anderen Täter beschreiben? Aber sie alle hatten auch Beschreibungen von Vjara abgeben können, es hatte nichts genutzt, und es war den anderen offenbar egal gewesen.

Ging es um Rache, weil ihnen eine Beute abhandengekommen war, für die sie bezahlt hatten? Der Versuch, Geld zurückzubekommen? Ivana bezweifelte es. Das waren kaltblütige Profis, die sicherlich klare Kosten-Nutzen-Rechnungen aufstellten. Sie fanden Mädchen in großen Mengen, die sie unter falschen Versprechungen in den Westen locken und dort ausbeuten konnten, und sie verdienten gigantische Geldsummen mit ihnen. Eine entflohene Selina und mit ihr ein paar tausend verloren gegangene Euro – wie viel Einsatz und Ärger und Stress war das letztlich wert? Die Leute, die sie auf die Semjonovs ansetzten, könnten vermutlich in derselben Zeit neue Mädchen rekrutieren, die insgesamt weit mehr Gewinn brachten.

Wieso diese Jagd? Wo lag der Sinn?

Sie stellte die Frage. Sie schaute Selina dabei an. »Warum, Selina? Warum sind die so hinter Ihnen her? Warum wollen die Sie unbedingt erwischen?«

Selina stellte ihren Kaffeebecher ab. Ihre Hände zitterten. Sie hatte die ganze Zeit über noch kein Wort gesprochen, fast so, als hätte sie über all dem Erlebten ihre Stimme oder die Fähigkeit zum Sprechen verloren. Auch jetzt schwieg sie so lange, dass Ivana schon fürchtete, sie würde keine Antwort bekommen. Gerade als sie sich abwenden und die Frage gegenüber den Eltern wiederholen wollte, öffnete Selina endlich den Mund. Ihre Stimme klang heiser, wie häufig bei Menschen, die lange Zeit nicht gesprochen haben.

»Ja. Ich habe schon darauf gewartet, dass Sie das fragen würden.«

»Sie haben irgendetwas, was die haben wollen«, sagte Ivana.

Selina nickte. »Ich werde Ihnen alles erzählen«, sagte sie.

Von jenem Tag an, als ich unerwartet nach Hause kam und Jérôme mit François im Wohnzimmer antraf, konnte ich mir nicht mehr vormachen, dass alles im Grunde in Ordnung und Jérôme nur zwischendurch etwas gedankenabwesend, verstimmt, in sich gekehrt und grüblerisch gewesen war. Ich hatte, als ich die beiden Männer in ihrem Gespräch überraschte, unmittelbar das Gefühl gehabt zu stören. Unerwünscht zu sein. Nicht teilhaben zu dürfen. Es war wie früher als Kind, wenn man zu einer größeren Gruppe anderer Kinder stieß und sofort wusste, sie würden einen nicht mitspielen lassen. Sie verstummten, hielten in ihren Bewegungen inne, starrten einen an. Man spürte die Mauer, die sich unsichtbar errichtete, man musste akzeptieren, dass man nicht dazugehörte.

Genauso fühlte ich mich mit Jérôme und François: Ich gehörte nicht dazu.

Abends sprach ich Jérôme darauf an. »Ihr wart ja ganz schön vertieft in euer Gespräch heute, du und François. Was gab es denn so Wichtiges zu bereden?« Ich bemühte mich, locker und beiläufig zu klingen, harmlos. Vielleicht verführte meine Harmlosigkeit Jérôme zu einer Antwort.

»Nichts«, sagte er. »Es war nichts von Belang.«

»Ich hätte gar nicht gedacht, dass du dich mit einem Mann wie François so eng befreundest. Ihr seid sehr verschieden.«

»Wir sind nicht eng befreundet.«

»Aber du hast ihn heute schon zum zweiten Mal getroffen. Und ich hatte den Eindruck, dass ihr in sehr vertrauliche Gespräche verstrickt wart.«

Er wurde ungeduldig. »Herrgott, Nathalie, was willst du eigentlich wissen? Was geht es dich denn an, mit wem ich befreundet bin und was ich mit François bespreche?«

»Ich dachte, alles, was dich betrifft, geht mich etwas an«, erwiderte ich verletzt, »und umgekehrt auch.«

»Das ist nicht die Definition von Beziehung.« Er klang jetzt fast wütend. »Das ist die Definition von Unfreiheit.«

Es wurde ein Abend, der wieder einmal in Tränen meinerseits endete. Und Jérôme verließ einfach die Wohnung. Türen schlagend. Ich wusste nicht, wohin er ging. Er kam erst zwei Stunden später zurück, er roch nach Kälte und Feuchtigkeit, nicht nach Kneipe. War er so lange in der nassen, ungemütlichen Dunkelheit dieses Herbstabends herumgestreift? Alleine? Oder mit ihr? Gab es sie überhaupt? Ich hatte keinen Anhaltspunkt für meinen Verdacht, jedenfalls keinen, der den üblichen Klischees entsprochen hätte: geheimnisvolle Anrufe, der Geruch nach fremdem Parfüm, Lippenstiftspuren an allen möglichen Kleidungsstücken. Mehr oder weniger glaubhafte Ausreden für langes Fernbleiben ... Letzteres hätte er allerdings nicht gebraucht. Sein Beruf gab ihm zahllose Möglichkeiten. Er hätte fünf oder sechs Verhältnisse gleichzeitig haben können, und ich hätte es zumindest nicht sicher feststellen können. Ich hätte vielleicht in der Firma anrufen und nach seinen Einsatzplänen fragen können. War er wirklich immer für Denegri Transports unterwegs, wenn er es behauptete? Oder war er ganz in der Nähe, irgendwo in Paris, im Bett mit einer anderen Frau? Ich hatte jedoch keinen Ansprechpartner in der Firma, ich kannte dort niemanden außer François, und der würde Jérôme nicht in die Bredouille bringen. Außerdem: So tief war ich noch nicht gesunken, dass ich meinem Freund hinterherspioniert hätte. Vielleicht kam ich noch an diesen Punkt, vielleicht würden Angst und Verzweiflung irgendwann meinen Stolz und meine Selbstachtung besiegen.

Nie hatte ich mich elender gefühlt als während der nächsten Tage, von denen jeder einzelne endlos lang zu sein schien. Nicht einmal in den schlimmsten Zeiten mit meiner Mutter. Damals hatte ich irgendwann das Gefühl gehabt, nichts mehr zu verlieren zu haben, und wie ich jetzt feststellte, war das gar kein so schlechtes Gefühl gewesen. Nun hingegen stand alles auf dem Spiel: Alles, woran mein Herz hing. Alles, worauf ich meine Zukunft aufbaute. Alles, was ich haben wollte, was ich brauchte. Jérôme war mein Leben. Mein Beschützer. Seine Liebe schützte mich vor dem Verhungern. Vor dem Selbsthass. Vor den Zweifeln. Der Angst. Dem Alleinsein. Vor der Trauer um meinen Vater. Der Enttäuschung über meine Mutter.

Seine Liebe schützte mich vor dem Sterben. So war es. Als stünde nur sie zwischen mir und dem Tod.

Ich war verzweifelt, und doch klammerte ich mich an der Hoffnung fest, dass da nichts war. Dass ich mir unsere Entfremdung nur einbildete. Dass bald alles so wäre wie früher.

Dann kam jener 4. Dezember, an dem er nach Kopenhagen aufbrach. An jenem Morgen sah ich ihn zum letzten Mal. Als Nächstes erreichte mich vier Tage später der Anruf, in dem er mich warnte.

Und mehr weiß ich nicht. Nur so viel: dass ich ihn sehen muss. Dass ich mit ihm sprechen muss. Ich muss wissen, dass er lebt und zwischen uns alles in Ordnung ist.

Deshalb muss er hierherkommen. Ich weiß ungefähr, wo wir sind. Wenn ich ihn benachrichtigen kann, wird er kommen, das weiß ich.

Er wird kommen.

HYÈRES, FRANKREICH, SAMSTAG, 19. DEZEMBER

Jetzt hätte er gerne das Haus verlassen. Wäre durch den Regen gelaufen, durch die winterliche Trostlosigkeit der kahlen Weinberge. Er wollte alleine sein. Mit seinen Anklagen, die sich alle gegen ihn selbst richteten. Für die es keine Rechtfertigung gab. Kein Verständnis. Keine Entschuldigung.

Er wollte an Kristina denken. Er hatte das Bedürfnis, sich mit den Gedanken an sie zu quälen – als könnte das ein winziger Schritt einer Wiedergutmachung sein. Was natürlich ein völlig absurder Gedanke war.

Inès Rosarde war wieder abgefahren, nicht ohne zu versichern, es werde alles getan, den Fall zu lösen und die Mörder von Kristina zu überführen.

»Es passiert viel mehr, als ich Ihnen im Einzelnen sagen kann«, erklärte sie. »Vertrauen Sie uns, Simon. Vertrauen Sie mir.«

Ob er ihr vertraute oder nicht – für Kristina würde das nichts mehr ändern.

Natürlich durfte er das Haus nicht verlassen. Zumindest nicht das Grundstück. Er drehte ein paar Runden im Garten, um nicht verrückt zu werden. Der Regen durchweichte ihn in Sekundenschnelle. Er sah Lieutenant Caparos, der dabei war, das Loch im Zaun zu reparieren, durch das Nathalie nach draußen gekrochen war. Er wirkte angespannt, seine Lippen bildeten einen dünnen Strich. Weil er den Anschiss von Inès noch nicht verdaut hatte? Weil er ebenfalls nass war bis auf die Haut? Oder weil Kristina tot war? Interessierte ihn eine Tote mehr oder weniger? Er hatte sie nicht gekannt. Sie war ein Name, mehr nicht. Ein Fall in der Statistik. Vielleicht aber hatte sie ihm auch einfach den letzten Rest an Optimismus genommen, weil nun endgültig klar war, wie skrupellos und entschlossen der Feind vorging. Das Bewusstsein einer drohenden Gefahr hatte sich auch für die Polizisten verstärkt. Sie saßen in dieser völligen Einsamkeit fest, zusammen mit zwei Menschen, die sie beschützen mussten, und einer davon war unberechenbar und widerspenstig. Andererseits waren sie ausgebildet für diese Situation, und sie waren Profis. Vielleicht gab es gar nichts mehr, was sie ernsthaft erschütterte.

Simon ging ins Haus zurück. Er hinterließ nasse Fußabdrücke auf den Fliesen. Als er die Treppe hinaufstieg, traf er auf Nathalie, die gerade aus ihrem Zimmer kam. Sie wirkte ängstlich und bedrückt.

»Simon …« Sie trat auf ihn zu, aber er machte eine abwehrende Geste. »Lass mich in Ruhe. Ich habe genug. Ich habe so was von genug …«

»Inès Rosarde hat mir das mit Kristina erzählt. Es tut mir so leid.« Ihre Augen sahen riesig aus in ihrem spitzen, blassen Gesicht.

Diese übergroßen Augen, der dünne, kleine Körper, die wirre Haarmähne, zwischen der das Gesicht zu verschwinden schien – all dies hatte ihn seinerzeit am Strand gerührt. Hatte einen Beschützerinstinkt in ihm ausgelöst, der nun ins Verderben geführt hatte. Er verstand jetzt nicht mehr, wie das hatte geschehen können. Er empfand gar nichts mehr für sie, nur Widerwillen und Abneigung. Er hätte alles gegeben, wäre er ihr nie begegnet. Er würde alles geben, könnte er sie jetzt möglichst schnell loswerden. Stattdessen saßen sie hier zusammen fest – auf unabsehbare Zeit.

»Etwas spät«, sagte er schroff. »Das Leidtun, meine ich. Kristina hilft es nun nichts mehr.«

Sie hatte Tränen in den Augen. »Ich wusste doch nicht ... Oh Gott, ich weiß doch selbst nicht, in was ich da hineingeraten bin ...«

»Aber du tust auch nichts, um irgendetwas besser zu machen. Dein Versuch heute früh, die Gegend zu erkunden, war wenig hilfreich.«

»Ich brauchte wirklich nur Bewegung. Ich habe es hier im Haus nicht mehr ausgehalten. Wir waren ja vorher schon ewig in dem Apartment in Les Lecques gefangen. Ich habe es einfach nicht mehr ertragen.«

In diesem Punkt verstand er sie sogar ein wenig. Er ertrug es selbst kaum noch.

»Lass mich jetzt einfach«, bat er. »Ich kann das alles ... im Moment kaum begreifen. Und nicht verarbeiten. Es ist so unvorstellbar, dass Kristina nicht mehr da ist. Dass sie so grausam sterben musste.«

Nathalie nickte. Die Tränen schossen ihr nun aus den Augen. »Es ist alles ein Alptraum«, schluchzte sie.

Er ließ sie einfach stehen. Er konnte jetzt niemanden trösten. Er hatte mit sich selbst genug zu tun. Er ging in sein Zimmer, knallte die Tür hinter sich zu.

Er zog sein Handy hervor, legte den Akku ein, schaltete es an. Erwartungsgemäß quoll die Mailbox über von Nachrichten, die Maya hinterlassen hatte. Er hörte sie ab, weidete sich ein wenig an ihrer zunehmend schrillen Stimme. *Hör mal, die Kinder sind wirklich total gelangweilt. Sie brauchen dringend Tapetenwechsel. Leon findet auch, dass Südfrankreich jetzt ideal für sie wäre. Warum meldest du dich nicht?*

Leon findet auch … Irgendwie konnte sich Simon die Beziehungskrise zwischen Maya und Leon auf einmal nur zu gut vorstellen. Leon, der so viel Spaß daran gehabt hatte, sich als perfekter Ersatzvater zu inszenieren, hatte ganz offensichtlich jegliche Lust an dem Spiel verloren. Simon hörte förmlich den Dialog zwischen ihm und Maya.

Es ist unerträglich mit den beiden. Kannst du sie nicht doch noch zu deinem Ex schicken?

Vielleicht hatte Maya sogar eine Sekunde lang Skrupel gehabt. *Ich weiß nicht … Nach all dem Hin und Her … Ich meine, das sieht so aus, als ob …*

Herrgott, scheißegal, wie das aussieht. Ruf Simon an. Der wird ausflippen vor Glück. Klar, das war alles nicht so richtig nett im Vorfeld, aber hast du Simon je nachtragend erlebt? Mit dem kann man doch machen, was man will, er frisst einem trotzdem aus den Händen.

Du meinst, ich soll einfach fragen?

Klar. Der macht dir keine Vorwürfe. Der ist viel zu dankbar.

Er hatte es so satt. Er hatte es satt, dass er so nett war. So verständnisvoll. So offen für die Belange anderer. So nachgiebig. So bemüht. So ausgleichend. So besorgt um das Wohlergehen all der Menschen um sich herum – nur nicht um sein eigenes.

Oder – genau genommen hing es damit zusammen, wie er sein eigenes Wohlergehen definierte. Wovon er es abhängig machte. Nämlich davon, dass ihn alle mochten. Dass alle einverstanden mit ihm waren. Dass niemand ihm grollte. Dass alle sagten: *Wir mögen dich, Simon. Du machst alles richtig.*

Doch niemand sagte das. Was sie in Wahrheit sagten, nicht in konkreten Worten, sondern verpackt in eindeutige Botschaften aus Blicken und Taten, war: *Wir verachten dich, Simon. Du versuchst es immer allen recht zu machen. Wie erbärmlich ist das denn!*

In der ganzen kurzen Beziehung mit Kristina war er ein Gefangener seines Verhaltensmusters gewesen, obwohl Kristina versucht hatte, ihn von einer anderen Denkweise zu überzeugen. Er hatte nicht recht begriffen, was sie meinte, er hatte sich unverstanden und kritisiert gefühlt. Er wollte seinen Kindern der perfekte Vater trotz der Trennung sein, für Maya der perfekte Exehemann, für Kristina der perfekte neue Partner, und er hatte nicht kapiert, dass er an der Quadratur des Kreises scheiterte. An irgendeiner Stelle hätte er fragen müssen: Was will ich? Was ist für mich das Beste?

Er hatte Kristina gewollt. Ein gemeinsames Leben mit ihr. Ein Leben natürlich, in das auch seine Kinder integriert waren, über das sie aber nicht bestimmen konnten. Zumal sie das nicht einmal wirklich versuchten. Sie waren das Werkzeug in Mayas Händen gewesen, und das wusste er auch. Aber er wollte sich eben auch Mayas Ärger nicht zuziehen.

Letzten Endes war Kristina daran gestorben. Nicht direkt. Aber an der unglückseligen Verkettung der Umstände, die sich aus seinem Harmoniebedürfnis ergeben hatten, aus seiner Unfähigkeit, den Ärger anderer Menschen auszuhalten. Er hatte Kristina zu einem Geheimnis in seinem Leben gemacht, hatte sie halbherzig bei Laune zu halten versucht wie alle anderen auch, und damit hatte er sie verraten.

Wie er sich selbst verriet, seit er auf der Welt war, weil er alles tat, um die Anerkennung und Liebe seines Vaters zu erringen. Und die absolute Ironie bestand darin, dass er sich genau dadurch von seinem Ziel immer weiter entfernte. Sein Vater verachtete ihn in Grund und Boden.

Er hätte Nathalie geschätzt. Er hätte sich krank über sie geärgert. Aber er hätte Respekt vor ihr gehabt. Nathalie, die jenen Jérôme, ob er es nun wert war oder nicht, zum Mittelpunkt ihres Lebens gemacht hatte. Die so klar zu ihm stand, dass sie sich notfalls mit jedem anderen Menschen anlegte, der auch nur den geringsten Zweifel an diesem Mann und ihrer Liebe zu äußern wagte. Nathalie, die sich davonstahl, um die Gegend zu erkunden, und der es egal war, was Halabi und Caparos dazu sagten. Sie tat, was sie tun wollte, ganz gleich, ob es absurd, gefährlich, riskant oder leichtfertig war. Sie scherte sich nicht darum, was andere davon hielten. Sie ging ihren Weg.

Während er selbst aus lauter Sorge darum, welches der richtige Weg war, am Ende gar keinen Weg mehr ging. Sondern nur noch von den Ereignissen überrollt wurde.

Er griff sein Handy, das überquoll von Mayas Stimme und ihren Nachrichten und ihrer ganzen Herablassung, und pfefferte es gegen die Wand. Es krachte auf die Dielen. Er trat darauf herum, nahm es wieder hoch. Teile des Gehäuses waren abgesplittert, das Display blind.

Kaputt. Gut so.

Er schmiss es noch einmal in die Ecke und verließ das Zimmer.

Er wollte niemanden sehen, aber da außer ihm drei Menschen in dem kleinen Haus wohnten, würde sein Wunsch wohl nicht erhört werden. Er hörte, dass unten jemand ins Haus kam, Caparos wahrscheinlich, der mit der Reparatur des Zaunes fertig war. Sie saßen jetzt seit nicht einmal 24 Stunden hier zusammen fest, und schon herrschte eine angespannte, nervöse Stimmung, was nicht nur an der Gefahr lag, in der sie alle schwebten. Sondern vor allem an dem erzwungenen Zusammensein auf engem Raum, der Untätigkeit, zu der sie verdammt waren, der Bewegungslosigkeit.

Vermutlich auch am Regen.

Simon hatte sich noch nie zuvor so weit von einem Ort weggesehnt wie jetzt von diesem.

Ihm fiel erneut die Klappe in der Decke über sich auf, ebenso wie die Leiter daneben. Der einzige Rückzugsort, den es im Augenblick zu geben schien. Ein verführerischer Gedanke: hinaufklettern, die Leiter hochziehen, die Klappe schließen. Unerreichbar sein. Er hungerte nach dem Alleinsein, als hinge sein Leben davon ab.

Man konnte die Leiter in einen Ring einhaken, der sich am Rand der Klappe befand, und sie damit öffnen. Sie knirschte leise, und Simon hielt inne. Niemand schien etwas gehört zu haben. Er lehnte die Leiter an und kletterte hinauf. Es empfingen ihn Staub und Dunkelheit, erhellt nur von einem winzigen runden Fensterchen, einer Art Bullauge, das in den Giebel des Hauses eingelassen war. Der Regen prasselte auf das Dach. Es gab nichts hier oben, keinen Stuhl, kein Kissen, nichts, aber das störte Simon nicht. Der unschätzbare Wert dieses Raumes lag in seiner Abgeschiedenheit.

Er kauerte sich in eine Ecke. Er hatte einmal irgendwo gelesen, dass Menschen, um zu einer entscheidenden Umkehr in ihrem Leben zu gelangen, häufig erst eine Tragödie erleben müssen, eine tiefe, traumatische Verstörung. Eine Situation, in der sie kein beschönigendes Arrangement mit sich selbst mehr zu finden in der Lage sind, in der sie sich nichts mehr vormachen, nicht mehr die Augen vor der Wahrheit über sich selbst verschließen können.

Er dachte, dass er vielleicht endlich an diesem Punkt war. Hier auf diesem Dachboden, in der Abgeschiedenheit des Hauses, in dieser bedrohlichen, verrückten Lage, in die er geraten war. In den Stunden, nachdem er von Kristinas Tod erfahren hatte. In dieser schmerzhaften Einsamkeit, die in seinem Inneren herrschte. In der Trauer, die sich zu sehr mit dem Gefühl von Schuld mischte, als dass er sich hätte vorstellen können, sie würde ihn je wieder verlassen.

Nichts, gar nichts würde jemals wieder gut sein.

Er stand inmitten der Trümmer seines Lebens und hatte keine Ahnung, ob sie sich zusammensetzen ließen.

SÜDDOBRUSCHDA, BULGARIEN, SONNTAG, 20. DEZEMBER

Ivana hatte nur oberflächlich und unruhig geschlafen, und sie wachte in den frühen Morgenstunden auf. Zwanzig nach vier, wie ihr die Uhr verriet. Es gab keine Vorhänge, und kaltes, bläuliches Mondlicht schien durch die Fenster. Sie stand auf, schlug sofort beide Arme um sich. Auch unter der Bettdecke hatte sie gefröstelt, obwohl sie sich nicht ausgezogen hatte, in langer Hose und zwei dicken Wollpullovern übereinander schlief, aber jetzt im Zimmer war es so kalt, dass es sie nicht gewundert hätte, ihren Atem zu sehen. Ein Blick auf den gusseisernen Ofen zeigte ihr, dass das Feuer erloschen war.

Sie trat an eines der Fenster und spähte hinaus. Noch war es Nacht, aber die Wolken hatten sich verzogen, der Mond spendete Licht, das vom Schnee reflektiert wurde. Eine klare, eiskalte Nacht. Kein Schneefall mehr, dafür endlos scheinende, unberührte weiße Einsamkeit. Für Sekunden wurde sich Ivana der Schönheit des Bildes, das sich ihr bot, bewusst; dann kehrte sie schlagartig in die Wirklichkeit zurück, und von einem Moment zum anderen sah sie nicht mehr den Zauber der Landschaft, sondern ihre Bedrohung, nahm die Gefahr wahr, die von der Kälte und der Verlassenheit des Ortes ausging.

Lebensfeindlich. Da draußen war nichts als die geballte Lebensfeindlichkeit des bulgarischen Winters.

Ihre Füße fühlten sich bereits wie Eisklumpen an, und sie huschte rasch auf ihr Sofa zurück, zog die Decke bis zum Kinn hoch, rollte sich in Embryohaltung zusammen, um sich ein wenig aufzuwärmen. Die Hütte verfügte über zwei Räume und einen kleinen Küchenanbau, und die gesamte Familie Semjonov schlief zusammen in einem Zimmer, während Ivana das Wohnzimmer bekommen hatte. Gregor Semjonov hatte ihr am Vorabend noch die sanitären Verhältnisse ihrer Behausung erklärt.

»Es gibt keine Toilette. Wir haben einen Eimer in der Küche stehen, den können Sie auch benutzen. Wir leeren ihn mehrmals am Tag. Waschen müssen Sie sich an der kleinen Wanne mit geschmolzenem Schnee, die auch in der Küche steht. Etwas Besseres können wir nicht bieten.«

Kein fließendes Wasser, kein Strom. Schmelzwasser und Petroleumlampen. Ivana kam sich vor, als wäre sie urplötzlich in ein anderes Jahrhundert zurückversetzt worden.

Selina hatte am Vortag berichtet. Schonungslos und offen. Ivana fragte sich noch jetzt, wie sie das überstanden hatte: Selinas Geschichte zu hören und zu wissen, dass es die Geschichte ihres eigenen Kindes war. Wahrscheinlich hatte sie nur durchgehalten, weil sie sich mit aller Willenskraft dazu gezwungen hatte.

Ich höre mir das jetzt an. Weil jedes Detail wichtig ist, wenn ich Ninka helfen will. Es geht jetzt nicht um mich und meine Gefühle. Es geht nur um Ninka.

Selina hatte von dem Mann erzählt, der sie in der Diskothek angesprochen hatte. Mihajlo. Jung, sympathisch. Sehr vertrauenerweckend.

»Er sagte mir, wie toll ich aussehe. Dass ich viel Geld verdienen könnte mit meinem Gesicht. Ich hätte unglaublich schöne Augen. Und eine Superfigur. Lauter Klischees im Grunde, aber ich bin total darauf abgefahren.«

Mihajlo habe ihr gesagt, dass so außergewöhnliche Models immer gesucht würden und dass sie seiner Ansicht nach das Zeug zu einer großen Karriere hätte.

»Fotoshootings überall auf der Welt. New York, Paris, Rom, London. Die besten Fotografen. Der ganze Glamour der internationalen Modeszene. Und Geld. Viel Geld. Er sagte, ich solle mal überlegen, was das auch für meine Familie bedeuten würde. Unser aller Leben würde sich schlagartig ändern. Er malte das Bild in den leuchtendsten Farben. Und ich, blöd, naiv und jung, wie ich war, fiel darauf rein.«

Das Ganze hatte erst vor wenigen Wochen stattgefunden, daher war Selina jetzt kaum älter als damals. *Blöd* und *naiv,* wie sie es nannte, war sie jedoch mit Sicherheit nicht mehr. Ivana stellte sich das junge Mädchen vor, das in der Diskothek ausgelassen tanzte und sich von den Schmeicheleien und Versprechungen eines gutaussehenden Mannes einwickeln ließ. Was jetzt vor ihr saß, war kein Mädchen mehr, sondern eine junge Frau. Sehr ernst, fast ein wenig verbittert. Ohne Vertrauen in das Leben, in die Menschen, die Welt. Sie hatte ihre Lebenseinstellung vollständig verändert, misstraute vermutlich allem und jedem und wurde damit der Menschheit so wenig gerecht, wie sie es vorher in ihrem blinden Glauben an das Gute getan hatte. Zweifellos bot diese Einstellung jedoch mehr Schutz vor Gefahren.

»Er gab mir dann seine Karte und sagte, ich solle ihn anrufen. Was ich schon am nächsten Tag tat. Ich konnte es ja kaum abwarten, meine Karriere als Topmodel zu starten. Er arrangierte dann das Treffen mit Vjara.«

An dieser Stelle hatte sich Ivana vorgebeugt. »Vraja. Sie kennen auch keinen Nachnamen?«

»Nein. Seltsamerweise irritierte es mich nicht mal, dass sie keinen zu haben schien. Mihajlo hatte gesagt, *die Vjara* sei eine internationale Berühmtheit in der Modewelt.

Irgendwie wäre ich mir richtig dumm vorgekommen, hätte ich plötzlich gefragt, wie sie denn mit Nachnamen heiße.«

Ivana nickte. Das verstand sie. Sie und Kiril hatten auch nicht gefragt, sondern sich von der vermeintlichen Berühmtheit und Bedeutung der Frau blenden lassen.

»Wir haben Ninka zuletzt gesehen, als Vjara sie bei uns abholte«, sagte sie. »Es sollte direkt weitergehen in den Westen. Zusammen mit einigen anderen Mädchen. Zunächst nach Rom, von dort dann möglichst schnell zu den ersten Fotoshootings. Ninka würde uns sofort anrufen, wenn sie dort wäre, sagten sie. Aber das tat sie nicht.«

Selina nickte. »Dazu dürfte sie keine Gelegenheit mehr gehabt haben. Das Ganze ist ein abgekartetes Spiel. Mihajlo quatscht die Mädchen in den Bars und Discos an, und Vjara tritt dann auf, um die Eltern zu überzeugen. Die meisten hätten Bedenken, ihre Tochter mit einem fremden Mann losziehen zu lassen, aber eine seriös wirkende, gebildet und elegant auftretende Frau wie Vjara zerstreut das Misstrauen. Es ist verrückt, oder? Nur weil sie eine Frau ist, denkt man, es stecke nichts Gefährliches dahinter. Dabei spielen einige Frauen eine wesentliche Rolle in der ganzen Geschichte, und sie sind um nichts besser als die Männer.«

Ja, ja, ja ... Ivana konnte nur nicken, zu jedem einzelnen Wort. Das Spiel war so simpel, so durchschaubar, und trotzdem hatte es auch bei ihnen funktioniert. Man hatte sich nicht vorstellen können, dass Vjara etwas Böses im Schilde führte.

Als ob man das den Menschen ansehen könnte!, dachte Ivana.

Selina hatte weiter berichtet. Dass sie Geld bekommen und die Hälfte davon gleich ihren Eltern gegeben hatte. Dass sie dann zusammen mit einem Fahrer aufgebrochen war. Sie hatte den Fahrer nicht gekannt, es war nicht Mihajlo gewesen, sondern ein anderer Mann. Vjara, die ursprünglich hatte mitkommen wollen, war in letzter Sekunde abgesprungen.

»Sie sagte, sie müsse sich um zwei andere Mädchen kümmern, mit deren Papieren etwas nicht in Ordnung sei. Sie würde später nachkommen. Damals nahm ich ihr das ab. Heute bin ich überzeugt, dass Vjara nie mitfährt. Sie ist ausschließlich für die Abwicklung in Sofia zuständig. Irgendeiner der Fahrer sagte mir auch, dass normalerweise immer mehrere Mädchen zusammen gefahren werden. Ich vermute, das hat sich angesichts der unklaren Grenzverhältnisse in Europa mittlerweile verändert. Etliche Länder im Osten machen wegen der Flüchtlingsströme dicht. Seit dem 13. November kommen die verschärften Kontrollen nicht nur an der französischen Grenze hinzu. Es wäre zu riskant, mit mehr als einem Mädchen, höchstens mit zweien, zu fahren.«

»Irgendeiner der Fahrer, sagten Sie? Waren das mehrere?«

»Sie wechselten. Immer wieder ein neues Auto, ein neuer Fahrer. Ich weiß gar nicht mehr, wie oft ich umgestiegen bin.«

»Ein geschicktes System. Kaum jemand kann so jemals eine Spur zurückverfolgen.«

»Klar. Aber mir haben sie etwas von den Vorschriften erzählt. Jeder dürfe nur eine bestimmte Strecke fahren wegen Übermüdung und damit zusammenhängenden Gefahren. Es klang einleuchtend.«

»Diese Männer … wie haben sie Sie behandelt?«

»Okay. Es gab keine Übergriffe, wenn Sie das meinen. Wir übernachteten in ziemlich heruntergekommenen Gasthäusern, fern der vielbefahrenen Straßen. Manchmal auch im Auto. Ich war irgendwann nur noch erschöpft, chronisch müde, fühlte mich ungepflegt und vergammelt.

Aber ich dachte, alles wird besser, wenn wir erst angekommen sind.«

Ivana nickte. »Und … als Sie angekommen waren?«

Selina verzog das Gesicht. »Dann begann die Hölle.«

Erste Zweifel waren ihr gekommen, als sie kurz hinter der slowenischen Grenze festgestellt hatte, dass ihr Handy und ihr Pass aus ihrer Handtasche verschwunden waren. Sie hatte sich aufgebracht an ihren Fahrer gewandt, einen Kroaten, der nur gebrochen Bulgarisch und überhaupt kein Englisch sprach.

»Meine Papiere sind weg! Und mein Handy!«

Sie hatten die Nacht in seinem klapprigen Kleinbus verbracht, irgendwo in der Einsamkeit am Beginn eines Waldweges, der sich in unüberschaubaren schwarzen Wäldern zu verlieren schien. Selina schlief hinten auf mehreren ausgebreiteten Wolldecken, eingewickelt in einen Schlafsack, der keinen allzu sauberen Eindruck machte. Aber es war kalt, sie musste ihn benutzen. Der Fahrer übernachtete vorne in seinem zurückgeklappten Sitz. Es gab niemanden außer ihm, der Zugang zu Selinas Handtasche gehabt hatte. Irgendwann in der Nacht, so vermutete sie, hatte er die Sachen entwendet.

Auf ihre Vorhaltungen hatte er mit einem kroatischen Wortschwall geantwortet, von dem sie nichts verstand.

»Meine Papiere«, wiederholte sie wütend. »Und mein Handy. Ich will das wiederhaben!«

»Handy«, sagte er.

»Hast du mein Handy? Und meinen Pass?«

Er griff in die Innentasche des fleckigen, ausgeleierten Jacketts, das er trug, und hielt die gesuchten Gegenstände in den Händen. Sie wollte danach greifen, aber er schob beides sofort wieder in die Tasche. Dazu folgte erneut eine weitschweifige und für sie unverständliche Erklärung.

Sie war aufgebracht und beunruhigt, aber zum Glück fand kurz darauf erneut ein Fahrerwechsel statt. Der neue Fahrer war Bulgare, mit ihm konnte sie sich verständigen. Er erklärte ihr, dass er jetzt ihren Pass habe und ihn nur zur Sicherheit verwahre und dass er am Zielort zur Registrierung an die Agenturverwaltung übergeben werde. Später werde sie ihn selbstverständlich zurückbekommen.

»Warum kann ich meinen Pass nicht bei mir behalten?«

»So sind nun mal die Vorschriften.«

»Aber es ist nicht in Ordnung. Es sind *meine* Papiere«, sagte Selina wütend. »Und es ist *mein* Handy!«

Sie bekam darauf keine Antwort mehr.

Angst und Misstrauen begannen in ihr zu nagen, aber sie ließ sie keine Kontrolle über sich gewinnen. Es hätte mehrere Gelegenheiten gegeben zu entkommen. Aber um die wahrzunehmen, hätte sie die innere Stimme, die ihr immer wieder *Achtung, hier stimmt etwas nicht!* zurief, nicht so beharrlich ignorieren dürfen.

Das Ziel war Paris, wie sie schließlich erfuhr, und sie stellte fest, dass das dann auch der Wahrheit entsprach. Trotzdem blieb sie verwirrt und misstrauisch. Wieso hatte man ihr vorher Rom genannt? Warum dann jetzt Paris?

Immerhin, es handelte sich um die Weltstadt der Mode. Selina Semjonova aus Bulgarien war in Paris. Sie war völlig erschöpft von der Reise, sie sehnte sich nach einem langen, heißen Bad. Ihr taten die Knochen weh, sie hatte keine Papiere mehr, kein Handy, und Paris, noch ganz im Nachklang der Attentate, eine nervöse, traumatisierte, geschockte Stadt, glitzerte nicht, sondern versank im Novembernebel, aber Selina hielt noch immer die Hoffnung aufrecht, dass alles gut würde. Sie bemühte sich um positive Gedanken und Bilder: Selina auf den großen Laufstegen der Welt. Musik, Blitzlichtgewitter, die Fotografen lagen ihr zu Füßen. Sie trug atemberaubende Mode. Ihr Gesicht auf allen Titelblättern. *Du bist absolut faszinierend,* hatte Mihajlo gesagt und sie voller Bewunderung angestarrt, *du wirst eine ganz, ganz große Karriere machen!*

Sie hatte große Entschlusskraft und viel Mut bewiesen. Sie hatte alles hinter sich gelassen und in der Sekunde, die ihr das Schicksal gab, nach dem Glück gegriffen. Ohne lange zu überlegen. Ohne zu zögern und zu zaudern.

Das Leben belohnt die Mutigen, sagte sie sich. Sie versuchte zumindest, es sich einzureden.

Bis sie in irgendeinem Vorort aussteigen musste. Es gab hier nichts außer ein paar Häusern, die heruntergekommen und verwohnt aussahen. Die Gegend wirkte ausgestorben, die Häuser lagen weit auseinander. Dazwischen nur braune, matschige Wiesen. Ein angefangenes Bauprojekt mit einer riesigen geteerten Fläche davor, vielleicht hatte das ein Einkaufszentrum werden sollen mit einem Parkplatz, aber irgendwann war den Bauunternehmern aufgefallen, dass hier nie jemand einkaufen würde. Der Bau schien schon lange gestoppt worden zu sein. Die Mauern bröckelten vor sich hin.

Es war kalt und es regnete.

Selina wurde einem Mann übergeben, der sie in eines der schäbigen Häuser führte. Auch innen: feuchte Kälte. Zerschlissene Möbel. Gitter vor den Fenstern. Selina sah ein junges Mädchen, ungefähr in ihrem Alter. Es huschte den Flur entlang, verschwand sofort hinter einer der Türen, als es sie sah.

Eine ältere Frau kam auf Selina zu. Ihr Anblick jagte Selina einen Schauder über den Rücken. Sie sah verlebt aus, wirkte kalt und emotionslos. Feindselig fast.

»Selina Semjonova«, sagte sie, als sie vor ihr stand.

Selina nickte. Die Frau fuhr in gebrochenem Englisch

fort: »Ich bin Taisia. Ich zeige dir Zimmer. Dann kümmere ich mich um dich.« Sie streckte die Hand aus, ließ eine von Selinas langen dunklen Haarsträhnen durch ihre Finger gleiten und gab ein Geräusch des Ekels von sich. Sie murmelte etwas auf Russisch vor sich hin. Selina, die ein paar Worte verstand, schnappte entsetzt nach Luft. »Dreckig«, hatte Taisia gesagt. »Und billig. Was hat sie für ein billiges Gesicht!«

Sie wusste, dass sie dreckig war, aber sie hatte seit Tagen kaum eine Gelegenheit gehabt, sich richtig zu waschen. Wusste die Alte nicht, wie ihre Reise ausgesehen hatte?

Und billig? *Du hast ein Gesicht wie eine Göttin*, hatte Mihajlo gesagt. Schon viele Männer hatten ihr das gesagt. Sie verstanden ja wohl mehr davon als dieses alte Weib, das seine Jugend seit Jahrzehnten hinter sich hatte und vermutlich platzte vor Neid.

Selina warf den Kopf zurück. »So reden Sie gefälligst nicht mit mir«, sagte sie auf Russisch.

In der nächsten Sekunde lag sie auf dem Fußboden und wimmerte vor Schmerzen. Taisia hatte ihr den Ellbogen in den Magen gerammt, so dass Selina zusammengeklappt und umgefallen war. Es folgten ein Tritt in die Rippen und einer gegen die Hüfte.

Selina schrie auf. »Nein! Nicht!«

Die Alte packte sie am Ellbogen und zog sie auf die Füße. Ihre Finger fühlten sich an wie eiserne Klammern. Sie hatte Bärenkräfte, was man bei ihrem Anblick nicht vermutet hätte. Selina erkannte, dass sie ihr körperlich nicht gewachsen war.

»Wenn du nicht spurst, werde ich es wieder tun«, sagte Taisia. »Und wenn das nichts nützt, übergebe ich dich Sergej und Igor. Wenn die mit dir fertig sind, muckst du nicht mehr auf, nie mehr, das kann ich dir versprechen.«

Selina schwieg, geschockt und völlig verstört. Etwas lief schief, vollkommen schief.

Sie wollte es noch immer nicht wirklich wahrhaben, aber später wusste sie, dass sie es in diesem Moment endgültig begriffen hatte: Sie war in eine Falle getappt.

Sie wusste noch nicht genau, worauf das alles hinauslief, aber es konnte keinesfalls etwas Gutes sein.

Ivana, frierend unter ihrer Decke, zog die Beine noch enger an ihren Körper bei der Erinnerung an diese Schilderung. Sie fror nicht nur wegen der schrecklichen Kälte, sie fror auch in ihrem tiefsten Inneren. Sie hatte Selina ein Foto von Ninka gezeigt.

»Dieses Mädchen hier … war es auch in dem Haus?«

Selina hatte das Bild betrachtet. »Nein. Aber ich bin am 7. Dezember geflohen. Wann hat Ihre Tochter Bulgarien verlassen?«

»Am 1. Dezember. Wahrscheinlich haben Sie einander haarscharf verfehlt.«

»Oder sie wurde woanders hingebracht. Ich konnte das nicht alles durchblicken und schon gar nicht hinter sämtliche Kulissen schauen, aber ich glaube, es ist eine ziemlich große Organisation, die hinter alldem steht, und sie ist sehr vernetzt und verzweigt. Es gibt mit Sicherheit mehrere Häuser, in denen Mädchen untergebracht werden, und wohl auch nicht nur in Paris. Wobei sich in Paris vermutlich die Zentrale befindet. Von dort wird alles gesteuert.«

Sie kann überall sein. Ninka kann einen ganz anderen Weg gegangen sein als Selina. Egal. Lass dich nicht entmutigen. Selina ist der Schlüssel. Du wirst Ninka über sie finden.

Selina war nach zehn Tagen geflohen. Zehn Tage, die sie in jenem Pariser Vorort zugebracht hatte, halb krank vor Verzweiflung, vollständig desillusioniert und zugleich wild entschlossen, sich ihrem Schicksal nicht zu fügen. Sie wusste, worauf es hinauslief, die anderen Mädchen hatten sie nicht im Unklaren gelassen: Sie würde als Prostituierte in einschlägigen Clubs und Bordellen arbeiten müssen. Alles Geld, das die Organisation für sie bezahlt hatte, würde sie zurückgeben müssen, das war ihre einzige Chance, wieder an ihren Pass zu kommen. Wenn überhaupt.

Es schien keine Möglichkeit zur Flucht zu geben. Sie wurden scharf bewacht. Rund um die Uhr.

»Wie hast du es geschafft?«, hatte Ivana gefragt.

»Mit Hilfe. Nur mit Hilfe.«

»Wer hat dir geholfen?«

Selina hatte gezögert. »Ich will niemanden in Schwierigkeiten bringen.«

»Wem sollte ich schon Schwierigkeiten machen?«

Sie hatte überlegt, dann genickt. Ihr war wohl klar, dass keiner der Beteiligten in größere Schwierigkeiten geraten konnte als in die, in denen er ohnehin steckte.

»Der letzte Fahrer«, sagte sie, »der mich gefahren hat. Er hat mir ein Handy gegeben. Er ist mit mir in Kontakt geblieben. Er hat meine Flucht organisiert.«

»Der letzte Fahrer?«

»Ja.«

»Warum hat er das getan?«

»Er wusste, worum es ging. Er ahnte, was mich erwartete. Er wollte das nicht. Er wollte mir helfen.«

Vorsichtig sagte Ivana: »Er ist damit ein sehr hohes Risiko eingegangen. Weshalb?«

Selina zuckte mit den Schultern. »Er hatte sich in mich verliebt. Er war verrückt nach mir.«

Ivana betrachtete das schöne Mädchen und dachte, dass es kein Wunder war. Selina war atemberaubend. Selbst in dieser Hütte, selbst ungepflegt, vergammelt, abgekämpft, ungeschminkt und gezeichnet von ihren Erlebnissen. Sie sah fantastisch aus. Das hatte sie zum Opfer der Menschenhändler gemacht. Aber es war dann auch ihre Chance gewesen, und sie hatte sie zu nutzen verstanden.

»Wo ist er?«

»Keine Ahnung. Ich glaube, er hat in letzter Sekunde Angst bekommen. Er ist abgesprungen. Aber da war ich schon draußen. Und den Rest habe ich alleine geschafft.«

»Es war aber nicht dieser Mihajlo, oder?«

»Nein, oh Gott«, sagte Selina, »den habe ich nie wieder gesehen. Nein.« Sie blickte zum Fenster hinaus, in den Schnee und in die völlige Einsamkeit der Gegend. »Nein. Es war ein Franzose. Wir konnten uns nur ein wenig auf Englisch verständigen, aber wir brauchten zunächst auch nicht viele Worte. Er war einfach … wie vom Blitz getroffen.«

Zweifellos kannte sie das von anderen Männern. Sie wirkte nicht so, als hätte die Situation sie besonders überrascht.

»Er hieß Jérôme«, fügte sie hinzu. »Jérôme Deville. Und, ganz ehrlich, ich habe keine Ahnung, was aus ihm geworden ist.«

HYÈRES, FRANKREICH, SONNTAG, 20. DEZEMBER

Es kam ihm vor, als hätte er hundert Jahre geschlafen. Er erwachte aus traumlosen Tiefen und brauchte ein paar Momente, sich zurechtzufinden. Wo war er? Dämmerlicht um ihn herum. Schräge Wände, von Holzsparren gestützt. Staub. Leere. Das Geräusch von Regen, der auf ein Dach fiel.

In der nächsten Sekunde hatte ihn die Wirklichkeit eingeholt. Südfrankreich. Ein Schutzhaus der Polizei. Auf der Flucht vor unbekannten Verfolgern.

Und Kristina war tot.

Der Schmerz überflutete ihn und ließ ihn nach Luft schnappen. Langsam richtete er sich auf, kam schwankend auf die Füße. Er hatte so tief geschlafen, dass sein Kreislauf sich nicht sofort stabilisieren konnte. Er fuhr sich mit beiden Händen über die Augen. Die Lider klebten. Er musste völlig übermüdet gewesen sein, total ausgebrannt, absolut am Ende seiner Kräfte. Sonst hätte er angesichts seiner derzeitigen Situation nicht so tief und so lange schlafen können. Es war zehn Uhr, wie er mit einem Blick auf seine Armbanduhr feststellte. Das graue Licht des verregneten Dezembertages drang durch das kleine Fenster im Giebel. Zehn Uhr am Vormittag also.

Er stieß die Bodenklappe auf und kletterte in den ersten

Stock. Im Haus herrschte eine solche Stille, dass er im ersten Moment dachte, er sei alleine. Als er jedoch die Treppe hinunterging, gewahrte er die beiden Polizisten in der Küche. Halabi an seinem gewohnten Ausguck am Fenster. Caparos trank gerade im Stehen eine Tasse leer, setzte sich dann auf einen Stuhl und zog seine Gummistiefel an.

»Guten Morgen«, sagte er zu Simon. Er klang gestresst.

Simon fuhr sich durch die Haare. Er hatte sich weder gewaschen noch gekämmt oder die Zähne geputzt. »Morgen. Tut mir leid, dass ich völlig verschlafen habe. Ich war auf dem Dachboden. Ich hoffe, Sie haben sich nicht gesorgt?«

Wie blöd, dachte er gleich darauf. Wie zwei Menschen, die sich sorgen, wirken sie wirklich nicht!

Halabi lächelte kühl. »Wir wussten, wo Sie sind. Keine Angst, wir haben die Kontrolle.«

Na ja, über Nathalie hattet ihr sie gestern nicht, dachte Simon. Sie konnte fröhlich spazieren gehen, während ihr dachtet, sie sei in ihrem Zimmer.

Ihm fiel die Anspannung der beiden Männer auf. Halabis Bemerkung hatte angestrengt, allzu forciert geklungen. Die beiden bemühten sich nach Kräften, an ihrem Image zu arbeiten.

»Ich muss noch mal raus«, sagte Caparos. »Ich bin mit dem Zaun gestern nicht fertig geworden.«

Deshalb also seine spürbare untergründige Gereiztheit. Es regnete unvermindert, und er musste sich nun wieder mit dem blöden Zaun abquälen. Offenbar war er der handwerklich Begabtere der beiden, jedenfalls blieb diese Aufgabe, wie es aussah, erneut an ihm hängen.

»Ich behalte hier alles im Auge«, sagte Halabi.

Caparos verschwand nach draußen. Simon ließ sich auf einen Stuhl fallen. »Nathalie schläft noch?«

Halabi nickte. »Diesmal sicher.«

»Ich musste mal für mich sein«, sagte Simon. »Daher der Dachboden …«

Halabi nickte. »Kann ich verstehen. Man hängt hier ganz schön aufeinander. Und dann noch die Sache mit … Es tut mir wirklich leid. Das mit Ihrer Lebensgefährtin.«

Simon verzichtete auf die Richtigstellung. Dass ein Teil seines Schmerzes darauf beruhte, dass Kristina eben *nicht* seine Lebensgefährtin gewesen war.

Ging Halabi ja nichts an.

Wer sie beide zusammen erlebt hatte, hatte sie jedenfalls immer sofort als ein Paar empfunden. Vielleicht hatten sie doch mehr Zusammengehörigkeit ausgestrahlt, als ihm bewusst gewesen war. Lena hatte öfter festgestellt, dass sie so perfekt zusammenpassen würden. »Ihr seid füreinander geschaffen«, hatte sie einmal gesagt.

Lena! Blitzartig fiel ihm ein, dass sie ja nichts von Kristinas Tod wusste. Sie sorgte sich immer noch und telefonierte mit Gott und der Welt, um herauszufinden, was geschehen war. Er hätte sie längst verständigen müssen. Aber er durfte sein Handy nicht benutzen, abgesehen davon war es inzwischen sowieso kaputt. Was ihm ganz lieb war: Ihm graute vor dem Moment, wenn er es ihr sagen musste. Er fürchtete sich vor ihrem Schmerz und ihren Vorwürfen.

Die Kaffeemaschine war noch eingeschaltet, die Kanne stand auf der Wärmeplatte. Simon schenkte sich einen Becher ein. Er liebte den ersten Schluck Kaffee, den er morgens zu sich nahm, aber noch nie war es so intensiv gewesen wie an diesem Tag. Die tröstliche Wärme, das Gefühl zaghaft erwachender erster Lebensgeister. Irgendwie würde er durch den Tag kommen. Irgendwie würde er das alles überstehen. Das Leben würde weitergehen.

Oben ging eine Tür. Beide Männer blickten zur Treppe.

Nathalie kam herunter. Ihre Haare fielen lang und wirr über ihren Rücken, sie schien direkt aus dem Bett zu kommen. Sie war mit nichts bekleidet als mit einem winzigen schwarzen Slip und einem zu engen und zu kurzen grünen T-Shirt, auf dessen Vorderseite der verblichene Schriftzug *Make me happy* prangte. Das Shirt ließ ihren flachen Bauch mit den vorstehenden Hüftknochen frei. Sie bewegte sich schläfrig und katzenhaft.

Unbewusst?, fragte sich Simon.

Ihm fiel auf, dass Halabi sie mit den Augen verfolgte, reflexhaft, was er ihm nicht verdenken konnte. Dann schaute er schnell wieder zum Fenster hinaus, um ebenso rasch und ganz unwillkürlich wieder zu Nathalie hinzusehen.

Nathalie kam in die Küche. »Kann ich auch einen Kaffee haben?«, fragte sie.

Simon nahm einen weiteren Becher aus dem Regal, schenkte Kaffee ein und reichte ihn Nathalie. Er hoffte, sie würde sich an den Tisch setzen, aber sie blieb mitten im Raum stehen und pustete vorsichtig in ihr Getränk.

»Heiß«, sagte sie leise.

Simon räusperte sich. »Hast du gut geschlafen?«

Sie nickte. »Ja. Das Wetter macht so müde. Der dauernde Regen.« Sie blickte sich um. »Monsieur Caparos ist immer noch draußen? Ich habe ihn gerade oben vom Fenster aus gesehen. Der Ärmste.«

»Er muss den Zaun reparieren«, erklärte Simon. »Leider kann man dir ja nicht trauen, dass du nicht wieder davonläufst.«

Sie warf ihm einen herablassenden Blick zu. »Ich lasse mich nicht einsperren, Simon. Von niemandem.«

»Der Zaun müsste so oder so repariert werden«, warf Halabi ein. »Er stellt ein Risiko dar, und das darf hier nicht sein. Es war unser Fehler, dass wir das am ersten Abend nicht gleich entdeckt haben.«

»Es war stockdunkel und regnete in Strömen«, sagte Simon.

»Egal. Es war unprofessionell. Es hätte nicht passieren dürfen.« Er schaute wieder zu Nathalie hin, deren kleine Brüste sich in allen Details unter dem viel zu engen Shirt abzeichneten. »Meine Güte, Mademoiselle Boudin, können Sie sich nicht etwas anziehen?«

Sie lächelte ihm zu. »Ich habe doch etwas an.«

»Du verstehst genau, was er meint«, sagte Simon. »Es ist absurd, wie du hier herumläufst. Du wirst dich erkälten.«

»Ach was, ich werde mich erkälten? Simon, du kleiner Spießer, du klingst wie eine alte Gouvernante«, spottete Nathalie.

Sie ging zum Kühlschrank, öffnete ihn, beugte sich tief hinunter und inspizierte den Inhalt der Fächer. Halabi starrte sie an.

Irgendetwas stimmte hier nicht. Simon wünschte, er wäre nicht noch benommen vom Schlaf und der Trauer. Er hatte den Eindruck, dass sein Kopf nicht so schnell und zuverlässig schaltete wie sonst. Nathalie war überhaupt nicht sie selbst. Dieses prüde Mädchen, das in der einen Nacht, die sie gemeinsam in einem Hotelzimmer verbracht hatten, alle Kleidungsstücke anbehalten und sich auf der äußersten Bettkante zusammengerollt hatte… Sowohl in seinem Haus in La Cadière als auch in dem Apartment in Les Lecques und dann hier im Haus war sie niemals anders in Erscheinung getreten als vollständig bekleidet. Sie hatte sich nie so lasziv bewegt wie jetzt. Sie hatte ihn nie mit herausforderndem Spott behandelt wie gerade eben.

Was ist das für eine Show, die sie hier inszeniert?, fragte er sich. Und warum?

Am Vorabend hatte sie geweint wegen Kristina. *Es ist ein Alptraum*, hatte sie geschluchzt. Da war sie ihm glaubwürdig vorgekommen: ein verstörtes, hilfloses, todtrauriges kleines Mädchen.

Diese halbnackte Femme fatale jedoch … Sie spielte eine Rolle. Nicht besonders geschickt, wie Simon fand. Plump und ungekonnt. Allerdings bemerkte Halabi das offensichtlich nicht. Sein Gesichtsausdruck spiegelte Verwirrung, verriet daneben aber auch eine gewisse Faszination.

Nathalie richtete sich auf. Sie hatte einen Apfel gefunden. Sie schenkte Halabi ein strahlendes Lächeln, ehe sie hineinbiss.

Simon hatte eine kurze, naheliegende Gedankenassoziation – Eva, der Apfel, die Schlange, der Beginn des ganzen Unheils –, und im nächsten Moment schon tauchte ein Mann in der Küchentür auf mit einer Waffe in der Hand. Halabi, der sich nachdrücklich von Nathalie abgewandt und wieder nach draußen gesehen hatte, fuhr herum, aber es war den Bruchteil einer Sekunde zu spät: Er hatte die Umgebung nicht mehr im Blick gehabt, er hatte das Öffnen der Haustür nicht gehört, er war abgelenkt gewesen. Er zog blitzschnell seine Waffe, aber auch das war zu spät. Ein Schuss fiel. Halabi taumelte vor und zurück, versuchte sich verzweifelt auf den Beinen zu halten, stürzte dann zu Boden. Er riss einen Stuhl dabei um und landete auf dem Bauch auf den terracottafarbenen Fliesen. Es war kein Blut zu sehen, nichts, aber Halabi bewegte sich nicht mehr.

Simon stand wie erstarrt, den Kaffeebecher, den er gerade zum Mund führen wollte, in der halb erhobenen Hand. Für einen kurzen Moment, der ihm aber ewig vorkam, konnte er sich nicht bewegen.

Auch Nathalie hielt inne.

Ebenfalls der Fremde, der in der Tür stand.

Es war, als wäre plötzlich jeder auf seiner jeweiligen Position fest verwurzelt.

Dann stieß Nathalie einen merkwürdigen Laut aus. Es war kein Schrei, es klang leise und rau, weder allzu überrascht noch glücklich noch entsetzt. Es war ein Laut des Wiederfindens. Simon stellte sich vor, dass Tiermütter so riefen, wenn sie ein verloren geglaubtes Junges entdeckten.

»Jérôme«, sagte sie.

Jérôme starrte auf die Pistole in seiner Hand, dann auf Halabi, dann wieder auf die Pistole. »Ich habe ihn erschossen«, sagte er.

»Jérôme«, wiederholte Nathalie. Jetzt schwang Glückseligkeit in ihrer Stimme.

Von Halabi kam ein gurgelndes Geräusch. Entsetzt sahen sie zu, wie er den Kopf hob und sie anblickte, mit Augen, in denen Panik und Todesangst standen. Dann brach Blut aus seinem Mund und floss auf die Fliesen. Halabi schien etwas sagen zu wollen, aber erneut brachte er nur einen unverständlichen Laut hervor. Er mühte sich verzweifelt, rang um Atem. Schließlich krachte sein Kopf nach vorne. Ein Zucken durchlief seinen Körper.

Hasnainy Halabi war tot.

SÜDDOBRUSCHDA, BULGARIEN, SONNTAG, 20. DEZEMBER

Gregor war es gelungen, das Feuer im Ofen neu zu entfachen, aber es würde seine Zeit dauern, ehe die Flammen den Raum auch nur halbwegs erwärmten. Ivana hatte sich die Decke, unter der sie geschlafen hatte, um die Schultern gehängt, fror aber trotzdem noch. Sie saß auf dem Sofa.

Selina kauerte direkt neben dem Ofen. Sie trug so viele Kleidungsstücke übereinander, dass man den zarten, schlanken Körper darunter nur noch schwach erahnen konnte. Sie zitterte vor Kälte, hielt ihren Kaffeebecher krampfhaft umklammert.

Aus der nebenan gelegenen Küche hörte man Stimmengemurmel: Gregor und Katarina waren dort mit dem Schmelzen des frischgefallenen Schnees beschäftigt und diskutierten die Situation – wie Ivana annahm. Beim Frühstück – abgepacktes Brot und Marmelade – hatte sie es wieder und wieder gesagt: Sie mussten aufgeben. Zur Polizei gehen. Sagen, was sie wussten. Um Schutz bitten. Hoffen, dass es gelang, den ganzen Ring zu zerschlagen.

»Darf ich Ihnen eine persönliche Frage stellen? Hatten Sie sich eigentlich in diesen Jérôme auch verliebt?«, fragte Ivana jetzt.

Selina schüttelte den Kopf. »Nein. Ich war gar nicht in der Verfassung, mich in irgendjemanden zu *verlieben.* Ich kannte übrigens zu diesem Zeitpunkt nur seinen Vornamen. Seinen Nachnamen wollte er mir lieber nicht sagen. Ich erfuhr ihn erst später. Jérôme jedenfalls fuhr mich auf der letzten Etappe, und zu diesem Zeitpunkt war ich schon ziemlich nervös. Dass man mir meinen Pass und mein Handy abgenommen hatte und die Art, wie es geschehen war ... Es beunruhigte mich einfach. Ich hoffte zwar immer noch, alles würde gut werden, und ich redete mir auch immer wieder ein, dass alles in Ordnung wäre, aber da war ein nagender Zweifel ...«

»Jérôme hat Ihnen aber nicht gleich erzählt, was Sie erwartete?«

»Nein. Ich glaube, er wusste es selbst nicht so ganz genau. Er war Fahrer für eine internationale Spedition, und es war erst das dritte oder vierte Mal, dass er Personen, also junge Frauen, chauffierte. Ich vermutete, dass er sich zwar Gedanken machte, aber keine konkreten Informationen hatte. Er sagte, er bekäme eine enorme finanzielle Zulage dafür, dass er mich fuhr, deshalb hatte er sich darauf eingelassen. Ich hatte den Eindruck, dass ihm nichts Gutes schwante, dass er es aber lieber gar nicht so genau wissen wollte. Er war scharf auf das Geld.«

Ivana sah sie aufmerksam an. »Sie mochten ihn nicht einmal besonders, oder?«

Selina überlegte einen Moment. »Ich will nicht ungerecht sein. Ich verdanke ihm, dass ich fliehen konnte. Er hat mir ein Handy mit einer Prepaidkarte besorgt, noch kurz bevor wir ankamen. Er ist damit ein hohes Risiko eingegangen. Aber es stimmt, er war mir nicht allzu sympathisch. Ein leichtfertiger, egozentrischer Typ, so hätte ich ihn auf den ersten Blick beschrieben. Ziemlich eitel, ganz schön von sich überzeugt. Sehr auf seinen Vorteil bedacht. Geld ist ihm wichtig. Und zwar vor allem solches, an das er leicht kommt. Er ist nicht jemand, der sich großartig anstrengen möchte.«

»Hat er Pläne mit Ihnen für die Zukunft geschmiedet?«

»Er war erst einmal vollkommen von der Situation überfordert. Er sagte, ich sei die schönste Frau, die er je gesehen habe, und er wolle mich unbedingt wiedersehen. Mir machte das irgendwie Mut, verstehen Sie? Es klang nach einem normalen Leben, das mich erwartete, mit Dates und gemeinsamem Ausgehen, Affären, Romanzen, was weiß ich. Natürlich sah ich mich absolut nicht an der Seite eines solchen Mannes. Ich, das international gefeierte Topmodel, und dann dieser Fahrer ... Aber er gab mir das Handy und nannte mir seine Nummer, und ich wiederholte sie so oft, bis ich sie im Gedächtnis hatte ... Diese eine leise, eindringliche Stimme in mir, die von Gefahr sprach und die ich ständig zu ignorieren versuchte, riet mir, diesen Mann als einen möglichen Rettungsanker zu sehen und ihn nicht zu verscheuchen, ehe ich nicht wusste, ob ich seine Hilfe nicht dringend brauchen würde. Also sagte ich ihm, ich wolle ihn auch wiedersehen.«

Sie rief ihn an, als ihr endgültig klar geworden war, dass sie in eine Falle gegangen war. Als sie herausgefunden hatte, weshalb man sie nach Paris gebracht hatte. Nachdem sie von Sergej und Igor zusammengeschlagen worden war, weil sie sich weigerte, die aufreizende Kleidung anzuziehen, die man ihr zum Anprobieren gab. Als sie zitternd und blutend und mit fürchterlichen Schmerzen in einem kahlen Raum in der Ecke lag, über sich das vergitterte Fenster mit dem abgeschraubten Griff und dahinter einen bleiernen Himmel – da wusste sie, dass sie fliehen musste, und zwar so schnell wie möglich. Sie trug das Handy in ihrer Unterhose versteckt, was riskant war. Ihr war klar, dass sie schon deshalb keine Zeit verlieren durfte: Weil es vermutlich eine Frage von wenigen Tagen war, bis man das Telefon bei ihr entdeckte.

Sie rief Jérôme an, stöhnte: »Hilf mir, rette mich, bitte komm her, ich sterbe« in den Apparat, lauter wirres, verzweifeltes Zeug, panisch, er könnte es sich anders überlegt oder einfach zu viel Angst haben. Sie hatten es hier mit richtig harten Typen, mit Kriminellen zu tun, und weshalb sollte Jérôme sich selbst in Gefahr bringen? Aber er blieb ruhig, versprach, ihr zu helfen.

»Ich melde mich. Sei ganz ruhig. Stell dein Handy auf Vibration, damit es nicht klingelt, wenn ich dich anrufe. Ich hole dich da raus, aber ich brauche Zeit und einen Plan.«

Es dauerte zwei Tage und zwei Nächte, ehe er sich meldete. Nie war ihr die Zeit so lang geworden. Sie hatte solche Angst, dass er sie hängenlassen würde, dass sie fast durchdrehte. Sie musste sich übergeben und bekam Fieber, was immerhin den Vorteil hatte, dass man sie in Ruhe ließ. In diesem Zustand konnte man ihr weder neue Kleidung anprobieren noch sie in ihr zukünftiges Betätigungsfeld einführen. Sie ließen sie in dem kahlen Raum liegen, gaben ihr eine Decke und stellten ihr etwas zu essen hin. Taisia hatte ihr allerdings angekündigt, dass sie ab dem kommenden Dienstag allerspätestens arbeiten musste, egal, was sie sich einfallen ließe, um noch weiter nach Herzenslust zu faulenzen. Bis dahin, das wusste Selina, musste sie weg sein.

Der Akku des Handys wurde bereits immer schwächer, sie hatte kein Ladegerät, und sie sank in tiefe Hoffnungslosigkeit, da meldete sich Jérôme endlich.

»Hör zu«, sagte er, »ich werde dich selbst zurück nach Sofia bringen. Ich steige aus. Aus der ganzen Geschichte mit den Transporten.«

Sie klapperte mit den Zähnen vor Schmerzen. »W...wie m...machen wir es?«

»Du musst irgendwie aus dem Haus rauskommen. Meinst du, das schaffst du?«

»I...im M...Moment bin ich eingesperrt.«

»Und sonst? Ist es sonst möglich?«

Sie überlegte. Natürlich waren die Fenster verriegelt und die Haustür abgeschlossen. Es gab allerdings Taisias Privaträume und ihr Büro im Erdgeschoss, und so viel hatte Selina bereits erspäht: Dort hatte niemand die Fenstergriffe abgeschraubt, und zumindest das Bürofenster war nicht mit Gitterstäben versehen. Taisia fand es vermutlich nicht so schön, dauerhaft in einem Gefängnis zu leben. Sie schloss ihr Büro allerdings immer ab, wenn sie es verließ, und den Schlüssel hatte sie Tag und Nacht bei sich. Dennoch: Hier lag die einzige Schwachstelle im Sicherheitssystem des Hauses. Selina hatte einmal mit ihrer Zimmergefährtin über die Möglichkeit einer Flucht gesprochen.

»Hat denn noch niemand versucht, durch Taisias Zimmer zu entkommen?«, hatte sie gefragt.

Im Moment befanden sich sechs Mädchen im Haus. Selina hatte das Gefühl, Marionetten gegenüberzustehen. Apathische, fremdgesteuerte Wesen, die sich voneinander abkapselten und ohne jede Initiative zu sein schienen.

»Wie sollten wir denn an den Schlüssel kommen?«, hatte ihre Zimmergefährtin geantwortet. »Und selbst wenn ... Wie kämen wir dann weg? Wir sind hier im Niemandsland. Eine hat es mal versucht, allerdings durch die Haustür, die aus Versehen nicht abgeschlossen war. Sie haben sie ganz schnell wieder eingefangen, während sie hier noch durch diese Geisterstadt irrte, und du möchtest nicht wissen, was Sergej und Igor mit ihr gemacht haben.«

Selina hatte an ihre Kindheit gedacht. An das Zusammensein mit Boris, ihrem Bruder. Und an die Tricks, die er ihr beigebracht hatte. Die Sache mit dem Draht. Sie war fast sicher, dass es ihr gelingen konnte, Taisias Tür zu öffnen.

»Ich kann es versuchen«, sagte sie zu Jérôme. »Es gibt eine Möglichkeit. Aber draußen muss jemand auf mich warten, der mich sofort von hier wegbringt.«

»Okay. Pass auf. In drei Tagen. Montag. Später Abend. 23 Uhr. Du kommst raus, ja? Dort wartet jemand mit einem Auto. Auf dem Gelände dieser riesigen Abbruchbaustelle. Näher sollte er nicht kommen, das könnte auffallen. Du rennst dorthin, so schnell du kannst. Klar?«

»Ja. Ja, ich meine … ich hoffe, es klappt … oh Gott … warum kommst du nicht selbst?«

»Ich bin unterwegs nach Kopenhagen. Ich wollte das nicht absagen, sonst hätten sie im Zusammenhang mit deiner Flucht sofort die Verbindung zu mir hergestellt. Wir brauchen aber einen Vorsprung, ehe sie eins und eins zusammenzählen. Am Montag oder Dienstag komme ich zurück, ich kann bei einer so langen Strecke nicht genau sagen, wann ich Paris erreiche. Das ist zu gefährlich, am Ende müsstest du zu lange warten, und du weißt nicht, wie schnell sie deine Flucht bemerken. Wir könnten alles höchstens um einen Tag verschieben, dann habe ich frei, aber …«

»Nein!« Sie schnappte nach Luft vor Schreck. »Es muss schnell gehen. Montag. Das ist das Äußerste, das Alleräußerste!«

»Gut. Dann wie besprochen. Du kannst diesem Freund von mir vertrauen. Er steht auf dem Parkplatz, du steigst ein und dann nichts wie weg. Er weiß, wohin er dich bringen muss. Dort wartet ihr dann auf mich.«

»Ja, gut. Danke.« Nun da die Rettung in greifbarer Nähe lag, drohten Selinas Nerven noch mehr durchzudrehen. Es durfte jetzt nichts schiefgehen. Sie musste zusehen, dass man sie nicht länger in dieser Kammer einsperrte, denn von dort gab es kein Entkommen. Sie durfte aber auch nicht ausgerechnet vor dem von Taisia angekündigten Dienstag zum ersten Mal zum *Arbeiten* losgeschickt werden – ein Moment, von dem sie glaubte, sie werde ihn nicht überleben.

Zum Glück holte man sie am nächsten Morgen aus ihrem Zimmer, um sie in einem zweiten Versuch einzukleiden. Sie gab sich willig und kooperativ, probierte die Wäsche, die Strümpfe, die Kleidung an, die Taisia für sie bereitgelegt hatte. Es waren teure Sachen, das erkannte sogar Selina, die wenig Erfahrung in solchen Dingen hatte, aber sie fühlte sich völlig fremd darin, sah eine Frau im Spiegel, mit der sie nichts zu tun hatte und die sie nicht kannte. Aufreizend, sexy, geheimnisvoll … Vielleicht hätte ihr das unter anderen Umständen sogar gefallen. Aber nicht so. Nicht mit dem Wissen, wozu diese Verkleidung diente. Sie würde Männer befriedigen müssen, die sie nicht kannte und für die sie nichts empfand außer tiefen Abscheu. Allein bei der Vorstellung überkam sie schon wieder ein Brechreiz, und sie war nur froh, dass sie nichts im Magen hatte, was sie hätte von sich geben können.

Sie zitterte, dass Taisia sie nun bereits früher einteilen würde. Die Mädchen wurden von einem Fahrer abgeholt und zu dem jeweiligen Etablissement gebracht. Häufig wechselten die Clubs, in denen sie arbeiteten, weil die Kunden Abwechslung wollten. So hatte es Selinas Zimmergenossin berichtet.

»Du kannst natürlich auch Glück haben und ein Kerl ist so scharf auf dich, dass er dich immer haben will«, hatte sie gesagt. »Der verbringt dann den ganzen Abend mit dir, und du kommst mit einer Nummer durch. Den Rest der Zeit sitzt du auf seinem Schoß und trinkst Champagner.«

Selina fand auch diese Variante nicht besonders erstrebenswert. Sie wollte einfach nur noch nach Hause. Zurück in ihr altes Leben.

Bis zum Mittag dieses Tages war der Akku ihres Handys leer. Noch immer hatte sie schreckliche Angst, das Handy könnte bei ihr entdeckt werden. Wenn die herausfanden, dass sie in der Lage gewesen war, Kontakt zur Außenwelt aufzunehmen, würde man sie und die anderen Mädchen schnell verschwinden lassen. Es gab genug Häuser, in die man sie bringen konnte. Schließlich bestand dann auch die Möglichkeit, dass Selina die Polizei verständigt hatte. Tatsächlich hatte sie kurz mit diesem Gedanken gespielt, ihn aber verworfen. Sie sprach kein Wort Französisch, und sie wusste nicht, wo sie überhaupt war. Das Gespräch würde viel zu lange dauern und wäre somit viel zu riskant.

Es blieb nur die Flucht. Und das Vertrauen auf den Mann, der ihr helfen wollte.

Taisia meckerte den ganzen Tag herum, dass Selina ein Fehlgriff war, der nur Arbeit machte und nichts für den eigenen Lebensunterhalt tat, aber schließlich entschied sie doch, dass man die junge Frau tatsächlich nicht vor Dienstag einsetzen konnte: Ihr Körper wies einfach noch zu viele Verletzungen auf. Selina bekam zufällig mit, dass Sergej und Igor deswegen von Taisia heftige Vorwürfe einstecken mussten.

»Nicht so, dass man wochenlang Spuren sieht, ihr verdammten Idioten! Wie oft soll ich euch das noch sagen? So kann ich ein Mädchen nicht arbeiten lassen. Geht das irgendwann mal in euer verfluchtes Minigehirn?«

Dies immerhin gab ihr ein wenig Befriedigung. Sergej und Igor hatten sich an ihr ausgetobt, aber damit hatten sie

sie nun womöglich gerettet, und das war ganz sicher nicht ihre Absicht gewesen.

Ihr werdet später noch blöder dastehen als jetzt, dachte sie.

Der ganze Plan klappte schließlich so gut, dass Selina es kaum glauben konnte und ständig dachte, dass einfach irgendetwas schiefgehen *musste.* Die Mädchen fuhren abends weg, sie blieb alleine mit Taisia und den beiden Männern im Haus zurück. Taisia ging früh schlafen. Die Männer, die später die zurückkehrenden Mädchen wieder einlassen mussten, saßen wie üblich in einem der hinteren Räume und spielten Karten, sahen sich dabei Videos an und unterhielten sich leise in ihrer russischen Muttersprache.

Die Sache mit dem Draht klappte, sie gelangte in Taisias Büro, schnappte sich dort noch den Laptop, der auf dem Schreibtisch stand, und kletterte durch das Fenster nach draußen.

Sie rannte die Straße entlang, rannte um ihr Leben. Jérômes Freund wartete am vereinbarten Treffpunkt. François hieß er, das sagte er ihr wenig später. Und er nannte ihr Jérômes Nachnamen. Jérôme Deville. Ansonsten war dieser François völlig am Ende mit den Nerven. Wenn das überhaupt möglich war, so hatte er noch mehr Angst als Selina.

Am Ende jedenfalls waren sie weg, ehe jemand etwas bemerkt hatte.

»Dieser Computer«, sagte Ivana. »Wissen Sie, was darauf ist?«

Selina schüttelte den Kopf. »Nein, der ist passwortgeschützt. Aber für jemanden, der etwas davon versteht, wäre es sicher kein Problem, das zu knacken.«

»Und vermutlich würden wir dann ein paar interessante Dinge erfahren«, meinte Ivana. »Das Ganze scheint ein großes und ausgeklügeltes Schleuser-Netzwerk zu sein. Ich nehme an, dass sich eine Menge Namen auf der Festplatte befinden – von Zulieferern, von Fahrern, von Drahtziehern und von Kunden.« Sie stand auf. Die Wolldecke rutschte ihr von den Schultern, aber trotz der Kälte merkte sie es nicht. Nervös trommelte sie mit den Fingern auf das Fensterbrett. »Dieser Laptop ist mit Sicherheit der Grund, weshalb die Sie wie verrückt suchen, Selina. Warum sind Sie damit nicht gleich zur Polizei gegangen? Wahrscheinlich halten Sie hochbrisantes Belastungsmaterial in den Händen.«

»Ich weiß aber nicht, ob es sich um Belastungsmaterial handelt. Ich weiß nicht, ob es ausreicht, alle festzusetzen. Ich weiß nicht, ob die Polizei mich und meine Eltern schützen kann. Das habe ich doch schon erklärt.«

»Schlimmer als jetzt kann eure Situation nicht werden«, stellte Ivana fest. »Sie kann sich höchstens verbessern. Selina, die werden nicht aufgeben. Wenn sich auf diesem Computer die Namen der Hintermänner befinden oder auch nur die Namen anderer Beteiligter, die bei einer möglichen Festnahme aussagen würden, um ihre Haut zu retten – dann gibt es dort in Paris wahrscheinlich eine Menge Menschen, für die alles auf dem Spiel steht. Ihre Karriere, ihr Geld, ihr Prestige … Die haben alles zu verlieren. Sie werden Sie jagen, Selina, bis sie Sie haben. Wollen Sie das? Sich nie mehr sicher fühlen zu können?«

Selina senkte den Kopf. Ihre langen Haare fielen wie ein Vorhang über ihr Gesicht.

Ivana blickte zum Fenster hinaus. Schnee, Schnee, Schnee, so weit das Auge reichte. Vollkommene Einsamkeit, vollkommene Stille. Niemand war hier, niemand außer den vier Menschen in dieser kleinen Hütte am Ende der Welt.

Und doch meinte Ivana die Gefahr zu spüren. Fast greifbar.

»Wir müssen hier weg«, sagte sie unruhig. »So schnell wie möglich. Wir sollten zusehen, dass wir fortkommen.«

Selina hob den Kopf. »Wie denn? Der Schnee liegt meterhoch!«

»Trotzdem. Ich spreche mit Ihren Eltern. Ich weiß es einfach. Wir müssen weg!«

HYÈRES, FRANKREICH,
SONNTAG, 20. DEZEMBER

Nathalie stürzte auf Jérôme zu und schlang beide Arme um ihn, aber er schob sie sofort zurück. Er hielt noch immer die Waffe in der Hand, richtete sie auf Halabi, obwohl das überflüssig war: Der Mann war tot, das konnte jeder sehen.

»Wir müssen uns um den anderen kümmern«, sagte er. »Er liegt noch draußen.«

Simon fand endlich seine Sprache wieder. »Ist er auch tot?«

Jérôme schüttelte den Kopf. »Nein. Ich habe ihn niedergeschlagen und seine Waffe an mich genommen, aber er kann jeden Moment wieder zu Bewusstsein kommen.«

»Wir sollten sofort einen Arzt rufen«, sagte Simon.

Jérôme richtete die Pistole auf ihn. »Nein. Nicht jetzt. Das können Sie tun, wenn ich weg bin.«

»Wenn *wir* weg sind«, korrigierte Nathalie.

Jérôme ging darauf nicht ein. Simon betrachtete ihn. Der Mann war am Ende seiner Kräfte, schien zu Tode erschöpft, völlig heruntergekommen, nass, verdreckt, hungrig. Obwohl sein Gesicht von einem struppigen Bart bedeckt wurde, konnte man sehen, wie eingefallen seine Wangen waren. Die Augen lagen in Höhlen. Seine Kleidung musste dringend gewaschen werden.

Das passte zu dem Rest der Geschichte: Wenn alles

stimmte, was Nathalie erzählt hatte, dann befand sich Jérôme Deville seit zehn Tagen auf der Flucht vor ominösen Verfolgern, schlug sich mehr schlecht als recht durch, hatte wahrscheinlich kein Geld mehr und selten ein Dach über dem Kopf gehabt. Das alles im Winter. Kein Wunder, dass der Mann am Ende war. Simon hätte ihn nicht einmal als einen wirklich gefährlichen Gegner eingeschätzt – hielte er nicht eine Waffe in der Hand.

»Der Mann draußen«, wiederholte Jérôme nervös. »Wir müssen ihn unschädlich machen.«

Schließlich gingen Jérôme und Simon hinaus, während ihnen Nathalie mit der Pistole in der Hand folgte. Simon glaubte nicht, dass sie wirklich schießen würde, aber für den Moment gab er dennoch den Gedanken einer Flucht auf. Er würde das gut gesicherte Grundstück nicht schnell genug verlassen können, und außerdem waren die anderen zu zweit. Er musste sehen, wie weit er später auf sie einwirken konnte.

Caparos saß außerhalb des Gartens zusammengesunken an den Zaun gelehnt, direkt an der Stelle, die er zu reparieren versucht hatte. Neben ihm im nassen Gras lag verstreut sein Werkzeug herum. Caparos schien wieder halbwegs bei Besinnung zu sein, wirkte aber benommen, so als wüsste er nicht genau, wo er sich eigentlich befand und was geschehen war. Seine Augenlider waren halb geschlossen. Er murmelte irgendetwas, das niemand verstand. Er war völlig durchnässt, und wenn er noch lange hier saß, das war Simon klar, würde er eine Lungenentzündung bekommen.

»Wir müssen ihn durch das Loch im Zaun nach innen schaffen«, sagte Jérôme.

»Das Gartentor wäre einfacher«, meinte Simon.

»Geht nicht. Es ist abgeschlossen, und ich nehme an, Sie

wissen auf die Schnelle auch nicht, wie wir an den Schlüssel kommen.«

Sie krochen nach draußen, suchten in Caparos' Taschen, fanden jedoch keinen Schlüssel. Caparos stöhnte leise. Ein Haarwirbel seitlich an seinem Kopf war mit Blut verklebt, die Stelle, an der Jérôme ihn getroffen hatte.

Jérôme hatte offenbar gewusst, dass der Polizist hier draußen saß und mit dem Zaun beschäftigt war, und Nathalie hatte im exakt passenden Moment seinen Kollegen Halabi im Haus abgelenkt. Eine konzertierte Aktion, die nur dadurch erklärbar wurde, dass Jérôme und Nathalie sich auf irgendeine Weise verständigt haben mussten.

Simon verfluchte seinen Leichtsinn, mit dem er sein kaputtes Handy hatte liegen lassen.

»Sie nehmen die Füße«, wies Jérôme ihn an. »Und ich den Oberkörper.«

Irgendwie schafften sie es, Caparos durch den Zaun zu ziehen, dann schleppten sie ihn ins Haus. Er war sehr schwer, und beiden Männern lief der Schweiß in Strömen. Immerhin aber leistete er keinen Widerstand. Caparos war zwar bei Bewusstsein, aber zu benommen, um zu begreifen, was vor sich ging. Simon hoffte, dass er nicht ernsthaft verletzt war. Die Wunde schien nicht besonders groß zu sein, aber er konnte auch eine Gehirnerschütterung haben oder Schlimmeres. Simon machte sich heftige Vorwürfe, an der ganzen Misere schuld zu sein. Er hatte den sicheren Eindruck gehabt, dass sein Handy völlig kaputt war, aber trotzdem hätte er es an sich nehmen müssen. Darüber hatte er jedoch in dem Moment nicht nachgedacht, geschockt und entsetzt, tief verzweifelt, wie er gewesen war wegen Kristinas Tod. Er hatte sich verkrochen wie ein verwundetes Tier, hatte sich um nichts mehr gekümmert, nichts mehr gesehen und empfunden als seinen eigenen Schmerz. Er hatte die Welt ausgeblendet, zu einem Zeitpunkt, da er das unter keinen Umständen hätte tun dürfen. Und Nathalie hatte die Chance genutzt. So tief verstört sie ihm am Vorabend erschienen war, so schlau und effizient hatte sie funktioniert, als sich ihr die Gelegenheit bot. Sie musste in sein Zimmer gegangen sein, nachdem er auf dem Dachboden verschwunden war, und dort hatte sie die Einzelteile des Handys gefunden. Hatte sie mitgenommen und in sicherlich äußerst mühevoller Arbeit wieder zusammengebaut. Es irgendwie wieder funktionstüchtig bekommen. Jérôme über Facebook kontaktiert und offenbar schnell eine Antwort bekommen.

Sie legten Caparos auf das Sofa im Wohnzimmer, und Jérôme fesselte ihn an Händen und Füßen mit einer Wäscheleine.

»Er braucht trockene Sachen zum Anziehen«, sagte Simon. »Es ist hier zu kalt, um ihn so liegen zu lassen.«

»Darum können Sie sich später kümmern«, sagte Jérôme. Er hielt jetzt wieder die Waffe in der Hand. Nathalie stand dicht neben ihm und blickte ihn an.

Simon versuchte es erneut. »Bitte. Lassen Sie mich einen Arzt rufen. Es geht Caparos gar nicht gut.«

»Nein. Tut mir leid. Ein Arzt bedeutet auch Polizei, und das ist zu gefährlich für mich. Ich habe einen Polizisten erschossen. Wer wird mir glauben, dass es Notwehr war?«

Simon hielt den Schuss auf Halabi nicht unbedingt für einen Akt der Notwehr, angesichts der Tatsache, dass Jérôme zuvor Caparos niedergeschlagen und widerrechtlich das Grundstück und das Haus betreten hatte, aber diesen Gedanken behielt er vorsichtshalber für sich. »Ich könnte das bezeugen. Halabi hat seine Waffe gezogen. Er hätte auf Sie geschossen, wären Sie ihm nicht zuvorgekommen.«

Jérôme schüttelte wieder den Kopf. »Zu riskant.« Er

wandte sich an Nathalie. »Hol mal die Waffe von dem Toten. Sie liegt irgendwo in der Küche.«

Nathalie tat sofort, was er ihr aufgetragen hatte. Sie kehrte gleich darauf mit Halabis Waffe zurück und händigte sie Jérôme aus. Er sicherte sie und schob sie in seine Jeanstasche. Er wirkte gestresst. Er hatte wahrscheinlich seit Ewigkeiten nichts gegessen und nicht geschlafen, und in der momentanen Situation war nicht sofort an Ausruhen zu denken.

»Jérôme«, sagte Simon, »wie wollen Sie das auf Dauer durchhalten? Sie sind auf der Flucht vor Verbrechern. Und nun auch noch auf der Flucht vor der Polizei. Ihnen muss doch klar sein, dass Sie … dass das alles zum Scheitern verurteilt ist.«

Jérôme richtete sofort wieder die Waffe auf ihn. »Zerbrechen Sie sich nicht meinen Kopf. Halten Sie einfach die Klappe, okay?«

»Nathalie …«, sagte Simon, aber sie fauchte: »Sei still!«

Jérôme sah sich im Raum um. »Wir müssen ihn«, er wies auf Simon, »für eine Weile unschädlich machen. Ich muss mich unbedingt ausruhen. Ich brauche etwas zu essen, ich muss schlafen, und ich muss irgendwie meine Sachen trocknen.«

»Kein Problem. Wir schließen ihn in seinem Zimmer ein. Da kommt er nicht raus.«

Simon versuchte es noch einmal. »Nathalie, du weißt doch gar nicht, wie das System hier funktioniert. Es kann sein, dass Halabi und Caparos sich in regelmäßigen Abständen melden müssen. Dass hier ein Sonderkommando anrückt, wenn sie es nicht tun. Was dann? Wollt ihr euch einen Schusswechsel mit der französischen Elitepolizei liefern?«

»Kannst du deinem Freund mal klarmachen, dass er den Mund halten soll?«, fragte Jérôme entnervt.

»Er ist nicht mein Freund«, entgegnete Nathalie sofort – eine Antwort, auf die Simon hätte wetten können.

»Wo ist sein Zimmer?«, fragte Jérôme.

»Oben«, sagte Nathalie. »Die erste Tür links.«

»Würden Sie dann bitte nach oben gehen?«, fragte Jérôme höflich.

Simon glaubte nicht, dass er kaltblütig von der Schusswaffe Gebrauch machen würde – der Schuss auf Halabi war eher reflexhaft gewesen und schien Jérôme ziemlich erschüttert zu haben –, aber er sah keine Möglichkeit zur Gegenwehr. Zumindest vor lauter Schreck konnte Jérôme erneut schießen, und er und Nathalie waren zu zweit. Nathalie schien wie in Trance, seit Jérôme aufgetaucht war. Sie blickte ihn unverwandt an, während er einfach nur zu Tode erschöpft wirkte. Simon hatte plötzlich den Eindruck, dass Nathalie gefährlich werden könnte, wesentlich gefährlicher als Jérôme. Jérôme hatte Angst um sein Leben, aber im Grunde wollte er niemandem etwas antun. Nathalie jedoch war fanatisch, was ihre Beziehung anging. Sie würde durchdrehen, wenn Jérôme in Gefahr geriet.

Simon stieg die Treppe hinauf, gefolgt von Jérôme, der unverwandt die Pistole auf ihn gerichtet hielt.

»Ihre einzige Chance«, versuchte er es oben noch einmal, »besteht darin, sich der Polizei zu stellen.«

»Sie haben nichts begriffen«, erwiderte Jérôme. »Gehen Sie in das Zimmer. Nathalie wird Sie rauslassen, wenn ich weg bin.«

Er hatte offenbar nicht vor, mit ihr zusammen zu verschwinden. Das hörte sich nach den nächsten Komplikationen an.

Die Tür wurde geschlossen, der Schlüssel herumgedreht. Simon war alleine. Er starrte zum Fenster hinaus. Es regnete unvermindert.

SÜDDOBRUSCHDA, BULGARIEN, SONNTAG, 20. DEZEMBER

Es war nicht einfach, Gregor zum Aufbruch zu bewegen. Er war überzeugt, dass sie in der Hütte in Sicherheit waren – zumindest sicherer als an irgendeinem anderen Ort. Ja, es war bitterkalt, der Ofen heizte mehr als schwach, von einem wirklich angenehmen Aufenthalt konnte man nicht sprechen, aber sie würden hier jedenfalls nicht erfrieren. Sie hatten genügend Holz, um zu heizen, und sie hatten Lebensmittel, die mindestens für die nächste Woche reichen würden. Dann käme Boris mit Nachschub, und man konnte darüber nachdenken, ob man das Versteck verließ. Dann jedoch mit einem Auto und mit einem gründlich durchdachten Plan, der ihnen hoffentlich bis dahin eingefallen wäre.

Ivana hielt dagegen: »Ob Boris nächste Woche kommt, steht in den Sternen. Schauen Sie sich das Wetter an. Es zieht sich schon wieder zu, wir werden noch mehr Schnee bekommen. Es war schon gestern ein Wunder, dass er es bis hierher geschafft hat. Nächste Woche, jede Wette, kommt hierher kein Auto mehr durch.«

»Zumindest aber auch keine Verfolger. Die allerdings sowieso nicht wissen können, wo wir sind.«

»Die können es herausfinden. Und die werden nicht ruhen, ehe sie genau das geschafft haben.« Seit Ivana von dem Computer wusste, spürte sie die Gefahr mehr denn je.

»Ich bin fest überzeugt davon, dass Selina mit dem Laptop Namen in den Händen hält. Vermutlich von den Drahtziehern dieser Menschenhändler. Das sind mit Sicherheit auch Leute in einflussreichen Positionen, die absolut alles zu verlieren haben: Karriere, Geld, gesellschaftliches Ansehen. Ihnen drohen eine Verurteilung und Gefängnisstrafe. Die müssen an dieses Material kommen, und zwar bevor Ihre Tochter es weitergibt.«

»Aber wie sollen die uns finden?«

Ivana hatte sich die Ereigniskette bereits vorgestellt, und sie schien zwingend – auf erschreckend einfache Weise. »Die werden sich Ihr berufliches Umfeld vornehmen, Gregor. Und dabei auf Dano stoßen. Dano ist nicht der Typ, der sich auf Scherereien einlässt und für andere seinen Kopf hinhält. Er muss nur berichten, dass mein Mann interessiert war, Sie zu finden. Dann werden sie zu ihm gehen.«

An dieser Stelle schwankte Ivanas Stimme. Sie hatte große Angst um Kiril. Er war kein Held. Sie würden ihn ganz schnell da haben, wo sie ihn haben wollten.

»Wenn Kiril unter Druck gesetzt wird, gibt er Boris' Namen preis. Und dann gehen sie zu ihm. Wird er standhalten? Die sind garantiert nicht zimperlich. Ich würde sagen, es ist eine Frage der Zeit, bis er den Weg zum Versteck beschreibt. Es ist eine Frage sehr *kurzer* Zeit.«

»Das ist doch alles hypothetisch«, entgegnete Gregor, aber er war grau im Gesicht geworden. Ihm ging auf, dass seine Familie und er keineswegs spurlos verschwunden waren. Dadurch, dass sie einen Helfer gebraucht hatten – Boris –, hatten sie natürlich eine Spur gelegt. Wer den Anfang fand, würde ganz schnell hier sein können.

»Wo sollen wir denn hin?«, fragte er.

»Der nächste Ort ist Dulowo? Das stimmt doch?«

»Das stimmt. Aber *nächster Ort*, das klingt, als läge er

gleich um die Ecke. Es sind fünfzehn bis zwanzig Kilometer bis dorthin. Und schauen Sie mal raus! Bis wir die nächste Straße erreichen, müssen wir durch meterhohen Schnee stapfen. Und auch auf der Straße wird Schnee liegen. Wenn wir sie überhaupt finden.«

»Die Reifenspuren von Boris' Auto …«

»… sind gestern Nachmittag und den Abend über komplett zugeschneit worden. Vergessen Sie es! Wir sind auf unser Erinnerungsvermögen und unseren Richtungssinn angewiesen. Wenn beide uns täuschen und wir uns verirren, werden wir sterben. Wir überleben keine Nacht da draußen.«

Ivana biss sich auf die Lippen. Er hatte recht. Sie gingen ein gewaltiges Risiko ein. Die Frage war: Welches Risiko war größer? Bleiben oder aufbrechen?

»Bleiben«, sagte sie. Da war wieder diese innere Stimme, diese Intuition. »Bleiben ist gefährlicher. Sie kommen, Gregor. Vielleicht heute noch. Wir sollten dann weg sein. Weit weg.«

Gregor war jetzt aschfahl. Immer wieder leckte er sich mit der Zunge über die Lippen. »Wären Sie bloß nicht gekommen! Dano weiß nichts von Boris. Diese Information können die nur von Ihrem Mann bekommen. Hätten Sie sich rausgehalten, dann …«

Was verlangte er da?

»Es geht um meine Tochter«, sagte Ivana. »Sie können nicht ernsthaft erwarten, dass ich mich da *raushalte*.«

Er schwieg.

»Wir gehen«, sagte er kurz darauf. »Aber nicht mehr heute. Es ist fast zwölf Uhr. In vier Stunden beginnt die Dunkelheit, in fünf Stunden haben wir tiefschwarze Nacht. Wir brechen morgen kurz vor Tagesanbruch auf, dann bleibt uns mehr Zeit bei Helligkeit. Wir müssen Dulowo erreichen, ehe es wieder dunkel wird.«

Noch eine Nacht. Ivana hielt das für gefährlich, spürte aber, dass dies der einzige Kompromiss war, den sie erreichen konnte.

Die nächsten Stunden verbrachten die Semjonovs damit, die nötigsten Dinge einzupacken und die Hütte aufzuräumen. Geschmolzener Schnee wurde abgekocht und dann in Plastikflaschen gefüllt, damit sie unterwegs Trinkwasser hatten. Katarina schmierte Brote. Ivana und Selina packten den Inhalt eines Erste-Hilfe-Koffers in einen Rucksack um.

»Wir schleppen uns nicht mit Klamotten ab«, wies Gregor an. »Es wird anstrengend genug, durch den hohen Schnee zu stapfen, wir müssen unser Gepäck so leicht wie möglich halten. Jeder zieht übereinander an, was geht. Mehrere Lagen Unterwäsche, lange Hosen, Pullover. Wir haben fast zwanzig Grad unter null draußen. Es wird verdammt kalt werden.«

Beklommenes Schweigen folgte seinen Worten. Ohne dass er es aussprach, war jedem klar, was passieren würde, wenn sie Dulowo nicht vor dem nächsten Abend erreichten oder sich gar irgendwo in den tiefschwarzen Wäldern ringsum verirrten.

Gregor hatte recht gehabt: Um fünf Uhr war es stockdunkel, und Ivana schauderte bei dem Gedanken, sie wären jetzt da draußen.

Um sieben Uhr aßen sie zu Abend. Katarina hatte ein paar Konserven geöffnet und den Inhalt auf dem Ofen erhitzt. Es war nicht mehr so kalt im Zimmer wie am Morgen, oder sie hatte sich, wie Ivana dachte, einfach an die niedrigen Temperaturen gewöhnt.

Um neun Uhr sagte Gregor, sie sollten jetzt am besten alle schlafen gehen. »Wir haben morgen einen sehr harten Tag vor uns. Wir brauchen unsere Kräfte.«

Sie machten sich fertig für die Nacht. Viel war nicht zu tun, denn niemand zog seine Kleidung aus. Gregor beschloss, das Feuer diesmal bewusst ausgehen zu lassen. In den meisten Nächten war das sowieso geschehen, weil alle zu tief und erschöpft geschlafen hatten, um sich darum zu kümmern, aber diesmal sollte es ausbrennen, weil sie es nicht mehr brauchen würden.

»Es wird gegen Morgen hier drinnen also verdammt kalt werden«, fügte er hinzu. »Deckt euch gut zu. Und versucht einfach zu schlafen.«

Ivana bezweifelte, dass sie auch nur ein Auge zutun konnte. Sie war viel zu aufgeregt, zu nervös, zu verängstigt. Sie musste ständig an Kiril und an die Kinder denken. Befanden sie sich ebenfalls in Gefahr? Wurden sie bereits bedrängt, oder tat man sogar Schlimmeres mit ihnen?

Obwohl sie den Tag über bis auf die Reisevorbereitungen nicht viel gemacht hatte, merkte Ivana, als sie sich hinlegte, dann doch, wie erschöpft sie war. Die Angst zehrte, aber auch die unwirtlichen Bedingungen, unter denen man hier lebte. Sie hatte es nicht für möglich gehalten, aber wenige Minuten, nachdem sie sich auf ihrem Sofa ausgestreckt hatte, fiel sie in einen tiefen, traumlosen Schlaf.

Sie erwachte davon, dass jemand sie an der Schulter berührte. Sie schreckte hoch. Im blassen Mondlicht sah sie Gregor Semjonov, der neben dem Sofa kauerte. Er presste einen Finger gegen seine Lippen. »Psst. Sei leise!«

Sie sah sich verwirrt um. War es schon Morgen?

»Wir müssen weg«, flüsterte Gregor.

Sie schwang sofort beide Beine auf den Boden. »Wie spät ist es?«

»Gleich Mitternacht.« Er wisperte so, dass sie ihn kaum verstand. »Wir müssen uns beeilen.«

»Woher wissen Sie …?«

Er schüttelte den Kopf. »Ich *weiß* es nicht. Aber ich spüre es. Ich spüre die Gefahr. Wir müssen weg.«

Eigenartigerweise fühlte sich Ivana keinen Moment lang versucht, ihm zu sagen, dass er sich etwas einbildete. Im Grunde war es Wahnsinn, in die eisige Nacht aufzubrechen, in eine Nacht, deren kälteste und bedrohlichste Stunde erst noch kommen würden. Und gerade Gregor hatte gezögert, gewarnt, hatte das Risiko einer Flucht immer größer eingeschätzt als die Chance. Genau deshalb nahm sie ihn jetzt ernst. Sein Instinkt sagte ihm, dass sie schleunigst verschwinden mussten, und ihr war klar, dass sie verloren wären, wenn sie ihn jetzt anzweifelte.

»Wir haben keine Wahl«, sagte er so leise, dass sie die Worte eher von seinen Lippen ablas, als dass sie sie wirklich hörte.

»Ich weiß«, entgegnete sie und stand auf.

HYÈRES, FRANKREICH, MONTAG, 21. DEZEMBER

Die Nacht verrann, zäh und so langsam, als hätte sich jede einzelne ihrer Minuten zu einer Unendlichkeit ausgedehnt. Der Regen prasselte auf das Dach; ein gleichmäßiges Stakkato, das einschläfernd hätte wirken können. Simon gelang es dennoch nicht, Ruhe zu finden. Er hatte sich irgendwann auf seinem Bett ausgestreckt, aber er spürte seinen eigenen schnellen Herzschlag und merkte, dass er nicht aufhören konnte, auf Geräusche im Haus zu lauschen. Was geschah, was würde geschehen? Unten in der Küche lag ein erschossener Polizist, im Wohnzimmer lag sein verletzter und gefesselter Kollege auf dem Sofa. Jérôme Deville war endlich zu einer greifbaren Gestalt aus Fleisch und Blut geworden, aber noch immer durchschaute Simon seine Rolle nicht wirklich. Zumindest hatte er jedoch den Eindruck gewonnen, es bei ihm nicht mit einem wirklich gefährlichen Gegner zu tun zu haben – ein Gedanke, der zwar merkwürdig anmutete angesichts der Tatsache, dass Jérômes erste Handlung in diesem Haus darin bestanden hatte, Lieutenant Halabi zu erschießen. Dennoch, er hatte nicht mit der Kaltblütigkeit eines Killers gehandelt. Er hatte tatsächlich wohl nur deshalb geschossen, weil Halabi seinerseits nach seiner Waffe griff. Jérôme war völlig am Ende seiner Kräfte, absolut erschöpft und entnervt. Die Geschichte, dass er sich selbst auf der Flucht befand, mochte stimmen, er gab das Bild eines Mannes ab, der in großen Schwierigkeiten steckte. Seine Nervosität konnte zu einer Gefahr werden.

Und Nathalie.

Simon hatte die beiden etwa zehn Minuten lang zusammen beobachtet. Er war kein Psychologe, aber er hatte oft im Leben die Erfahrung gemacht, eine gute Menschenkenntnis zu besitzen. Ihm war aufgefallen, dass ein völliges Ungleichgewicht zwischen Nathalie und Jérôme herrschte. Nathalie vergötterte ihn, mehr noch, sie befand sich in einer beängstigend starken Abhängigkeit von ihm. Er stellte den Mittelpunkt ihres Lebens dar, er war Hafen, Anker, Halt, welchen Begriff auch immer man wählen mochte. Die Trennung von ihm hatte sie fast verrückt gemacht, sie war voller Angst und Entsetzen gewesen. Obwohl sich die Dinge nun gerade zuspitzten – ihr Freund hatte immerhin einen Mann getötet, und natürlich würde das Konsequenzen haben –, schien Nathalie ruhiger zu werden. Sich zu entspannen. Er war da. Das war alles, was zählte.

Das Problem war, dass Jérôme ihre Gefühle nicht teilte. Weder stellte sie ebenfalls den Nabel der Welt für ihn dar, noch genoss er wenigstens ihre Anbetung und schrankenlose Liebe. Und das lag nicht an seiner augenblicklichen tiefen Müdigkeit. Simon hätte schwören können, dass sich Jérôme schon seit geraumer Zeit nicht mehr so für Nathalie interessierte, wie das umgekehrt der Fall war. Ein Umstand, den Nathalie mit Sicherheit zumindest unbewusst durchaus registriert und der dann fatalerweise dafür gesorgt hatte, dass sie sich umso intensiver an ihn klammerte. Sie hatte ihn hierher dirigiert, und er war gefolgt, aber nicht, weil er sich nach ihr verzehrte. Er war am Ende. Er brauchte eine Unterkunft, um sich auszuruhen. Er brauchte etwas zu essen und zu trinken. Er brauchte Geld. Er musste innehalten, um zu überlegen, was er als Nächstes tun würde. Jérôme hatte sich auf irgendeine Weise ein Killerkommando auf den eigenen Hals gehetzt, er flüchtete buchstäblich um sein Leben, und Nathalie war der einzige Mensch, von dem er Hilfe erhoffen konnte. Das war der Wert, den sie für ihn darstellte. Nicht weniger, aber auch nicht mehr.

Und ihr würde das nicht ausreichen.

Wenn sie das endgültig begriff, konnte sie zu einer unberechenbaren Gefahr werden. Die Frau war gestört. Simon hatte das von Anfang an gefühlt, es war Ausdruck der tiefen Ambivalenz gewesen, in die sie ihn vom ersten Moment an gestürzt hatte. Ihre Jugend mit der alkoholkranken Mutter, die traumatische Trennung von ihrem Vater … Sie hatte diese Dinge ein paar Mal erwähnt, und er hatte geahnt, dass sie all das nie verarbeitet hatte. Magersucht, Abschiebung in eine Pflegefamilie, das Jugendamt mit der Drohung, sie in einem Heim unterzubringen, ständig hinter ihr. Jérôme hatte sie gerettet. So sah sie es. Ihm wäre dieser Begriff wahrscheinlich nie eingefallen, er hatte sich einfach zu dem hübschen jungen Mädchen hingezogen gefühlt. Jérôme, der Eroberer. Womöglich hatte ihm ihre Anbetung am Anfang gefallen. Aber irgendwann hatte sie ihn nur noch genervt.

Jérôme war sicher kein schlechter Mensch. Aber ein Egoist. Ein sehr gutaussehender Mann, dem die Frauen immer den roten Teppich ausgerollt hatten. Auf die Dauer wollte er keine, für deren Leben er ständig die Verantwortung übernehmen sollte. Der Typ war er nicht. Ihn überforderte schon die Verantwortung für sein eigenes Leben.

Mitternacht war vorbei. Wieder hielt Simon den Atem an, lauschte. Nichts. Nur das Rauschen des Regens.

Gleich nachdem sie ihn in das Zimmer gebracht hatten, hatte er sich nach seinem Handy umgesehen, genau genommen nach den Einzelteilen, die zuletzt in einer Ecke gelegen hatten. Sie waren verschwunden. Wie Nathalie es geschafft hatte, diesen Schrotthaufen funktionstüchtig zu machen, blieb ihm ein Rätsel. Offenbar hatte das Gerät kaputter ausgesehen, als es gewesen war.

Er stand auf und ging ein paar Schritte im Zimmer hin und her. Er war einfach zu unruhig, um Schlaf zu finden. Er fragte sich, wann Inès Rosarde merken würde, dass hier etwas nicht stimmte. Er kannte die Abläufe nicht, vermutete jedoch, dass Halabi und Caparos sich regelmäßig bei ihrer Einsatzzentrale melden mussten. Fiel es denn niemandem auf, dass diese Meldungen ausblieben? Oder pennte dort irgendwo ein Beamter im Halbschlaf vor sich hin und war froh, dass er nicht gestört wurde?

Was taten Jérôme und Nathalie? Jérôme hatte ausgesehen, als könnte er sich kaum noch auf den Beinen halten, wahrscheinlich schlief er. Nathalie saß neben ihm und bewachte seinen Schlaf.

Irgendwann würden sie aufbrechen, aller Voraussicht nach mit dem Auto der Polizisten. Fraglich blieb noch, ob Jérôme alleine gehen würde. Simon konnte sich nicht vorstellen, dass Nathalie das hinnehmen würde. Ihn würden sie hier eingesperrt zurücklassen, und irgendwann, *irgendwann* würde sich jemand wundern, dass aus dem einsamen Haus keinerlei Nachricht mehr nach draußen drang.

Wenn hier niemand mehr durchknallt, dachte er, gibt es keine weiteren Toten.

Er trat ans Fenster, versuchte in die Nacht hinauszuspähen. Sehr starker Wind war aufgekommen, die Bäume bogen sich. Er konnte sie nur schattenhaft erkennen, da er sich in der Scheibe spiegelte. Sturm und Regen.

Er wünschte, das alles wäre endlich vorbei. Er dachte an Caparos unten auf dem Sofa. An das Blut an seinem Kopf.

Er hoffte, dass er keine inneren Verletzungen davongetragen hatte. Er dachte an den toten Halabi in der Küche. An Jeanne Berney. An Kristina. An Yves Soler.

Es hatte zu viele Tote gegeben. Es musste endlich aufhören.

Er hörte, dass der Schlüssel seiner Tür umgedreht wurde, und wandte sich um. Zu seinem Erstaunen gewahrte er Jérôme. Der Mann hatte offensichtlich einige Stunden geschlafen, er sah nicht mehr so geisterhaft bleich und so vollkommen erledigt aus wie am Mittag. Außerdem hatte er geduscht und sich rasiert, sich jedoch notgedrungen seine alten Klamotten wieder angezogen. Trotzdem wirkte er anders, stärker, wacher, klarer. Er hielt Caparos' Waffe auf Simon gerichtet.

»Wissen Sie, wo Nathalie ist?«, fragte er.

»Nathalie?«

»Sie ist verschwunden«, sagte Jérôme. »Und die Waffe von dem toten Polizisten ist auch weg. Ich mache mir Sorgen.«

»Ich mache mir auch Sorgen«, entgegnete Simon. Er wies auf die Pistole in Jérômes Hand. »Können Sie aufhören, mit dem Ding da auf mich zu zielen? Ich greife Sie nicht an. Ich will mit heiler Haut aus diesem Wahnsinn herauskommen.«

Jérôme senkte die Waffe. »Wir müssen sie finden«, sagte er. »Nathalie meine ich.«

»Das Haus ist doch nicht so groß, dass …«

»Ich war jetzt überall. Der … tote Polizist liegt noch in der Küche. Der andere im Wohnzimmer auf dem Sofa. Da ist alles ruhig.«

Zumindest was Halabi anging, war das kaum ein Wunder. Simon hoffte, die Tatsache, dass Caparos sich ruhig verhielt, wies nicht auf eine ernsthafte Kopfverletzung des Mannes hin.

»Der Dachboden …«

»Da war ich auch. Leer.«

Das war in der Tat merkwürdig. »Und sie ist ganz sicher mitsamt der Waffe verschwunden?«, vergewisserte sich Simon.

»Ja. Und das gefällt mir überhaupt nicht. Nathalie ist komplett gestört. Ich hätte das von Anfang an merken müssen, mit ihrer Essstörung und ihrem ganzen verrückten Verhalten. Ein Klammeraffe ist nichts gegen sie. Ich weiß nicht … wieso ich mich auf sie eingelassen habe.«

»Das haben Sie ihr aber hoffentlich nicht gesagt?«

Jérôme hob beide Arme in einer Geste, die sagte, dass er einen Fehler gemacht hatte und selbst nicht mehr verstand, wie er so unvernünftig hatte handeln können. »Nicht in diesen Worten. Aber ich habe ihr von Selina erzählt.«

»Wer ist Selina?«, fragte Simon.

Er ist da. Das war alles, was ich zunächst denken konnte. Endlich. Wir haben einander gefunden. Nach dieser ganzen schrecklichen, chaotischen, angstvollen Zeit, in der ich manchmal Angst hatte, ich würde ihn nie wiedersehen, stand er plötzlich vor mir. Draußen lag ein verletzter Polizist, vor uns in der Küche lag ein toter Polizist, und der gute, brave Simon machte ein Gesicht, als hätte er gerade einen Geist gesehen. Aber das war mir alles egal.

Es zählte nur, dass wir zusammen waren.

Ich konnte kaum fassen, wie einfach plötzlich alles gegangen war. Am Vortag hatten wir von Kristinas Tod erfahren, und danach hatte sich Simon auf den Dachboden zurückgezogen. Er war fix und fertig, steckte in einem katastrophalen seelischen Zustand. Ich war in meinem Zimmer, auch verzweifelt. Vor allem wegen Jérôme. Ich hatte mir bei meinem sogenannten Spaziergang die Umgebung genau angesehen, hatte die Namen der Wege im Kopf gespeichert, aber das nützte mir nichts, solange ich nicht anhand einer Karte die Gegend identifizieren konnte. Jérôme nicht kontaktieren zu können machte mich fast wahnsinnig. Irgendwann beschloss ich, nach unten zu gehen und mir etwas zu trinken zu holen. Simons Zimmertür stand weit offen, und ich sah das Smartphone.

Das Drama um Kristina hatte ihn seine übliche Vorsicht gekostet. Er war noch fertiger, als ich geglaubt hatte.

Über Google Earth hatte ich ziemlich schnell herausgefunden, wo wir waren. Ich wusste ja, es konnte nicht allzu weit weg sein von Les Lecques. Ich schrieb Jérôme eine Nachricht über Facebook, bat ihn, sich umgehend zu melden. Ich hoffte und zitterte, dass er noch in Besitz seines Handys war, dass er regelmäßig Nachrichten kontrollierte. Dazwischen lauschte ich angstvoll nach oben. Ich hatte furchtbare Panik, dass Simon vom Dachboden kommen würde, ehe es mir gelungen war, den Kontakt zu Jérôme herzustellen.

Ich bekam zwanzig Minuten später eine Antwort. Er war in Les Lecques. Er hatte versucht, das Apartment zu erreichen, unseren Treffpunkt, hatte aber bemerkt, dass das Gebäude von der Polizei observiert wurde. Nun trieb er sich dort im Freien herum, war, seinen Worten zufolge, halb erfroren, verhungert, verdurstet.

»Wo bist du?«, schrieb er. »Hilf mir, Nathalie!«

Oh Gott, ja! Ja, natürlich würde ich ihm helfen.

Ich rief ihn sofort an. Ich zitterte, als ich seine Stimme hörte. Ich schilderte ihm genau, wo wir waren. Im Hinterland von Hyères. Ich nannte ihm die Straßennamen, beschrieb ihm, wo das einsame Haus stand.

»Wir werden von zwei Polizisten bewacht«, sagte ich. »Sei vorsichtig. Ruf mich unter dieser Nummer an, wenn du in der Nähe bist. Und beeil dich. Ich kann jederzeit mit dem Handy erwischt werden, dann haben wir keinen Kontakt mehr.«

Länger ist eine Nacht nie gewesen. Würde er eine Gelegenheit finden hierherzukommen? Schnell zu kommen? Er erzählte mir jetzt, dass er tatsächlich getrampt ist. Wenn ich mir ihn so anschaue, muss ich sagen, wir hatten mehr Glück als Verstand. Dieser total verwahrloste Mann – es ist ein Wunder, dass ihn jemand mitgenommen hat.

Das letzte Stück legte er zu Fuß zurück.

Gegen zehn Uhr am nächsten Vormittag rief er mich an. Ich hatte das Handy auf Vibration gestellt, damit niemand etwas merkte. Ich war zu diesem Zeitpunkt vollständig am Ende meiner Nerven.

»Wo bist du?«

»Ich bin da«, sagte er. »Ich sehe euer Haus. Wie komme ich da jetzt rein?«

Es war genau der Moment, als Caparos nach draußen ging. Ich hörte, wie er seinem Kollegen sagte, er werde den Zaun fertig reparieren. Er klang verärgert. Klar, es machte keinen Spaß, im strömenden Regen im Gras zu sitzen und mit klammen Fingern an einem störrischen Drahtgeflecht herumzuwerkeln.

Mein Plan stand innerhalb von Sekunden. Ich erklärte Jérôme, dass dort draußen ein Polizist mit Reparaturarbeiten beschäftigt sein würde und dass er versuchen müsse, ihn zu überwältigen. Es war wie eine Fügung des Schicksals, denn Caparos würde auf den Zaun konzentriert sein und konnte dabei nicht die Gegend im Auge behalten. Ich würde derweil versuchen, Halabi abzulenken.

»Sieh zu, dass du ihm die Schusswaffe abnimmst«, schärfte ich Jérôme ein. Jérôme klang ziemlich überfordert und verzweifelt, aber ich wusste, dass wir keine andere Wahl hatten. Jérôme stand im Verdacht, etwas mit dem Verbrechen an Jeanne Berney zu tun zu haben, er wurde polizeilich gesucht. Er konnte nicht einfach hier hereinspazieren, um Hilfe bitten und darauf vertrauen, dass er damit gerettet wäre. Er würde sofort festgenommen werden, und möglicherweise würde ihm niemand glauben, dass er nichts Böses getan hatte.

Ich hatte schon weiter gedacht: Er konnte sich hier kurz ausruhen, dann würden wir Simon und die Polizisten hier zurücklassen und uns mit dem Auto auf und davon machen. Letzten Endes, da machte ich mir nichts vor, würden wir Frankreich verlassen und uns irgendwo weit weg eine neue Existenz aufbauen müssen. Die Vorstellung schreckte mich jedoch kein bisschen. Hätte ich mit ihm zusammen den Rest meines Lebens auf einer Eisscholle treibend im Polarmeer verbringen müssen, wäre es auch in Ordnung gewesen.

Doch dann kam alles ganz anders. Jérôme sagte mir, es sei total einfach gewesen, Caparos zu überwältigen. Er saß außerhalb des Grundstücks im Gras und flickte den Zaun, und Regen und Wind waren so laut, dass er wohl kaum etwas hören konnte. Jérôme schlich von hinten an ihn heran und schlug ihm einen Stein auf den Kopf, dann nahm er seine Waffe, kroch durch das Loch im Zaun auf das Grundstück und betrat das Haus. Dort passierte die Sache mit Halabi. Das wollten wir nicht, natürlich nicht. Aber Halabi hatte nach seiner Waffe gegriffen. Was hätte Jérôme denn tun sollen? Warten, bis er abgeknallt wird?

Ich konnte immer noch nichts anderes denken als: Er ist da, er ist da, er ist da. Alles wird gut werden. Wir werden in Sicherheit und glücklich sein.

Nachdem wir Caparos gefesselt und Simon oben eingeschlossen hatten, setzten wir uns in mein Zimmer. Jérôme trank einen Tee. Er hatte solchen Hunger gehabt, aber nun konnte er nichts essen. Er sprach immer wieder von Halabi.

»Ich habe einen Menschen erschossen«, sagte er, »oh Gott, Nathalie, wie soll ich denn damit jetzt leben?«

»Denk nicht darüber nach. Er hätte sonst dich erschossen.« Dann neigte ich mich vor, sah ihn an und sagte: »Jérôme, ich weiß nichts. Gar nichts. Was, um Himmels willen, ist geschehen? Vor wem fliehen wir? Und warum?«

Und da erzählte er mir von Selina.

HYÈRES, FRANKREICH,
MONTAG, 21. DEZEMBER

»Menschenhändler«, sagte Simon langsam. »Darum geht es also die ganze Zeit. Die schaffen junge Frauen aus dem Osten nach Frankreich. Und zwingen sie in die Prostitution.«

Er hatte so oft davon gehört. Ein blühendes Geschäft. Aber es gehörte zu den Dingen, von denen man glaubte, sie geschähen weit weg. Ganz woanders. Sie hätten niemals einen Berührungspunkt mit einem selbst.

Jérôme hatte aufgehört, in Simon einen Gegner zu sehen. Zwar hielt er die Waffe noch in der Hand, aber es war deutlich, dass er einen möglichen Angriff nicht mehr von Simon fürchtete – sondern von Nathalie. Er behielt ständig die Tür im Auge, während er sprach.

»*Denegri Transports* ist darin verwickelt«, sagte er. »Wobei, meiner Ansicht nach, keineswegs jeder Mitarbeiter und Fahrer Bescheid weiß. Offiziell ist das eine hochseriöse Transportfirma. Aber die Chefin steckt tief in kriminellen Machenschaften. Nur einige Fahrer arbeiten in der Transportkette. Warum sie auch mich auswählte … keine Ahnung.«

Psychologie, dachte Simon. Jérôme war einfach der Typ, der für so etwas ausgewählt wurde. Er besaß die richtige Mischung aus Gier – er würde für Geld Dinge tun, zu denen manch anderer nicht bereit wäre – und Egoismus. Letztlich würde er um sein eigenes Wohlergehen stets mehr besorgt sein als um das irgendwelcher junger Frauen aus dem Osten. Das Ganze gepaart mit genügend Realitätssinn, sodass man nicht damit rechnen musste, dass er plötzlich den Helden würde spielen wollen. Jérôme war nicht der starke Macho, auch wenn es ihm gelungen war, zwei bewaffnete Polizisten unschädlich zu machen. Er hatte aus der Not der Situation heraus gehandelt. Für gewöhnlich war er jemand, der Probleme vermied, der sich nicht die Finger schmutzig machte, der sorgfältig darauf achtete, Schwierigkeiten aus dem Weg zu gehen. Er war, wenn man das so sagen wollte, eine gute Wahl gewesen. Was jedoch niemand bedacht hatte: Seine extreme Schwäche für Frauen.

Er hatte sich in jene Selina aus Bulgarien tatsächlich verliebt.

»Die schönste Frau, die ich je gesehen habe«, sagte er. Das mochte so sein. Wahrscheinlich war diese Selina tatsächlich umwerfend hübsch. Hinzu kam jedoch auch die kaputte Beziehungssituation, in der sich Jérôme daheim befunden hatte. Auch das hatte man bei *Denegri Transports* nicht gewusst. Jérôme steckte in der festgefahrenen Geschichte mit Nathalie und überlegte verzweifelt, wie er sich befreien könnte. Selina zu retten mochte vordergründig dem Wohl der jungen Frau gedient haben; tatsächlich war es Jérôme dabei auch um sich selbst gegangen. Simon schätzte ihn als jemanden ein, der sich aus einer Beziehung nur durch eine neue Beziehung befreien konnte. Er kannte auch in seinem privaten Umfeld nicht wenige Männer, denen es genauso ging. Sie litten in desolaten Ehen oder frustrierenden Verhältnissen jahrelang vor sich hin, schafften den Absprung aber erst, sobald eine neue Frau bereitstand, um sie mit beiden Armen aufzufangen.

»Sie haben also die Flucht dieser Selina organisiert? Und etwas ging schief?«

Jérôme nickte. »Gründlich. Ich kam von Kopenhagen. Noch vor meiner Abreise dorthin hatte ich mein Konto komplett abgeräumt, ich besaß einigermaßen genügend Bargeld.«

Es war nicht nur sein Konto gewesen. Es hatte sich um sein und Nathalies gemeinsames Konto gehandelt. Simon musste daran denken, dass Nathalie völlig pleite Paris hatte verlassen müssen, weil sie nichts mehr hatte abheben können.

Er ist gnadenlos egozentrisch, dachte er.

»Selina sollte mit dem Kollegen, der sie nach ihrem Ausbruch abgeholt hatte, an einem zuvor vereinbarten Parkplatz außerhalb von Paris warten«, fuhr Jérôme fort. »François. Ihm hatte ich mich anvertraut, als ich mir immer mehr Gedanken wegen dieser ... speziellen Transporte machte. Und ihn habe ich um Hilfe gebeten, als es um Selinas Flucht ging. Ich konnte nicht die genaue Uhrzeit meiner Ankunft sagen, aber zumindest einen ungefähren Zeitrahmen nennen. Dann passierte der Unfall. In Belgien, kurz vor der französischen Grenze. Mehrere Autos, die ineinandergerast waren, Vollsperrung der Autobahn. Ich hätte noch etwa zweieinhalb Stunden Fahrzeit vor mir gehabt, aber nun war nichts mehr berechenbar. Krankenwagen, Polizei, Hubschrauber ... Es war klar, das würde Stunden dauern. Ich rief François an. Sagte, es könne der nächste Morgen werden. Wie mir François später erzählte, drehte Selina durch, als sie von der Verzögerung erfuhr. Sie wollte weg, so weit sie konnte, und es machte sie wahnsinnig, noch so dicht an Paris und damit so nah bei den Leuten, denen sie gerade entkommen konnte, warten zu müssen. Auch ihr Vertrauen in mich schwand offenbar mit jeder Stunde, die verging. François konnte sie irgendwann nicht mehr aufhalten, sie stieg aus und kündigte an, nach Sofia zurück zu trampen. Er gab ihr wenigstens noch Geld, damit sie sich etwas zu essen kaufen und zwischendurch irgendwo übernachten konnte.« Jérôme schüttelte müde den Kopf. »Ich vermute, er war froh, sie loszuwerden. Ihn überforderte das ganze Unternehmen nervlich sowieso, und die Warterei machte es nicht besser. Die Gefahr, die sich daraus ergab, dass er sie einfach ziehen ließ, sah er in dem Moment nicht. Er hatte ihr sogar seinen Namen genannt, als sie ihn danach gefragt hatte – und meinen auch gleich dazu. Mir war sofort klar, dass man sie suchen würde und dass sie geschnappt werden konnte. Und natürlich würde man sie dazu bringen, unsere Namen preiszugeben. Aber es ist nicht zu ändern. Ich habe keine Ahnung, wo sie steckt. Ich weiß nicht, ob sie es geschafft hat, Sofia zu erreichen. Ich weiß nicht, ob sie sie längst schon wieder haben.«

»Und darum traten dann auch Sie die Flucht an?«, fragte Simon. »Weil Sie fürchteten, Selina könnte erwischt werden und ihre Fluchthelfer nennen?«

»Ich konnte mir nicht vorstellen, dass sie weit kommen würde. Im Winter. Über zweitausend Kilometer von der Heimat entfernt. Gut, François hatte ihr Geld gegeben. Aber sie hatte keine Papiere. Und wir haben im Moment extrem verschärfte Grenzkontrollen in Europa, wenngleich eher in die andere Richtung. Trotzdem, wie lange würde es dauern, bis sie der Polizei in die Hände fiele?«

Simon neigte sich vor. »Das habe ich die ganze Zeit über nicht verstanden. Woher kommt Ihre Angst vor der Polizei? Warum haben Sie dort nicht Hilfe gesucht?«

Jérôme strich sich müde über das Gesicht, wirkte für einen Moment hilflos, so als dächte er: Wie mache ich das einem normalen Menschen, der normal lebt, eigentlich klar?

»Das hatte mit dem Gespräch zu tun«, sagte er, »das Madame Denegri, die Chefin von *Denegri Transports,* mit mir führte. Sie sagte es nicht konkret, so wie sie ja auch nicht konkret über eine Gesetzeswidrigkeit sprach, denn offiziell wurden die jungen Frauen nach Frankreich gebracht, um dort als Models oder Schauspielerinnen zu arbeiten. Untergründig war jedoch die ganze Zeit über klar, dass es um etwas ganz anderes ging. Und es klang durch, dass ein Aussteigen aus der Geschichte fatale Folgen haben würde. Ebenso ein möglicher Gang zur Polizei. ›Wir sind exzellent vernetzt‹, sagte sie zu mir, ›überall. Verstehen Sie das?‹ Und ich denke, ich habe das richtig verstanden, dass sie dabei auch die Polizei meinte. Wir wissen doch alle, was das für Typen sind, die diese exklusiven Clubs und Bordelle aufsuchen. Das sind Menschen in hohen Positionen. Leute, die im Élysées-Palast ein- und ausgehen. Hochkarätige Wirtschaftsbosse. Der eine oder andere Staatsanwalt womöglich. Warum nicht auch irgendein hohes Tier bei der Polizei?«

»Sie wissen das aber nicht genau?«

»Nein. Und es kann natürlich auch nur eine leere Drohung gewesen sein. Ich mochte das nicht riskieren. Und an jenem Tag … war ich ohnehin nur noch in Panik.«

»An dem Tag, als Sie Nathalie angerufen und gewarnt haben?«

Bei der Erwähnung des Namens *Nathalie* zuckte Jérôme unwillkürlich kurz zusammen und schaute mit erhöhter Aufmerksamkeit zur Tür hin, als erwartete er sie dort jeden Moment zu sehen. »Ja. Ich kam ja erst im Laufe des Vormittages in Paris an. Selina war längst weg. Ich fuhr zu François. Der meinte, ich solle jetzt meine Lieferung in die Firma bringen und so tun, als wüsste ich von nichts. Aber das schien mir zu riskant. Was, wenn sie Selina schon hatten? Und ich machte mir keine Illusionen: Die würden ihre sicheren Methoden haben, die Wahrheit aus ihr herauszubekommen. Zudem war ich der Fahrer, der Selina auf der letzten Etappe gefahren hatte, sie würden mich auf jeden Fall überprüfen. Und zur Polizei gehen – die möglicherweise Teil von alldem ist?«

»Niemals die ganze Polizei«, sagte Simon. »Das wäre eine absurde Vorstellung. Selbst wenn es den einen oder anderen Kontakt dorthin gibt, so umfasst das niemals *die Polizei.* Sie hätten natürlich Schutz gefunden. Sie kannten doch sogar das Haus, in dem die jungen Frauen gefangen gehalten wurden. Sie hätten die Beamten dorthin führen und damit sogleich den Beweis für Ihre Behauptungen erbringen können.«

Jérôme schüttelte den Kopf. »Jede Wette, dass es das Haus zu diesem Zeitpunkt schon nicht mehr gab. Ich meine, das Haus als solches natürlich schon, aber mit Sicherheit waren die Frauen bereits verschwunden. Und alles, was auf ihre Anwesenheit hätte hinweisen können. Mit Selinas Flucht war das dort verbrannte Erde. Die sind perfekt organisiert. Die haben sofort Ausweichmöglichkeiten. Es hätte keinen Beweis gegeben – da bin ich absolut sicher.«

Vielleicht hatte Jérôme zu viel Angst. Vielleicht sah er die Organisation größer und mächtiger, als sie war. Andererseits musste Simon an die Toten denken. Wie schnell hatte man Nathalies Fährte aufgenommen. Yves Soler hatte die Begegnung mit Nathalie um keine Woche überlebt. Man hatte das Apartment in Les Lecques gefunden. Man hatte Kristina am Flughafen abgefangen. Das alles sah in der Tat nach hochkarätigen Profis aus.

»Ich habe dann Paris sofort wieder verlassen«, fuhr Jérôme fort, »wobei mir klar war, dass ich damit nun tatsächlich den Verdacht auf mich zog. Ich führte immer noch die Fracht mit, die ich längst hätte abliefern müssen. Ich rief wieder François an, weil ich wissen wollte, ob man schon nach mir suchte. Er wusste es nicht, aber er fuhr an unserer Wohnung vorbei und berichtete mir, dass dort vor dem Haus mehrere dubiose Männer Position bezogen hätten, die eindeutig das Gebäude observierten. Er riet mir, nicht dort hinzugehen. Direkt danach verständigte ich Nathalie. Ich meine, unsere Beziehung war kaputt, und ich dachte seit Monaten nur noch über Trennung nach, aber ich wollte sie nicht ins Verderben laufen lassen. Sie hatte ja mit alldem nichts zu tun.«

»Auch Ihre Freundin Jeanne Berney aus Metz hatte nichts damit zu tun«, sagte Simon leise.

In Jérômes Augen trat ein Schmerz, den er nicht hätte spielen können, davon war Simon überzeugt.

»Ich weiß«, sagte er. »Nathalie hat mir vorhin erzählt, dass die Polizei auch mich verdächtigt. Ich schwöre bei Gott, dass ich ihr nichts getan habe. Ich war dort, weil ich sie um Hilfe bitten wollte, nichts sonst.«

»Die hatten sich Informationen von ihr geholt«, sagte Simon. »Die Polizei vermutet, dass sie ihnen das Apartment in Les Lecques genannt hat. Woher wussten die von Jeanne? Sie waren seit Jahren nicht mehr mit ihr zusammen.«

Jérôme lachte kurz auf, es klang fast etwas verächtlich. »Die durchforsten das Leben der Fahrer genau, ehe sie sie für diese speziellen … Sonderaufgaben einteilen. Auch das ließ Madame Denegri durchblicken. Dass man alles über mich weiß und die Menschen kennt, die eine Bedeutung für mich haben oder hatten. Man hätte mich nicht für die Transporte der Frauen eingeteilt, wenn man mich nicht in- und auswendig gekannt und genügend Möglichkeiten in der Hand gehabt hätte, mich unter Druck zu setzen.« Wieder strich er sich mit der Hand über das magere, ausgezehrte Gesicht. »Ich weiß auch nicht, was aus François geworden ist.«

»Er ist verschwunden«, sagte Simon.

»Oh Gott«, murmelte Jérôme. »Wissen Sie, Simon, Nathalie hat mir auch von Ihrer Freundin erzählt. Es tut mir so entsetzlich leid. Ich habe immer noch nicht ganz begriffen, wie Sie in all das hineingeraten konnten, aber glauben Sie mir… ich wollte das nicht. Ich wollte kein Leid über so viele Menschen bringen. Im Gegenteil. Ich wollte Selina befreien und mit ihr ein neues Leben beginnen.«

»Das war naiv. Selbst wenn Sie gemeinsam mit Selina geflohen wären, wenn das Vorhaben geklappt hätte: Die hätten sich Ihr Umfeld vorgenommen. Als Erstes Nathalie. Haben Sie daran nicht gedacht?«

»Ich musste schnell einen Plan für Selina schmieden. Sie war schrecklich misshandelt worden. Sie musste dort weg. Ich hatte ihr ein Handy zugesteckt. Sie musste weg, ehe jemand das fand. Ich konnte nicht… ich konnte nicht so schnell alles bedenken…«

»Wenn Sie zur Polizei…«, setzte Simon wieder an, aber Jérôme unterbrach ihn schroff: »Ich habe Ihnen erklärt, warum ich das nicht getan habe. Und jetzt ist es ohnehin zu spät. Jetzt habe ich einen Polizisten erschossen. Einen anderen verletzt. Was den Mord an Jeanne angeht, stehe ich an der Spitze der Verdächtigen. Außer Flucht gibt es keinen Weg mehr für mich.«

»Wenn Sie sich jetzt stellen… wenn Sie Caparos befreien und einen Arzt für ihn holen, haben Sie eine Chance. Dass Sie mit Jeannes Tod nichts zu tun haben, glaube ich Ihnen, und letztlich wird es keine Beweise gegen Sie geben. Jérôme, ganz zu Anfang wollten Sie etwas Gutes: Sie wollten einer jungen Frau helfen, einem schrecklichen Schicksal zu entgehen. Das wird man in die Waagschale werfen.«

»Ich hätte aber nie mitmachen dürfen, die Frauen überhaupt nach Paris zu schleusen. Und der tote Polizist da unten in der Küche...« Jérôme schüttelte vehement den Kopf. »Nein. Ich kann das nicht riskieren. Ich werde das Auto nehmen und abhauen.«

Simon hob in einer hilflosen Geste die Hände. »Sie sind bewaffnet. Ich nicht. Ich kann Sie nicht hindern.«

»Ich muss weg sein, ehe irgendjemand merkt, dass hier etwas nicht stimmt. Ich meine, die beiden Beamten melden sich seit Stunden nicht mehr... Ich hätte längst weg sein müssen. Scheiße, ich weiß nicht, wo Nathalie ist. Sie weiß, dass ich sie nicht mitnehme. Sie weiß von Selina. Sie hat die Waffe des toten Polizisten. Wahrscheinlich ist sie irgendwo da draußen und wartet darauf, mich abzuknallen, wenn ich zum Auto gehe. Die Frau ist so was von krank, Simon, ist Ihnen das nicht aufgefallen?«

Hatte er den Eindruck gehabt, dass Nathalie *krank* war? Im Sinne von: *gestört*? Manchmal ja, wenn er ehrlich war.

»Sie ist auch ganz schön clever«, sagte er. »Mein Smartphone so zusammenzubauen, dass sie damit mailen und telefonieren konnte... Das war schon eine Leistung. Ich hätte nicht gedacht, dass man es überhaupt noch reparieren kann.«

»Es war Ihr Gerät, mit dem sie mich kontaktiert hat?«, fragte Jérôme.

Simon nickte. »Ich hatte es aus Wut und Verzweiflung gegen die Wand geschleudert. Es lag in seinen sämtlichen Einzelteilen auf dem Fußboden. Sie muss es repariert haben. Es ist mir schleierhaft, wie ihr das gelingen konnte, aber offensichtlich hat es geklappt.«

»Ich sage ja auch nicht, dass sie dumm ist. Im Gegenteil, sie ist ganz schön schlau. Aber eben psychisch gestört.

Hätte ich etwas besser nachgedacht, hätte ich von Anfang an einen Bogen um sie gemacht.«

»Haben Sie aber nicht. Irgendetwas hat Ihnen an ihr gefallen.«

»Na ja …«, machte Jérôme unbestimmt. Simon nahm an, dass ihm an Frauen sehr häufig *irgendetwas* gefiel und dass er dann nicht mehr lange überlegte, ob es tatsächlich ein tragfähiges Fundament für eine Beziehung gab. Wenn es dann später nicht funktionierte, suchte er sich die Nächste.

Er ist ziemlich unreif, dachte er. Aber er ist nicht kriminell.

Auch jetzt kam ihm Jérôme nicht gerade entschlussfreudig vor. Er wollte eigentlich weg. Zögerte seine Abreise jedoch ständig hinaus. Weil er Angst hatte, dass ihm Nathalie auflauerte? Oder weil er keinen Plan hatte? Er war seit Tagen auf der Flucht. Er würde nun weiter fliehen, und im Grunde wusste er nicht, wohin. Er wusste auch nicht, wo das alles enden sollte, welches Ziel er eigentlich verfolgte und ob es überhaupt ein Ziel gab. Dieses einsame Haus irgendwo im Hinterland der südfranzösischen Küste stellte einen Ort dar, an dem er endlich einmal Luft holen konnte. Er schien ihn vor dem Regen, der Dunkelheit und der Ungewissheit zu schützen, aber es war ein trügerischer Schutz, denn im Grunde hielt er sich schon viel zu lange hier auf, und der Boden unter seinen Füßen war heißer als heiß. Am liebsten wäre er hiergeblieben und hätte sich eine Decke über den Kopf gezogen, diesen Eindruck vermittelte er Simon. Aber unten in der Küche lag der tote Mann, den er vor wenigen Stunden erschossen hatte, und wahrscheinlich traute er sich nicht einmal, einen Kaffee zu machen oder sich etwas zu essen zu holen, weil er den Raum nicht betreten wollte.

»Ich gehe dann«, sagte Jérôme. Er machte eine Bewegung mit der Waffe in seiner Hand. »Die nehme ich mit. Ich brauche sie vielleicht noch. Und Sie?«

»Ich?«

»Was tun Sie als Nächstes? Die Polizei verständigen?«

»Ich will vor allem, dass ein Arzt kommt und nach Lieutenant Caparos sieht.«

»Nicht nötig«, sagte eine Stimme hinter ihnen. Simon und Jérôme fuhren zusammen, drehten sich um.

Lieutenant Jean Caparos stand in der Tür. Er hielt eine Pistole in den Händen.

»Waffe weg, Monsieur Deville«, befahl er.

Jérôme ließ seine Waffe fallen. Er war aschfahl im Gesicht.

»Das war's für Sie, Deville«, sagte Caparos.

Ich fiel nicht aus allen Wolken. Seitdem wir in Paris zusammenlebten, hatte ich Angst gehabt, ihn zu verlieren. Im letzten halben Jahr hatte sich die Angst gesteigert, praktisch mit jedem Tag, der verging. Er hatte sich von mir entfernt. Er war ein anderer geworden. Ich gehörte nicht mehr wirklich zu ihm, er hatte eine Mauer zwischen uns errichtet.

Er hatte sich in eine andere Frau verliebt.

Als er es mir sagte, war ich deshalb nicht überrascht von der Nachricht selbst. Ich dachte nur, dass die Umstände so ungewöhnlich waren: Dass ich den Mann meines Lebens verloren hatte, erfuhr ich an einem verregneten Tag im Dezember, in einem gesicherten Haus der südfranzösischen Polizei irgendwo in der Gegend von Hyères. Der Mann meines Lebens hatte kurz davor einen Polizisten erschossen, ein anderer Polizist lag verletzt und gefesselt auf dem Sofa. Der Mann meines Lebens arbeitete für eine kriminelle Organisation mit mafiaähnlichen Strukturen und hatte dabei geholfen, junge Frauen aus dem Osten nach Frankreich zu bringen, wo sie dann zur Prostitution gezwungen wurden. Der Mann meines Lebens hatte einer dieser Frauen zur Flucht verholfen, aber irgendetwas war schiefgelaufen, und deshalb saßen wir jetzt hier und steckten bis zum Hals in lebensgefährlichen Problemen.

»Okay«, sagte ich, »okay. Eine Affäre. Du hattest eine Affäre.«

Wir waren in meinem Zimmer. Wir mochten uns nicht in der Küche aufhalten, wo der tote Halabi auf dem Fußboden lag, und nicht im Wohnzimmer, wo Caparos leise vor sich hin stöhnte. Simon war in seinem Zimmer, wir hatten ihn eingeschlossen, denn es war klar, dass er Inès Rosarde anrufen würde, sowie er die Gelegenheit dazu bekam. Ihm ging es vor allem um einen Arzt für Caparos. Ich verstand das, aber wir beide, Jérôme und ich, konnten uns im Moment keine Sentimentalitäten erlauben.

»Ich hatte keine Affäre«, sagte Jérôme. Er sah so müde und elend aus, dass ich ihn am liebsten in die Arme genommen, ihn gestreichelt und ihm versichert hätte, dass alles gut werden würde. Ich musste mich zwingen, es nicht zu tun.

Der Mann meines Lebens hatte mich verraten. Es stand ihm nicht zu, von mir getröstet zu werden. Vermutlich legte er auch gar keinen Wert darauf.

»Bis zu einer Affäre sind wir gar nicht gekommen«, fuhr er fort. »Aber ich habe mich in sie verliebt. Ja.«

Ich hatte immer gedacht, wenn er das eines Tages zu mir sagen würde, müsste die Welt untergehen, buchstäblich, sich in Finsternis und Rauch auflösen und nicht mehr existieren. Tatsächlich passierte aber gar nichts. Der Wind heulte. Der Regen prasselte auf das Dach. Das Gebälk des alten Hauses knarrte leise. Die elektrische Heizung gab seltsame Geräusche von sich, anstatt zu heizen. Alles normal.

»Verliebt? Du kennst sie doch kaum?«

Aber ich wusste, dass Jérôme eine Frau nicht genau kennen musste, um sich zu verlieben. Es war eher andersherum bei ihm: Er verliebte sich in die Illusion, die ihm eine Frau vermittelte, und erst wenn er sie dann genauer kennenlernte, begannen die Probleme. Je mehr sie zum Menschen aus Fleisch und Blut wurde, zu einer Persönlichkeit mit Schwachstellen und Schwierigkeiten und Anforderungen, desto mehr verlor sie für Jérôme an Faszination. Deshalb war unsere Liebe am Pariser Alltag gescheitert. In Metz, als ich noch unter Élianes Fuchtel stand und er unter der seines Vaters, als es noch schwierig gewesen war, uns überhaupt zu treffen, hatten wir die Romantik leben können, die sich aus der Situation des verliebten Paares, das einsam gegen den Rest der Welt steht, geradezu zwangsläufig ergibt. Ich war naiv genug gewesen, das nicht zu kapieren. Ich hatte von der gemeinsamen Wohnung geträumt, die ich gemütlich einrichten würde. In der Blumen auf dem Tisch standen und eine Lampe im Fenster brannte und in der wir gemeinsam Kaffee tranken und uns am Sonntag aus der Zeitung vorlasen. Ich hatte alles über Bord geworfen, um bei ihm sein zu können, während er mich vermutlich in Paris nur gebraucht hatte, um seine prekäre finanzielle Situation aufzubessern.

Trotzdem, obwohl ich das so klar und desillusioniert sah, wusste ich, dass ich ihn noch immer liebte. So sehnsuchtsvoll, schmerzhaft und verzehrend wie am ersten Tag. Es hörte einfach nicht auf. Ich wusste, dass es hätte aufhören müssen, dieses Gefühl wahnsinniger Liebe, aber nein: So wenig man Liebe erzwingen kann, wenn sie weg ist, so wenig kann man sie zwingen zu gehen, wenn sie noch da ist.

Es ist das Wesen der Liebe, dass sie sich unserer Kontrolle entzieht. Sie tut, was sie will.

»Das stimmt«, sagte Jérôme zu meiner Feststellung, dass er diese Selina aus Bulgarien doch gar nicht wirklich gekannt hatte. »Aber es passierte trotzdem. Sie ist…« Er sprach den Satz nicht zu Ende. Er hatte noch den Anstand zu wissen, dass es sich nicht gehört hätte, mir nun detailliert zu berichten, weshalb dieses junge Mädchen derartige Gefühle in ihm ausgelöst hatte. Ich wollte es auch eigentlich nicht wissen. Doch, im Prinzip schon. Aber ich hätte es nicht ertragen.

»Es passierte vielleicht auch deshalb, weil es bei uns beiden doch schon lange nicht mehr stimmte.« Er sah mich erwartungsvoll an, so als hoffte er, ich würde nun freundlich lächeln und ihm verständnisvoll beipflichten.

Aber klar, du hast recht, wir waren ja eigentlich schon länger kein Paar mehr, die Luft war völlig raus, wir hatten uns auseinandergelebt, da ist es nur natürlich, dass du dich Hals über Kopf in die nächste kleine bulgarische Schlampe verliebst und alles, was wir zusammen hatten, wegwirfst. Und uns darüber hinaus noch in Lebensgefahr bringst und schließlich einen Polizisten erschießt, der hier nur seinen Job macht, indem er uns zu beschützen versucht. Ganz zu schweigen von Yves, Jeanne und Kristina, die alle ihr Leben lassen mussten, weil du deine verdammten Hormone nicht im Griff hast…

Das sagte ich alles nicht. Stattdessen fuhr ich ihn an: »Findest du nicht, dass es fair gewesen wäre, mir etwas von deinem lukrativen Nebenjob zu erzählen? Und mich mitentscheiden zu lassen, ob du ihn annimmst? Immerhin hast du auch mich in Gefahr gebracht!«

Jetzt wirkte er aufrichtig reuevoll. »Ja. Natürlich. Ich musste mich verpflichten, niemandem, absolut niemandem gegenüber ein Wort verlauten zu lassen, aber… ich hätte das nicht tun dürfen. Ich hätte die Finger von all dem lassen sollen. Mir ist das jetzt klar, aber… Himmel, Nathalie, was soll ich sagen? Ich kann es doch nicht ungeschehen machen!«

»Wie sind die ausgerechnet auf dich gekommen?«

Er antwortete nicht, aber ich wusste auch so, warum man ein leichtes Spiel mit ihm gehabt hatte. Geld. Jérôme wollte ein gutes Leben, er hatte durchaus einen Hang zu bestimmten Statussymbolen, hätte gern eine tolle Wohnung gehabt, ein tolles Auto, schicke Klamotten. Unglücklicherweise stand seine Bereitschaft, durch echten Arbeitseinsatz voranzukommen, in einem umgekehrt proportionalen Verhältnis zum Ausmaß seiner Wünsche. Kurz gesagt: Er hatte die Möglichkeit gesehen, schnelles Geld mit wenig Anstrengung zu verdienen. Und natürlich war er dabei gewesen.

»Ich habe das nicht gleich durchschaut«, sagte er. »Das mit der Prostitution. Ich dachte, es ginge um Jobs als Fotomodel.«

So blöd konnte er eigentlich nicht sein. Geheime Transporte von Fotomodels durch Europa? Lächerlich! Man hörte und las inzwischen zu viel von diesen Dingen.

Er rieb sich die Augen. »Nathalie, es tut mir leid, aber ich falle fast um vor Müdigkeit. Ich muss schlafen. Ich kann nicht mehr.«

Man konnte es ihm ansehen. Er zitterte vor Erschöpfung. Es brachte jetzt nichts, weiter mit ihm zu sprechen. Er würde mitten im Gespräch einfach einschlafen.

»Dann schlaf jetzt erst einmal«, sagte ich vernünftig. »Ich bleibe wach und habe ein Auge auf alles.«

Was das genau bedeutete, war mir selbst nicht recht klar. Letzten Endes hieß es wohl, dass ich darauf achtete, dass sich sowohl Simon als auch Caparos nicht aus ihrer jeweiligen Situation befreiten und Hilfe holten. Dabei kam mir ein Gedanke. »Es ist klar, dass du schlafen musst, Jérôme, aber viel Zeit hast du nicht. Ich weiß nicht, in welchen Abständen sich die beiden Polizisten womöglich irgendwo melden müssen oder ob andersherum durch Telefonkontakt gecheckt wird, dass hier alles in Ordnung ist. Es kann hier plötzlich von Polizei wimmeln, wenn jemand misstrauisch wird. Und bis dahin sollten wir weg sein.«

Er sah mich überrascht an – aus kleinen, roten Augen, denen vor lauter Schlafmangel schon etwas Fiebriges anhaftete. »Wir? Nach allem, was ich dir gesagt habe, willst du mitkommen?«

Ich schaute sicherlich ebenso überrascht zurück. »Was denn sonst?«

»Na ja, ich dachte …« Er schwieg einen Moment. »Denkst du, das ist eine gute Idee?«

»Ich denke, dass wir noch immer zusammengehören«, sagte ich.

Er schien etwas entgegnen zu wollen, schluckte die Bemerkung jedoch hinunter. Ich sprach stattdessen für ihn. »Das mit dieser Selina … Wir wissen doch beide, dass das ein Hirngespinst war. Du bist ein Mann, der sich schnell von Frauen angezogen fühlt.« Es tat mir weh, das zu sagen, aber es entsprach nun einmal den Tatsachen. »Wir haben vielleicht nicht mehr so richtig gut aufeinander geachtet.« Das entsprach nun nicht den Tatsachen. Ich hatte sehr wohl auf ihn geachtet, auf unsere Beziehung und unser Glück. Nur umgekehrt war das leider nicht der Fall gewesen. Er war immer gleichgültiger geworden. »Aber wir bringen das wieder in Ordnung. Wir fangen ganz neu an. Irgendwo. Weit weg.«

»Nathalie ...«

»Diese Selina ist doch über alle Berge. Oder längst tot. Schmink sie dir ab. Du hast ein gutes Werk getan, du hast ihr die Chance zur Flucht gegeben. Ob es funktioniert hat oder nicht ... das ist jetzt nicht mehr deine Sache.«

»Nathalie, ich glaube, du verstehst nicht ...«

Ich unterbrach ihn scharf. »Du warst in einem Ausnahmezustand. Dieser Job hat dich überfordert. Mach nicht mehr daraus, als es war.«

»Es war das, was ich gesagt habe. Ich habe mich ...«

Wenn er noch einmal sagte, dass er sich in dieses kleine Miststück verliebt hatte, würde ich schreien. Ich zwang mich zur Ruhe. »Wir haben jetzt nicht die Zeit, das genau zu besprechen, das können wir später tun. Du musst schlafen. Du musst Kraft sammeln.« Ich trat zu ihm und zog Halabis Waffe, die noch in seiner Hosentasche steckte, heraus. »Vielleicht ist es besser, wenn ich auch eine Waffe habe.«

Er protestierte nicht. Ihm fehlte einfach die Kraft dazu.

»Schlaf jetzt«, sagte ich sanft. Ich betrachtete sein wunderschönes Gesicht. Ich liebte ihn so, dass ich hätte in Tränen ausbrechen können unter der Macht meiner Gefühle.

Er ließ sich auf mein Bett fallen, streifte sich die dreckstarrenden Turnschuhe von den Füßen. Er würde in der Sekunde einschlafen, in der sein Kopf das Kissen berührte.

Ich ging zur Tür. Dort drehte ich mich noch einmal um.

»Eines verstehe ich nicht ganz, Jérôme. Warum jagen die dich so unerbittlich? Mit derart großem Einsatz? Sie ermorden reihenweise Menschen. Warum? Ich meine, klar, du warst Teil ihres perfiden Geschäfts und bist nun ausgestiegen, aber wenn ich dich richtig verstanden habe, sind die so gut abgesichert und organisiert, dass du nichts, was du gegen sie vorbringen würdest, beweisen könntest. Du würdest dich nur selbst in Schwierigkeiten bringen. Weshalb dann …?«

Er schlief schon fast. »Ich weiß es nicht«, murmelte er. »Keine Ahnung. Ich weiß es nicht.«

Dann war er nicht mehr ansprechbar.

HYÈRES, FRANKREICH, MONTAG, 21. DEZEMBER

Lieutenant Caparos sah ramponiert aus: An der rechten Seite seines Kopfes klebte schwarzes, angetrocknetes Blut, er war kreidebleich im Gesicht, auf seiner Stirn stand der Schweiß. Er war niedergeschlagen worden, war verletzt, war zeitweise bewusstlos gewesen, und nun machte ihm sein Kreislauf zu schaffen. Seine Hand, mit der er die Waffe hielt, zitterte jedoch nicht. Möglicherweise hielt er sich mit einiger Mühe auf den Beinen, aber der Ausdruck in seinen Augen und seine entschlossen zusammengepressten Lippen luden nicht dazu ein, ihn zu unterschätzen: Vielleicht klappte er zusammen, aber zuvor würde er seine Gegner unschädlich machen. Und unter den Begriff *Gegner* fiel inzwischen jeder im Haus.

»Schieben Sie Ihre Waffe zu mir rüber, Deville«, sagte er.

Jérôme folgte der Anordnung unverzüglich. Die Waffe schlitterte über den Boden und blieb direkt vor Caparos' Füßen liegen. Er hob sie auf.

»Und jetzt Ihr Mobiltelefon.«

Jérôme griff in die Tasche seiner Jeans, zog das Telefon hervor, ließ es ebenfalls über den Boden auf Caparos zurutschen. Caparos bückte sich danach, ohne dabei Jérôme und Simon aus den Augen zu lassen und ohne die auf sie gerichtete Waffe auch nur einen Millimeter zu bewegen.

»Ich habe meine Kollegen verständigt«, sagte er. »Es wird gleich jede Menge Polizei hier sein, Deville. Man wird Sie festnehmen. Wegen des Mordes an Lieutenant Halabi. Und wegen des Verdachtes des Mordes an Jeanne Berney.«

Jérôme schien förmlich in sich zusammenzusinken. »Ich habe Jeanne nicht getötet«, flüsterte er.

»Das herauszufinden ist zum Glück nicht meine Aufgabe«, erklärte Caparos. Er betastete mit der freien Hand kurz die Wunde an seinem Kopf. »Was mich betrifft, können Sie sich auch auf manches gefasst machen: Körperverletzung, wenn nicht sogar versuchter Totschlag. Sie werden für sehr viele Jahre ins Gefängnis gehen, Deville.«

»Lieutenant ...«, begann Simon, aber Caparos unterbrach ihn schroff: »Seien Sie vorsichtig, Monsieur! Ihre Rolle wird mir immer unklarer. Auf welcher Seite stehen Sie? Auf unserer? Oder auf der dieses marodierenden Amokläufers?«

Jérôme war kein marodierender Amokläufer. Simon verstand jedoch, dass Caparos das so sah. Sein Kollege war erschossen worden. Er selbst hatte eine schwere Verletzung davongetragen, und man konnte ihm ansehen, wie schlecht es ihm ging. Die Situation in dem Schutzhaus war vollständig aus dem Ruder gelaufen, in erster Linie deshalb, weil von Seiten der Schutzbedürftigen aus falschgespielt worden war. Nathalie hatte ausschließlich in ihrem eigenen Interesse gehandelt und ein Chaos verursacht.

»Nathalie«, sagte er. »Wo ist sie?«

»Sie ist bewaffnet«, sagte Jérôme.

Caparos schüttelte den Kopf. »Irrtum. *Ich* habe die Waffe.«

Woher hätte die Waffe in Caparos' Hand auch kommen sollen? Simon wunderte sich, wie langsam er schaltete.

»Wo ist Nathalie?«, fragte er drängender.

Jérôme hatte sie überall im Haus gesucht. Sie schien verschwunden zu sein. Dafür hatte sich Lieutenant Caparos auf geheimnisvolle Weise von seinen Fesseln befreit und war in Besitz einer Schusswaffe.

»Wo ist sie?«, fragte er zum dritten Mal.

»Hier bin ich«, sagte eine Stimme. Nathalie trat hinter Lieutenant Caparos durch die Tür ins Zimmer. Sie wirkte verkrampft und irgendwie .... fast gespenstisch. Simon fiel ein, was Jérôme gesagt hatte: *Sie ist krank. Psychisch gestört.*

Jérôme starrte sie entgeistert an. »Wo warst du? Ich habe überall nach dir gesucht!«

»Ich lag im Wohnzimmer auf dem Sofa«, erklärte Nathalie.

»Im Wohnzimmer auf dem Sofa?«, wiederholte Jérôme verwirrt. »Da lag Lieutenant Caparos!«

»Irrtum.« Sie versuchte ein Lächeln, aber es missriet zu einer traurigen Grimasse. »Er war draußen in seinem Auto. Er hat von dort nach Verstärkung telefoniert.«

»Du hast ihn ...?«

»Ja. Ich habe ihn befreit. Und dann hat er gemeint, ich soll mich da hinlegen, damit es nicht gleich auffällt, dass er weg ist. Falls du nachschaust.«

»Als Einzige von Ihnen dreien hat Nathalie Boudin verantwortungsbewusst und vernünftig gehandelt«, sagte Caparos. »Alles andere war Wahnsinn. Sie hatten nie eine Chance, Deville, selbst wenn Sie jetzt von hier entkommen wären. Was glauben Sie denn, wie weit und wohin Sie hätten fliehen können?«

Wie entschlossen sie ist, dachte Simon. Und wie verzweifelt. Befreit Caparos. Gibt ihm die Waffe zurück. Lässt sich auf seinen Plan ein, Jérôme zu täuschen, damit Kommissarin Rosarde verständigt werden kann.

Liefert den Mann, den sie liebt, an die Polizei aus.

»Du bringst mich ins Gefängnis«, sagte Jérôme fassungslos.

Sie nickte. Sie vermittelte nicht im Geringsten den Eindruck, als empfände sie Triumph. Sie schien nur herzzerreißend traurig. »Was hast du gedacht, Jérôme? Dass ich dich ohne mich von hier abhauen lasse? Dass ich zusehe, wie du mich zurücklässt? Dass ich mich von jetzt an Tag und Nacht mit den Bildern herumschlage: Du und dieses Mädchen in glücklicher Zweisamkeit? Dass ich mir vorstelle, wie du sie liebst? Wie ihr zusammenlebt? Wie du dir eine Zukunft mit ihr aufbaust?«

»Aber so verlierst du mich auch. Du gewinnst doch überhaupt nichts.«

»Ein winziges Stück Frieden«, erklärte Nathalie. Sie sah aus, als wäre sie den Tränen nah. »Ich weiß nicht, wie ich ohne dich leben soll, Jérôme. Aber ich ertrage dich eher im Gefängnis als in den Armen einer anderen Frau.«

Sekundenlang herrschte ein Schweigen, in dem man nichts als das Heulen des Sturms hörte. Jérôme, der sich während der letzten Woche von jeder denkbaren Seite bedroht und verfolgt gefühlt hatte, schien es nicht fassen zu können, dass er am Ende von Nathalie zu Fall gebracht wurde – dem einzigen Menschen, auf dessen bedingungslose Loyalität er sich blind verlassen hatte. Er wirkte, als wäre er vollkommen vor den Kopf geschlagen.

Caparos hingegen hatte zunehmend Mühe, stark und unbeirrbar zu wirken. Der Polizist, der die Lage im Griff hatte, der sich als Herr der Geschehnisse fühlte. Caparos war schwer angeschlagen, schien gegen Übelkeit und Schwindel zu kämpfen. Eine Gehirnerschütterung, vermutete Simon. Er versuchte, souverän und selbstbewusst aufzutreten, betete aber vermutlich insgeheim händeringend darum, dass die Verstärkung möglichst schnell eintraf. Er würde nicht mehr lange durchhalten.

»Nathalie, bitte«, sagte Jérôme schließlich.

Sie zuckte mit den Schultern. »Es ist zu spät, Jérôme.«

»Lassen Sie sich bloß nicht wieder auf ihn ein«, warnte Caparos. »Er ist Ihr Unglück.«

»Er ist der Mann, den ich liebe«, sagte Nathalie.

Jérôme hakte sofort ein. »Nathalie, lass uns noch einmal über alles sprechen. Ich habe dich nie betrogen. Ich hatte mit dieser Frau nichts. Es war … eine Augenblickslaune …«

»Eine Augenblickslaune? Du hast mit deiner Entscheidung eine Tragödie ausgelöst, in der wir alle seit zwei Wochen gefangen sind!«

»Ich wusste nicht … ich habe nicht …«

»Schluss«, befahl Caparos. Es konnte nicht in seinem Interesse sein, dass es Jérôme gelang, Nathalie, die schon leicht schwankend erschien, wieder auf seine Seite zu ziehen. Caparos war klar, dass er auf dünnem Eis stand. Er hatte eine Waffe, aber die Frage war, wie lange er sie überhaupt noch auf irgendjemanden richten konnte. Noch hatte er Nathalie neben sich, aber wenn sie das Lager plötzlich wieder wechselte, stand er alleine. Simon konnte er nicht genau verorten, aber er musste damit rechnen, plötzlich drei Menschen gegen sich zu haben. Und jeden Moment konnte sein Kreislauf kollabieren.

»Deville, Sie gehen rüber in das andere Zimmer.«

Jérôme rührte sich nicht. Caparos machte eine ungeduldige Bewegung mit der Waffe. »Los jetzt! Ich zögere im Zweifelsfall nicht zu schießen, verlassen Sie sich darauf.«

Jérôme bewegte sich auf die Tür zu. Als er bei Nathalie stand, wandte er sich ihr zu. »Nathalie, du bist der einzige Mensch, der …«

Caparos stieß ihm die Pistole ins Kreuz. »Halt's Maul, Deville, und das sage ich nicht nochmal. Los jetzt. In das andere Zimmer!«

Simon hatte den Eindruck, dass es ihm und Jérôme in diesem Moment durchaus hätte gelingen können, Caparos zu überwältigen, aber angesichts seiner Waffe schien ein entsprechender Versuch zu gefährlich. Zudem war es gut, dass endlich die Polizei die Kontrolle übernahm. Jérôme musste sich der Verantwortung für seine Taten stellen. Ihm zur Flucht zu verhelfen hätte für Simon nur bedeutet, sich selbst strafbar zu machen.

Caparos schien nach wie vor nicht sicher zu sein, auf welcher Seite Simon stand, daher ging er kein Risiko ein: Nachdem Jérôme das Zimmer verlassen hatte, schloss er es von außen ab. Simon konnte hören, wie auch die Tür des gegenüberliegenden Raums verschlossen wurde. Caparos hatte beide Männer zu Gefangenen gemacht.

Nun blieb nur noch das Warten auf seine Kollegen.

DULOWO, BULGARIEN,
MONTAG, 21. DEZEMBER

Es war so bitterkalt im Haus, dass Zala Dobreva an diesem Morgen von der Kälte aufwachte. Es war noch dunkel draußen, und das Baby hatte bislang noch nicht geschrien, deshalb hätte sie eigentlich noch länger schlafen können, aber sie hatte geträumt, in einem kalten, dunklen Brunnen zu kauern, tief auf dem Grund, und die Kälte war ihr schmerzhaft in alle Knochen gekrochen. Irgendwann hatte sie zu stark gefroren, als dass sie diese unangenehme Tatsache noch länger in das Reich der Träume hätte verbannen können.

Widerwillig öffnete sie die Augen.

Jurev war schon zur Arbeit gegangen, denn das Bett neben ihr war leer. Jurev arbeitete bei der Müllabfuhr und stand daher früh auf. Besonders im Winter tat er Zala entsetzlich leid. In diese Dunkelheit und Kälte hinauszumüssen … Wenn es schon hier drinnen so kalt war, wie musste es dann draußen sein?

Sie erhob sich, schaltete das Licht ein und befühlte den Heizkörper unter dem Fenster. Nichts. Sie besaßen seit dem Herbst eine elektrische Heizung und hatten geglaubt, damit am Gipfel des Luxus angelangt zu sein, aber nun stellte sich heraus, dass sie ständig kaputt war, und niemand wusste, woran das lag. Ganz abgesehen davon, war es teuer, ständig Handwerker kommen zu lassen, die das Gerät dann kurzfristig wieder zum Laufen brachten, dafür jedoch natürlich jedes Mal bezahlt werden wollten.

Zala seufzte. Es gab natürlich Schlimmeres. Wenigstens waren sie alle gesund. Sie würde den Kachelofen in der Küche anheizen müssen, und bis zum Abend wäre es dann kuschelig warm im Haus.

Sie schaute in das Kinderbett, das gleich neben der Tür stand. Der Kleine schlief noch, atmete ruhig und gleichmäßig. Kurz fühlte sie unter seinen vielen Decken und stellte erleichtert fest, dass es darunter warm war. Sie beschloss, ihn auf jeden Fall schlafen zu lassen. Solange er Ruhe gab, konnte sie eine Menge im Haushalt erledigen.

Als sie in die Küche kam, sprangen die beiden Katzen, die auf der Bank vor dem ebenfalls kalten Kachelofen geschlafen hatten, auf den Boden und strichen Zala mit anklagendem Maunzen um die Beine. Sie kauerte sich zu ihnen hinunter, streichelte sie.

»Ja, es ist kalt. Ihr Armen. Ich mache jetzt ein schönes Feuer an.« Sie erhob sich, nahm zwei Schälchen aus dem Schrank, füllte sie mit Milch, gab etwas warmes Wasser dazu und stellte beides auf den Boden. Die Katzen machten sich sofort darüber her. Zala schaute in den Korb, der neben dem Ofen stand, und seufzte zum zweiten Mal an diesem Morgen, diesmal lauter und inbrünstiger. Kein einziger Holzscheit mehr. Das bedeutete, sie musste hinausgehen, musste den Hof überqueren und Holz aus dem Schuppen holen. Sie trug noch ihr Nachthemd, aber wenn sie jetzt in ihr Schlafzimmer zurückging, Licht anmachte und sich anzog, wachte der Kleine auf, und dann würde alles noch schwieriger werden. Sie würde ihre Stiefel über die nackten Beine ziehen, Mantel und Schal über das Nachthemd, und dann musste es eben so gehen.

Als sie die Haustür öffnete, schlug ihr dichtes Schneegestöber entgegen. Seit dem gestrigen Tag ging das so, unterbrochen nur von einer kurzen Wetterberuhigung. Wohin sollte das führen? Sie würden vollständig einschneien. Zala fragte sich, ob sie heute überhaupt einkaufen gehen konnte. Sie wohnten außerhalb der Ortsgrenze, ziemlich einsam, direkt an der Landstraße, die erst ein gutes Stück weiter nach Dulowo hinein führte. Sie hatten das Haus, das eine bessere Hütte war, billig von der Gemeinde kaufen können, und über viele Jahre hatten sie die Räume renoviert, neue Fußböden verlegt, neue Fenster eingebaut, das Dach neu gedeckt. Zum Glück war Jurev ein geschickter Handwerker. Es war wunderschön geworden, fand Zala. Sie hing an ihrem Haus, sie würde nie woanders leben wollen. An Tagen wie diesem kam sie sich jedoch ein wenig abgeschnitten vor. Die Welt versank im Schnee, und bis zum nächsten Nachbarn musste sie gut zwanzig Minuten laufen. Bei diesem Wetter und mit einem Säugling im Tragegurt keine einfache Sache. Sie musste nachher gleich überprüfen, was noch an Vorräten da war. Vielleicht kam sie um das Einkaufen herum.

Beide Katzen schossen an ihr vorbei hinaus in den Schnee. Während eine von ihnen sofort in der Dunkelheit verschwand, blieb die andere abrupt stehen, duckte sich. Ihre Haare sträubten sich. Sie gab ein leises, fauchendes Geräusch von sich.

»Was hast du denn?«, fragte Zala.

Die Katze starrte in Richtung Schuppen. Irgendetwas dort fesselte ihre Aufmerksamkeit, und es schien etwas zu sein, das sie tief beunruhigte.

Zala spürte sofort, wie die Anspannung des Tieres auf sie selbst überging. Was war da? Sie war sich der Tatsache einmal mehr bewusst, dass sie völlig alleine hier draußen war, sah man von zwei Katzen und einem sechs Monate alten Baby ab. Sie konnte ihr Herz pochen hören.

»Hallo?«, rief sie. Der Schnee schluckte alle Geräusche, die Welt war seltsam still, und Zalas Stimme klang dumpf. »Ist da jemand?«

Nichts rührte sich. Trotzdem hatte Zala ein ungutes Gefühl. Die Katzen lebten schon lange mit ihnen zusammen, und sie hatte gelernt, ihre Verhaltensweisen ernst zu nehmen.

»Hallo?«, rief sie erneut.

Ein Schatten löste sich von der Schuppenwand. Zala wich unwillkürlich einen Schritt zurück. Dort stand ein Mensch. Wieso stand ein Mensch zu dieser frühen Morgenstunde bei heftigem Schneefall in eisiger Kälte neben ihrem Schuppen? Das konnte nichts Gutes bedeuten. Zala machte einen weiteren Schritt rückwärts.

»Oh Gott«, murmelte sie. »Jurev!«

Aber Jurev war nicht da. Vor dem Mittagessen würde er auch nicht zurückkommen.

Die Gestalt bewegte sich vorwärts. Taumelnd, wie es den Anschein hatte. Zala drehte sich um, wollte zum Haus zurückstürzen, die Tür hinter sich zuwerfen und verriegeln.

»Bitte!« Die Stimme klang leise. Gebrochen. Es war eine weibliche Stimme. »Bitte. Nicht weglaufen!«

Eine Frau. Zala blieb stehen. Jetzt sah sie, dass die Gestalt tatsächlich schwankte und stolperte.

»Bitte!« Die Stimme klang dünn. Als wäre dieser Mensch am Punkt tiefster Erschöpfung angelangt. »Helfen Sie mir!«

Zala konnte nicht anders. Sie stapfte durch den hohen Schnee, der ihr bis über die Knie reichte, auf die Fremde zu. Fing sie in ihren Armen auf, als sie plötzlich zusammenbrach.

»Die anderen …«, ihre Stimme war kaum zu verstehen, »sind in der Scheune. Wir brauchen Hilfe.«

»Was ist denn los? Wo kommen Sie her bei diesem Wetter?« Angesichts der derzeitigen Situation in Europa war Zalas erster Gedanke der an Flüchtlinge aus Syrien oder Afghanistan aber diese Frau war eindeutig Bulgarin.

»Polizei«, hauchte die Frau. »Können Sie die Polizei anrufen? Bitte?«

Das klang zumindest nicht so, als handelte es sich bei ihr um eine Verbrecherin.

»Kommen Sie erst einmal herein. Sie sind ja fast erfroren.«

»Die anderen auch …«

Nun sah Zala, dass weitere Menschen aus der Scheune kamen. Einen Moment lang wollte die Panik in ihr wieder aufwallen, aber dann kämpfte sie ihre Angst tapfer nieder. Das waren keine Kriminellen. Irgendetwas stimmte nicht mit ihnen, aber Zala hatte nicht den Eindruck, dass sie ihr nach dem Leben trachteten. Überdies dürften sie kaum die Kraft dazu haben.

»Was ist passiert?«, fragte sie.

Sie sah, dass zwei weitere Frauen und ein Mann kamen. Alle waren sie vollständig am Ende ihrer Kräfte und beinahe gelähmt von der Kälte. Sie mussten schon lange draußen sein. Woher kamen sie? Aus der endlos scheinenden Weite der Dobruschda? In der Nacht? Und bei diesem Schneefall?

Sie führte die Leute ins Haus. In der Küche brachen sie zusammen, sanken auf den Fußboden, nicht mehr in der Lage, auch nur einen einzigen weiteren Schritt zu tun. Schnee taute von ihrer Kleidung. Apathisch starrten sie auf die Pfützen, die sich um sie herum ausbreiteten.

Die Frau, die als Erste auf Zala zugekommen war, hielt

sich noch aufrecht. Sie saß auch auf dem Boden, lehnte sich jedoch mit dem Rücken an den kalten Kachelofen.

Ich muss jetzt endlich schnell ein Feuer in Gang bringen, dachte Zala.

»Verriegeln Sie die Haustür«, bat die Fremde. »Schnell!« Vor Kälte konnte sie kaum die Lippen bewegen. »Und dann … rufen Sie die Polizei. Die sollen … ganz schnell herkommen.«

»Warum?«, fragte Zala.

Die Frau griff in den Rucksack, den sie neben sich gestellt hatte. Sie zog einen Laptop hervor und reichte ihn Zala.

»Wenn die kommen … das ist wichtig. Sie müssen den Laptop verstecken. Er muss in die Hände der Polizei gelangen!«

»Was ist darauf?«, fragte Zala.

»Namen«, sagte die Frau. Sie sank zurück, lehnte den Kopf an die Ofenkacheln. »Hinter diesen Namen sind sie her. Sie dürfen sie nicht bekommen.«

»Namen?«

»Verbrecher. Verriegeln Sie die Haustür. Beeilen Sie sich!«

Zala tat, wie ihr geheißen. Und dann wählte sie endlich und mit zitternden Fingern die Nummer der Polizei.

Ich verstand nicht, warum ich schlafen konnte. Mein Leben zerbrach, und das ist nicht der Moment, in dem man schlafen sollte. Wahrscheinlich war ich erschöpfter, als ich geglaubt hatte. Vielleicht war der Schlaf auch der Versuch, für eine kurze Zeit der quälenden Realität zu entfliehen. Ich konnte nicht länger nachdenken, es führte dazu, dass ich fast verrückt wurde.

Jérôme hatte mich verraten und verlassen.

Ich hatte Jérôme verraten und verlassen, jedenfalls musste es für ihn so aussehen. Mein Leben lag in Trümmern. Ich hatte keine Zukunft und eine kaputte Vergangenheit. Waren die letzten Wochen schon ein Alptraum gewesen, so hatten die Ereignisse nun einen grausigen Höhepunkt gefunden. Ich kam mir vor wie in einem Horrorfilm, von dem ich hoffte, er wäre endlich vorbei. Nur dass ich genau wusste, er würde nicht enden. Nie mehr von jetzt an für den Rest meines Lebens.

Simon und Jérôme waren oben eingeschlossen, jeder einzeln, ohne eine Chance zu entkommen. Jérôme würde dort festgenommen werden, und Simon brauchten sie sicherlich noch als Zeugen. Jérôme hatte sich am Menschenschmuggel beteiligt und einen Polizisten erschossen. Es war unwahrscheinlich, dass es in naher Zukunft zu einem Happy End zwischen ihm und seiner bulgarischen Liebschaft kommen würde. Der Gedanke stimmte mich jedoch nicht froh. Denn auch zwischen uns gab es keine Hoffnung mehr. Er würde mir niemals verzeihen, was ich getan hatte.

Lieutenant Caparos ließ mich nicht oben bei einem der beiden Männer, weil ihm offenkundig daran gelegen war, uns alle drei getrennt voneinander zu bewachen. Er misstraute uns, natürlich auch mir, obwohl ich ihn befreit hatte. Er war wahrscheinlich nicht sicher, wann ich kippen und mich doch wieder auf Jérômes Seite schlagen würde. Er musste dafür sorgen, dass nichts mehr passierte, bis die Verstärkung eintraf. Er hatte mir vorgeschlagen, mich im Wohnzimmer ein wenig hinzulegen, und so hatte ich mich auf dasselbe Sofa gelegt, auf dem ich eine Stunde zuvor auf sein Betreiben hin seinen Platz eingenommen und Jérôme dadurch getäuscht hatte. Während ich mich noch fragte, ob ich es aushalten würde, mit meinem Verrat zu leben, schlief ich tatsächlich ein. Körperlich erschöpft, nervlich erschöpft.

Als ich aufwachte, nahm ich als Erstes wahr, dass das unaufhörliche Rauschen, das uns seit Tagen begleitete, verstummt war. Es regnete nicht mehr. Zögerndes dunkelgraues Morgenlicht hatte sich vor den Fenstern ausgebreitet. Der Tag brach an.

Ich richtete mich auf, schaute hinaus. Der Wind, der die Nacht hindurch getobt hatte und auch jetzt noch die Bäume niederbog, hatte die Wolken vom Himmel gefegt. Er sah kalt und hoch und überirdisch klar aus. Anthrazitfarben, im Osten ein purpurner Streifen. Wunderschön. Der Wind würde die nassen Wiesen trocknen. Der Tag würde sonnig und frisch werden. Der 21. Dezember. Der kürzeste Tag des Jahres. In drei Tagen war Heiligabend. Und ich hatte mein ganzes Leben verloren.

Ich stand auf, blickte dabei auf meine Armbanduhr. Es war kurz vor sieben Uhr.

Wo war die Polizei? Oder war alles bereits über die Bühne gegangen? Jérôme verhaftet und abgeführt? Ohne dass ich ihn noch einmal gesehen hatte?

Ich lauschte in das Haus. Es schien alles still zu sein, allerdings hätte man wegen des heulenden Windes draußen wohl ohnehin nichts sonst hören können. Ich konnte mir kaum vorstellen, dass ich die Ankunft eines Polizeiaufgebotes völlig verschlafen hatte. Aber vielleicht war es ganz unspektakulär passiert. Schließlich war Jérôme bereits festgesetzt und entwaffnet. Vielleicht war Inès Rosarde einfach mit zwei Mitarbeitern im Schlepptau aufgetaucht, und sie hatten ihn abgeführt. Leise und unaufgeregt. Es sind die Filme, die uns die Großeinsätze vorgaukeln, Sondereinsatzkommandos, die sich, mit Schutzhelmen und kugelsicheren Westen versehen und Maschinengewehren im Anschlag, durch die Dunkelheit heranschleichen, ein Gebäude stürmen, Blendgranaten werfen. Fluchtversuche und Schüsse. Dramatische Szenen und etliche Verletzte.

Vielleicht lief es in Wahrheit oft ganz anders ab.

Ich ordnete mit den Fingern meine Haare, dann beugte ich mich über das Sofa, um die Wolldecken, die darauf lagen, zusammenzufalten und zu glätten. Eigenartig, dass mir das in diesem Moment wichtig war: Das Zimmer ordentlich zu hinterlassen. Vermutlich hatte es in erster Linie mit dem Versuch zu tun, mich selbst ein wenig zu beruhigen.

Als ich die Decke in den Sofaritzen feststecken wollte, sah ich etwas aufblitzen, etwas Silbriges, Metallisches. Im ersten Augenblick dachte ich an ein Geldstück. Ich beugte mich tiefer, kramte hervor, was ich da sah. Ich hielt etwas in der Hand, das ich nicht identifizieren konnte. Ein flaches, mattsilberfarbenes Stück Metall. Aber da war noch mehr. Ich grub weiter. Ich förderte die Einzelteile eines Mobiltelefons hervor. Ein Handy. Ein in ziemlich viele Teile zerbrochenes Handy.

Ich starrte darauf und versuchte zu kapieren, was das bedeutete. Wessen Handy war das, und weshalb war es kaputt? Und warum hatte es jemand tief in die Sofaritzen gestopft? Stammte es von einem von uns? Ich meinte mich zu erinnern, dass Simon ein ganz ähnliches Modell besaß. Oder gehörte es Leuten, die früher einmal hier untergebracht gewesen waren?

Verwirrend. Aber es musste mit uns nichts zu tun haben. Ich legte die Einzelteile auf einen Tisch. Dann verließ ich das Zimmer.

Lieutenant Caparos saß in der Küche am Fenster, er hatte sich einen Stuhl herangezogen und den Platz eingenommen, von dem aus Halabi in den letzten Tagen Wache gehalten hatte. Er sah müde aus, hielt einen Becher in der Hand. Es roch nach frischem Kaffee. Halabi lag noch immer auf dem Boden, aber Caparos hatte ein Bettlaken über ihn gebreitet. Süßlicher Blutgeruch vermischte sich in der Küche mit dem Kaffeeduft. Halabi war seit fast vierundzwanzig Stunden tot, nicht mehr lange, und man würde es in diesem Raum und wahrscheinlich im ganzen Haus nicht mehr aushalten. Ich begriff, dass noch niemand da gewesen war. Man hätte nicht Jérôme mitgenommen und Halabi hier so liegen gelassen.

Caparos wandte den Kopf. »Sie haben lange geschlafen«, sagte er.

Ich nickte, immer noch beschämt wegen der Gleichgültigkeit und Unsensibilität, die mein Verhalten ausdrückte. »Ich war plötzlich zu Tode erschöpft.«

»Kein Wunder«, meinte er. Die Wunde an seinem Kopf sah noch immer schrecklich aus, blutiger Schorf, der seine Haare völlig verklebt hatte. »Das war alles zu viel.«

Ich schaute mich um. »Wo sind … wo ist die Polizei? Sie hatten doch angerufen?«

Caparos strich sich mit einer erschöpft wirkenden Geste über das Gesicht. »Der Sturm letzte Nacht. Es sind überall Straßen überflutet und Bäume umgestürzt. Die Autobahn zwischen Toulon und Hyères ist komplett gesperrt. Die Feuerwehr ist überall im Großeinsatz. Es wird noch dauern, bis die anderen hier sind.«

Er wirkte furchtbar elend. Mir ging auf, wie dramatisch die Situation für ihn sein musste. Er saß in diesem abgelegenen

Haus fest, gezwungen, neben seinem toten Kollegen auszuhalten, er hatte Jérôme überwältigt, aber es kam niemand, um ihn abzuholen, er traute wahrscheinlich Simon und mir nicht über den Weg, und es ging ihm körperlich schlecht. Richtig, richtig schlecht, das konnte man ihm ansehen.

»Wie geht es Jérôme?«, fragte ich.

Er zuckte mit den Schultern. »Ich war nicht mehr oben.«

»Er und Simon brauchen etwas zu essen. Zumindest etwas zu trinken.«

Er warf mir einen argwöhnischen Blick zu. »Die halten schon noch eine Weile durch.«

»Darf ich ihnen etwas Wasser bringen?«

»Zu Deville gehen Sie nicht. Seine Tür bleibt zu!«

»Was ist mit Simon?« Es war mir, ehrlich gesagt, nicht so wichtig, ob Simon Wasser bekam oder nicht. Er hatte mir geholfen, das stimmte, aber trotzdem war ich nie wirklich warm mit ihm geworden. Sein Zaudern und Zögern und Zweifeln … Seine Obrigkeitshörigkeit … Die ganze Sache war unkontrollierbar geworden, seit er nach dem Einbruch in das Haus seines Vaters die Polizei verständigt hatte. Gegen mein flehentliches Bitten, es nicht zu tun. Anstatt mir zu helfen, Jérôme wiederzufinden, hatte er unser aller Geschick in die Hände der Kommissarin gelegt. Deswegen saßen wir jetzt hier. Deswegen war Lieutenant Halabi tot. Deswegen hatte Jérôme jetzt ein Tötungsdelikt auf dem Gewissen.

Dafür, dass Jérôme mich verraten und betrogen hatte, konnte Simon allerdings nichts. Ich hätte ihm die Verantwortung dafür am liebsten auch zugeschoben, einfach um Jérômes Schuld irgendwie zu relativieren, aber da gab es nichts, was ihn entlastet hätte: Jérôme hatte mich innerlich verlassen. Wahrscheinlich schon vor Monaten. Noch bevor er diesem Mädchen aus Sofia begegnet war und sich bemüßigt gefühlt hatte, sich zu ihrem heldenhaften Retter aufzuschwingen.

Ich wollte Simon eigentlich nur deshalb Wasser bringen, um mit ihm zu sprechen. Um ihm zu erklären, weshalb ich das getan, warum ich Jérôme an die Polizei ausgeliefert hatte. Ich lechzte nach seinem Verständnis. Ich wollte, dass er sagte, ich hätte richtig gehandelt, letztlich auch zu Jérômes Bestem. Simon war immer so verständnisvoll. Er würde Balsam auf meine Wunde streichen. Ein bisschen zumindest.

Aus vielleicht verständlichen Gründen traute Lieutenant Caparos niemandem mehr. »Okay«, sagte er schließlich, »Sie dürfen zu dem Deutschen ins Zimmer. Aber ich schließe hinter Ihnen wieder ab. Sie rufen, wenn Sie wieder raus wollen.«

Als ob ausgerechnet von Simon ein Angriff auf die Staatsmacht zu erwarten wäre. Ich willigte ein. »In Ordnung.«

Ich nahm eine Flasche Wasser aus dem Kühlschrank und stieg die Treppe hinauf, gefolgt von Caparos. Ich war froh, die Küche mit dem toten Halabi verlassen zu können. Vor Simons Zimmertür angekommen, zog Caparos seine Waffe, dann erst schloss er auf. Ein Blick in das Zimmer zeigte uns, dass Simon auf dem Bett lag. Er richtete sich auf. Caparos steckte seine Waffe wieder weg.

»Sie rufen mich«, sagte er zu mir, schob mich in das Zimmer, schloss die Tür. Hinter mir wurde der Schlüssel wieder umgedreht.

Simon stand auf und kam auf mich zu. »Nathalie! Was ist los? Wo ist die Polizei? Die müssten doch längst da sein!«

»Die Straßen sind überflutet«, sagte ich. »Und es sind Bäume umgestürzt. Vollsperrung auf der Autobahn. Es dauert, bis sie kommen.«

Simon blickte ungläubig drein. Er ging zum Fenster. Inzwischen war es draußen heller geworden, der Himmel begann sich von anthrazitfarben hin zu einem kristallenen Blau zu wandeln. Ein paar rosige Wolkenfetzen jagten wie kleine, zerrupfte Segelboote über ein bewegtes Meer. Die Bäume bogen sich bis fast zur Erde. Die Wiesen glitzerten vor Nässe, von den kahlen Weinstöcken perlten die Tropfen.

»Mistral«, sagte Simon.

Der kalte Wind aus dem Norden, der das Rhonetal heruntergefegt kam, sich über die Provence ergoss und manche Menschen angeblich völlig verrückt machte. Er sorgte dafür, dass das Wetter schön wurde und dann über einen langen Zeitraum stabil blieb. Er machte die Luft glasig, so dass man alles verschärft und wie aus einer größeren Nähe sah. Ich hatte viel von dem Mistral gehört, ihn jedoch noch nie selbst erlebt.

»Der Sturm war tatsächlich extrem diesmal«, meinte Simon. Klar, er kam seit seiner Kindheit hierher, er kannte den Mistral. »Überflutete Straßen? Entwurzelte Bäume?«

Ich zuckte die Schultern. »Sagt Caparos. Ich glaube, er wartet ziemlich verzweifelt auf das Eintreffen seiner Kollegen.« Ich reichte ihm die Wasserflasche. »Hier. Du hast bestimmt Durst.«

Er setzte sofort die Flasche an den Mund und trank in gierigen Zügen. Er hatte abgenommen während der letzten Tage, das konnte ich an seinem Gesicht sehen. Er hatte auch vorher keine schwammigen Züge gehabt, aber jetzt wirkte er hager, fast ausgemergelt. Für eine Sekunde überfiel mich das schlechte Gewissen: Ich hatte diesen Mann in das Drama hineingezogen. Dann jedoch schob ich die Gefühlsregung gleich wieder weg. Derlei Gedanken führten zu nichts, und ich konnte sie mir im Augenblick auch nicht leisten.

»Wie geht es Jérôme?«, fragte er, nachdem er getrunken hatte.

Leider wusste ich das nicht, ich vermutete jedoch, dass er ziemlich elend dran war. Das Warten machte alles schlimmer, für Caparos, für uns, aber vor allem für ihn.

»Ich darf nicht zu ihm. Caparos geht nicht das kleinste Risiko ein.«

»Er hat Halabi erschossen. Caparos kann gar kein Risiko eingehen.«

»Er hat geschossen, weil Halabi nach seiner Waffe griff.«

»Egal. Halabi ist tot. Caparos will vermeiden, dass es ihm genauso ergeht.«

»Du hast doch gesehen, dass es Notwehr war«, verteidigte ich Jérôme. »Halabi wollte auf ihn schießen!«

»Ja, aber Jérôme hätte schon draußen nicht Caparos niederschlagen und entwaffnen dürfen, um dann mit entsicherter Pistole das Haus zu betreten«, erklärte Simon. »Ich fürchte, selbst ein sehr geschickter Anwalt wird nicht mit Notwehr durchkommen.«

Vor Kummer wurde ich ganz schwermütig. Auch mein Körper, meine Arme und Beine, alle Glieder fühlten sich plötzlich schwer an. Hatte ich doch einen Fehler gemacht? Blühte Jérôme eine Anklage wegen Mordes?

Simon ahnte offenbar, was in mir vorging. Er legte seine Hand auf meinen Arm. »Es war schon richtig, Nathalie. Caparos zu befreien und damit der Polizei die Kontrolle über die Situation zurückzugeben. Jérôme hätte auf Dauer keine Chance gehabt. Gejagt von den Menschenhändlern in Paris, gejagt aber auch von der französischen Polizei. Sie hätten ihn irgendwann geschnappt, Nathalie, so oder so. Womöglich hätte es dabei weitere Tote gegeben. Es ist besser so.«

Seine Worte taten mir gut, dennoch kamen mir die Tränen. Ich konnte sie nicht zurückhalten, sie stiegen in mir auf, strömten hinaus, überschwemmten mich fast. Ehe ich es mich versah, fand ich mich an Simons Brust gepresst vor, er hielt mich mit seinen beiden Armen umschlungen, und ich weinte in seinen Pullover. Ich weinte und weinte: um meine verlorene Liebe. Um Jérômes Verrat. Um meinen Verrat. Darum, dass etwas, das so schön begonnen hatte, so furchtbar enden musste.

Über alldem hörte ich ständig Simons Stimme: »Alles wird

gut. Du hast alles richtig gemacht, Nathalie. Du hast die Notbremse gezogen, und irgendwann wird sogar Jérôme wissen, dass du zu seinem Besten gehandelt hast. Du bist so jung, und dein Leben wird in Ordnung kommen. Du wirst jemanden finden, mit dem du eine gemeinsame Zukunft aufbauen kannst.«

Immer noch an seine Brust gepresst, schüttelte ich heftig den Kopf. Ich würde nie wieder jemanden lieben können. Nicht so. Nicht wie Jérôme.

»Doch«, flüsterte Simon. Seine Hand strich über meine Haare. »Doch.«

Dann hörte ich ihn leise lachen. »Du bist eine so clevere Frau, wirklich. Allein dieses total zertrümmerte Handy zusammenzubauen … Ich hätte das nie geschafft. Niemand hätte das geschafft. Aber du bist nicht davon abzubringen, wenn du dir etwas vorgenommen hast. Du beißt dich durch und beseitigst alle Widrigkeiten. Deshalb mache ich mir keine Sorgen um deine Zukunft. Du schaffst, was du willst.«

Obwohl ich ganz und gar in Tränen aufgelöst war und Simons Worte sanft und beruhigend über mich hinwegströmten, drang ihr Inhalt doch zu mir durch. Eigentlich wollte ich gar nicht genau hinhören, wollte einfach schluchzen und mich in der Wärme seiner Umarmung verlieren, und doch gelang es mir nicht, meinen Verstand vollständig abzuschalten. Wahrscheinlich deshalb, weil die Situation es letztlich nicht erlaubte, die Augen zu verschließen und aus der Wirklichkeit abzutauchen.

Ich hob den Kopf. »Was meinst du?«, fragte ich verwirrt.

Er blickte mich überrascht an. »Das Handy. Mein Handy. Es war total kaputt. Ich hatte es gegen die Wand geschleudert. Du hast es zusammengebastelt.«

Jetzt löste ich mich aus seinen Armen. Mit den Ärmeln meines Pullovers wischte ich mir die Tränen ab. »Wovon sprichst du?«

HYÈRES, FRANKREICH, MONTAG, 21. DEZEMBER

Er hatte das Gefühl, als wäre plötzlich etwas Undurchdringliches, Verwirrendes um sie beide herum, aber er konnte noch nicht genau erkennen, was ihn so sehr irritierte. Irgendetwas stimmte nicht, und in dieser Unstimmigkeit lag eine Bedrohung.

»Du hast doch mein Handy hier aus meinem Zimmer geholt?«

»Ja.«

»Es war ziemlich kaputt. So kaputt, dass ich überzeugt war, niemand werde es je wieder benutzen können. Deshalb hatte ich es ja liegen gelassen. Ich hielt es für nutzlos.«

Sie verstand offenkundig tatsächlich nicht, wovon er redete. »Es lag hier auf dem Tisch. Dein Handy. Aber es war nicht kaputt. Es war völlig okay. Ich dachte, du seist einfach so durcheinander … Du hättest vergessen, vorsichtig zu sein.«

Er überlegte. Es konnte kein Missverständnis geben, kaputt war kaputt. Sie *konnte* sein Handy nicht für *okay* gehalten haben, denn das war es definitiv nicht gewesen. Sie musste endlos daran herumgebastelt haben. Das konnte sie kaum vergessen haben.

»Das ist ja seltsam«, sagte sie nun.

»Ja, in der Tat, es ist …«

Sie unterbrach ihn: »Es ist seltsam, weil ich vorhin unten im Wohnzimmer ein kaputtes Handy gefunden habe. Total zertrümmert. Jemand hat die Einzelteile in die Sofaritze geschoben. Ich habe mich noch gefragt, ob das … von irgendwelchen Leuten stammt, die früher einmal hier waren? Aber das wäre ein eigenartiger Zufall. Nachdem dein kaputtes Handy verschwunden ist. Es muss deines sein.«

»Aber welches lag dann hier? Und wer hat meines versteckt?«

Sie schauten einander an.

»Du hast mein Handy doch schon früher benutzt«, sagte Simon. »Ist dir nicht aufgefallen, dass du ein anderes in der Hand hattest?«

Sie zuckte die Schultern. »Ich war zu nervös, zu aufgeregt. Ich stand total unter Zeitdruck. Ich musste herausfinden, wo wir sind, ich musste Jérôme kontaktieren, und bei alldem hatte ich riesige Angst, dass du runterkommst und merkst, was ich tue … Ich habe überhaupt nicht genau auf irgendwelche Details geachtet. Aber wenn ich jetzt darüber nachdenke … es hätte mich vielleicht wundern sollen, dass es gar keine Tastensperre gab.«

In seinem Kopf begannen sich die Gedanken zu überschlagen. Jemand hatte die Einzelteile seines Handys aufgelesen und offenbar eilig unten im Wohnzimmer versteckt. Jemand hatte ein anderes, funktionstüchtiges Handy mitten auf dem Tisch in seinem, Simons, Zimmer deponiert.

Wer? Und warum?

»Hast du das Handy noch?«, fragte er. »Mit dem du Jérôme kontaktiert hast?«

Sie schüttelte den Kopf. »Ich musste es Caparos geben. Er traut mir nicht. Aber egal. Ich brauche ja niemanden mehr anzurufen.«

Ein dumpfes, bedrohliches Gefühl breitete sich in Simon aus.

Etwas stimmte hier einfach nicht.

»Wieso ist die Polizei noch nicht hier?«, fragte er nervös. »Inzwischen dauert es einfach zu lang.«

»Vielleicht ist es wirklich nahezu unmöglich hierherzukommen«, meinte Nathalie.

»Wir hatten ja keinen Tsunami oder etwas Ähnliches. Ein sehr heftiges Unwetter, Sturm, ja, aber das ist Stunden her. Mir gefällt das nicht.«

»Warum? Was denkst du?«

»Ich weiß nicht genau. Die Sache mit dem Handy … Ich meine, es gibt im Prinzip nur zwei Menschen, die mein kaputtes Handy aus diesem Zimmer entfernt und ein intaktes hierhergelegt haben können, und das sind die beiden Polizisten. Halabi und Caparos.«

Nathalie runzelte die Stirn. »Warum sollten sie das tun?«

Er überlegte. »Damit du Jérôme hierher lockst. Sie wussten, dass du über praktisch nichts anderes nachdenkst als darüber, wie du ihn erreichen könntest. Es war klar, dass man dir nur irgendeine Möglichkeit zuspielen musste, und du würdest sie ergreifen.«

»Sie wollten Jérôme eine Falle stellen? Ihn hierher locken? Und haben mich einfach dazu benutzt?«

»Es war die einzige Möglichkeit, ihn zu fassen. Jérôme ist der Dreh- und Angelpunkt dieser ganzen Geschichte. Es gibt bereits zu viele Tote, und niemand konnte bisher herausfinden, worum es eigentlich geht. Jérôme war der Einzige, der uns alle, einschließlich die Polizei, aufklären konnte. Sie mussten ihn finden. Um mit ihm zu reden.«

»Aber warum haben sie nicht mit offenen Karten gespielt? Ich wollte Jérôme ja anrufen. Ich hätte es getan, wenn sie mich gebeten hätten!«

»Vielleicht waren sie nicht sicher, ob du es noch tust, wenn dir aufgeht, dass du ihn damit unter Umständen in Gefahr bringst«, meinte Simon. »Die Polizei war nie von seiner Unschuld überzeugt, sondern hat immer eine Verstrickung in ungesetzliche Handlungen vermutet. Man wollte nicht riskieren, dass du ausscherst, denn dann hätte man dich später auch nicht mehr mit einem Telefon in die Falle locken können.«

Sie ließ den Kopf sinken. Er konnte es nicht nur sehen, sondern geradezu fühlen, wie elend ihr zumute war. Denn tatsächlich hatte man bei der Polizei recht gehabt: Jérôme war in illegale Machenschaften verstrickt. Er hatte aussteigen wollen, aber zuvor hatte er mitgemacht.

Und inzwischen ... inzwischen konnte ihm ein Tötungsdelikt zur Last gelegt werden. Jetzt steckte der Karren heillos im Dreck.

»Ich musste ihn aufhalten«, flüsterte sie. »Ich musste es tun.«

»Es war richtig«, wiederholte er. »Du hast ihn letztlich gerettet.«

»Er wird für viele Jahre im Gefängnis sitzen.«

»Ich bin sicher, er wird vorzeitig entlassen. Er hat dieser Selina zur Flucht verholfen und sich damit selbst in Gefahr gebracht, und das wird man auch vor Gericht anerkennen.«

Bei der Erwähnung des Namens *Selina* zuckte sie zusammen. Simon, der wusste, wie wichtig ihr die Beziehung zu Jérôme gewesen war, konnte sich ihren Schmerz vorstellen. Sie tat ihm leid. Er war in den letzten Tagen oft einfach nur genervt gewesen, hatte sie insgeheim zum Teufel gewünscht, aber nun fand er, dass das Schicksal zu hart mit ihr umging. Sie sah einsam, verloren und unglaublich verletzt aus. Er hätte sie gerne erneut in die Arme genommen, sie weinen lassen und ihr einfach nur gut zugeredet, aber irgendetwas hielt ihn davon ab.

Ein Gefühl … ein eigentümliches, nagendes Gefühl der Unsicherheit. Irgendwie kam es ihm vor, als hätten sie jetzt nicht die Zeit zum Trauern, Weinen und Trösten. Später vielleicht. Nicht jetzt.

Weil irgendetwas nicht stimmte.

Sie waren geschickt vorgegangen. Halabi, Caparos und vermutlich beiden voran die Chefin, Inès Rosarde. Der Abend, an dem Caparos den Zaun überprüft hatte … Wahrscheinlich hatte er da überhaupt erst das Loch in den Maschendraht geschnitten. Sie hatten Nathalie einen Weg nach draußen eröffnet, und schon war sie losgezogen. Dann musste man ihr nur noch ein Telefon zuspielen, schon stand fest, dass sie Jérôme kontaktieren würde. Caparos, der sich draußen hinsetzte und sich freiwillig überwältigen ließ … Aber dann war plötzlich nichts mehr planmäßig gelaufen. Jérôme hatte Halabi erschossen. Das war natürlich nicht vorgesehen gewesen.

Simon runzelte die Stirn.

Das Ganze war eine äußerst riskante Vorgehensweise gewesen. Schon dass sich Caparos hatte niederschlagen und entwaffnen lassen … Auch er hätte dabei ums Leben kommen können, dann würden sie jetzt hier vor zwei toten Polizisten stehen. Aber auch so hatte er vermutlich zumindest eine Gehirnerschütterung davongetragen – so elend, wie er vorhin gewirkt hatte. Im Prinzip war da draußen bereits alles schiefgegangen: Es hatte nie die Absicht gewesen sein können, Jérôme in den Besitz einer Schusswaffe gelangen zu lassen.

Er dachte an Kommissarin Inès Rosarde.

Lockvogelspiele sind mit mir nicht zu machen! Das hatte sehr dezidiert geklungen. War sie der Typ Frau, der Typ

Vorgesetzte, der sich auf derart waghalsige Konstrukte einließ?

Es passte nicht. Irgendetwas passte da einfach nicht zusammen.

Nathalie sah ihn an. »Was ist los? Worüber denkst du nach?«

»Über Inès Rosarde. Dieser ganze Plan, Jérôme hierher zu locken… Das passt nicht zu ihr. Zumindest wäre dann in angemessener Entfernung zum Haus ein Sondereinsatzkommando versteckt gewesen, das Jérôme abgefangen hätte, *bevor* er Caparos überwältigte, bevor er die Waffe an sich nahm und natürlich bevor er Halabi erschoss. So wie das jetzt gelaufen ist, könnte Jérôme sich auch mit uns als Geiseln hier verschanzt haben, dann wäre auch unser Leben in Gefahr. Nie im Leben, Nathalie. Nie im Leben hätte Rosarde ein solches Spiel gespielt. Hochriskant und, wenn man es sich genau anschaut, absolut dilettantisch.«

»Vielleicht haben Caparos und Halabi auf eigene Faust gehandelt«, meinte Nathalie. Sie klang ungeduldig. »Es ist doch auch egal, Simon, wer auch immer diesen Einfall hatte…«

»Es ist nicht egal. Es ist absolut nicht egal.« Er hatte das Gefühl, dicht vor dem Durchbruch einer Erkenntnis zu stehen, und irgendwie wusste er, dass es eine Erkenntnis war, die alles schlimmer machen würde. »Caparos und Halabi auf eigene Faust… Halabi ist jetzt tot…« Er rief sich den Moment in der Küche ins Gedächtnis zurück. Als Jérôme um die Ecke kam, die Pistole in der Hand… Halabi, der entsetzt nach seiner eigenen Waffe griff… Simon hätte schwören können, dass Halabi nichts gewusst hatte. Wäre er Teil des Plans gewesen, hätte er wissen müssen, dass die Tatsache, dass Nathalie halbnackt vor ihm herumsprang, nur als Ablenkungsmanöver dienen konnte und dass somit der Moment gekommen sein musste, in dem Jérôme jede Sekunde auftauchen würde. Konnte er sich so sehr verstellen? Er hatte keine Vorsichtsmaßnahme ergriffen, hatte letzten Endes Jérôme die Gelegenheit gegeben, ihn blitzschnell über den Haufen zu schießen.

Es war zu bizarr. Halabi hatte höchstwahrscheinlich keine Ahnung gehabt, was vor sich ging.

Blieb Caparos.

Simon rieb sich mit beiden Fingern die Schläfen. Caparos, der *vollständig auf eigene Faust* ein brandgefährliches Manöver fuhr?

Er war es gewesen, der Nathalie das Handy vor die Nase gelegt hatte, es gab keine andere Möglichkeit. Er hatte das Loch in den Zaun geschnitten. Sowohl Lieutenant Halabi als auch Kommissarin Rosarde hatten ihre Wut wegen Nathalies Ausbruch am ersten Morgen nicht gespielt, ebenso wenig wie ihren Ärger wegen Caparos' Schlampigkeit, mit der er den kaputten Zaun übersehen hatte. Caparos hatte alles in die Wege geleitet und dabei offenbar billigend in Kauf genommen, dass die ganze Sache schrecklich ausgehen konnte. Sein Plan war wahrscheinlich gewesen, Jérôme schon draußen am Zaun zu überwältigen, aber das war dramatisch schiefgegangen. Was ihm zumindest als Möglichkeit hätte klar sein müssen.

Wieso nahm ein erfahrener Polizist ein solches Risiko in Kauf? Um gegenüber seiner Vorgesetzten später als der Held dazustehen, der Mann, dem es gelungen war, den mit Hochdruck gesuchten Jérôme Deville in die Falle zu locken? Worum war es ihm gegangen? Um eine Beförderung?

Die konnte er sich vermutlich abschminken. Nicht nur, weil sein Kollege die ganze Geschichte nicht überlebt hatte. Selbst wenn es ohne Tote abgelaufen wäre: Simon kannte sich mit Polizeiarbeit nicht aus, aber er war ziemlich sicher, dass Caparos aufgrund seines Vorgehens jeden Gedanken an eine weitere Karriere getrost vergessen konnte.

Er war ihm als ein kluger und vernünftiger Mann erschienen. *Warum ließ sich ein solcher Mann auf diesen Wahnsinn ein?*

Weil es nicht um seine Karriere ging. Nicht darum, sich als der schlauste Polizist aller Zeiten zu erweisen. Caparos hatte gar nicht vorgehabt, vor seiner Chefin zu brillieren.

Simon blickte zum Fenster hinaus. Der Mistral schien mit jeder Minute stärker zu werden. Die Bäume sahen aus, als würden sie jeden Moment aus der Erde gerissen. Der Himmel, leuchtend blau, durchscheinend wie aus Glas.

»Scheiße«, sagte er laut. »Scheiße!«

Er hatte begriffen.

Jean Caparos war gekauft.

Und sie warteten hier keineswegs auf die Polizei.

TOULON, FRANKREICH, MONTAG, 21. DEZEMBER

Inès Rosarde wusste nicht, weshalb sie so unruhig war. Vielleicht deshalb, weil einfach nichts voranging. Sie hasste es, auf der Stelle zu treten, nicht genau zu wissen, was als Nächstes geschehen würde oder was sie als Nächstes tun sollte. Natürlich war ihr das schon manchmal so gegangen, und aus Erfahrung wusste sie, dass sich dann doch immer wieder Konstellationen auftaten, in denen neue, bisher verborgene Zusammenhänge sichtbar wurden. Was aber tatsächlich ungewöhnlich und ziemlich einmalig war: dass sie in einem Fall ermittelte, von dem sie nicht wusste, worum es eigentlich genau ging.

Das, fand sie, war eine wirklich sehr besondere und ziemlich nervenzerschleißende Variante. Und das alles passierte ausgerechnet jetzt: nach dem Drama um den erschossenen Zivilisten. In einem Moment, da sie und ihre Leute so sehr unter der Beobachtung ihrer Vorgesetzten standen wie womöglich noch nie zuvor.

Ihr erster Fall ohne Perez. Mit dem ihr unvertrauten Jean Caparos neben sich. Und dann musste gleich alles so absolut undurchschaubar sein.

Das Apartment in Les Lecques, das Jérôme Devilles Onkel gehörte, wurde rund um die Uhr observiert, aber niemand hatte sich dort blicken lassen, der in irgendeiner

Weise verdächtig erschienen wäre. Schon gar nicht Jérôme selbst. Er schien wie vom Erdboden verschluckt zu sein.

Sie waren dabei, sein Umfeld zu erforschen, die Firma Denegri in Paris, aber auch Jeanne Berneys Umfeld in Metz. Nirgends stießen die Ermittler auf die geringsten brauchbaren Spuren. Inès hatte Kollegen zu Nathalie Boudins Eltern geschickt, aber auch das hatte nichts gebracht. Nathalies Mutter war ziemlich betrunken gewesen, hatte aber immerhin noch mitteilen können, dass sie schon lange keinen Kontakt mehr zu ihrer Tochter hatte und somit nichts über deren Leben wusste. Der Name *Jérôme Deville* sagte ihr zwar dunkel irgendetwas – »War sie nicht mal mit dem befreundet? Als sie noch bei der anderen Frau wohnte?« –, aber im Grunde hatte sie keine Ahnung. Sie hatte ihn auch nie persönlich kennengelernt.

Nathalies Vater, der mit seiner neuen Familie in Paris wohnte, hatte seit Jahren von Nathalie nichts gehört. »Zuletzt habe ich an ihrem achtzehnten Geburtstag mit ihr telefoniert. Da hat sie von einem Tag zum anderen die Schule abgebrochen. Ich habe ihr ins Gewissen geredet, aber da war nichts zu machen. Sie wollte zu diesem Typen nach Paris … Das hat sie dann auch durchgezogen und sich nie wieder bei mir gemeldet. Verrückt, wenn man bedenkt, dass wir in derselben Stadt leben. Aber man muss die Kinder den eigenen Weg gehen lassen, nicht wahr?«

Auch Éliane, bei der Nathalie in Metz gewohnt hatte, wusste nichts Erhellendes zu berichten. Allerdings hatte sie Jérôme Deville immer misstraut. »Ein Leichtfuß. Einer, der das Leben von der lockeren Seite nimmt und der davor zurückscheut, sich Verantwortung aufzuhalsen. Und gewissenlos ist er, wirklich. Nathalie hat die Schule abgebrochen, kurz bevor die Abiturprüfungen begannen, und er hat sie darin bestärkt, wenn nicht sogar dazu überredet.

Können Sie sich das vorstellen? Wie absolut skrupellos muss ein Mann sein, um das zu tun?«

Élianes Exfreund wusste ebenfalls nicht viel Gutes über Jérôme zu berichten. »Selbstverliebt. Egozentrisch. Er hält sich für den tollsten Typen weit und breit, dabei hat er nichts im Leben auf die Beine gestellt. Aber Nathalie hat ihn angehimmelt. Klar, er sah gut aus, und er kann sehr charmant sein. Auf solche Männer fallen Frauen gerne rein, stimmt's? Und Nathalie … na ja, die war halt ganz schön durchgeknallt. Ich als Mann hätte ja einen Bogen um sie gemacht, man sah ihr an, wie problematisch sie war und wie gestört und dass man mit ihr nur Schwierigkeiten haben würde … Aber Jérôme war zunächst ziemlich hinter ihr her. Sie war sehr attraktiv. Wenn man davon absah, dass sie nur aus Haut und Knochen bestand.«

Nichts, dachte Inès jetzt, gar nichts. Nichts, was uns weiterbringt. Nichts, was uns einen Hinweis darauf gibt, in welche Probleme sich diese beiden jungen Menschen verstrickt haben könnten.

Sie fischte die Schachtel mit den Zigaretten aus ihrer Handtasche, stand auf und machte sich auf den Weg nach draußen, um zu rauchen. Sie nickte dem Mitarbeiter zu, der in ihrem Vorzimmer am Schreibtisch saß und irgendetwas in seinen PC tippte.

»In Hyères alles klar?«, fragte sie.

Er nickte. »Caparos hat sich vor einer Viertelstunde gemeldet. Alles ruhig.«

Sie wollte schon weitergehen, stutzte dann aber und wandte sich noch einmal um. »Schon wieder Caparos? Das ist das dritte Mal in Folge, dass er sich meldet.«

»Ja.«

»Wir hatten wechselnde Meldung vereinbart«, sagte Inès. Es war üblich, dass sich die Beamten in regelmäßigen Abständen melden mussten, aber darüber hinaus wurde im Vorfeld manchmal ein bestimmtes Meldesystem festgelegt: Entweder nur der eine oder der andere oder beide in unmittelbarem Wechsel oder zweimal ein Beamter, dann wieder der andere ... Das Ganze stellte eine Art zusätzlichen Sicherheitscode dar: Sollte in dem Schutzhaus eine kritische Situation eintreten, konnten die wachhabenden Polizisten zwar unter Umständen zu ihren Meldungen genötigt werden, aber sie konnten durch Umgehung des Ablaufs eine Art Notruf nach draußen senden.

»Tatsächlich?«, fragte der Beamte. »Abwechselnde Meldungen?«

»Ja. Seltsam.« Man musste nicht gleich das Schlimmste annehmen. Manchmal gerieten die Beamten selbst durcheinander, zählten nicht richtig mit, oder einer von ihnen hatte sich schlafen gelegt und der andere mochte ihn nicht wecken.

Trotzdem.

»Bei der nächsten Meldung verlangen Sie, Lieutenant Halabi zu sprechen«, sagte Inès. »Sonst sind wir dort. Alles klar?«

»Alles klar«, bestätigte der Beamte.

HYÈRES, FRANKREICH, MONTAG, 21. DEZEMBER

Es ging Jean Caparos nicht gut. Er fror unmäßig, obwohl die Heizung im Wohnzimmer inzwischen einigermaßen auf Touren gekommen war und man sich die Hände verbrannte, wenn man sie anfasste. Ihm war schwindelig, und es peinigte ihn eine leichte Übelkeit, von der er den Eindruck hatte, dass sie langsam, aber stetig schlimmer wurde. Der Schlag auf den Kopf war hart gewesen, und er mutmaßte, dass er mindestens eine Gehirnerschütterung davongetragen hatte. Wenn nicht etwas Schlimmeres. Ein Arzt wäre nicht schlecht, musste jedoch warten.

Er fragte sich, wann die Situation hier endlich überstanden wäre.

Die Scheiß-Vollsperrung der Autobahn. Überall entwurzelte Bäume, überflutete Straßen. Das Unwetter war mörderisch gewesen, der jetzt erneut tobende, sich von Stunde zu Stunde steigernde Mistral machte die Sache nicht besser.

Die Polizei hätte es natürlich trotzdem geschafft, längst hier zu sein. Weder hielt sie eine Vollsperrung auf, noch wären sie nicht in der Lage gewesen, von irgendwoher, und sei es aus dem entlegensten Bergdorf, irgendeinen Beamten zumindest der Police municipale in das Haus zu beordern. Der Mistral machte allerdings einen Hubschraubereinsatz zunichte. Vielleicht sagte sich Nathalie das auch. Trotzdem überlegte Caparos, wann die junge Frau wohl misstrauisch werden würde. Sie hielt sich schon ganz schön lange oben bei dem Deutschen im Zimmer auf. Ob den beiden inzwischen dämmerte, dass irgendetwas nicht stimmte?

Egal. Sie saßen hinter Schloss und Riegel. Das war das Gute an dieser gesicherten Einrichtung: Niemand konnte so leicht aus einem versperrten Zimmer hinaus. Er musste nicht fürchten, dass seinen Gefangenen der Ausbruch gelang und dass sie sich plötzlich von hinten an ihn heranschlichen. Er konnte ganz entspannt sein.

Allerdings war er es nicht. Wegen der Kopfschmerzen und der Übelkeit oder weil er sich mit der ganzen Situation überfordert fühlte?

Er lauschte nach oben. Nichts zu hören.

Er hasste es, in die Küche zu gehen, weil dort Hasnainy Halabi lag, sein Kollege. Über dessen Rolle in dem Stück nachzudenken führte bei Jean Caparos dazu, dass ihm noch schlechter wurde und er noch mehr fror. Er hatte es nie angesprochen, aber laut Plan hätte er Halabi genauso festsetzen müssen wie Jérôme und die anderen, und irgendwie war ihm immer klar gewesen, dass Halabi am Ende möglicherweise nicht überleben würde. Mit heiler Haut aus der Sache würde nur er, Jean Caparos, herauskommen. Neuer Pass, Flugticket nach Südamerika, ein beachtlicher Geldbetrag dort auf einem Konto deponiert. Was mit den anderen werden sollte, hatte er wohlweislich nicht gefragt. Aber er konnte es sich ausrechnen. Vorsichtshalber hatte er die ganze Zeit über versucht, nicht darüber nachzudenken.

Aber dann hatte Jérôme Deville Halabi erschossen, und er selbst, Caparos, hätte auch draufgehen können. Wenn er das hoffentlich nicht noch tat. Im besten Fall hatte er *nur* eine Gehirnerschütterung. Möglicherweise aber auch Schlimmeres.

Er überwand sich, ging in die Küche, ignorierte nach besten Kräften den leblosen Körper unter dem Bettlaken und sah zum Fenster hinaus. Dort hatte man den besten Blick direkt auf das verschlossene Tor und auf die Straße. Wann kamen *sie* endlich? Wie lange würde er den Kollegen in Toulon glaubhaft vorspielen können, dass alles in Ordnung war? Er hatte regelmäßig Meldung gemacht, wusste aber, dass laut Absprache Hasnainy Halabi zwischendurch an der Reihe gewesen wäre. Der Trottel, den er gesprochen hatte, wusste entweder nichts von der Vereinbarung oder hatte sie vergessen, aber es war nur eine Frage der Zeit, bis Inès Rosarde aufmerksam werden würde, und sie war ein anderes Kaliber. Meist schickte man nicht sofort ein Kommando los, aber Rosarde würde verlangen, mit Halabi zu sprechen. Und dann hatte Caparos ein Problem.

Niemand zu sehen. Aber es konnte nicht mehr lange dauern. *Sie* würden kommen. Sie wollten Jérôme. Er hatte keine Ahnung, weshalb sie derart hinter ihm her waren, aber er hatte überhaupt wenig bis gar kein Wissen über die Menschen, mit denen er sich eingelassen hatte. Ihn hatte anderthalb Jahre zuvor ein Mann in seinem Büro aufgesucht, hatte sich nicht mit Namen vorgestellt, sondern nur erklärt, aus Paris zu kommen, und hatte sodann alle Brennpunkte in Jean Caparos' Leben aufgezählt. Caparos erinnerte sich, dass ihm der Schweiß ausgebrochen war, vor allem, als der Fremde auf seine Schulden zu sprechen gekommen war.

»Hundertfünfzigtausend Euro? Kommt das ungefähr hin?«

Es kam ungefähr hin. Caparos wusste selbst nicht, wie es ihm gelungen war, so hohe Schulden anzuhäufen. Zu teuer gelebt, ja, und dann noch die Börsenspekulationen über das Internet. Verführerisch, weil er am Anfang viel gewonnen hatte. Das hatte ihn leichtsinnig gemacht, es war wirklich die alte Geschichte, das immer gleiche Klischee gewesen. Er geriet in eine Spirale nach unten, musste sich Geld leihen, teilweise von Leuten, von denen er sich gerade in seinem Beruf als Polizist keinesfalls etwas hätte leihen dürfen. Er hatte längst begonnen, erpressbar zu werden, er tanzte am Abgrund entlang, weil es nur eine Frage der Zeit war, bis seine Vorgesetzten irgendwie Wind von seiner fatalen Situation bekamen.

Sein Besucher hatte ihm signalisiert, dass nicht unerhebliche Zahlungen für ihn möglich wären, würde er sich dann und wann kooperativ zeigen. Dann war er auch schon wieder gegangen, hatte Caparos in einem aufgelösten Seelenzustand zurückgelassen. Er wusste, dass es Korruption auch bei der Polizei gab, aber bislang hatte er sich zumindest in dieser Hinsicht nichts zuschulden kommen lassen. Er hatte auch jetzt nicht zugestimmt, *»sich dann und wann kooperativ zu zeigen«*, aber er hatte den Eindruck gehabt, dass es auf seine ausdrückliche Zustimmung auch gar nicht ankam. Zwischen den Zeilen wurde ihm bedeutet: Er machte entweder mit. Oder auf höherer Ebene würde man von seinem Problem erfahren. Damit hätte er dann seinen Job verloren.

In den achtzehn Monaten hatte er immer wieder Anweisungen bekommen, Dinge anders zu machen, als er sie eigentlich gemacht hätte. Mal sollte er eine Zeugenaussage verschwinden lassen, mal ein Protokoll verändern, dann wieder eine Information unter den Tisch fallen lassen. Es ging nie um allzu weitreichende Dinge, damit hatte er sich getröstet. Der größte Trost waren allerdings die Eingänge auf seinem Konto gewesen. Sie hatten ihn immer wieder vor dem endgültigen Absturz bewahrt, auch wenn ihm eine innere Stimme beharrlich zuflüsterte, dass er in Wahrheit kräftig an seinem *eigentlichen* Absturz strickte: Als er ihnen die erste Gefälligkeit erwies und das erste Geld annahm, hatte er unwiderruflich einen Schalter umgelegt. Er war zum korrupten Polizeibeamten geworden. Damit hatte er einen Weg beschritten, auf dem es keine Umkehr gab.

Insofern war ihm dieser letzte Auftrag gelegen gekommen. Diesmal ging es um wesentlich mehr, und diesmal war klar, dass er hinterher aller Wahrscheinlichkeit nach nicht in seinen Alltag zurückkehren konnte. Er sollte Jérôme Deville in die Falle locken.

»Wie soll ich das unauffällig machen? Es wird ein Kollege dabei sein. Ich werde in ständigem Kontakt zur Zentrale in Toulon stehen müssen. Ich bin nicht uneingeschränkt handlungsfähig, zumindest nicht so, dass man am Ende nichts von meiner eigenen Beteiligung mitbekommen wird.«

Für den Fall, dass er aufflog, waren Argentinien, das Ticket und das Auslandskonto geplant worden. Eine Summe, von der Caparos lange Zeit würde sorgenfrei leben können. Er hatte nicht gewusst, was er sich wünschen sollte: Dass es ihm gelang, Jérôme Deville in die Hände seiner Verfolger zu spielen, ohne dass seine Rolle dabei sichtbar wurde – was ohnehin höchst unwahrscheinlich gewesen wäre –, oder dass seine Flucht tatsächlich unumgänglich wurde, wie es ja nun auch passiert war. Indem er seine Kollegen in Toulon seit Stunden hinhielt, ohne ihnen den Stand der Dinge mitzuteilen, war er endgültig und bald auch offensichtlich Teil *der anderen* geworden. Ihm blieb nichts anderes mehr, als sein bisheriges Leben aufzugeben. Er hatte Angst davor, aber er spürte auch die Hoffnung, die jedem Neuanfang zu eigen ist. In Frankreich hatte er keine Zukunft, dafür hatte er in der Vergangenheit zu viel Mist gebaut. Aber er war noch keine vierzig Jahre alt, er hatte noch viele Jahre vor sich, und es machte Sinn, sich irgendwo etwas Neues aufzubauen.

Trotzdem ein verrückter Zeitpunkt: Gerade jetzt. Da ihn

Inès Rosarde zu ihrem direkten Mitarbeiter gemacht hatte. Seine Karriere bekam neuen Schwung, und genau in diesem Moment brach alles zusammen.

Seine Kopfschmerzen waren inzwischen so stark, dass er plötzlich Sehstörungen bekam. Er sah die tote, zugedeckte Gestalt auf dem Fußboden doppelt, blickte schnell weg und versuchte, einen Punkt jenseits des Fensters zu fixieren, was ihm jedoch nicht gelang. Vielleicht lag es an dem tobenden Wind und an den wild schwankenden Bäumen, aber er bekam einfach kein klares Bild zustande. Irgendwie verlief alles da draußen in Wellenlinien. Er starrte die Küchenmöbel an, die Anrichte mit den angebrochenen Wasserflaschen und der Cornflakes-Packung darauf, aber auch hier verschwamm alles, obwohl die Dinge nun definitiv ruhig standen und nicht vom Wind bewegt wurden.

Scheiße. Scheiße. In diesem Zustand würde er nie im Leben einfach das Flugzeug nach Buenos Aires besteigen und in eine ungewisse Zukunft aufbrechen können. Er brauchte zuvor einen Arzt. Irgendetwas ging in seinem Kopf vor sich …

Ihm wurde so schwindelig, dass er sich rasch setzen wollte, doch er verfehlte den Küchenstuhl und landete hart auf dem Fußboden. Sein Kopf knallte gegen das Tischbein. Es tat nicht einmal wirklich weh, fast stellte dieser jähe Schmerz sogar eine sekundenlange Erleichterung gegenüber den bohrenden Kopfschmerzen dar, die ihn von Minute zu Minute stärker quälten. Aber gleich darauf spürte er eine warme, klebrige Flüssigkeit in seinen Haaren, fasste dorthin und betrachtete gleich darauf seine blutigen Finger. Auch das noch. Die Wunde war wieder aufgegangen.

Caparos rappelte sich mühsam auf, zog sich am Tisch hoch, stand einige Momente schwankend und vornübergebeugt im Raum, ehe er es schaffte, sich nach nebenan in die kleine Schlafkammer zu schleppen. Er blutete heftig, viel heftiger als zuvor. Er brauchte einen Verband.

Es gab einen Verbandskasten in einem Einbauschrank. Caparos nahm eine Mullbinde heraus, versuchte sie sich um den Kopf zu wickeln. Es gelang ihm nicht, sie zu fixieren, seine Hände zitterten zu stark. Nach drei Versuchen gab er auf, schweißgebadet. Sein Kreislauf schien sich mehr und mehr zu verabschieden. Okay, wenn *sie* nicht bald kamen und ihm halfen, würde er hier bewusstlos liegen, vielleicht auch sterben. Warum konnte er bloß so schlecht sehen? Es war einfach unheimlich, dass kein Gegenstand im Raum mehr still hielt und dass es keine geraden Linien mehr gab.

Caparos versuchte ruhig durchzuatmen. Es ließ sich nicht leugnen, sein Zustand wurde nicht besser, sondern schlimmer.

Ich brauche Hilfe. Ich brauche, verdammt nochmal, schnell Hilfe.

Er blutete eindeutig zu stark, so stark, dass er leicht panisch wurde. Er versuchte es noch einmal mit dem Verband, scheiterte aber erneut.

Okay, Jean, denk nach. Du verblutest hier jetzt entweder, oder du lässt dir helfen.

Das Mädchen. Er hatte eigentlich inzwischen vorgehabt, sie oben bei dem Deutschen im Zimmer zu lassen, denn gerade angesichts seines schwer angeschlagenen Zustandes schien ihm das die sicherste Möglichkeit zu sein. Aber irgendjemand musste ihm seinen Kopf verbinden und ihm etwas zu essen machen – nicht, dass er hungrig gewesen wäre, im Gegenteil, ihm war speiübel, aber er hoffte, dass vielleicht ein paar Kräfte zurückkehrten, wenn er endlich etwas in den Magen bekäme. Sofern er es überhaupt bei sich behalten würde.

Das Mädchen war klein und abgemagert, und er rechnete damit, es in Schach halten zu können. Wobei, das war ihm klar, man nicht den Fehler machen durfte, Nathalie zu unterschätzen. Sie war in seine Falle getappt, hatte plangerecht sowohl auf den kaputten Zaun als auch auf das Handy reagiert, aber das änderte nichts daran, dass sie schlau, entschlossen und konsequent vorgegangen war. Und sie konnte gnadenlos sein, auch das hatte sie bewiesen: Sie hatte ihn befreit, um ihren Freund Jérôme an die Polizei auszuliefern. Warum sie das getan hatte, wusste Caparos nicht, aber ganz offenbar hatte irgendetwas in Jérômes Verhalten einen krassen Stimmungsumschwung in ihr ausgelöst.

Hätte sie ihn nicht befreit, wäre sie stattdessen mit Jérôme abgehauen, wären längst die Kollegen aus Toulon da, der Plan mit *den anderen* wäre schiefgegangen, Caparos wäre jedoch nicht in Verdacht geraten und inzwischen bereits in ärztlicher Behandlung. Im Nachhinein klang diese Variante nicht schlecht. Aber nun ließ sich nichts mehr ändern. Nicht zurückschauen, vorwärtsgehen. Etwas anderes kam nicht mehr in Frage.

Wenn er von dem Geld und dem neuen Leben in Südamerika noch irgendetwas haben wollte, musste er das Risiko eingehen und Nathalie aus dem Zimmer holen. Er konnte sich nur noch mühsam auf den Beinen halten, aber er hatte eine Waffe. Das war immerhin ein nicht zu unterschätzender Vorteil.

Er verließ langsamen Schrittes das Zimmer, hielt sich dabei mit einer Hand an der Wand fest. Die Treppe stellte ein großes Problem dar, aber es gelang ihm, sich am Geländer Stufe um Stufe nach oben zu ziehen. Das Blut lief ihm über den Nacken. Vermutlich bot er einen ziemlich furchterregenden Anblick.

Oben angekommen, entsicherte er seine Waffe, hielt sie, so fest er konnte, in seiner zittrigen Hand und schloss dann die Tür auf. Er sah, dass Simon und Nathalie auf dem Bett saßen. Nathalie hatte beide Beine eng an den Körper gezogen, die Arme darum geschlungen. Sie war weiß im Gesicht, und auch Simon sah ziemlich schlecht aus. Caparos konnte das einigermaßen deutlich erkennen, weil sich durch den Treppenaufstieg zumindest für den Moment sein Kreislauf gefestigt hatte. Alle Bilder hatten wieder klarere Konturen.

Er begriff sofort: Die beiden wussten, was los war.

»Nathalie«, er machte eine auffordernde Bewegung mit seiner Waffe, »Sie kommen raus zu mir!«

Nathalie stand auf, aber auch Simon erhob sich. Caparos richtete sofort die Waffe auf ihn. »Sie bleiben, wo Sie sind, Simon. Keinen Schritt näher!«

»Lieutenant Caparos«, sagte Simon beschwörend. »Machen Sie keinen Fehler. Bitte. Sie haben sich da mit skrupellosen Gangstern eingelassen, und Sie sollten keineswegs sicher sein, dass Sie glimpflich aus der Sache herauskommen. Es kann sein, dass die mit uns allen kurzen Prozess machen, wenn sie erst erkannt haben, dass ...«

»Halt's Maul«, unterbrach Caparos.

Simon fuhr unbeirrt fort: »Wenn die erkannt haben, dass sie hier nicht finden, was sie suchen.«

Für einen Moment herrschte Schweigen. Dann sagte Caparos: »Keine Ahnung, wovon Sie reden. Interessiert mich auch nicht. Ich ...«

»Es sollte Sie aber interessieren, Lieutenant. Ich habe lange mit Jérôme gesprochen. Es sind Menschenhändler, für die er gearbeitet hat. Leute, die junge Frauen aus Osteuropa in den Westen schmuggeln und hier zur Prostitution nötigen. Die verfolgen Jérôme nicht, weil sie Angst haben, dass er zur Polizei gehen könnte. Die glauben, dass er irgendetwas hat, was tatsächlich zu einer Gefahr für sie werden könnte. Aber Jérôme hat keine Ahnung, was das sein könnte. Was für mich heißt: Vielleicht irren die sich. Vielleicht hat er wirklich nicht, was sie suchen. Und dann?«

»Mir egal«, sagte Caparos. »Ich bin dann weg.«

»In Ihrem Zustand?«, fragte Simon.

Caparos umklammerte seine Waffe fester. »Ich bin okay. Machen Sie sich um mich keine Sorgen. Und jetzt kommen Sie endlich raus, Nathalie. Und keine Tricks. Ich habe nichts zu verlieren.«

Nathalie bewegte sich im Schneckentempo auf ihn zu. Als sie nah genug war, packte er sie am Arm und zerrte sie heraus auf den Flur. Dann schlug er die Tür zu, drehte den Schlüssel um.

Er bezahlte das ganze Manöver mit einem heftigen Schweißausbruch, aber egal: Nathalie musste jetzt dafür sorgen, dass er irgendwie durchhielt.

Bis *die anderen* da waren.

Menschenhändler?

Denk darüber jetzt nicht nach, befahl er sich.

Simon und ich hatten keinen Plan schmieden können, weil wir keine Ahnung hatten, wie sich die weitere Situation gestalten würde. Je mehr Zeit verrann, desto sicherer waren wir, dass Caparos mich gar nicht mehr aus dem Zimmer herauslassen würde. Simon hatte versucht, ruhig zu bleiben, aber ich hatte gemerkt, dass seine Panik stieg. Mir selbst erging es nicht anders, ich musste nur an Yves denken, an Kristina, an Jeanne … Wir hatten es mit eiskalten Killern zu tun. Sie konnten jeden Augenblick hier auftauchen. Sie hatten keinen Grund, uns am Leben zu lassen. Und die Polizei in Toulon wurde mit hoher Sicherheit von Jean Caparos mit beruhigenden Botschaften gefüttert und hatte keine Ahnung, was los war.

Zwei- oder dreimal hatte ich noch versucht, eine andere Erklärung zu finden. Hatte vor allem das Wetter bemüht, um den beunruhigenden Umstand zu erklären, dass niemand kam: keine Polizei, kein Arzt, niemand, um den toten Halabi zu bergen … Aber sosehr ich mich dagegen wehrte, ich musste Simon recht geben: Von irgendeiner Seite her hätte es die Polizei inzwischen zu uns schaffen müssen.

Abgesehen davon war auch mir klar, dass Inès Rosarde niemals ihre Zustimmung zu dem riskanten Manöver gegeben hätte, das Lieutenant Caparos ausgeführt hatte. Er hatte auf eigene Faust gehandelt, war damit ein unverhältnismäßig hohes Risiko eingegangen, das ihn den Job kosten konnte. Auch das sprach dafür, dass er von anderer Seite abgesichert wurde.

Immerhin hatte sich jetzt insofern etwas geändert, als ich

draußen war. Ich steckte nicht mehr oben in dem Zimmer fest, um mit Simon gemeinsam in völliger Passivität auf die drohende Gefahr zu warten. Caparos, der eindeutig am Ende seiner Kräfte war, brauchte meine Hilfe. Hier lag eine Chance, wenn sie auch gering sein mochte, aber ich war darüber eher verzweifelt als glücklich. Alles hing jetzt von mir ab, weder Simon noch Jérôme konnten etwas tun, und wenn ich es vermasselte, riss ich alle mit ins Verderben. Und ich hatte keine Ahnung, was ich machen sollte. Caparos konnte sich kaum mehr auf den Beinen halten, aber er hatte die Pistole in der Hand, und als ausgebildeter Polizist, der er war, machte ich mir keine Illusionen darüber, wie treffsicher er selbst im angeschlagenen Zustand noch war. Wenn ich ihn zu überwältigen versuchte, riskierte ich, erschossen zu werden. Ich betete innerlich, er möge vollständig kollabieren und er möge das vor allem bald tun. Paradoxerweise wurde ich jedoch gerade von ihm angewiesen, alles zu tun, um ihn irgendwie zu stabilisieren.

Wir waren wieder unten im Haus, und ich versuchte, den Verband um seinen Kopf zu wickeln und zu fixieren. Er saß auf einem Küchenstuhl, und ich stand seitlich neben ihm, was keine schlechte Position für einen Angriff gewesen wäre, aber er hielt mir die entsicherte Waffe an die Rippen.

»Tu nichts Unvernünftiges«, warnte er. »Ich habe den Finger am Abzug. Kapiert?«

Ich nickte. »Ja«, presste ich hervor. Ich wusste, egal, was ich tat, er brauchte nur den Bruchteil einer Sekunde, um abzudrücken, und diese Zeit würde ihm immer bleiben.

Seine Kopfverletzung blutete heftig, und es erfüllte mich mit einer gewissen grimmigen Befriedigung, dass Jérôme offenbar ganz schön hart zugeschlagen hatte. Schade, dass er nicht noch mehr Schwung genommen hatte. Unsere Probleme wären dann eindeutig kleiner.

Der Verband hielt, aber schon breitete sich wieder ein Blutfleck auf dem Stoff aus. In absehbarer Zeit würde ich ihn erneut verbinden müssen.

»Sie verlieren zu viel Blut«, sagte ich. »Sie müssten dringend zum Arzt.«

Er hatte praktisch keine Farbe mehr im Gesicht. »Ich komme schon klar. Mach dir keine Sorgen. Ich brauche etwas zu essen, dann geht es mir besser.«

Ich bezweifelte, dass Essen für ihn die Lösung war, aber ich machte mich daran, für ihn zu kochen. Im Gefrierfach gab es einige Fertiggerichte. Ich suchte etwas mit Nudeln aus, schaltete den Herd ein und kippte den tiefgekühlten Packungsinhalt in einen Topf. Caparos saß direkt hinter mir und behielt mich scharf im Auge; daher war es keine Option, ihm irgendetwas ins Essen zu mischen, das ihn niedergestreckt hätte. Abgesehen davon, dass ich auch nichts dergleichen zur Hand hatte.

Wir saßen uns dann am Küchentisch gegenüber und aßen oder besser gesagt: Wir mühten uns beide ziemlich vergeblich ab, ein paar Bissen hinunterzubringen. Ich hatte ja sowieso nach wie vor Probleme mit der Nahrungsaufnahme, und in dieser besonderen Situation machte mein Magen einfach zu. Zumal mein Gegenüber auch während des Essens die Waffe auf mich gerichtet hielt. Das ist nichts, was besonders appetitfördernd wirkt.

Aber auch Caparos schaffte kaum mehr als ein paar schwach gehäufte Gabeln. Das Grau seiner Gesichtsfarbe vertiefte sich, der Schweiß stand ihm buchstäblich in Perlen auf der Stirn, und er sah aus, als müsste er sich jede Sekunde übergeben. Ob es mir dann gelingen würde, ihn zu überwältigen? Ein Mann, der sich gerade erbricht, ist wahrscheinlich nicht in der Lage, gleichzeitig eine Frau zu erschießen. Sollte ich im Ernstfall schnell den Tisch umstoßen? Mir blitzschnell die Pistole schnappen, wenn sie ihm aus der Hand fiel?

Er musste meinen lauernden Gesichtsausdruck wahrgenommen haben, denn er sagte: »Vergiss es, Nathalie. Mir geht es beschissen, aber ich habe die Situation unter Kontrolle. Mach keinen Blödsinn.«

»Sie haben sie aber nicht mehr lange unter Kontrolle«, wagte ich zu erwidern. »Es geht Ihnen sehr schlecht. Der Verband an Ihrem Kopf ist schon wieder blutgetränkt. Sie spielen mit Ihrem Leben, wenn Sie mich nicht einen Arzt rufen lassen.«

»Hör endlich mit dem Scheiß auf!«, fuhr er mich an.

Leider musste er sich weder übergeben noch brach er aus schierer Erschöpfung zusammen. Im Gegenteil, sein Plan schien aufzugehen, und das bisschen Essen stabilisierte ihn tatsächlich. Er sah hinterher nicht gerade gesund aus, aber seine Wangen zeigten wieder einen Hauch von Farbe. Ich wechselte seinen Verband, dann machte ich auf sein Geheiß hin einen Kaffee, und so saßen wir zusammen in der Küche neben dem toten Lieutenant Halabi und warteten, während der Tag dahinging und schließlich die frühe Dämmerung hereinbrach. Draußen steigerte der Mistral seine Kraft, durch die Ritzen des Küchenfensters drang eisige Luft nach innen, und ich hielt meinen Oberkörper mit beiden Armen umklammert. Mir war erbärmlich kalt – aus Angst, aber auch, weil der Nordwind das ohnehin kalte Haus noch mehr auskühlte.

»Darf ich Simon und Jérôme wenigstens etwas zu essen hochbringen?«, fragte ich schließlich, aber Caparos schüttelte sofort den Kopf. »Nein. Die werden schon nicht verhungern. Du bleibst hier.«

»Kann ich zur Toilette?« Dazu hätte ich nach oben gehen müssen, und vielleicht hätte sich die Chance ergeben, eine der Türen zu öffnen. Diese Möglichkeit aber sah Caparos natürlich auch.

»Nein.«

»Ich müsste aber dringend ...«

»Nein!«, blaffte er.

Inzwischen hatten wir das kleine Licht über dem Herd eingeschaltet, es hatte nicht viel Kraft, aber man konnte immerhin etwas sehen. Ich wechselte erneut den Verband. Tief deprimiert stellte ich fest, dass es mir tatsächlich gelang, Jean Caparos auf den Beinen und bei Bewusstsein zu halten.

Es war jetzt stockdunkel draußen und bei uns in der Küche nicht allzu hell, und so bemerkten wir beide gleichzeitig den Lichtschein, der plötzlich durch die Nacht drang. Ein Auto, das sich näherte. Gehört hätten wir es nie, dazu heulte und tobte der Sturm zu laut. Aber das Licht verriet, dass wir nicht mehr alleine waren.

Schwankend kam Caparos auf die Füße. »Da sind sie«, sagte er. »Endlich!«

Es war der Bruchteil einer Sekunde, in dem ich entschied, dass ich jetzt nichts mehr zu verlieren hatte. Ich wusste nicht, mit wem genau ich es zu tun hatte, aber ich wusste mit absoluter Überzeugung, dass keiner von uns, die wir hier in diesem Haus saßen, die nächste Stunde überleben würde, wenn ich nicht jetzt sofort handelte. Nicht einmal Jean Caparos, der meinte, dass seine Rettung nahte. Nicht Jérôme, hinter dem sie her waren wie die Teufel und der ihnen wahrscheinlich nicht geben konnte, was sie suchten. Nicht Simon und ich, die wir unschuldig in etwas geraten waren, wovon wir lange Zeit nicht gewusst hatten, was es eigentlich war. Ich hätte nicht sagen können, warum ich so sicher war, aber ich wusste es einfach. Für die anderen würde es die sauberste, schnellste und unkomplizierteste Lösung sein. Sie würden uns alle töten und wieder in der Nacht verschwinden. Vielleicht nahmen sie Jérôme mit, um aus ihm noch herauszupressen, was sie wissen wollten, aber das würde für ihn nur eine unwesentliche zeitliche Verschiebung bedeuten, ehe auch er sein Leben lassen musste.

Ich tat, was ich vorhin angedacht, dann jedoch zaudernd wieder verworfen hatte: Ich stieß den Tisch um, mit einer wütenden, heftigen Bewegung. Der Tisch krachte gegen Jean Caparos, der tatsächlich für einen Augenblick von mir abgelenkt aus dem Fenster gespäht hatte. Gleichzeitig fielen Gläser, Teller und Tassen, die auf dem Tisch gestanden hatten, klirrend zu Boden. Caparos schwankte, ein Schuss löste sich, aber da ich nirgendwo einen Schmerz spürte, ging ich davon aus, dass ich nicht getroffen worden war. Caparos kauerte für einen Moment auf den Knien, ehe er ausgestreckt hinfiel. Sein Kopf schlug schwer auf dem Boden auf. Ich konnte sehen, dass sich seine Augen verdrehten.

Dann rührte er sich nicht mehr.

Ich lief um den Tisch herum, hockte mich neben Caparos nieder, überwand Angst und Ekel und kramte in den Innentaschen seines Jacketts und in seinen Hosentaschen herum. Ich fand einen Schlüssel, von dem ich hoffte, dass er zu den oberen Türen passte. Was wir tun sollten, sobald ich Simon und Jérôme befreit hatte, wusste ich nicht. Unsere Feinde waren vor der Tür. Wir saßen in der Falle.

Ich nahm die Pistole, die über den Fußboden geschlittert und unterhalb der Spüle gelandet war. Immerhin, wir hatten jetzt eine Waffe. Ich hatte ein solches Ding noch nie benutzt, und Simon sah mir auch nicht so aus, als könnte er damit umgehen, aber Jérôme immerhin hatte seine diesbezüglichen Fähigkeiten ja bereits unter Beweis gestellt. Dass er uns den Weg zum Auto freischoss und sich dann mit uns auf eine abenteuerliche Flucht begab, überstieg allerdings mein Vorstellungsvermögen. Uns alle drei hatte nichts im Leben auf das vorbereitet, was jetzt kam.

Ich spähte kurz zum Fenster, sah eine verschwommene Mischung aus schwarzem Himmel, Bäumen und aus dem Spiegelbild der schwach erleuchteten Küche. Keine Autoscheinwerfer mehr, nichts als Nacht und Sturm. Kurz fragte ich mich, ob ich mir das Licht vorhin nur eingebildet hatte, aber immerhin hatte Caparos es auch bemerkt. Wir mussten vorsichtig sein. Aller Wahrscheinlichkeit nach war da draußen jemand.

Dann ging mir auf, dass ich hier drinnen wie auf dem Präsentierteller saß, und so schlich ich geduckt zum Herd und schaltete das Licht darüber aus. Von Caparos kam ein schwaches Stöhnen. Er lebte also noch, aber für den Moment glaubte ich nicht, dass er uns gefährlich werden konnte. Es war ihm schon vorher mehr als schlecht gegangen, der Sturz nun hatte ihm den Rest gegeben.

Schnell lief ich die Treppe hinauf. Im oberen Gang brannte Licht, aber das war kein Problem, weil das Treppenhaus keine Fenster hatte. Ich steckte den Schlüssel in das Schloss von Simons Tür. Er passte, die Tür ging auf.

Simon kam mir sofort entgegen. »Ich habe einen Schuss gehört. Was …?«

Ich schüttelte den Kopf. »Niemand getroffen. Caparos ist bewusstlos. Aber sie sind da. Die Verfolger. Sie sind draußen.«

»Oh verdammt!«, sagte Simon. Er starrte an mir vorbei hinunter zur Haustür. »Ist die Haustür abgeschlossen?«

Das hatte ich nicht überprüft. Ebenso wenig hatte ich daran gedacht, Caparos' Mobiltelefon an mich zu nehmen. Ein paar wertvolle Sekunden lang schauten wir beide die Haustür an, fixierten sie geradezu beschwörend. Das hier war ein gut gesichertes Haus. Wenn die Tür abgeschlossen war, konnten wir sicher eine Weile aushalten, bis die Polizei kam.

Während Simon noch unschlüssig verharrte, probierte ich den Schlüssel an Jérômes Zimmertür, und zu meiner geradezu unfassbaren Erleichterung passte er auch dort. Jérôme hatte uns wohl schon im Gang gehört, denn er stand direkt hinter der Tür und kam sofort heraus.

»Gott sei Dank. Was ist los? Wo ist die Polizei?«

Er wusste ja noch nichts vom neusten Stand der Entwicklung. »Da draußen sind die Leute, die dich verfolgen«, sagte ich, »Caparos hat die ganze Zeit falschgespielt!«

»Was?«, fragte Jérôme entgeistert.

Ich drückte ihm die Waffe in die Hand. »Hier. Du bist der Einzige, der schießen kann.«

Jérôme schaute die Waffe an, als hätte er so etwas noch nie gesehen.

Unterdessen war Simon ein Einfall gekommen. »Die Bodenklappe. Schnell. Da oben können wir uns verbarrikadieren.«

Wir würden Zeit gewinnen. Mehr nicht.

Während Simon die Klappe öffnete und die Leiter anlehnte, dachte ich, wie wenig Sinn das alles machte, wenn wir keine Chance hatten, Kontakt zur Außenwelt aufzunehmen. Unsere Gegner würden die Klappe kaputt schießen und natürlich konnten sie dann zu uns vordringen.

Ich war eine solche Idiotin gewesen, als ich vergessen hatte, das Telefon an mich zu nehmen. Ehe einer der beiden Männer die Gelegenheit hatte, mich an meinem Vorhaben zu hindern, lief ich los und rannte die Treppe hinunter. Nein, ich rannte nicht, ich sprang, immer zwei Stufen auf einmal nehmend.

»Nathalie, um Gottes willen, bleib hier!«, hörte ich Simon rufen.

Ich kümmerte mich nicht um ihn. Mir graute davor, den halbtoten Lieutenant Caparos noch einmal zu durchsuchen, aber ich hatte keine Wahl.

Wir brauchten sein Telefon.

TOULON, FRANKREICH,
MONTAG, 21. DEZEMBER

Es war kurz nach sieben Uhr, draußen herrschte Finsternis, und Inès Rosarde beschloss, nach Hause zu gehen. Sie war noch immer nervös, aber da es ihr nicht gelang, den Grund für ihre Unruhe ausfindig zu machen, entschied sie, das Gefühl der Bedrohung zu ignorieren. Sie fühlte sich krank und sogar etwas fiebrig, sie war überarbeitet und hatte seit Wochen zu wenig Schlaf bekommen, und der mysteriöse Fall zerrte an ihren Nerven. Außerdem stand Weihnachten unmittelbar vor der Tür, und sie hatte noch keine Zeit gefunden, für irgendjemanden ein Geschenk zu kaufen. Ihr linkes Augenlid zuckte unkontrolliert, das tat es immer, wenn bei ihr der Stress überhandnahm.

Sie nahm ihre Tasche, verließ ihr Zimmer. Ihr Mitarbeiter saß noch immer am Computer. Er las irgendetwas mit gerunzelter Stirn und so konzentriert, dass er seine Chefin überhaupt nicht bemerkte.

»Alles okay in Hyères?«, fragte sie. Er zuckte zusammen.

»Ich habe hier eine merkwürdige …«

»Haben Sie Nachricht aus Hyères bekommen?«

Er nickte. »Zuletzt vor zwei Stunden. Alles in Ordnung.«

»Hatten Sie Hasnainy Halabi am Apparat?«

Der Kollege sah sie schuldbewusst an. »Er hat geschlafen. Ich habe dann nicht darauf bestanden, dass Caparos …«

»Verdammt nochmal!« Inès hatte den Eindruck, den Blitz förmlich sehen zu können, der in ihrem Kopf explodierte. Ihrer Anspannung kam das gerade recht. »Hatte ich mich unklar ausgedrückt? Was nützen eigentlich unsere Regeln, wenn kein Mensch sie befolgt? Sie stellen jetzt sofort für mich die Verbindung zu Lieutenant Halabi her. Ich warte! Ich will ihn in weniger als einer Minute an meinem Ohr haben!«

Sie war sehr laut geworden.

»Entschuldigen Sie, Madame, aber ...«

»Können Sie jetzt vielleicht endlich tun, was ich Ihnen sage?«

»Ich habe hier eine Nachricht aus Paris. Aus dem Innenministerium.«

»Ja und?«

Er schüttelte den Kopf, starrte wieder in seinen Computer. »Also, das ist etwas verwirrend, aber wenn ich das richtig verstehe, ist man dort heute Nachmittag von den bulgarischen Polizeibehörden kontaktiert worden.«

»Bulgarische Polizei?«

»Ja. Man ist dort offenbar in den Besitz umfangreicher Computerdateien gekommen, die jede Menge Namen, Adressen und teilweise auch Dienststellen französischer Bürger enthalten. Sie scheinen alle in die Aktivitäten eines Schleusernetzwerks verstrickt zu sein, das junge Frauen vorwiegend aus Bulgarien und Rumänien nach Frankreich, aber auch in andere europäische Länder schafft. Die Frauen werden ...«

Sie unterbrach ihn. »Ich weiß. Eine schlimme Sache. Aber im Augenblick ...«

Er unterbrach sie erneut. Er tat das selten, denn es war gefährlich, Inès zu unterbrechen, aber darüber setzte er sich tapfer hinweg. »Madame le Commissaire, man setzt sich mit uns in Verbindung, weil auch der Name eines Beamten unserer Behörde in einer der Dateien aufgetaucht ist. Ich fasse es nicht, ich …«

»Wer denn?«, fragte Inès ungeduldig. Ihr Auge zuckte heftiger.

Er blickte abwechselnd auf den Bildschirm und zu ihr. »Jean Caparos. Hier steht Jeans Name … Ich kann das nicht glauben … Was soll das denn bedeuten?«

Innerhalb weniger Minuten sah Inès Rosarde zum zweiten Mal einen Blitz in ihrem Kopf explodieren – greller, schärfer und erschreckender als der erste.

In seinem Licht sah sie das Haus in der völligen Abgeschiedenheit des Hinterlandes von Hyères, sie sah Simon und Nathalie, die sich ihr anvertraut und sich dorthin begeben hatten, sie sah die Lieutenants Jean Caparos und Hasnainy Halabi. Beide hatten sich freiwillig für den Einsatz gemeldet, und einer von ihnen hatte das mit Hintergedanken getan … Halabi war seit Ewigkeiten nicht mehr zu sprechen gewesen …

Sie verstand jetzt ihre Unruhe. Ein intuitives Gespür für Gefahr, das sie hätte ernst nehmen müssen.

»Ich hätte viel eher …«, begann sie, aber dann riss sie sich zusammen. Es war nicht der Moment, vergangene Versäumnisse zu beklagen und damit die nächsten zu produzieren. Es war schon gar nicht der Moment, darüber nachzudenken, was es für ihre weitere Karriere bedeutete, dass sie nach allem, was zuvor geschehen war, nun mit Jean Caparos offensichtlich einen gewaltigen Missgriff getan hatte.

»Wir brauchen sofort ein Einsatzkommando«, sagte sie. »Und es muss jetzt alles schnell gehen!«

Sie hatte die furchtbare Ahnung, dass es bereits zu spät sein könnte.

HYÈRES, FRANKREICH, MONTAG, 21. DEZEMBER

Die Küche war dunkel und still, aber aus dem Treppenhaus fiel Licht hinein, so dass Nathalie ganz schwach die Umrisse aller Gegenstände erkennen konnte: die Anrichte mit dem eingelassenen Spülbecken, den Schrank, die Stühle, den umgestürzten Tisch. Sie sah den zugedeckten Körper des toten Lieutenant Halabi auf dem Boden liegen, daneben den hinter dem Tisch hervorragenden Fuß seines Kollegen Caparos. Es kostete sie einige Überwindung, den Kopf zu heben und zum Fenster hinauszuschauen, sie hatte einen Moment lang die Horrorvorstellung, dabei in das Gesicht eines ihrer Verfolger zu sehen. Aber draußen zeigte sich niemand.

Wo waren *sie?*

Sie ging in die Knie, kroch auf allen vieren um den Tisch herum. Sie wusste nicht, wie deutlich man sie von draußen sehen konnte, sie wollte keine Zielscheibe abgeben. Sie stieß gegen etwas Weiches und Warmes. Jean Caparos' Körper.

Sie konnte nicht erkennen, ob er lebte oder tot war, und sie brauchte ihre gesamte Selbstüberwindung, näher an ihn heranzurobben und in seine Taschen zu greifen. Sie atmete flach; das lag an dem unangenehmen Geruch, der von dem nunmehr seit weit vierundzwanzig Stunden toten Halabi ausging, aber auch daran, dass sie unwillkürlich versuchte, möglichst völlig lautlos zu agieren. Es machte wahrscheinlich keinen Sinn, aber die Frage nach irgendeinem Sinn spielte für den Augenblick ohnehin keine Rolle. Es ging nur um das einfache Überleben.

Sie konnte nichts fühlen, was an ein Telefon erinnert hätte. Genau genommen konnte sie überhaupt nichts Gegenständliches ertasten. Da war nur der Körper. Warm. Sie wusste nicht, welche Möglichkeit ihr mehr Angst einflößte: dass er lebte oder dass er tot war.

Das Handy konnte bei seinem Sturz natürlich auch aus der Tasche gefallen und irgendwohin gerutscht sein. Oder hatte es sogar auf dem Tisch gelegen? Einmal hatte er mit der Zentrale in Toulon telefoniert und dort vermeldet, dass alles in Ordnung sei. Sie erinnerte sich, dass sie kurz versucht gewesen war, laut zu schreien. Aber natürlich war der Lauf seiner Pistole auf sie gerichtet gewesen. Sie hatte es nicht gewagt.

Sie zog sich vorsichtig zurück, entschlossen, nun den Fußboden abzusuchen; ein Vorhaben, das massiv durch die Tatsache erschwert wurde, dass sie nach wie vor kein Licht anmachen durfte. Sie stieß gegen den Tisch, wagte erstmals, seit sie in die Küche gekommen war, wieder richtig zu atmen, und im selben Moment wurde sie von hinten gepackt, ein Arm legte sich um ihren Hals, und kaltes Metall drückte sich an ihre Schläfe.

»Ganz ruhig«, sagte Jean Caparos. »Wenn du dich wehrst, bist du tot!«

Sie stieß einen leisen Schreckenslaut aus, hielt aber still, gebannt von der Waffe, die sich gegen sie richtete. Wie hatte sie so dumm sein können? Sie hatte ihm eine Pistole abgenommen, aber vergessen, dass er eine zweite besaß: die seines toten Kollegen. Sie hatte hier ohne jede

Vorsichtsmaßnahme einen bewaffneten Mann durchsucht. Einen, der zwar schwer angeschlagen, aber ganz offenkundig lebendig war.

»Wir stehen jetzt ganz langsam und vorsichtig auf«, sagte Caparos. »Und wenn du irgendeinen Trick versuchst, schieße ich sofort. Ich habe absolut nichts zu verlieren, kapiert? Du bist ein blödes, kleines Miststück, und es würde mir riesigen Spaß machen, dich abzuknallen. Verstanden?«

Sie nickte. Der Druck seines Armes um ihren Hals verstärkte sich.

»Ja«, presste sie hervor.

Langsam kam sie auf die Beine. Der schwer verletzte Polizist hing wie ein Bleigewicht an ihr, aber sie hatte keine andere Wahl, als ihn auf die Füße zu ziehen. An seinem Stöhnen konnte sie hören, dass er Schmerzen hatte, er keuchte, und vermutlich verlor er aus seiner Kopfwunde wieder jede Menge Blut. Trotzdem gab es noch Kräfte in ihm: Er nahm Nathalie fast die Luft, so eng und hart war sein Griff um ihren Hals.

»Wir gehen jetzt zur Haustür. Langsam. Schritt für Schritt. Und dann öffnen wir sie. Und du wirst ganz wunderbar kooperieren.«

Also war die Haustür tatsächlich abgeschlossen. Nur deshalb war im Augenblick noch niemand hier drinnen. Die Feinde waren draußen, umrundeten das Haus, wunderten sich vermutlich, warum ihnen nicht geöffnet wurde. Wahrscheinlich witterten sie ein Problem, vielleicht sogar eine Falle. Aber keineswegs würden sie das Weite suchen. Dafür waren sie zu nah am Ziel.

Sie bewegten sich vorsichtig durch die Küche. Als sie das hellerleuchtete Treppenhaus betraten, musste Nathalie vor dem grellen Licht blinzeln. Dann schaute sie nach oben, gewahrte Jérôme und Simon, die entsetzt zu ihr hinunterblickten.

Caparos bohrte seine Waffe förmlich in ihre Schläfe. »Die Kleine ist tot«, sagte er, »sowie ihr da oben etwas Falsches macht.«

»Lieutenant Caparos«, sagte Simon beschwörend, »machen Sie nicht alles schlimmer, als es schon ist. Wenn Sie Nathalie erschießen, kommen Sie wegen Mordes vor Gericht. Bis jetzt haben Sie noch nichts wirklich Schlimmes getan, aber ...«

»Zerbrechen Sie sich nicht meinen Kopf«, gab Caparos zurück. »Sie werden gleich genug damit zu tun haben, Ihr eigenes beschissenes Leben zu retten. Wir werden jetzt die Tür aufschließen.«

Damit wussten nun auch die beiden Männer, dass die Tür tatsächlich verschlossen war, dass sie alle aber kurz vor der Katastrophe standen. Nathalie bewegte sich so langsam, wie es ihr nur möglich war. Zum Glück konnte Caparos sie nicht allzu sehr drängen: Er war vollständig entkräftet. Alleine hätte er keinen Fuß mehr vor den anderen zu setzen vermocht. Trotzdem würde er es sicher noch schaffen, den Abzug seiner Waffe zu drücken. Da machte sich Nathalie nichts vor.

Jérôme verstand, dass seine Verfolger vermutlich innerhalb der nächsten zwei Minuten im Haus stehen würden. Blitzschnell kletterte er die Leiter zum Dachboden hinauf.

»Beeil dich«, rief er Simon zu.

Simon stand wie angewurzelt da. Jérôme plante, sich dort oben mit ihm zusammen zu verbarrikadieren – und Nathalie ihrem Schicksal zu überlassen. Die beiden Männer würden sich auf dem Dachboden eine Weile halten können, aber Nathalie wäre unrettbar verloren.

»Komm schon«, drängte Jérôme erneut.

Simon vermochte sich nicht zu bewegen, er war wie gelähmt. Der Instinkt, sich so schnell wie möglich in Sicherheit zu bringen, kämpfte mit der glasklaren Gewissheit, dass er sich sein ganzes Leben lang nicht mehr im Spiegel würde ansehen können, wenn er Nathalie jetzt im Stich ließe. Auf eine seltsame, verrückte, von ihm nicht gewollte, aber doch zwangsläufige Weise waren sie die ganze Zeit über ein Team gewesen. Seitdem er ihr am Strand zu Hilfe geeilt war, kämpften sie sich Seite an Seite durch den ganzen ungeheuerlichen Wahnsinn einer Geschichte, die am Ende zu ihrer gemeinsamen Geschichte geworden war. In Lyon, in Les Lecques, in dem schauderhaften kleinen Apartment, in dem einsamen Haus … Sie hatten alles zusammen durchgestanden. Damit er sie am Schluss einem furchtbaren Schicksal überließ? Sollte sie alleine sterben, so wie Kristina alleine gestorben war?

»Die Waffe«, sagte er zu Jérôme. »Schnell!«

Jérôme ließ die Pistole fallen und begann im nächsten Moment, die Leiter hochzuziehen. Es war ihm jetzt auch egal, was aus Simon wurde. Es ging ihm nur noch darum, sein eigenes Leben in Sicherheit zu bringen.

Simon bückte sich, hob die Pistole hoch. Noch nie im Leben hatte er eine Schusswaffe in der Hand gehalten. Er fühlte sich überfordert, panisch – und doch zugleich auf eine ganz eigenartige Weise im tiefsten Inneren ruhig. Weil er nicht davonlief. Weil er wusste, dass er das Richtige tat – auch wenn es ihn womöglich das Leben kosten würde.

Nathalie und Jean Caparos hatten die Tür erreicht. Caparos kramte mit der freien Hand in seinen Taschen. Er blutete, zitterte und war nicht mehr in der Lage, sich auf alles gleichzeitig zu konzentrieren: auf die Suche nach dem Schlüssel, auf seine Geisel. Und auf Simon, der oben an der

Treppe stand, die Waffe mit beiden Händen hielt, sie anhob und zielte.

Und schoss.

Caparos kippte zur Seite und krachte auf den Boden. Aber auch Nathalie stürzte, entweder von seinem Gewicht mitgerissen oder von einem Schuss getroffen, den Caparos womöglich noch in letzter Sekunde hatte abgeben können. Simon wusste es nicht.

Er sah nur, dass die Tür nach draußen, die Tür, die sie schützte, noch immer geschlossen war.

LA CADIÈRE, FRANKREICH, DONNERSTAG, 24. DEZEMBER

Er hatte zwei Tage lang praktisch ohne Unterbrechung gearbeitet, und das Haus befand sich in einem einigermaßen aufgeräumten Zustand. Er hatte alle Scherben zusammengefegt und in großen Müllsäcken entsorgt, er hatte die umgestürzten Möbel aufgestellt und jene, die völlig kaputt waren, zur Sperrmülldeponie gefahren. Tatsächlich hatte er noch einige Teller, Tassen und Gläser gefunden, die heil geblieben waren, so dass man sogar kochen und essen konnte, wenngleich es jetzt nicht mehr allzu viele Gerätschaften in der hochmodernen Küche gab. Aber er stellte fest, dass man gut leben konnte, auch wenn man nicht von allem und jedem das Beste besaß, und dass sich das Dasein auf ein weit einfacheres Niveau reduzieren ließ und trotzdem vollkommen in Ordnung war. Das Festnetztelefon funktionierte, und so hatte er inzwischen seinen Vater angerufen, der zunächst einfach nur nach Luft geschnappt und ihn sodann mit Fragen bombardiert hatte.

»Was meinst du mit *Einbrecher*? Und wo warst du, als sie kamen? Wieso hast du nicht sofort die Polizei verständigt? Wie konnten die alles zerstören? Ich meine, hast du *gar nichts gegen sie unternommen*? Ich verstehe das alles nicht. Und jetzt ist auch noch Weihnachten. Ich werde …«

Er hatte seinen Vater unterbrochen, übrigens zum ersten

Mal in seinem Leben, wie ihm später aufging. »Du kannst Weihnachten in Ruhe feiern, du musst nicht sofort anreisen. Ich bringe hier so weit alles in Ordnung. Setz dich mit der Versicherung in Verbindung. Die Polizei hat alles aufgenommen. Ich vermute, dass man dir den Schaden im Wesentlichen ersetzen wird.«

»Ich verstehe bloß immer noch nicht ...«

»Das ist eine lange Geschichte. Zu lang und zu kompliziert für ein Telefongespräch. Ich werde dir irgendwann alles erzählen. Ich bin über Weihnachten noch hier, dann sehe ich weiter.«

Sein Vater verfügte nicht über eine ausgesprochen ausgeprägte Sensibilität, aber manchmal war er durchaus hellhörig. »Was ist passiert? Du klingst anders als sonst. Ist da noch mehr? Gibt es Dinge, die ich wissen muss?«

Eigentlich nicht, dachte Simon.

»Nein«, sagte er. »Nein, sonst musst du nichts wissen.«

Er hatte sich rasch verabschiedet. Dann hatte er Maya angerufen. Zum Glück war sie nicht daheim, er konnte ihr auf den Anrufbeantworter sprechen.

»Hier ist Simon. Tut mir leid, ich konnte mich nicht eher melden. Hier gibt es ein paar Probleme, ich kann daher die Kinder nicht nehmen. Ich erkläre das alles später einmal.« Dann hatte er aufgelegt. Vielleicht würde er es erklären. Vielleicht auch nicht. Es war wie bei seinem Vater: Er hatte keine Lust auf Erklärungen.

Er hatte auch Lena angerufen, Kristinas Freundin. Das war der schwerste Anruf gewesen. Hier konnte er nicht sagen, dass alles im Prinzip in Ordnung war und er möglicherweise zu einem späteren Zeitpunkt Näheres erläutern würde. Lena, die er in einem nervlich aufgelösten, vollkommen verzweifelten Zustand antraf, verdiente eine umfassende und lückenlose Schilderung der Ereignisse. Nach dem Gespräch war Simon schweißgebadet, Lena absolut fassungslos. Dabei hatte er ihr nicht einmal erzählt, was ganz zuletzt passiert war und dass er am Ende Lieutenant Caparos erschossen hatte. Er berichtete ihr nur von Kristina, und was diese anging, waren jene letzten Vorkommnisse nicht mehr relevant. Irgendwann würde Lena auch davon erfahren, er würde sie besuchen, sowie er wieder daheim war.

Dann war er am Morgen dieses 24. Dezember nach Toulon gefahren und hatte Nathalie aus dem Krankenhaus abgeholt.

Ihr war nichts passiert, sie hatte keine Verletzung erlitten, aber sie war nervlich völlig zusammengebrochen, nachdem sie fünf Minuten lang unter dem schweren Körper des toten Jean Caparos ausharren musste, ehe es Simon gelang, sie darunter hervorzuziehen. Sie hatte kein Wort mehr gesagt, hatte nur noch gezittert und aus weit aufgerissenen, seltsam starren Augen um sich geblickt. Sie stand deutlich unter Schock.

Simon war in die Küche gelaufen, hatte Caparos' Handy zwischen all den Dingen gefunden, die von dem umgestürzten Tisch hinuntergefallen waren, dann hatte er Nathalie die Treppe hinaufgezerrt, dabei bereits die Notrufnummer der Polizei eingetippt. Jérôme hatte längst die Leiter hochgezogen und die Klappe geschlossen; der Dachboden als Zufluchtsort blieb ihnen somit verwehrt. Sie verbarrikadierten sich in Simons Zimmer, wohl wissend, dass die Tür ihnen kaum Schutz bieten würde, wenn ihre Verfolger erst einmal ins Haus eingedrungen wären.

Nathalie hatte auf dem Bett gesessen, weiterhin nur gezittert und ihren starren Blick nicht verloren. Während Simon erfuhr, dass ein Sondereinsatzkommando bereits auf dem Weg zu ihnen war.

»Bleiben Sie, wo Sie sind«, schärfte ihm der Beamte ein, den er am Apparat hatte. »Gehen Sie keinerlei Risiko ein. Verhalten Sie sich völlig ruhig.«

Er hatte sich neben Nathalie gesetzt und sie fest im Arm gehalten. So hatte die Polizei sie gefunden: aneinander festgeklammert. Und Nathalie immer noch nicht ansprechbar. Daher hatte man sie ins Krankenhaus gebracht, wo man feststellte, dass ihr Untergewicht wieder einmal bedenklich geworden war.

Die Luft war kristallklar und frostig, weil der Mistral die Kälte mit sich gebracht hatte, aber dafür war der Himmel strahlend blau, die Sonne schien, und der Sturm war völlig abgeklungen. Simon und Nathalie saßen zunächst auf der Terrasse, aber dann sah Simon, dass Nathalie schon blaue Lippen hatte, und sie gingen hinein. Sie bestand nur noch aus Haut und Knochen, nicht einmal in Pullover und Mantel und mit einer dicken Wolldecke um die Schultern hielt sie es im Freien aus. Nun saß sie hinter der großen Fensterscheibe mit dem Blick auf das Meer, auf einem der drei noch heil gebliebenen Stühle. Sie hielt eine Tasse Tee in den Händen, trank aber nichts davon.

Wenigstens hatte sich der Schock gelöst. Ihre Pupillen bewegten sich wieder und waren nicht mehr so übernatürlich groß.

Simon, der zwei lange Gespräche mit Inès Rosarde geführt hatte, informierte Nathalie über die neusten Geschehnisse und vor allem über die Erkenntnisse, die sich mehr und mehr Bahn brachen: Die Verfolger, die auf Caparos' Anruf hin nach Hyères gekommen waren, hatten bereits das Weite gesucht, als die Polizei eintraf, aber es hatte sofort eine Großrazzia bei *Denegri Transports* gegeben, die Chefin war verhaftet worden. Sie galt nach ersten Ermittlungen als die Drahtzieherin des Handels mit jungen Frauen aus osteuropäischen Ländern. Die große Spedition war nicht ihr wichtigstes Geschäft, sie diente vor allem der Tarnung dessen, womit Madeleine Denegri weit mehr Geld verdiente: Menschenhandel, Verschleppung und Prostitution. Sie unterhielt etliche Häuser, in denen junge Frauen völlig hilflos wie Sklavinnen lebten. Sie betrieb Clubs, Etablissements und Bordelle in ganz Frankreich. Sie machte ein Vermögen damit.

»Jérôme hat also Selina Anfang Dezember zur Flucht verholfen«, erzählte Simon. »Und dabei verschwand ein Laptop aus dem Büro einer Angestellten von Madame Denegri. Sie war die Aufseherin in dem Haus, in dem man Selina untergebracht hatte. Es gab Dateien auf dem Computer, die wichtige Namen und Adressen von Kunden enthielten, ebenso von Fahrern und von Kontaktpersonen in Rumänien und Bulgarien. Das war eine Katastrophe für Madeleine Denegri. Diese Dateien in den Händen der Polizei – und sie wäre überführt. Sie musste den Laptop zurückbekommen, und zwar so schnell wie möglich. Sie wusste aber nicht, wer ihn hatte – Selina oder Jérôme. Oder womöglich sogar du. Es hätte ja auch sein können, dass du an jenem Abend in Paris noch Kontakt zu Jérôme hattest und er dir das brisante Material übergeben hatte. Deshalb wurdet ihr alle drei gejagt. Gnadenlos gejagt. Es ging für Madeleine Denegri um alles. Um ihre ganze weitere Existenz.«

»Warum musste Yves in Lyon sterben?«

»Yves hatte einfach riesiges Pech. Bei *Denegri Transports* hatte man deine Handynummer, und man rief dich immer wieder an. Irgendwann meldete sich Yves und erzählte, dass du bei ihm gewesen warst. Wahrscheinlich wollte er sich wichtigmachen, oder er hoffte, Geld für seinen wertvollen Tipp zu bekommen.«

»Ich hatte ihm einen falschen Namen genannt«, murmelte Nathalie. »Aurelie. Ich hatte gesagt, ich heiße Aurelie. Aber offensichtlich hat das nichts genützt.«

»Natürlich nicht. Er war im Besitz deines Handys, und die Beschreibung stimmte auch. Madame Denegris Leute reisten sofort nach Lyon und suchten ihn auf. Die Begegnung überlebte er nicht. Wahrscheinlich haben sie versucht, weitere Informationen über deinen Aufenthaltsort von ihm zu bekommen, aber damit konnte er ja nicht dienen. Ihn anschließend leben zu lassen hätte ein Sicherheitsrisiko dargestellt. Also ...« Er machte eine resignierte Handbewegung. Nathalie wusste ja, was mit Yves passiert war.

»Irgendwie tut er mir leid«, flüsterte sie. »Er war widerlich, aber das ... das hat er nicht verdient.«

Jeanne Berney hatte mögliche Rückzugsorte, die Jérôme aufgesucht haben könnte, preisgegeben, darunter das Apartment in Les Lecques, in dem sie mehrfach die Ferien mit Jérôme verbracht hatte. Zusammen mit der Erkenntnis, dass Nathalie bereits in Lyon gewesen war, verdichtete sich Südfrankreich als wahrscheinliches Fluchtziel.

»Und damit waren sie hier«, sagte Simon.

Nathalie schien es kaum zu wagen, seinem Blick zu begegnen. »Und schnappten sich Kristina«, flüsterte sie.

Er fragte sich, ob sein Gefühl von Schuld und Versagen wohl jemals kleiner werden würde. Er konnte nur hoffen, dass die Zeit auf seiner Seite war. Mit einer Last in dieser Dimension weitere vierzig oder fünfzig Jahre leben zu müssen, erschien ihm unerträglich.

»Sie behielten einfach das Haus im Auge. Und folgten ihr, als sie den Mietwagen abholte und zum Flughafen fuhr.«

Beide schwiegen, tranken Tee, blickten hinaus in die Sonne und auf das leuchtend blaue Meer. Es war ein Tag, um am Strand spazieren zu gehen, um warm eingepackt in einem Straßencafé zu sitzen oder um in die Berge zu fahren und den unglaublichen Blick in der klaren Luft zu genießen. Natürlich würden sie nichts davon tun. Sie würden hier im Haus bleiben, Tee trinken, reden. Ausschau halten nach Hoffnungsschimmern, die ihnen eine Ahnung davon geben konnten, wie ihr weiteres Leben aussehen sollte. Simon sagte sich, dass er noch Glück im Unglück hatte, weil zumindest seine äußeren Rahmenbedingungen unverändert blieben: Er konnte in seine Hamburger Wohnung zurück, weiterhin als Übersetzer arbeiten, Wochenendvater sein. An eine neue Beziehung wäre lange nicht zu denken, und die Traumatisierung bliebe, aber er hatte zumindest ein Zuhause und eine Arbeit. Und ein altes Leben, auch wenn er ahnte, dass er es vielleicht gar nicht mehr würde annehmen können, zumindest nicht unverändert, weil er selbst ein anderer geworden war.

Doch wo stand Nathalie? Jérôme saß in Untersuchungshaft, er würde zumindest wegen Totschlags zu einer mehrjährigen Haftstrafe verurteilt werden. Von dem, was sie in der Bijouterie verdiente, würde sie sich kaum eine Wohnung leisten können. Das Leben, das sie zuletzt geführt hatten, war von Jérôme finanziert worden, vor allem mit den Zulagen, die er für seine illegale Nebentätigkeit bekommen hatte. Jetzt war Nathalie allein. Völlig allein. Ihr Vater hatte sich komplett von ihr abgewendet, vor langen Jahren schon. Ihre Mutter kämpfte noch immer vergeblich gegen den Alkohol. Mit Éliane hatte sie sich gründlich überworfen. Sie hatte keinen Beruf, keine Ausbildung.

Er betrachtete sie. Sie sah krank und verletzt aus. Und doch sprach neben dem Schmerz und dem Gefühl völligen Verlassenseins noch etwas anderes aus ihren Augen: Zorn. Jérôme hatte sie hintergangen, betrogen und verraten. Sie war wütend auf ihn.

Das könnte ein Anfang sein, dachte Simon.

Jérôme hatten die Polizisten vom Dachboden geholt, wo er sich verschanzt hatte. Er leistete keinerlei Widerstand, unbewaffnet und verängstigt, wie er war. Er hatte sich in Sicherheit gebracht, hatte sich nicht im Geringsten darum gekümmert, was aus Simon und Nathalie wurde. Er hatte tatenlos zugesehen, wie Jean Caparos versuchte, seinen Handlangern die Haustür zu öffnen, und dabei Nathalie als Geisel vor sich herschob. Wäre es ihm gelungen, Nathalie hätte keine zwei Minuten mehr zu leben gehabt. Jérôme hatte derweil nichts getan, als sich selbst zu retten.

Wie hatte er zu Simon gesagt? »Sie ist vollkommen gestört!«

Nathalie mochte magersüchtig sein, in einer kranken Abhängigkeit von ihrem Freund gelebt, eine extrem schwierige Kindheit und Jugend hinter sich gebracht haben, aber als es ernst wurde, hatte sie, wie Simon fand, besonnen, klug und keineswegs gestört agiert. Es war richtig gewesen, Jérômes Flucht zu stoppen und ihn der Polizei auszuliefern. Und es war mutig und kühn gewesen, in jener brisanten Situation im Schutzhaus noch einmal nach unten zu laufen und zu versuchen, an das Mobiltelefon von Jean Caparos zu gelangen. Simon kannte nicht viele, die dazu die Nerven gehabt hätten, eigentlich kannte er niemanden.

Er griff für einen Moment nach ihrer Hand. »Du warst sehr tapfer«, sagte er. »Vergiss das nicht. Wer getan hat, was du getan hast, der bewältigt auch andere Herausforderungen.«

»Ich weiß nicht genau, wie es weitergehen soll«, erwiderte sie leise.

Er wollte nichts Banales in der Art wie *Es gibt immer einen Weg* oder *Das Leben geht weiter* sagen, deshalb drückte er nur noch einmal ihre Hand. Was ihr natürlich auch nicht weiterhalf, aber vielleicht spürte sie zumindest, dass er innerlich bei ihr war.

Sie trank noch einen Schluck Tee und fragte dann betont sachlich: »Die Polizei war aber ohnehin schon auf dem Weg zu uns. Woher wussten sie ...?«

Auch darüber hatte Inès Rosarde mit Simon gesprochen.

»Selina war im Besitz des Laptops und damit im Besitz der für Denegri so gefährlichen Dateien«, berichtete er. »Sie wurde verfolgt, aber es ist ihr tatsächlich gelungen, zu entkommen und das gesamte Material der bulgarischen Polizei zu übergeben. Die Spezialisten dort haben relativ schnell das Passwort geknackt und die Dateien geöffnet. Dort fanden sie jede Menge Namen und Adressen, unter anderem auch den Namen und die Dienststelle von Jean Caparos. Man hat sämtliche Informationen an das Innenministerium in Paris geleitet, und von dort hat es eine Warnung an die Polizeibehörde in Toulon gegeben. Zum Glück hat Inès Rosarde sofort den richtigen Rückschluss gezogen: dass wir nämlich in höchster Gefahr schweben. Ausgerechnet der Mann, den sie zu unserem Schutz abgestellt hatte, war unser Feind.«

»Und ich habe ihm noch zugearbeitet«, sagte Nathalie.

»Woher hättest du das wissen sollen? Auch ich habe Caparos keinen Moment lang misstraut. Man weiß jetzt, dass er im Laufe der letzten Jahre extreme Schulden angehäuft hatte. Das hat ihn käuflich gemacht.«

Sie nickte. Es ging manchmal so schnell und so einfach: Menschen wurden nicht als Verbrecher geboren. Aber sie mochten in Lebensumstände geraten, die ihnen das Gefühl gaben, keinen anderen Ausweg als den in die Kriminalität zu haben.

»Weiß man, was aus François Rigot geworden ist?«, fragte sie.

Simon schüttelte den Kopf. »Er ist immer noch nicht aufgetaucht. Aber die bisherigen Verhöre haben ergeben, dass er wohl nicht zum Opfer von Madeleine Denegri und ihrer Mördertruppe geworden ist. Er scheint sich nach wie vor versteckt zu halten. Wer weiß, wann er sich je wieder hervorwagt.«

»Der arme François. Er wollte Jérôme gefallen. Genau wie ich. Wir haben ihn völlig verklärt gesehen.«

»Er ist ein attraktiver und sehr charismatischer Mann. Jérôme versteht es offensichtlich, Menschen für sich zu gewinnen. Es gibt solche Typen. Es ist keine Schande, ihrem Charme zu erliegen.«

Sie schüttelte den Kopf. »Ich fand ihn nicht nur einfach charmant oder gutaussehend. Ich habe ihn wirklich geliebt. Es ging mir gut in seiner Nähe. Ich fühlte mich geborgen. Aufgehoben und beschützt. Er hat mir so viel Wärme gegeben ...« Sie schüttelte erneut den Kopf, als könnte sie einfach nicht verstehen, warum das alles passiert war und weshalb sie irgendwann von ihrem eigenen Urteilsvermögen verlassen worden war: Jérôme hatte aufgehört, sie zu lieben. Er hatte sich in dubiose Geschäfte verstrickt. Sich in eine andere Frau verliebt, ihre Flucht und ein gemeinsames neues Leben geplant. In den letzten dramatischen Minuten in Hyères hatte er nur noch an sich und seine eigene Sicherheit gedacht, alles andere war ihm egal gewesen. Und sie selbst hatte über lange Zeit einfach nichts von dieser Veränderung gemerkt.

Oder doch?

Sie entsann sich des untergründigen Gefühls von Furcht, das sie ständig gequält hatte, das sie sich aber nicht hatte erklären können.

»Ich hatte so viel Angst«, sagte sie leise. »Eigentlich seitdem wir nach Issy gezogen waren und es uns im Grunde besser ging. Davor war alles gut, trotz unserer schrecklichen Wohnverhältnisse in Clichy. Aber in Issy lebte ich in einem Zustand der Bedrohung, nur dass ich nicht ausmachen konnte, woher das kam. Wahrscheinlich …«

»Wahrscheinlich ein sehr klar funktionierender Instinkt«, meinte Simon. »Jérôme begann, geheime Wege zu gehen, sich mit den falschen Leuten auf die falschen Dinge einzulassen. Sich von dir zu entfernen. Dein Unterbewusstsein hat das genau gespürt, auch wenn nach außen hin nichts zu bemerken war. Die Schwingungen hatten sich verändert. Wie hättest du erkennen sollen, was sich dahinter verbirgt?«

Er konnte ihr ansehen, dass sie wusste, er hatte recht, und dass sie trotzdem kaum Trost in seinen Worten fand. Sie war auf so vielen Ebenen von dem Mann, den sie liebte, hintergangen worden. Er konnte sich ihren Schmerz nur zu gut vorstellen.

Das Telefon, das auf dem Tisch stand, klingelte. Simon blickte auf das Display. Maya. Offenbar hatte sie inzwischen ihren Anrufbeantworter abgehört. Er ignorierte den Anruf. Er hatte immer noch keine Lust auf ein Gespräch mit ihr.

Er stand auf. »Wollen wir einen Weihnachtsbaum aufstellen? Wir haben den 24. Dezember. Zu Hause würde ich heute auch einen Baum ins Zimmer stellen.«

Sie sah ihn perplex an, als wäre Weihnachten das Letzte, woran man im Moment denken könnte. »Weihnachten?«

»Ich weiß. Mir ist auch nicht danach. Aber irgendwie muss es weitergehen, und irgendetwas müssen wir machen. Lass uns das Haus schmücken und etwas Schönes kochen. Es ist besser als …« Er wusste nicht weiter.

»Besser als was?«, fragte Nathalie.

»Besser, als nur hier zu sitzen«, meinte er schließlich.

Nathalie atmete tief. »Kann ich denn über Weihnachten noch bleiben?«

Fast war er versucht zu antworten: *Wo sollst du denn sonst hin?* Aber er sprach das nicht aus, weil es so unfreundlich geklungen hätte.

»Natürlich«, sagte er stattdessen. »Natürlich kannst du bleiben.«

Und die Wahrheit war: Er fühlte tiefste Dankbarkeit für Nathalies Anwesenheit.

Weil er es nicht ertragen hätte, alleine zu sein.

SOFIA, BULGARIEN,
DONNERSTAG, 24. DEZEMBER

»Noch nichts«, sagte Kiril. Er kam gerade von der Polizei. Er ging jeden Tag dorthin, um nach Ninka zu fragen.

Er brachte einen Schwall kalter Luft und den Geruch nach Schnee mit sich. Von seinen Stiefeln taute schmutziges Wasser und hinterließ dunkle Flecken auf dem Fußboden.

Ivana stand am Küchenfenster. Sie blickte hinaus in den schneeschweren Himmel mit den tiefhängenden, dunkelgrauen Wolken. Vom Witoschagebirge war an diesem Tag kaum etwas zu sehen.

Das Brot mit der Münze darin hatte Ivana noch immer nicht gebacken, das wusste Kiril. Obwohl Weihnachten jetzt wirklich da war.

Er trat an sie heran, legte ihr die Hand auf den Arm. »Sie werden sie finden«, sagte er. »Die französische Polizei wird alles tun.«

»Die französische Polizei sucht nach den Attentätern des IS«, sagte Ivana leise. »Sie haben gar nicht die Zeit, sich um ein vermisstes bulgarisches Mädchen zu kümmern.«

»Natürlich haben sie das. Das Leben, das *normale* Leben geht doch auch in Frankreich weiter.«

»Was ist an Ninkas Geschichte schon normal?«

»Du weißt, was ich meine«, sagte Kiril.

Sie nickte. Sie wusste, was er meinte, aber das konnte sie nicht überzeugen. »Vielleicht ist Ninka längst nicht mehr in Frankreich«, murmelte sie.

»Aber die haben jetzt dort das ganze Nest ausgehoben und gehen allen Spuren nach«, erwiderte Kiril. Er gab sich sehr sicher. Genau genommen wusste er es aber nicht. Es war das, was er hoffte.

Verzagen Sie nicht, hatte man ihm gerade wieder auf der Polizeiwache gesagt. *Sowie es eine Spur von Ihrer Tochter gibt, werden wir informiert, und dann setzen wir uns sofort mit Ihnen in Verbindung.*

Natürlich machte er dort alle verrückt, weil er jeden Tag auf dem Revier aufkreuzte, manchmal sogar zweimal. Aber wie hätte er es ausgehalten, daheim herumzusitzen?

Er betrachtete seine Frau, die noch immer nach draußen starrte, sah die angespannte Linie ihres Halses, ihrer abgemagerten Schultern, ihren knochigen Rücken. Sie war so tapfer gewesen, hatte sich durch Schnee und Eis in einer der kältesten Nächte des bisherigen Winters gekämpft, irgendwo in der lebensbedrohlichen Einsamkeit und Wildnis der Dobruschda, hatte dafür gesorgt, dass die Polizei die Informationen bekam, die sie brauchte, um gegen die über mehrere Länder verzweigte Organisation vorgehen zu können. Wie sich herausgestellt hatte, waren die Verfolger noch nicht auf ihrer Spur gewesen; sie hatten weder Dano noch Kiril und somit auch Boris Semjonov nicht ausfindig gemacht. Gregor Semjonovs Gespür für die drohende Gefahr in jener Nacht war auf seine Nerven zurückzuführen gewesen, nicht auf eine echte Vorahnung. Aber auch die Polizei meinte, es wäre nur eine Frage kurzer Zeit gewesen, dann hätte man das Versteck gefunden, und nur durch Ivanas entschlossenes Handeln war das Belastungsmaterial rechtzeitig in die Hände der Behörden gelangt. Ivana war über alle Grenzen ihrer Kräfte und ihrer Leistungsfähigkeit hinausgegangen, getrieben von dem verzweifelten Wunsch, ihr ältestes Kind zu retten. Kiril war überzeugt, sie hätte sich barfuß durch die Wüste geschleppt oder wäre durch das Polarmeer geschwommen, um Ninka zu ihrer Familie zurückzubringen.

Und natürlich hatte sie gehofft, sie nun sofort in die Arme schließen zu können.

Es waren viele junge Frauen, aber auch minderjährige Mädchen aus verschiedenen Häusern befreit worden – und nicht alle waren glücklich darüber. Es gab solche wie Selina, die arglos in eine Falle getappt waren, aber auch andere, die genau gewusst hatten, was auf sie zukam, und den Weg mit voller Absicht gegangen waren, um Geld zu verdienen und sich aus den perspektivlosen Lebensumständen in ihren Heimatländern zu befreien.

Ninka war bislang nicht gefunden worden. Das musste nichts Bedrohliches bedeuten, hatte man Kiril bei der Polizei versichert, es musste nicht heißen, dass ihr etwas Schlimmes zugestoßen oder dass sie am Ende nicht mehr am Leben war.

»Es heißt nur, dass die französischen Kollegen und auch wir noch nicht alle Informationen auswerten konnten«, hatte der Beamte gesagt, »und dass die Leute, die jetzt vernommen werden, noch nicht alles gesagt haben, was sie wissen. Aber die ganze Geschichte wird lückenlos aufgeklärt werden, verlassen Sie sich darauf.«

Was blieb ihm übrig, als sich darauf zu verlassen? Er konnte ja nichts anderes mehr tun. Die Polizei in Frankreich hatte die Drahtzieher festgesetzt, aber es war im Grunde zu erwarten gewesen, dass sie mauerten, wo sie konnten. Das waren mit allen Wassern gewaschene Kriminelle. Sie würden den Teufel tun und sofort umfassende Geständnisse ablegen.

»Jeder Tag, der vergeht, macht es gefährlicher für Ninka«, sagte Ivana. »Vielleicht ist sie irgendwo gefangen, und es kümmert sich niemand um sie. Ich muss immer an den Fall Dutroux in Belgien denken, an die Kinder, die in einem Keller elend starben, weil ihre Entführer festgenommen worden waren und den Mund hielten.«

»Ninka ist kein Kind.«

»Das spielt doch keine Rolle!«, sagte Ivana heftig und biss sich gleich darauf auf die Lippen, weil sie laut geworden war, aber nicht wollte, dass die anderen Kinder etwas mitbekamen. »Du weißt, dass das keine Rolle spielt«, wiederholte sie leiser. »Ninka kann in einer furchtbaren Situation stecken, in einer Situation, die sich durch mein Eingreifen verschärft hat. Sie hätte vielleicht irgendwann fliehen können, aber jetzt ist alles hochgegangen, und womöglich ...« Sie sprach nicht weiter. Die Bilder, die ihre Fantasie ihr vorspielte, waren zu schrecklich, um sie in Worte zu fassen.

»Du darfst nicht vom Schlimmsten ausgehen«, sagte Kiril hilflos.

»Wovon soll ich dann ausgehen?«

»Von der besten Variante. Von der, in der die Geschichte gut ausgeht. In der Ninka zu uns zurückkehrt.«

Ivana senkte den Kopf und begann zu weinen.

Hilflos streichelte er ihre Schultern. Er konnte jeden Knochen, jeden Muskel, jede Sehne fühlen, so stark hatte sie abgenommen. So sehr hatte der Kampf sie ausgezehrt.

»Es wird alles gut werden«, sagte er und wusste gleichzeitig, dass das eine Phrase war, für deren Richtigkeit sie nicht den kleinsten Beleg hatten. Es konnte gut werden, und Ninka kam heim zu ihnen. Sie konnten aber auch die Nachricht erhalten, dass Ninka nicht mehr lebte. Und es gab die schlimmste Möglichkeit von allen: dass sie gar nichts erfuhren. Dass Ninka verschwunden blieb, ohne dass ihre Eltern jemals Gewissheit über ihr Schicksal erlangten.

Das war, als würde man zu einem Leben in einer Hölle auf Erden verurteilt.

Und das Schreckliche war: Man musste sich nur einen Moment lang auf der Welt umschauen, um zu wissen, dass es diese Hölle gab und dass sie für viele Menschen tagtägliche Realität war. Es gab keinen Grund, weshalb man selbst davonkommen sollte. Es gab kein Recht darauf, das Leben auch nur halbwegs unbeschädigt zu überstehen.

Sie drehte sich um und blickte ihn an. »Das Brot mit der Münze«, sagte sie, »werde ich nicht backen, ehe sie nicht wieder da ist.«

Er nickte und wusste, dass sie nicht nur das Brot meinte. Was sie ihm eigentlich sagte, war, dass es für sie keine Rückkehr zur Normalität gab, ehe sie nicht Nachricht von Ninka bekommen hatten. Was auch für ihn galt und für die ganze Familie. Sie alle würden in diesem seltsamen Zustand verharren, der nicht gestern und nicht morgen war, der sich aber auch von der Gegenwart entkoppelt zu haben schien. Die Gegenwart steht nicht still, sie geht mit jeder Sekunde einen Schritt nach vorne. Das würde ihr Leben nicht mehr tun. Es war wie eingefroren. In der Angst. In der Ungewissheit. Im Warten.

Aber auch im Hoffen.

Das war es, was sie alle am Leben halten würde: die Hoffnung. Eine trügerische, perfide Verbündete vielleicht.

Aber die einzige, die sie hatten.